RAY, LE FILS DE MOLLY

Guy Saint-Jean Éditeur
3440, boul. Industriel
Laval (Québec) Canada H7L 4R9
450 663-1777
info@saint-jeanediteur.com
www.saint-jeanediteur.com

. . . .

Données de catalogage avant publication disponibles à Bibliothèque et Archives nationales du Québec et à Bibliothèque et Archives Canada

. . . .

Nous reconnaissons l'aide financière du gouvernement du Canada par l'entremise du Fonds du livre du Canada (FLC) ainsi que celle de la SODEC pour nos activités d'édition. Nous remercions le Conseil des Arts du Canada de l'aide accordée à notre programme de publication.

Gouvernement du Québec – Programme de crédit d'impôt pour l'édition de livres – Gestion SODEC

Édition spéciale de *Ray, le fils de Molly,* publié 2009 chez Fides.
© Groupe Fides, 2009.
© Guy Saint-Jean Éditeur inc., 2015, pour cette édition spéciale.

Conception graphique de la page couverture : Christiane Séguin
Photo de la couverture : © iStockphoto.com/ParkerDeen
Mise en page originale : Marie-Josée Robidoux

Dépôt légal – Bibliothèque et Archives nationales du Québec, Bibliothèque et Archives Canada, 2015
ISBN : 978-2-89455-947-5

Imprimé et relié au Canada
1re impression, août 2015

Guy Saint-Jean Éditeur est membre de l'Association nationale des éditeurs de livres (ANEL).

EDNA ARSENEAULT-MCGRATH

RAY,
LE FILS DE MOLLY

Guy Saint-Jean
ÉDITEUR

À Eddie
Le monde ne serait jamais aussi beau
sans ta présence et ton amour.
À mes enfants et petits-enfants
Votre gentillesse et votre amour
réchauffent mon cœur.
À Geoffrey Collins,
pour sa contribution historique inestimable.

Quand les conséquences commencent
à paraître trop lourdes à porter,
l'enfant cesse d'être un enfant.

Préface

Trente mois passés, je terminais le premier tome de *La Fille de Molly*. Je le devais, puisque Tara, la fille de Molly, avait surmonté tous les obstacles de sa vie tumultueuse et vivait désormais heureuse au Québec avec son mari et ses deux enfants. L'histoire était complète en soi, car j'avais bouclé la boucle, mais en écrivant le dernier mot, je m'étais dit : « Je pourrais continuer ! » Mon cerveau fourmillait d'idées. Tara se la coulait douce à Pointe-Claire, mais qu'en était-il de son frère Ray ? Où était-il ? Les questions m'assaillaient en rafales, mon imaginaire s'emballait, mes idées rayonnaient en incandescence. Et puis non ! C'était déraisonnable de vouloir s'atteler à l'écriture d'un autre livre, un travail de titan. Mais comme à chaque fois, la passion, la folie d'écrire a subrogé ma raison. Quelques mois plus tard, je me plongeais dans mon ailleurs magique où alternent rêve et réalité.

La gestation de *Ray, Le fils de Molly*, se précisait. Où était Ray ? Était-il vivant ? Toujours avec son comparse de fuite ? Que devenait-il ? S'il était vivant, il fallait qu'il soit quelque part. Alors la magie s'invite, un plaisir anticipé s'active. Comme dans deux de mes quatre livres précédents, l'action se situe dans deux pays différents. Je connais bien le premier, mais qu'en est-il du second ? Ray s'était enfui en Angleterre, je lui choisis donc Brighton comme port d'attache. L'Acadienne en moi y voit une ville en bord de mer qui jouit d'un climat ensoleillé et chaud et qui est considérée comme « la Londres de la mer ». Un site idéal ! Tout m'intéresse sur cette ville de plus de 1 600 000 habitants qui attire des millions de touristes chaque année.

Une recherche exhaustive s'imposait ! Trouver une personne ressource n'est pas chose facile. Des heures à cliquer et, par l'entremise du Bureau de tourisme de Brighton, je découvre un Monsieur Geoff Collins, policier retraité (officier de liaison dans les écoles) né à Londres mais déménagé à Brighton à l'âge de huit ans où il est demeuré jusqu'à sa retraite. Voilà «mon Anglais»! Un premier courriel, une réponse positive, Monsieur Collins accepte d'être mes yeux et mes oreilles et de répondre à mes centaines de questions. C'est le début d'échanges quasi quotidiens avec cet Anglais pure laine, maintenant domicilié en France, marié à une Écossaise, qui accepte de répondre aux questions d'une écrivaine d'origine acadienne, mariée à un Irlandais demeurant au Québec. De quelles merveilleuses rencontres chacun de mes écrits me gratifient! Elles me surprennent et m'enrichissent toujours.

Aimable, serviable, doté d'un sens de l'humour très *British,* Geoff Collins répond à mes moult questions sur la géographie, l'histoire, l'économie, les us et coutumes, les immeubles, magasins et maisons de chambres avec une précision d'horloger. Je m'abreuve à sa mémoire. Trois mois de recherche, de visites virtuelles dans plusieurs quartiers et une soixantaine de courriels plus tard, sachant que chaque donnée est véridique, je me mettais à l'écriture de ce roman.

Son épouse, Chris Collins, a ajouté son grain de sel par ses courriels parfois hilarants, une contribution non négligeable.

Monsieur Collins m'a aussi mise en communication avec Monsieur Cyril Mears, un homme d'affaires très prospère de Brighton, qui a mis son commerce à ma disposition. La vie est vraiment pleine de surprises.

Toute cette recherche m'a permis d'écrire un livre intéressant et passionnant, du moins je le souhaite. Bonne lecture!

Nota bene
Une erreur s'est glissée dans le premier tome de *La fille de Molly.* À la page 127, cinquième ligne, au lieu de 120 livres, on devrait lire 46 livres, 2 shillings.

Remerciements

Aux quelques personnes qui, de par leur amour, leur amitié, leur considération ou grâce à certaines connaissances spécifiques, ont contribué à faire de ce livre, un roman empreint de faits authentiques, je dis merci! Vous avez toute ma reconnaissance.

À Eddie, l'amour de ma vie, merci pour ta générosité, ton encouragement et ton dévouement inconditionnels.

À ma fille Lynda, pour ton aide précieuse, tes nombreux gestes d'encouragement et de délicatesse, et ta fidélité qui ne se dément jamais.

À ma fille Muriel, pour ta générosité, ton soutien et ta foi immuable en mes capacités.

À Geoff Collins, pour les heures passées à répondre à mes interrogations pointues. Grâce à tes connaissances, je pense pouvoir donner un cours d'histoire et de géographie sur Brighton. *Thank you so very much!*

À Chris Collins, merci pour ton appui, ta gentillesse et ton amitié, à Cyril Mears pour avoir accepté que Ray travaille à son marché le Brighton Market et à Michelle pour sa coopération..

Aux personnes suivantes, pour leur générosité et leur contribution, je dis aussi merci! Le père Zoël Saulnier, Appolinaire McLaughlin, Rodney et Roseline Paulin, Richard Courchesne, Clifford (Eliot Ness) McGraw, Jean-Pierre Trudeau, Maureen, Karen et Joyce Roussel, Robert Melanson, Alexandre et Guillaume McGrath-Courchesne.

«La reconnaissance est la mémoire du cœur.»

Hans Christian Anderson

1

Filer à l'anglaise

Un craquement de branches séchées, un bruit de pas étouffés, un bref silence et Ray surgit dans la clairière à deux pas de Big Finn. Ce dernier l'enlaça très fort.

— Enfin! Te voilà! J'claque des dents! J'pensais que t'avais changé d'idée!

— Changé d'idée? T'es malade! On est libre! Libre, tu comprends? C'est le jour J!

— C'est quoi ça le jour J.

— J'sais pas! Mais c'est ce que mon oncle dit quand y parle d'un jour très important.

— Eh bien, c'est notre jour J. Allons-y!

Une lampe de poche allumée, son sac à dos bien ajusté, Big Finn trépignait d'impatience. Les premiers obstacles étaient franchis. Son courage ne cessait de croître.

— Viens. Craig nous attend. Le traversier part de Dun Laoghaire, pas très loin de Dublin, à vingt heures cinquante-cinq. On peut pas le manquer! On sera à Holyhead, en Angleterre, à minuit trente, peut-être une heure. De là, on prendra un autobus pour Wakefield. Si j'avais pas peur de faire du bruit, pour un peu, j'me mettrais à chanter. En avant la belle vie!

— Oui, en avant le plaisir. Plus de «Ray, t'as encore séché tes cours? Ray, fais tes devoirs! Mon ti-garçon, tu fais d'la grosse «pépeine» à ta tante, ta tante qui t'aime tant. Et tralali et tralala!»

— Et mon beau-père, cet abruti, cette charogne: «Big Finn! Big Finn, le fainéant, va laver la vaisselle, va nettoyer la salle de bain, occupe-toi de ta petite sœur Alayna. Avance, gros épais, ton cerveau n'est pas encore tout à fait liquéfié j'espère, mais avec toi on...»

— Ah ! Si jamais je retrouve cette espèce de tire-au-cul débile en Angleterre, j'en ferai un infirme pour le reste de ses jours.

— J'me ferai un plaisir de t'aider.

Big Finn allongea le pas, imité par Ray. Dix minutes plus tard, ils aperçurent le camion de Craig Moore sur le bord de la route. Tout rouillé, pare-choc avant droit amoché, portière côté passager attachée avec du fil de fer, Ray lorgna le tas de ferraille qui toussait comme un asthmatique. Maussade, Craig le toisa, la vapeur dilatant ses narines.

— Tu veux l'acheter ou quoi ? Grouillez-vous ! J'ai pas toute la vie.

Ray et Big Finn se hissèrent dans la boîte arrière. Le moteur toussa, cracha et le camion partit dans un bruit d'enfer. Ray se dit qu'ils allaient réveiller toute la ville.

Craig les déposa à vingt mètres de l'embarcadère.

— L'*Hibernia* est là !

Bouche bée, Ray et Big Finn échangèrent un regard. Craig les apostropha.

— L'*Hibernia*, le traversier ? C'est celui-là ! Vous voulez le prendre ? Allez rejoindre les personnes qui attendent.

Tremblant de tous ses membres, Ray fouilla le regard de Big Finn. Ce bateau, ce traversier immense. Des voitures pénétraient dans ses entrailles par une grande ouverture comme si elles s'engouffraient sous l'eau.

— Dylan, c'est presque effrayant, comme une ville qui flotte.

— Ray, suis-moi ! Rentre la tête dans tes épaules, pis r'garde en avant. On parle à personne.

Puis, souriant de toutes ses dents :

— *Worry* (Tracasse) pas ta p'tite tête, tu peux même respirer. Le jour J ? Il est arrivé. Dans dix minutes, on s'ra parti.

Rassuré, Ray reprit haleine. Ils avaient franchi le Rubicond.

— T'as raison. Tout va marcher comme sur des roulettes. Ça fait des mois qu'on prépare notre départ. On est fin prêts !

Trois mois plus tôt, un soir que Ray s'était fait passer un savon par son oncle à la suite d'un appel du directeur de son école, il avait failli s'enfuir. Cramoisi, le visage déformé par la colère, son oncle tempêtait. Il en avait assez de son inconduite et ne mâcha pas ses mots.

— J'en ai ras le bol. Tu ne veux rien faire de bien, t'es pareil à ton père et tu vas finir comme lui, un bon à rien. Pas étonnant que ta mère…

Ray avait sursauté. Les joues en feu, le regard fixe, il s'était élancé vers son oncle.

— Quoi, ma mère?

— Fais pas l'innocent, tu le sais qu'elle a quitté ton père. Il passait son temps à boire. Elle s'est tannée et est partie avec Francis Lennon, un voyou guère mieux que ton père. Et toi, t'es bien mal parti. Arrête de sécher tes cours et fais tes devoirs, sinon…

— Sinon, quoi?

— C'est l'école de correction pour les délinquants de ton espèce, et toi, mon jeune, tu vas y aller. Tu peux me croire.

Son oncle avait tort, il ne serait jamais comme son père. L'école de correction? Pas maintenant, ni jamais. Sa tante avait tenté de l'approcher, mais il ne lui avait pas accordé le moindre regard.

Trépignant de colère, les joues en feu, les poings serrés, d'un geste rageur, Ray avait claqué la porte et s'était réfugié sous un arbre, au fond de la cour. Martelant le sol de ses poings, il avait donné libre cours à sa colère, ne s'arrêtant que lorsque la douleur eut éclipsé sa fureur. Le cœur en charpie, les larmes trop longtemps retenues étaient venues, silencieuses, abondantes. Il pleura amèrement. Pourquoi était-il différent? Pourquoi n'avait-il pas de parents, un papa, une maman, comme les autres élèves? Un oncle, une tante, ça va pour te donner des cadeaux à Noël, pour te garder quand tes parents sortent ou quand ta mère est malade, pas pour remplacer ta mère. Parce qu'une mère, ne se remplace jamais! Pourquoi ne pouvait-il pas être sage, obéissant? Pourquoi se faisait-il disputer en classe, à la maison? Pourquoi cette envie folle de toujours vouloir être ailleurs? Où? Il ne le savait pas.

Inconsciemment, il avait jeté aux oubliettes de sa mémoire les souvenirs de son enfance. Ne plus penser à ce qu'on lui avait volé, ne plus penser à sa mère, à sa sœur; l'oubli devenait beaucoup moins pénible. Verrouiller cette partie de son cœur qui le faisait souffrir, laisser tout sombrer dans l'oubli.

Effacée de sa mémoire, cette douloureuse journée, sept années plus tôt, quand un morceau de son ciel s'était brisé. Son univers avait basculé alors qu'il était si heureux avec sa mère, son père et sa sœur Tara, qu'il adorait. Elle était… sa deuxième mère. Son père? Presque toujours absent. Lui? Un rire dans les yeux, pas le moindre souci, il ne pensait qu'à s'amuser dans son petit univers restreint, sécuritaire. Soudainement, sans le moindre avertissement, sa mère s'était enfuie, puis son père était parti aussi. Affolé, il avait essayé de comprendre ce qui leur arrivait. Tant bien que mal, Tara avait tenté de lui expliquer l'inexplicable. Il devait aller vivre chez son oncle Stanley et sa tante Ceili, mais elle ne pouvait aller avec lui. Elle irait vivre dans une autre maison. Il n'avait rien compris. Stanley? Ceili? De parfaits étrangers. Sa famille avait une maison. Pourquoi son père et sa mère voulaient-ils s'en aller et les donner à de parfaits étrangers? Sa mère! Tara! Son père! Il les aimait tellement, ils ne pouvaient disparaître de sa vie. S'il avait pu parler à sa mère, il lui aurait dit qu'il devait partir avec elle. Tara était tellement triste, et il n'avait que six ans. Pas même une minute pour parler à sa sœur, son oncle et sa tante l'attendaient devant la maison.

Assis à l'arrière d'une petite fourgonnette bleue qui roulait, déboussolé, stupéfié, Kuoi-Koui sur ses genoux, le visage collé contre la vitre arrière, il pleurait.

Sa tante avait allongé la main pour lui caresser le visage, une main chaude, moite, insistante. Détournant son visage, il l'avait repoussée.

— Mon petit Ray, tu vas voir, tu vas être bien chez nous. Nous n'avons pas d'enfant, tu vas être notre fils, notre ti-garçon.

— J'suis pas votre ti-garçon! J's'rai jamais votre ti-garçon. J'ai un papa et une maman, ils sont juste partis en voyage. C'est tout!

— Je comprends. Tu as de la peine, mais tu vas voir, tu vas être heureux avec nous.

Cette femme ne comprenait rien, vraiment rien du tout. Il lui tourna le dos.

Plus la fourgonnette avalait les kilomètres, plus il se sentait seul. Kuoi-Koui ressentait sa détresse et se faisait câlin. Ray s'endormit.

2

Le cœur ailleurs

— Ray! Ray! Réveille-toi, mon ti-garçon. On est arrivés. Regarde ta nouvelle maison.

Sa maison? Il en avait une maison. Sa tante le tira à l'intérieur. Bondissant d'une pièce à l'autre, n'y trouvant personne, il s'était précipité à l'extérieur. Prenant ses jambes à son cou, il avait fait le tour de la maison et de la cour à quatre reprises. Perdu! Pas le moindre signe familier! Il ne voyait même pas la maison de Maggie, l'amie de Tara.

Désespéré, il s'était écrasé sur les marches de la véranda et avait connu toutes les peines. Sa tante était sortie, l'avait pris dans ses bras. Tout doucement, elle l'avait porté dans une chambre.

— Regarde, Ray, c'est ton lit; je l'ai acheté pour toi.

C'était un beau lit recouvert d'un couvre-lit bleu marine orné d'alligators. Un long alligator en peluche trônait sur l'oreiller. Ray sourit et le prit dans ses bras pendant que Kuoi-Koui aboyait comme un forcené. Ray le flatta tout en s'approchant d'un coffre au pied du lit. Du regard, il questionna sa tante.

— Ouvre-le! C'est ton coffre aux trésors.

Ray ne se fit pas prier. Soulevant le couvercle, il se pencha et lança un cri de joie: *Obh! Obh!* (*Oh dear! Oh Dear!*) Petites voitures en métal, camions, ballon de soccer, batte et gant de baseball, deux petits alligators en peluche; ses yeux ne savaient quoi choisir.

— C'est à moi tout ça? Tout? Tout? J'peux les garder?

— Oui, tu peux t'amuser avec, en faire ce que tu veux. Ce n'est pas tout! Une autre surprise t'attend.

— Une autre surprise? *Wow!* J'ai hâte de montrer tout ça à Tara.

— Viens! Allons dans le garage.

Ceili avait à peine fini de parler que Ray s'élançait vers le garage. Son oncle y était déjà.

— Tu viens voir ta surprise?

Appuyée au mur, une magnifique bicyclette bleue avec siège banane l'attendait. Éberlué, Ray avait les yeux qui papillotaient de la bicyclette à son oncle. Ce dernier posa ses mains sur le guidon et la fit rouler vers le petit. Vite comme l'éclair, Ray l'enfourcha, et avant que son oncle ait pu articuler un seul mot, son neveu avait disparu. Il ne revint qu'une heure plus tard. Les yeux réduits à deux fentes, comme à l'affut d'un gibier, frôlant la crise d'apoplexie, son oncle l'attendait.

— Ne fais plus jamais ça!

— Quoi ça?

— Partir sans me dire où...

— Mais j'suis allé rouler, r'garder aux alentours. Cette bicyclette, elle est à moi?

Stanley ouvrit la bouche, mais aucun son ne sortit. Ce petit sacripant allait-il déjà commencer à les alarmer, à les affoler? Ceili s'interposa.

— Oui! Oui! Elle est à toi! On était juste un peu inquiet.

Haussant les épaules, il s'était réfugié dans sa chambre. Il adorait ses jouets, sa bicyclette. Fantastique! Mais sa mère lui manquait tout autant, Tara encore plus, elle qui jouait souvent avec lui. Il courait dans son lit à son réveil, elle l'entourait de ses bras, il se lovait contre elle. Il s'y sentait si bien. Il ne pouvait vivre sans elle.

Sa tante lui apporta un sandwich qu'il avala gloutonnement. Elle l'emmena à la cuisine et lui servit un autre sandwich suivi d'un gros morceau de gâteau au chocolat. Un sourire furtif, il dit:

— C'est beaucoup bon!

— Merci! Je t'en ferai tous les jours.

Son sourire se figea.

— Je s'rai pas ici tous les jours. Ma mère va revenir de voyage et je s'rai obligé de partir avec elle. Mais j'aimerais bien pouvoir garder mes jouets.

Ceili avait mal, mais ne laissa rien paraître. Un bain, un pyjama propre et quelques instants plus tard, Ray s'allongeait dans son lit.

Avant de fermer les yeux, son regard avait fait le tour de cette belle chambre. Comme il aurait aimé s'enrouler dans sa vieille doudou effilochée dans sa petite chambre miteuse. «Peut-être demain», pensa-t-il. La gorge serrée, le cœur gros, il écouta les craquements de la maison; elle ne parlait pas le même langage que la sienne. Le corps en fœtus, il s'endormit.

Le lendemain, dès l'aube, habillé, marchant à pas de loup, il pénétra dans la chambre de son oncle et de sa tante. Sursautant, son oncle l'apostropha.

— Qu'est-ce que tu fais dans notre chambre? Il est à peine cinq heures, va te coucher.

— J'veux… j'veux m'en aller chez nous, j'veux voir ma maman pis Tara.

— Ta mère est partie loin, trèèès loin…

— On va aller la chercher?

— Je ne sais pas où elle est allée…

Puis, murmurant…

— Elle doit s'envoyer en l'air avec son gigolo.

Cet oncle ne faisait pas dans la dentelle. Sa vie était réglée au quart de tour. N'ayant jamais été père, il n'aimait pas les enfants. Il ne souhaitait qu'une chose de ce neveu, qu'il soit obéissant, tranquille et… invisible.

La journée précédente, il avait mentionné à quelques clients qu'il allait chercher le fils de son frère «décédé»; sa belle-sœur étant trop malade pour s'en occuper convenablement.

— C'est un beau geste de charité chrétienne que vous faites, votre épouse et vous.

Avec toute l'humilité possible, malgré la bouffée d'orgueil qui lui montait à la tête, tout en faisant semblant de ranger les denrées d'une tablette, il avait susurré: «On fait notre devoir.» Mais se faire réveiller à cinq heures du matin par ce neveu n'entrait pas dans la définition de «faire son devoir».

Ceili se leva, le regarda tendrement. La souffrance s'exprimait dans chaque ligne de son corps.

— Pauvre petit, ta mère ne reviendra pas, tu devras rester avec nous. Je t'aime beaucoup et je vais prendre bien soin de toi.

Cette apparition boulotte aux cheveux gris ébouriffés, les bras tendus vers lui, le fit décamper. Désemparé, il courut à l'extérieur, se précipita dans le garage et sauta sur sa bicyclette. Kuoi-Koui le suivit. Déboussolé, il explora les environs de ce bled inconnu, une planète très, très loin de Navan. Il n'avait pas rêvé, il était bel et bien égaré. Trente-deux minutes plus tard, la mort dans l'âme, il retrouva la maison. Sa tante l'attendait, elle lui tendit les bras, il passa outre. À peine fut-il assis à table qu'elle déposa une assiette de bonnes crêpes chaudes qu'il arrosa généreusement de sirop et avala avec appétit.

3

Bon gré, mal gré

Après le déjeuner, de sa voix la plus douce, Ceili lui expliqua qu'il devait aller à l'école.

— J'n'ai ni livres, ni crayons, ni rien…

— J'ai acheté tout ce qu'il te faut, mais tu dois d'abord te brosser les dents.

— J'me brosse jamais les dents, c'est juste bon pour les filles.

— C'est bon pour tout le monde. Tu ne veux pas grandir avec des dents jaunies et pourries. Tu es trop beau. Viens!

Il acquiesça… un peu à reculons. Puis, toute fière, sa tante lui montra son uniforme scolaire: pantalon, chemise, chandail, chaussettes, veston, casquette… et un sac d'école vert foncé avec fermetures de chaque côté. Il se changea, se regarda dans le miroir.

— Quel beau ti-garçon, on dirait que tu as huit ans.

Se rengorgeant comme un paon, il s'admira dans la glace et eut de la difficulté à se reconnaître. Il était BEAU! Se penchant, il ouvrit son sac. Cahiers, crayons à mine et de couleur, gomme à effacer, une règle et même un taille-crayons. Il toucha à tout. Son oncle et sa tante devaient être riches.

— Bon, mon ti-garçon, tu dois y aller, Harry t'attend.

— Harry? C'est qui Harry? J'le connais pas!

— C'est le fils de notre voisin… la maison blanche d'à côté. Tu vas être dans sa classe, il a très hâte de te rencontrer. Viens! Tu vas voir, il est gentil.

Ray ne se fit pas prier, il courut vers son nouvel ami. Les vêtements de ce dernier étaient identiques aux siens.

— Je m'appelle Harry. J'ai presque six ans. Tu viens?

Il avait débité le tout d'une voix de fausset. Ray faillit pouffer, il haussa les sourcils. *Eejit*! (Idiot!)

— Oui! Oui! Pourquoi pas?

Sa tante, qui l'avait suivi, lui remit un mouchoir de poche, sa boîte à lunch, et s'approcha pour l'embrasser. Il lui tourna le dos et suivit son ami. Les larmes aux yeux, elle le regarda s'éloigner en grande conversation avec Harry. Envolées, sa peine, sa mère et Tara.

Un enfant peut avoir un gros chagrin un moment et l'instant suivant se mettre à rire. Sa faculté d'adaptation et sa candeur fraîche sont une armure, mais l'abandon, la trahison, la violence et les abus physiques et psychologiques ne disparaissent pas pour autant. Ils restent dissimulés au plus profond de son cœur, plaie béante inguérissable. Pour l'instant, il était avec Harry, un ailleurs inattendu et agréable.

— Tu viens juste d'arriver chez les O'Brien?

— Oui, c'est mon oncle Stanley et ma tante Ceili.

— Tu étais où avant? Où sont tes parents?

— Ils sont en voyage.

— En voyage? T'es pas allé avec eux?

— Ben non! C'est pour le travail.

— Ah! Pour des affaires.

— Oui! En plein ça! Pour leurs affaires.

— Y fait quoi ton père?

— C'est un « enpreteneur ».

— Tu veux dire un en-tre-pre-neur?

— C'est ça. Y fait des affaires, pis j'connais pas ça les affaires. Ma sœur Tara reste avec une madame, chez nous à Navan.

— Pis y r'viennent quand?

— Quand? Quand? Quand y auront fini leurs affaires, pis achale-moi pus avec ça. Parle-moi de l'école.

Harry enfla sa voix, lui parla de sa classe, de sa professeure, Madame Kelly.

— Elle est très gentille… si tu obéis et si tu travailles, mais si tu niaises, oh la la! Elle va te passer un savon!

— Et toi, elle t'a déjà chicané?

— Jamais! Pas moi! J'suis toujours le premier de classe et elle m'aime.

Ray l'avait parcouru du regard. Pas son genre, ce *sissy*!

Ainsi avait commencé la vie de Ray à Dundalk. Ses débuts en classe ne furent pas très brillants. Il était le petit nouveau, plutôt dissipé, et sa tante dut venir rencontrer Madame Kelly pour lui expliquer qu'il vivait des moments difficiles. Sa mère et son père les avaient abandonnés, sa sœur et lui, une sœur qu'il adorait. Pire encore, on les avait séparés.

— C'est un bon ti-garçon, il faut lui donner un peu de temps. Madame, je l'aime comme mon fils.

— Il m'a dit qu'ils étaient en voyage d'affaires. Je comprends mieux maintenant. La seule chose qu'il adore est la danse, la danse à claquettes, la *hard jig*.

— Au début, il ne voulait pas apprendre la danse, mais je l'ai supplié, cajolé, et maintenant, il adore danser.

— Madame, je n'ai qu'à lui dire qu'on a une répétition et il est debout. Il apprend vite. Quand il danse, il est dans les nuages.

Sincèrement peinée pour ce laissé-pour-compte, Madame Kelly se montra plus conciliante, plus compréhensive, mais il avait le don de mettre sa patience et sa bonté à rude épreuve. Heureusement qu'il était très attentif durant la danse.

Sa conduite laissait parfois à désirer, son oncle le surveillait de près et il réussissait tant bien que mal. Intérieurement, c'était une lutte de tous les instants. À neuf ans, sa quatrième année ne fut pas de tout repos. Il fit l'école buissonnière à quelques reprises et à dix ans, il ne tenait plus en place.

Harry se tenait près de lui comme une teigne. Le chouchou des professeurs… Ray pouvait à peine le souffrir. Cette amitié fut de courte durée, il préférait des amis plus vivants, plus intéressants. Ray se tourna vers Elthan, un doubleur qui ne cherchait qu'à faire des mauvais coups. Plus grand et plus gros que lui, il reconnut en lui une âme sœur. Quand il l'emmena à la maison, son oncle le pria poliment mais fermement de retourner chez lui. Il devait s'entretenir avec son neveu.

— Ray, ce petit gars-là, c'est un voyou. Il vole, il se bat avec les plus petits, c'est de la canaille. Je ne veux plus te voir avec lui.

— Mais il est gentil avec moi. C'est mon ami, on a du plaisir ensemble.

— Ray, ce n'est pas un bon ami pour toi. Il y a Harry, lui est un excellent garçon. Sinon, trouve quelqu'un d'autre. Tu as compris?

Il tourna les talons et Ray resta figé sur sa chaise. Sa maman lui manquait terriblement. Il revoyait son visage; elle était si belle. Il pouvait presque sentir son odeur familière, très différente de celle de sa tante. Sa vie était devenue bien compliquée. Le cœur gros, il pleura. Sa tante voulut l'approcher, mais il ne voulait pas de son amour. Il voulait sa maman et sa sœur.

Il avait vu des albums de photos dans le salon. Une heure plus tard, alors que sa tante s'affairait dans la cuisine et que son oncle se reposait dans sa chambre, il se faufila au salon et sortit deux albums de photos. Rien dans le premier! Il feuilleta le deuxième. À l'avant-dernière page, il trouva une photo de mariage. Il reconnu à peine son père dans ce bel homme grand et costaud. Il ne ressemblait en rien à la loque humaine qu'il avait vue tous les jours. La femme? Il n'eut pas à scruter ses traits. C'était elle! C'était sa maman! Aucune autre femme ne pouvait être aussi belle. Poussant un soupir de bonheur, il prit la photo, et sans le moindre bruit, remit les albums à leur place et se hâta vers sa chambre. Prestement, il glissa la photo sous son matelas, et d'un pas léger alla trouver sa tante. Le souper était prêt. Il dévora tout avec appétit. Il n'était plus seul. Sa maman était dans sa chambre. Il pouvait l'admirer, lui parler… Il était presque heureux.

Les semaines suivantes, il s'appliqua en classe, se promena à bicyclette avec Harry et deux autres garçons, se saoula de liberté. Lorsque sa tante découvrit la photo de Michael et Molly, elle comprit et pleura. Il ne serait jamais son enfant. Même si elle comprenait, cette constatation n'atténuait en rien sa peine. Elle remit la photo à sa place et n'en souffla mot à Stanley. Il n'aurait pas compris.

Pauvre elle! Son corps était tellement assoiffé de maternité, même ses seins s'étaient alourdis, elle était une mère en devenir. Le prendre dans ses bras, le serrer contre son cœur, cet ultime bonheur lui était refusé. Des plombs aux pieds, elle se traîna vers la cuisine, s'affaissa sur une chaise et pleura. C'est ainsi que Stanley la trouva.

— Qu'est-ce qui se passe? C'est Ray? Qu'est-ce qu'il a fait? Je vais le secouer.

— Non! Non! Il n'a rien fait. Il ne m'aime pas, il veut sa mère.

— Il est trop jeune pour comprendre, Ceili. Donne-lui du temps. Tu vas voir, il va t'aimer. Tu es tellement fine, la bonté même. Il va finir par t'adorer.

— Tu le penses vraiment?

— J'en suis convaincu!

— Si tu pouvais dire vrai.

4

D'étranges courants

Ray s'adapta assez vite à son nouveau foyer. Sa tante le gâtait, lui faisait ses mets préférés, ne le disputait jamais, lui disait des mots doux, des mots qui font du bien, qui font sourire le cœur. Il finit par la trouver gentille ; ses petites caresses, ses délicatesses éclipsaient son chagrin, amnésiaient le souvenir de celle qui lui avait donné le jour. Ingratitude ? *Nenni !* Cet amour enveloppait son cœur d'un filet de tendresse indispensable à sa croissance affective.

Parfois, son oncle l'emmenait avec lui à son magasin, le présentait à ses clients, lui offrait des glaces, des friandises.

— Tu sais Ray, un jour ce magasin sera à toi et tu n'auras pas à t'inquiéter du lendemain. Tu auras toujours des pence dans tes poches.

Être au magasin ne l'emballait pas toujours, mais il aimait l'attention des clients. Parfois, son oncle l'envoyait chercher une boîte de ceci ou de cela, ou un outil à l'arrière du magasin. Il revenait et le remettait au client. Il arrivait que ceux-ci le félicitent… indirectement.

— Il est débrouillard le jeune homme, il ira loin.

Souriant et léger, il avait la sensation de marcher à deux mètres du sol. Son oncle s'adoucissait.

Tara lui avait écrit, elle annonçait sa visite prochaine. Quatre mois qu'ils ne s'étaient pas vus. Il ne tenait plus en place. En classe, il accumula les bêtises. Kuoi-Koui, qu'il appelait maintenant Popcorn, était tout aussi agité. Seule la menace de son oncle d'annuler la visite de Tara tempéra momentanément son exubérance. Il se mourait d'impatience de la voir. En y pensant, il baignait dans l'euphorie. Il avait tellement hâte. Elle l'aimait si fort et était si jolie, elle ressemblait à sa mère.

Cette visite, un instant de paradis trop vite passé, lui avait rappelé ce qu'il avait presque oublié.

Le jour de ses douze ans, Ray ne tenait pas en place. Madame Kelly dut le rappeler à l'ordre à trois reprises. Il s'efforça de se ressaisir mais il avait l'énergie d'une avalanche. Tout son intérieur bouillonnait. La cloche à peine sonnée, il bondit à l'extérieur, Harry à sa suite. D'un geste, il le repoussa. Elthan s'approcha, un sourire complice, et ils avaient pris la poudre d'escampette. Courant, sautant, Elthan s'était mis à chanter une chanson truffée de mots qui font rougir. Ray n'en connaissait pas la signification, mais il ressentait un malin plaisir à les répéter. Hardi, il ne revint qu'une heure plus tard. Harry guettait son arrivée.

— J'vais l'dire à ta tante.

Ray l'attrapa par le collet, le fit pivoter sur lui-même.

— Toi, la ferme! Tu dis un mot à ma tante et je le dis à Elthan. Demain, on te coupe le zizi. Compris?

Il resserra son étreinte. Harry pleurnichait.

— J'dirai rien, j'te jure.

Son oncle, qu'il n'avait pas vu sortir, le souleva de terre et le porta à sa chambre. Mort de peur, il se débattait, mais c'était peine perdue. En un clin d'œil, son oncle l'avait déculotté, et de sa large main ouverte, lui administra cinq ou six claques retentissantes. Il s'affaissa comme une poupée de chiffon. Sa tante se précipita et repoussa son mari.

— Tu as perdu la tête? Ce n'est qu'un enfant! Sors d'ici tout de suite!

— À douze ans, il n'est plus un bébé. Il va apprendre à bien se conduire, je vais le dompter.

— On dompte un animal, on *élève* un enfant. On n'a pas à le frapper pour l'élever. Sors!

Sans lui jeter un regard, il sortit pendant que Ceili prenait Ray dans ses bras. Il s'agrippa à elle.

— Pauvre petit, n'aie pas peur, il ne te touchera plus jamais. Je te le jure.

Tendrement, elle le déshabilla, le lava, appliqua une pommade sur son fessier rougi, lui prépara un souper qu'elle lui servit dans sa chambre. Ensuite, elle le borda tout en lui chantonnant une berceuse. Il s'endormit.

D'un pas mesuré, elle était allée rejoindre son mari au salon. D'un regard glacial, elle le dévisagea. Cette femme n'était plus sa Ceili, si calme, si douce. Sa colère avait-elle obnubilé sa raison ? Le siège de Stanley devint inconfortable.

— Écoute-moi bien, Stanley O'Brien. Tu touches à un seul cheveu de cet enfant et je pars avec lui. Tu m'entends, Stan-ley O'-Bri-en ?

— Viens-tu folle Ceili ?

— Je n'ai jamais été aussi saine d'esprit. Ce petit est comme mon fils. Il n'est pas parfait, mais je l'aime, et si tu avais pour deux sous de jugeote, tu essaierais de le comprendre.

D'un pas décidé, la tête haute, elle avait quitté la pièce. Consterné, honteux, il était resté immobile jusqu'à la brunante. Quand il s'était décidé à souper, son assiette était sur la table ; aucun signe de Ceili. Il avait grignoté du bout des lèvres, puis était sorti marcher. À son retour, Ceili était au salon. Elle ne leva pas les yeux, ne lui adressa pas la parole.

Pourquoi s'était-il laissé convaincre de prendre ce petit garnement ? Six ans que cet enfant compliquait sa vie. Ils étaient si bien avant sa venue, heureux, en paix. Maintenant, Ceili l'adorait. Elle avait toujours désiré être mère et le passage des ans n'avait en rien altéré cette aspiration. Lui ? Il n'en avait jamais voulu. Avant son mariage, avec la complicité d'un ami médecin, il avait réglé cet aspect. Si Ceili l'avait su, elle ne l'aurait jamais épousé. Il n'avait jamais divulgué cette vilenie et s'en était plutôt bien tiré. Sans son ivrogne de frère et sa catin, ils seraient encore heureux. Maintenant, il devait se résigner à l'endurer. L'aimer ? C'était beaucoup lui demander.

Le lendemain, Ceili avait gardé Ray avec elle, lui avait préparé son mets préféré – *fish and chips* – et avait joué avec lui. Lorsque son oncle était revenu, transi de peur, Ray s'était précipité dans sa chambre. Calmement, d'une voix aussi douce que possible, son oncle s'était fait tout miel.

— Ray, je m'excuse pour hier soir. Je n'aurais pas dû te frapper, je ne le ferai plus jamais. Je t'aime aussi et j'aimerais tant que tu réussisses. Si tu pouvais faire un petit peu plus d'efforts, je serais très content. Tu veux bien essayer ?

Terrifié, nullement convaincu que son oncle ne récidiverait pas, l'air penaud, il murmura :

— C'est difficile, mais je vais essayer.

Les jours suivants, il s'efforça de rester assis bien droit, de demeurer immobile, d'écouter attentivement. Ce fut incroyablement difficile. Son esprit s'était détaché du présent, il vagabondait. Souvent, il était à la fois présent et ailleurs. Il n'avait toujours qu'une seule folle envie : partir. Pour aller où ? Pour trouver qui ? Ou quoi ? Il ne le savait pas. Malgré tout, sa conduite s'améliora.

Parfois, il devait rester en retenue. Quand il revenait, sa tante lui disait : « Une mauvaise journée, mon ti-garçon ? » Il hochait la tête. « Viens, je t'ai préparé une collation. Ça ira mieux demain. » Le lendemain, il était plus détendu. Il lui arrivait de se tenir tranquille pendant quelques jours, puis il rechutait.

Tout en rongeant son frein, son oncle lui parlait aussi patiemment qu'il le pouvait. C'est durant ces périodes d'accalmie qu'il l'emmenait avec lui à son magasin.

5

Unis dans l'adversité

Un mois plus tard, Ray se lia d'amitié avec Big Finn, de deux ans son aîné. Ce dernier avait peu d'amis mais ne s'en formalisait pas. Grand, robuste, tout en étant calme et doux. Ray aimait se tenir avec lui. Sa présence lui procurait une certaine importance. Au début, Big Finn l'ignora, puis finalement, après quelques jours, il l'accepta. Deux épaves qui tentaient tant bien que mal de survivre dans un milieu où ceux qui sont différents dérangent. Pour la première fois, depuis son arrivée, Ray avait un compagnon avec qui il avait du plaisir. Il riait, faisait le pitre, taquinait Big Finn. Ce dernier le trouvait drôle. Ils se faisaient du bien. Les deux aimaient la danse à claquettes. Même s'il était plus costaud, Big Finn giguait sans effort. Ray s'amusait à l'imiter. Un jour, durant la récréation, il confia à Ray qu'il avait trouvé un endroit secret pour eux, loin des autres, ceux qui se croyaient si fins et se moquaient d'eux.

— Où ça ? C'est loin d'ici ? On peut y aller tout d'suite ?

— Non ! Non ! Pas très loin, une quinzaine de minutes au plus. Il y a un boisé pas très grand, mais assez dense, ça nous f'ra une belle cachette. Personne ne viendra nous déranger. La paix, Ray.

— *Oh boy !* T'es un génie, Big Finn.

— J'pourrai pas y aller tous les jours parce que j'travaille certaines fins de semaine.

— On ira quand tu pourras.

Ainsi était née leur amitié. Ray jubilait. Une explication sommaire à sa tante, quelques cajoleries, il avait obtenu la permission de jouer une demi-heure avec Big Finn après la fin de la classe.

— Juste pour jouer au ballon, courir, s'amuser, c'est tout.

Malheureusement, il ne respectait pas toujours cet horaire. Débordant d'énergie, buissonnier, il s'évadait parfois seul vers la cachette. Sa tante avait du mal à lui faire entendre raison et son oncle s'impatientait. S'il pouvait vieillir! À seize ans, il lui donnerait de l'argent et l'enverrait en Angleterre ou assez loin pour ne plus avoir à subir ses frasques successives… pour en être débarrassé.

Tara était venue à quelques reprises, l'avait exhorté à être plus obéissant, à bien se tenir, mais ses remontrances tombaient à plat. Il l'aimait toujours mais l'éloignement avait altéré leur relation.

L'année de ses treize ans commença sur les chapeaux de roues. Les retenues se succédaient. Stanley bouillait. Les mauvaises nouvelles ont des ailes, quand des clients lui parlaient de son neveu, il se sentait humilié, ridiculisé.

Le directeur de l'école l'avait convoqué avec Ceili. Il menaçait de suspendre Ray pendant une semaine. Stanley fulminait.

Ce soir-là, au retour de la rencontre, il avait servi un ultimatum à son neveu. Il s'amendait ou c'était l'école de correction.

Le lendemain, durant la récréation, Ray avait approché son inséparable ami Big Finn.

— Dans trois mois, je lève les feutres. Je m'en vais en Angleterre. Je partirais tout de suite, mais faut que je me prépare. Tu viens avec moi?

— Oui! Oui! Oui! On va se préparer, il nous faut une stratégie, il nous faut de l'ar… gent.

— Un pécule, comme dit mon oncle.

— Pécule, *Pickle,* je m'en fous, mais on va avoir besoin d'argent, pas une fortune mais assez pour tenir quelques semaines jusqu'à ce qu'on s'trouve du travail. On en reparle après les cours.

Sitôt la cloche sonnée, les élèves partis, ils s'étaient réfugiés dans le sous-bois et avaient longuement discuté. Ils s'enfuiraient en Angleterre. Ils allaient devoir faire très attention, se comporter de façon à ne pas éveiller les soupçons. Ray ne sécherait plus ses cours, ferait ses devoirs, travaillerait mieux… sans se faire mourir.

Ray et Big Finn avaient arrêté leur stratégie. Big Finn essaierait d'endurer son beau-père, il se montrerait plus empressé à l'aider. D'abord, ils allaient devoir se mettre en forme, endurcir leur corps, faire de la course trois fois la semaine, faire le tour du champ de *hurly* (jeu joué avec une crosse et un ballon, l'ancêtre du hockey) et manger un bol de gruau chaque soir avant de se coucher.

— Mon oncle dit que c'est excellent, que ça donne des forces.

— Ah oui! Un esprit de saint dans un corps de saint!

Ray se mit à rire, ce n'était pas tout à fait l'expression, mais Big Finn ne s'en formalisa pas. Ray avait entendu son oncle la répéter souvent: «un esprit sain dans un corps sain», mais il ne voulait pas commencer à corriger son ami. Qu'est-ce que ça changerait? Il se sentait déjà indépendant.

— J'mangerai pas de gruau, mais courir va peut-être me faire perdre quelques kilos. Et toi, Ray, peut-être que tu gagneras ceux que je perdrai.

J'détesterais pas ça. Je me verrais bien en *Charles Atlas*!

Le fou rire les gagna.

Un vent de liberté les étreignait. Ils se voyaient déjà musclés, beaux et riches. Il leur fallait des sous. Rusé comme un renard, Ray se montra tout miel avec sa tante le soir même, ainsi que le lendemain et les jours suivants. Il lui donnait des petits bisous, il la taquinait gentiment, faisait le clown, la faisait rire. Il se mit même à faire son lit. Le jeunot savait jouer du violon. Sa tante était aux anges; elle le chouchoutait, lui donnait de l'argent… en cachette de son mari évidemment. Sceptique, celui-ci ne tomba pas facilement dans le panneau.

— Je me méfie. Je pense qu'il prépare un mauvais coup.

— Il fait ses devoirs, se comporte bien en classe. J'ai parlé au directeur, il n'a rien à lui reprocher. Une véritable métamorphose!

— Justement, c'est presque trop beau pour être vrai. Il étudie, fait du sport, ce n'est pas Ray. Non! Non! Non!

— C'est Ray, le vrai Ray! Il s'améliore, fait de gros efforts. Dis-moi, comment veux-tu qu'il se comporte? Un père ivrogne, une mère dévergondée qui abandonne ses enfants. Le lendemain, son père ferme la maison et s'en va. Je parle de ton frère, il s'en débarrasse comme on jette une vieille chaussette. Comble de malheur, on l'a séparé de Tara, sa sœur qu'il adorait. À l'école, il doit être le seul sans parents. Abandonné, voilà ce qu'il est, abandonné.

Quand tu coupes une jambe à un enfant, il pourra remarcher avec une prothèse et des béquilles, mais il lui manquera toujours une jambe.

— Bon! Bon! Il est chan...

— Minute! Je n'ai pas terminé. Heureusement qu'on est là. On l'aime, mais on ne remplacera jamais ses parents et il sera toujours handicapé. Il a eu très peur que tu l'envoies à l'école de correction. Il me l'a confié. Il a compris qu'il devait changer et j'en suis très heureuse.

L'oncle n'était pas convaincu. Parfois, il le regardait à la dérobée. Des idées semblaient toupiller dans sa tête. Il était allé le voir courir avec Big Finn. Ce dernier ne semblait pas tellement dangereux. Tout de même, il était aux aguets, bien déterminé à intervenir en justicier vengeur à la moindre incartade, si Ray se permettait d'autres bêtises. Ce qu'il ignorait c'est que Ray aussi l'avait à l'œil.

Les semaines passèrent. Puis un mois, deux mois; Ray et Big Finn s'entraînaient toujours. Pour Ray, c'était un quasi-miracle. La persévérance n'était pas sa qualité première, mais il persistait, prenait du poids, ses muscles s'affermissaient. Big Finn s'amincissait. Courir n'était pas son passe-temps favori. Seule la pensée de briser les chaînes qui le reliaient à son beau-père lui donnait l'énergie nécessaire pour continuer. Alors il persévérait.

— Ray, tu deviens plus musclé, mais je suis toujours le plus fort. Et c'est parfait, toi t'as le cerveau, les muscles, moi, la force. J'suis ton garde du corps!

Malheur à qui toucherait un seul cheveu de son ami, son unique ami.

Big Finn était orphelin de père. Ce dernier était décédé alors qu'il n'avait que cinq ans. Sa mère, Diana, serveuse dans un restaurant, s'occupait de lui. Pendant qu'elle travaillait, après sa journée à l'école, il restait seul à la maison. Tout alla bien durant les six premières années, jusqu'à ce qu'elle rencontre la perle rare, Thomas Murphy. Trois mois plus tard, il emménagea avec sa mère et lui. Dès son arrivée, ce beau-père l'avait pris en grippe – le sentiment était réciproque. Quand sa mère travaillait le soir, Thomas en profitait pour le ridiculiser, le frapper. Au début, une petite claque de temps à autre, mais il avait vite augmenté la force et la cadence, plus encore depuis la naissance d'une petite fille, sa demi-sœur Alayna. Sa mère adorait son gros nounours, il l'avait hypnotisée, elle l'idolâtrait, se collait à lui comme une abeille sur une rose sauvage. Leur petite princesse? Un ange. Certes, elle était mignonne. Big Finn l'aurait aimée, mais son beau-père était tellement méchant qu'il osait à peine la regarder.

«Regarde, gros bêta! À trois ans, elle est plus intelligente que tu ne l'as jamais été. Si tu savais comme j'ai hâte de ne plus te voir la face. À la fin de l'année scolaire, tu débarrasses le plancher, tu te trouves un job. *Amach booghatta!* (Exit, le tata.)

Cramoisi d'humiliation, Big Finn se retenait pour ne pas écrabouiller son gros nez plat et lui arracher sa barbiche de bouc. Sa mère? Il ne savait plus si elle l'aimait. Elle devait... De temps en temps, elle lui parlait, mais elle n'avait de temps que pour son beau-père et la petite princesse.

Big Finn s'était trouvé un emploi de fin de semaine. En voyant son œil au beurre noir, Monsieur Quinn, le propriétaire de l'épicerie l'avait engagé. Père de trois enfants, il avait de l'empathie pour les enfants battus. Il lui confia de menus travaux dans son magasin général. Vider les caisses, trier les bouteilles, remplir les étals, voir à ce que tout soit en ordre. Ceili lavait même son linge. Quand l'oncle de Ray s'en aperçu, il commença par rouspéter. Elle lui expliqua la situation.

— Arrête, Stanley. Ce garçon est bon, mais son beau-père lui fait la vie dure. Un peu de charité chrétienne. Il s'entraîne avec Ray, ils se conduisent bien, alors...

Il dut convenir qu'il n'avait rien à reprocher à Ray. Plutôt fier de lui, il ne se gênait plus pour en parler avec ses amis. Ceili se garda bien de lui dire qu'elle ajoutait presque toujours un sandwich à la collation de Ray, pour son ami. S'il avait su.

Big Finn voyait rarement sa mère et ne lui parlait que lorsqu'il savait que son beau-père était absent. Elle semblait contente de le voir, mais lui avait expliqué que c'était mieux qu'il ne demeure plus avec eux à la fin de l'année scolaire.

— Prends un emploi à plein temps et loue-toi une chambre. Tu sais, Thomas et toi, vous êtes toujours à couteaux tirés. Il fait son possible, il me l'a juré, mais tu ne l'as jamais aimé. Et moi, je l'aime et il est bon pour moi.

On était au début de juin. Moins de deux semaines avant leur départ. Mine de rien, Ray mentionna à sa tante qu'il aimerait bien avoir un bon sac à dos et un *jacket*. Big Finn et lui voulaient faire quelques randonnées durant les vacances d'été. À l'automne, peut-être un vélo neuf, le sien n'était plus de son âge.

— Le vélo peut attendre. Je ramasse mon argent, celui que vous me donnez.

Sa tante était aux anges. Elle adorait les enfants. Ne pouvoir en avoir avait été une blessure, la venue de Ray l'avait comblée. Elle aurait donné sa vie pour lui. C'est d'un cœur léger qu'ils étaient allés magasiner. Se promenant entre les rayons, elle l'avait laissé choisir son *jacket*, un beau *jacket* bleu foncé, bien doublé mais léger. Parfait! Puis ils admirèrent les sacs à dos. Généreuse, elle insista pour qu'il choisisse le meilleur… et le plus cher.

— Ah ma tante! Vous êtes trop bonne, je vous adore.

Les yeux embués, elle le serra dans ses bras, lui qui était un peu son fils. Ray eut honte. Elle était bonne, trop bonne, elle ne l'avait jamais disputé. Soudain, il lui répugnait de trahir sa confiance. Ce regret fut bien éphémère. Reculer? Il ne le pouvait. Il devait partir. L'inconnu, cette vision de bonheur, de magie, l'attirait.

Quand son oncle apprit son désir d'avoir une bicyclette neuve, il lui donna 10 livres.

Le soir même, Big Finn et Ray scellèrent leur amitié. Ray sortit son canif. Avec la pointe de la lame, chacun se fit une minuscule entaille à un poignet.. Ils mélangèrent leur sang.

— Ensemble! À la vie à la mort! On ne se quittera jamais! Le 11 juin, on part. On prendra le traversier de vingt heures cinquante-cinq. On sera loin avant que nos familles ne se rendent compte de notre départ. Regarde, Ray, j'ai apporté deux crayons et un petit calepin. On va faire une liste de ce qu'on doit apporter. Il faut bien réfléchir, c'est sérieux.

Appliqués, d'un air de comptable, chacun avait fait sa liste, puis ils s'étaient concertés: un *jacket*, une casquette, des pantalons, des chemises, des t-shirts, des chandails, des caleçons et des chaussettes, de bons souliers pour travailler, un canif, des allumettes, une lampe de poche. La garde-robe de Ray était bien garnie, il avait l'embarras du choix. Celle de Big Finn, un peu moins. Les derniers mois, le propriétaire de l'épicerie lui avait donné plusieurs bons vêtements de son fils aîné. Ils lui allaient bien. Le moment venu, son beau-père lui «donnerait» son sac à dos. Ils comptèrent leurs économies. Ray avait 29 livres et 11 pence, et Big Finn, 34 livres et 4 shillings. Ray se croyait riche.

— Mon beau-père va faire sa contribution juste avant notre départ. Il ne le sait pas encore. Je sais où il cache son argent, je lui réserve une surprise. Il faut bien qu'il fasse sa part, le crapaud galeux.

— Mon oncle aussi. Son commerce va bien, il a de l'argent. Après tout, je suis son neveu, il sera heureux de m'aider... j'espère.

— Ah, Ray! J'y pense... On doit pas oublier nos certificats de baptême, faudra prouver qu'on est du vrai monde.

Insouciants, ils se bidonnaient. S'il n'en tenait qu'à lui, Big Finn partirait sans aucun regret... sauf pour sa mère. Le départ n'arriverait jamais assez tôt.

Ray? Il laisserait une petite partie de son enfance et un peu de son cœur derrière lui. Sa mère les avait abandonnés, sa sœur et lui. Il lui en voudrait toujours, même si son père l'avait un peu poussée à bout, mais ne pouvait la détester. Non, jamais! Tous deux étaient en Angleterre. Où? Il n'en savait rien et ne les chercherait pas. S'il enquêtait et ne la trouvait jamais, il ne saurait où cacher son chagrin. Dans son for intérieur, il osait espérer qu'un jour, peut-être... Tara, c'était autre chose. Elle l'aimait depuis aussi longtemps que ses souvenirs lui permettaient de se rappeler.

Très tard, le soir où son oncle l'avait menacé de l'envoyer à l'école de correction, Ray l'avait entendu discuter avec sa tante au sujet de son père et de sa mère, pensant qu'il dormait. Il croyait s'être détaché de cette partie de son enfance, mais cette conversation avait éveillé quelques souvenirs qu'il préférait oublier.

— Oui Big Finn, il vaut mieux oublier que de rester à Dundalk. Tara, c'est différent, elle a juste un an de plus que moi, mais c'est un peu ma mère. Quand j'étais petit, elle s'occupait de moi, me faisait manger, me racontait des histoires, me faisait rire, elle me l'a dit. Elle me parle comme une vraie mère. Quand je ne fais pas le bon garçon, elle est déçue, mais elle m'aime quand même. Et puis elle est intelligente, très intelligente, toujours première de classe. Elle joue même du piano. C'est une star!

— Oui, je l'ai vue une fois quand elle se promenait avec toi. Une beauté! T'es chanceux d'avoir quelqu'un qui t'aime. Moi? Personne m'aime.

— Dis pas ça, moi je t'aime et on est comme des frères.

Les yeux pleins de petits plis d'amitié, il serra Ray.

— Oui, et je suis bien content. Ma mère m'aime peut-être encore un peu, mais j'pense pas qu'elle pleure pour moi.

— Tara va avoir beaucoup de peine, et elle va me manquer c'est sûr, mais je peux plus rester ici. Quand elle sera grande, elle viendra me voir, j'va lui envoyer un mot de temps en temps... Oui. Sa Mamie est très, très fine pour elle. Mais le Pédopimp de Lennon, si jamais je le vois en Angleterre, je lui ferai passer un mauvais quart d'heure.

— Fie-toi à moi pour te seconder. Quand on en aura fini avec lui, il sera important pour le reste de sa vie.

— Important? Tu veux dire impotent?

— Ray, tu sais c'que j'veux dire. Ça lui apprendra à partir avec ta mère. Et toi, ton oncle?

— Lui, j'aurai pas de peine de le laisser, je sais qui m'aime pas, je l'sens. Y est trop empesé! Ma tante Ceili, elle est bien bonne, mais parfois assommante. Parlons d'autre chose, veux-tu? On s'occupe de nous, de notre départ. J'aimerais avoir l'air d'un vrai mâle, mais ma moustache refuse de pousser.

— T'en fais pas, elle poussera. Moi je suis poilu comme un ours.

Cheveux roux foncé, yeux bleus papillotants, déluré, regard malicieux, visage ovale, Ray devait ressembler à son père quand il avait son âge. Plutôt mince sans être chétif, il promettait de devenir un bel homme. Feu follet, un peu imbu de lui-même, il y avait Ray et... il y avait Ray! Démarche chaloupée, il essayait de se grandir en étirant au maximum chaque millimètre de son mètre soixante. Imberbe, il empruntait le rasoir de son oncle en cachette. Malgré ses efforts répétés, il avait le visage aussi lisse que celui d'un bébé. Une conscience élastique, ses ambitions se résumaient à avoir le plus de plaisir possible en travaillant le moins possible.

Big Finn était tout le portrait de son père, Max Quinn. Un mètre quatre-vingt, large d'épaules, fort comme un Turc, magnanime, il évitait la bagarre. Visage arrondi, regard digne, cheveux roux, calme, doux comme un soupir, il ne faisait pas de vagues. Son rêve? Une place au soleil, se trouver du travail, partager un logement avec Ray et, qui sait… une fille à aimer.

Plus que dix jours! Big Finn et Ray étaient excités comme des puces, leur envie de partir devenait presque insupportable. Ne rien dire, faire semblant, bûcher fort en classe, se faire violence afin de ne pas tout lâcher, exercer la prudence d'un funambule… ils étaient en terrain glissant. Un seul faux pas et les conséquences seraient terribles. L'école de correction pour Ray et pour Big Finn, son beau-père serait sans merci.

Le dernier samedi, dans leur cachette habituelle, ils mirent la touche finale à leurs préparatifs. Fin prêts! Les dés étaient jetés.

6

Portés vers l'espérance

Le samedi 11 juin 1960, vingt heures quarante, Craig les déposait au quai de l'*Hibernia*. Nerveux, brûlant d'impatience, aussitôt montés à bord ils s'installèrent sur le pont avant. Cependant, une surprise les y attendait. Ils ne purent y rester. À bord, les pauvres étaient relégués au troisième pont, dans le ventre de l'*Hibernia*.

Une frousse leur tordait les boyaux. Assis tout au bord d'un banc, le regard dans le vide, le corps penché vers l'espérance, dix éternelles minutes d'angoisse et enfin le traversier frémit, vibra, secoua sa carcasse métallique et, dans un dernier élan d'énergie, s'ébranla lentement dans une mousse blanchâtre. Trop lentement! Quand il fut à une centaine de mètres du quai, il accéléra. Un profond soupir de soulagement! Pâle comme un mort, Ray regarda Big Finn, ils éclatèrent de rire.

— J'étais près de perdre connaissance. J'te dis, j'ai failli mouiller mes caleçons.

Big Finn s'esclaffa. Il riait tellement qu'il en pleurait.

— Qu'est-ce qui se passe? Qu'est-ce qu'il y a de si drôle?

— J'aimerais voir la face de mon beau-père quand il va ouvrir son portefeuille.

— Tu as pris son argent?

— Une contribution de 15 livres pour une bonne cause: les enfants battus. Mais c'est surtout le beau souvenir que je lui ai laissé qui va le faire sauter de joie.

Il riait de plus belle. Ray riait aussi sans savoir pourquoi. Il le questionna du regard.

— J'ai remplacé son vieux portefeuille par un beau, tout neuf.

— Pourquoi que j'pense que ça y fera pas plaisir?

— Écoute bien! J'ai choisi une belle petite crotte de chien toute fraîche, je l'ai placée entre deux billets de une livre, j'ai appuyé délicatement sur chaque billet pour bien étendre le «chocolat», puis je les ai placés précieusement dans son portefeuille.

Ray se tordit de rire.

— `S math sin! (Génial!) T'as pas fait ça! T'es génial Big Finn. Gé-ni-al!

— Oui, je l'ai fait! C'est pour le remercier pour tous les coups qu'il m'a donnés. J'aimerais être un petit oiseau pour le voir l'ouvrir. Et l'odeur… le parfum va embaumer le salon. Ces grosses narines plates vont s'ouvrir et il va hurler: «Biiig Finn! Biiig Finn! J'va te tuer… er!» Mais… Big Finn ne sera plus là. Envolé! Ça va être SON jour J. Maintenant, on parle plus de c'te face de cratères. Elle n'existe plus. J'veux plus entendre son nom. OK! Combien as-tu d'argent? Ton *pickle*!

— J'ai 42 livres et quelques pence grâce à la générosité de ma tante et à la contribution de mon oncle. J'va me faire plaisir, me gâter un peu.

— Et moi, 46 livres et 2 shillings, grâce à mon travail et à la crotte de chien. J'vais faire attention, pas de gaspillage, je veux réussir ma vie.

— *Jaysus!* Ray, qu'est-ce qui t'arrive?

Ray avait subtilisé le crayon khôl noir de sa tante et s'était tracé une moustache. Nerveux, il s'était frotté le nez, et toute la partie inférieure de son visage n'était qu'un barbouillage noir. Le visage tout en grimaces, Big Finn se retenait pour ne pas rire, suffoqua presque, puis explosa d'un gros rire tonitruant.

— Ray, va aux toilettes et regarde-toi bien dans le miroir.

Ray comprit, se leva, pivota sur ses talons et fonça tête baissée vers les toilettes. Levant les yeux, il s'esclaffa; il avait l'air d'un ramoneur. Tout barbouillé, une trace noire descendait le long de son cou. Il se savonna, dut s'y prendre à trois reprises, se peigna, sortit d'un air nonchalant et marcha vers Big Finn. Ils rigolèrent.

— J'ai rasé ma moustache. Qu'en penses-tu?

— C'est beaucoup mieux, tu as l'air d'un gentleman. Si on s'assoyait? On doit être loin de l'Irlande, on a passé des moments difficiles. Reposons-nous.

— Sais-tu, Dylan, j'y pense… On est riches. On se paye chacun une boisson gazeuse. Ton cousin travaille à la mine, il t'a déjà dit que tu pourrais y travailler.

Big Finn faillit s'étouffer. Dylan ? Où Ray était-il allé chercher ce nom ?

— Dylan ? C'est quoi ce nom-là ?

— C'est ton nouveau nom, ton vrai nom. Big Finn, Big, Big, c'est pas pour toi. T'es costaud, mais grand aussi, juste la bonne grosseur pour ta grandeur, mais pas Big. Big. Fini le Big ! Tu t'appelles Dylan. Madame Kelly l'a dit en classe, Dylan Finnian.

Dylan, alias Big Finn, le fixa longuement, les yeux pleins d'eau, une chaleur derrière son regard. Il murmura :

— Ray, merci ! J'oublierai jamais ce moment. Merci ! Tu sais, j'ai pensé qu'on devrait changer nos noms de famille.

— Voyons donc. Pourquoi ?

— Parce qu'on s'est sauvé, on a «emprunté» de l'argent. Si jamais ton oncle et ta tante ou mon beau-père décidaient de venir en Angleterre, ils chercheraient peut-être un Dylan Finnian ou un Ray O'Brien. Si on change de nom, ils nous trouveront pas.

— T'as raison. Tu penses à tout. Moi, je vais m'appeler Ray Doyle, le nom de famille de ma mère… Oui, je sais… Mais c'est celui-là que je choisis. Et toi ?

— Moi aussi je prends le nom de famille de ma mère, Dylan Quinn. Quand je parlerai à mon cousin qui travaille dans une mine de charbon à Wakefield, je lui dirai que j'ai pris le nom de ma mère. J'ai son numéro de téléphone. Dès qu'on descend à terre, je l'appelle. Je suis certain qu'on aura du travail.

7

MK

Côte à côte, le cœur léger, avec l'insouciance de la jeunesse, ils savouraient le début d'une liberté pleine de promesses quand un solide gaillard s'approcha d'eux. Complet bleu marine, coiffé d'un Stetson, verres Ray-Ban, gants boutonnés en cuir, le mystérieux personnage aux tempes argentées portait beau. Accompagné d'un colosse aux bras croisés, jambes écartées, bouche cousue, regard indéfinissable, le *Don,* s'avança vers eux.

— Excusez-moi, jeunes hommes, vous êtes Irlandais?

Ray et Dylan hochèrent la tête.

— Moi aussi. Je suis Monsieur K, pour Mike Kennedy, mais on m'appelle MK. Je demeure à Brighton. Je suis revenu en Irlande pour assister aux funérailles de ma vieille tante. Je vous ai vus monter à bord. Venez, on monte sur le pont.

— Mais, on nous a envoyés ici.

— Et moi, je vous dis qu'on monte sur le pont. Suivez-moi!

Soulagés… mais inquiets, ils suivirent MK. Rester dans l'antre du dragon ne les emballait pas du tout. MK se dirigea vers l'avant du traversier. Délestés de la peur d'être arrêtés, les yeux au loin, éblouis par la beauté de la lune qui miroitait sur la mer d'Irlande, Ray et Dylan ne soufflaient mot. MK les regardait.

— Je vous ai entendus mentionner Wakefield.

— Vous connaissez?

— Ah oui! La mine de charbon. Un travail d'esclave. Un salaire à peine suffisant pour ne pas mourir de faim. Les mineurs vivent à cinq dans de petites maisons de trois pièces. Ils se chauffent au charbon, mais pas avec les gros morceaux, les boulets. Plutôt avec les miettes qu'ils ramassent par terre dans le hangar.

— Vous avez travaillé là ?

— Oui. J'étais jeune. Une semaine m'a suffi. Je n'ai rien oublié. Il y a un beau lac, certaines familles sont à l'aise, les cambuses des mineurs sont en bas, les belles maisons, en haut, loin de la poussière du charbon. Une chose m'avait frappé, de beaux chevaux, pas de clôtures, tout simplement attachés à un pieu par une grande corde. Mineur à Wakefield ? Ce n'était pas pour moi. Une vie de misère ! Je préférais tenter ma chance ailleurs. Alors je suis allé à Brighton.

— Mon cousin travaille à la mine de Wakefield, il n'a jamais dit que c'étaient les travaux forcés.

Dylan Quinn n'était pas heureux de la tournure des événements et ce MK ne lui inspirait pas confiance. Un vendeur de vent, voilà ce qu'il était. Ses propos ronfleurs ne l'impressionnaient pas. Mais Ray semblait sous sa férule ; il buvait ses paroles.

— Jeune homme, je ne mens jamais ! Va avec ton cousin. Si vous tenez à vous tuer à petit feu, c'est votre affaire. Permettez ?

Il fit signe à son « robot ». Ce dernier tourna les talons et revint presque aussitôt avec deux boissons gazeuses, des viandes froides, des sandwichs, des gâteaux. Dylan refusa.

— On peut s'en acheter…

— Faites-moi plaisir. Entre Irlandais ! Vous me rappelez ma jeunesse. Permettez que je vous fasse une proposition. J'ai besoin de jeunes bien élevés et honnêtes. Si vous acceptez de travailler pour moi, vous aurez un bon salaire, vous serez logés et nourris.

D'un air soupçonneux, Dylan le considéra. Ses allumettes s'allumaient…

— On ferait quoi ? Quel genre de travail ?

— Rien de bien difficile, je vous expliquerai. Mais vous ne me connaissez pas et vous préférez peut-être aller à Wakefield. Parlez-en entre vous deux.

Sur ces mots, il se retira un peu plus loin, suivi de son garde du corps.

Ray était emballé. Les yeux brillants, il voulait vivre la vie de château. Il était prêt à suivre le chic MK. Quant à lui, Dylan était réticent.

— On le connaît pas. Il a plutôt l'air d'un bandit.

— Si c'est un bandit, il réussit plutôt bien. Et moi, j'le connais pas ton cousin. Allons lui demander des explications. OK, Dylan ?

— Ouiiii ! Si tu penses. On n'aurait pas pu avoir la paix, au moins pour une journée.

Tout sourire, MK se leva.

— La température est belle, la mer est calme, nous arriverons à Holyhead vers une heure. Ma voiture m'y attend. Si vous voulez, je vous dépose à Brighton. Je connais une maison de chambres très bien tenue. Vous y passerez deux semaines à mes frais. Vous vous familiariserez avec la ville, les environs ; si vous voulez, cherchez du travail. Je reviendrai dans deux semaines. Si vous décidez de travailler pour moi, je vous engagerai. Sinon, vous resterez à Brighton ou vous ferez à votre guise. Quand on accostera, vous me donnerez votre réponse.

Ray sautillait d'impatience. Les mines de Wakefield ne l'attiraient plus du tout. À treize ans, il n'avait pas la culture de l'attente. MK était riche. Il voulait l'être aussi, vivre dans la dentelle, dans l'immédiat. Il implora Dylan du regard.

— On y va Dylan ? On a rien à perdre, on passera deux semaines à Brighton, puis on décidera si on va avec MK ou non. T'es d'accord ? Parce que toi et moi, Dylan, on s'quitte pas.

Ces propos firent chaud au cœur de Dylan. Il n'avait pas peur, il sourit.

— D'accord ! En attendant, c'est la première fois qu'on est sur un traversier. On a réussi, Ray. La nuit est belle, on peut-y avoir la paix ?

— Oui, on va marcher un peu.

Seuls, libres, ils firent le tour du pont. Une brise frileuse leur piquait les yeux. Ils étaient euphoriques. Comme l'*Hibernia* accostait, MK s'approcha d'eux. Ils acceptaient sa proposition, il le savait. Sitôt à terre, le garde du corps de MK courut vers une longue limousine noire, l'avança, ouvrit la portière arrière à MK, la referma, fit monter Ray et Dylan du côté opposé. La voiture démarra.

Les yeux écarquillés, Ray croyait rêver. Il regarda Dylan. Confortablement assis au fond du siège, les jambes écartées, celui-ci esquissa un sourire. La limousine suintait l'argent. Les yeux de

Ray allaient de gauche à droite, il souriait d'un air béat. Les yeux à demi fermés, un regard qui savait déchiffrer les âmes, MK ne manquait rien. Aucune des expressions de Ray ne lui échappait, pas plus que l'attitude de Dylan. Ce dernier était plus mûr, moins malléable, mais il avait la main et saurait le mâter. Ray se pencha vers Dylan et murmura :

— Ce n'est pas le vieux taco de Craig.

— Non, mais Craig j'le connais. Lui ? Je sais pas.

— Tous les riches ne sont pas des bandits.

— Non, mais tous les grands bandits sont riches. On connaît pas son business.

Crâneur, Ray regarda MK, qui faisait semblant de dormir.

— C'est quoi votre business, MK ?

— Pardon ?

…

— Je suis dans l'importation, l'import-export. J'achète et je revends, à profit, bien entendu.

— Si on travaillait pour vous, on ferait quoi exactement ?

— Avant de vous embaucher, il y a une chose très importante que vous devez savoir.

— Voilà l'attrape-nigaud, murmura Dylan.

MK eut la sagesse de feindre. La quarantaine avancé, posément, d'un air de bon grand-papa, il leur expliqua ce qu'il attendait d'eux, s'ils décidaient de travailler pour lui.

— Tous mes employés sont bien nourris, bien logés, s'ils sont malades, ils sont soignés, eux et leur famille. Ce sont des règles qui régissent mon business depuis que je suis dans l'import-export. En retour, mes employés m'obéissent au doigt et à l'œil sans questionner. Je n'ai ni le temps ni l'envie de discuter ou d'argumenter mes ordres avec mes employés.

— Combien d'employés avez-vous ?

— Une cinquantaine, dont mon assistant, mon bras droit, et trois directeurs. Maintenant, si vous le permettez, nous avons une longue route devant nous, environ cinq cents kilomètres. Je vais roupiller un peu. Le bar est devant vous, prenez ce que vous voulez. Il ferma les yeux. Quelques minutes plus tard, il ronronnait.

Ray et Dylan se regardèrent. Ray aurait acquiescé sur-le-champ, mais Dylan ne mordait pas à l'hameçon. Il n'était pas un lèche-cul. D'une voix à peine audible, il avisa Ray qu'il n'avait pas l'intention d'obéir au doigt et à l'œil à qui que ce soit. Il se sentirait prisonnier.

— Dylan, une prison dorée.

— Ray, une prison, même aux barreaux dorés, est toujours une prison. Et toi qui détestes tant te faire dire quoi faire, obéir au doigt et à l'œil sans discuter. *Ga ?* (Alors ?)

L'ami de Ray, que certains présumaient faible entre les deux oreilles, était au contraire très lucide, même sage. Le visage de Tara s'imposa à lui. Elle serait d'accord avec Dylan.

Dylan le gratifia d'un coup de coude amical ; Ray était un véritable ami, son seul ami. MK n'avait pas perdu un seul mot. Pour un peu, il lui aurait réglé son compte à ce Dylan. Au fond, Ray et même Dylan étaient inexpérimentés, inconscients des dangers d'une grande ville. Tout à son avantage. Il leur laisserait de la corde. Deux semaines après leur arrivée, ils seraient trop heureux de travailler pour lui. En route vers l'inconnu !

Il faisait nuit quand la limousine quitta Holyhead, près de l'île d'Anglesey, dans le nord de l'Angleterre. Le chauffeur s'engagea sur la route A5, la «*trunk road*», une route nationale carrossable, très différente des routes nationales d'aujourd'hui. Il traversa les montagnes Cambrian, puis s'arrêta à Shrewsbury, première ville sur cette route et lieu de naissance de Charles Darwin. Un plein d'essence et aussitôt en route. Il était trois heures. Les fugitifs dormaient profondément. Les derniers jours avaient mis leurs nerfs à rude épreuve.

De Shrewsbury, ils filèrent jusqu'à Rugby. Courbaturés, désorientés, Ray et Dylan ouvrirent les yeux. Ray essaya de se lever, se frappa la tête, sursauta, pendant que Dylan, les traits tirés, le regard égaré frissonna en apercevant les yeux de MK fixés sur lui.

— Qui vous êtes ? Où… ? Où… ? Pourquoi ?

Puis les événements de la veille refirent surface. Ray ne savait pas où il était.

— Dylan, est-ce qu'on a… réussi ? Est-ce qu'on est arrivé ?

MK ouvrit la bouche, la referma pendant que Dylan, d'un ton confidentiel, rassurait son ami.

— Oui Ray, nous avons réussi, et personne nous trouvera ici. Tu te rappelles…

— Oui! Oui! MK qui veut qu'on travaille pour lui.

Affichant son plus beau sourire, MK répliqua:

— C'est bien moi. Il est sept heures, vous avez dormi presque cinq heures. Nous sommes à Rugby. Nous allons faire le plein et déjeuner dans ce petit Café. Nous arriverons à Brighton vers onze heures.

Sitôt la limousine immobilisée, le chauffeur se hâta d'ouvrir la portière à son patron pendant que Ray et Dylan se dépêchaient de descendre.

MK était à peine assis que la serveuse lui apportait un café et se hâtait vers la cuisine: «Un déjeuner pour MK, son chauffeur et deux jeunes hommes.»

Dylan voulut protester mais MK balaya ses objections.

— Jeune homme, vous et votre ami êtes mes invités, alors je vous en prie.

Le ton n'admettait pas de réplique. Ray s'agita.

— Moi aussi, j'ai faim, mais avant, il faut que…

La serveuse lui indiqua les toilettes. Ray s'y précipita, suivi de Dylan. Ils se soulagèrent.

— Ray, j'ai hâte qu'on arrive à Brighton, qu'on…

— Patience, patience jeune homme. Encore quelques heures, nous prendrons l'autoroute M1 pour traverser Londres, ensuite la A23 pour rejoindre Brighton.

Dylan sursauta. Cet animal ne lui disait rien qui vaille. MK les suivait jusque dans les toilettes. Les trois venaient à peine de se rasseoir que la serveuse revenait avec des assiettes bien remplies: côtelettes d'agneau, jambon, patates rissolées, œufs, rôties, lait. Un déjeuner de fermier.

Dylan n'avait pas envie de manger devant cet homme, mais le regard de MK n'admettait pas de contredit. Les trois autres mangeaient, il fit donc de même. C'était bon! Il avait faim. MK régla l'addition et ils repartirent. Ils parlèrent peu, se contentant d'observer le paysage accidenté d'une beauté sauvage, tourmenté par le vent. Presque désertique, si ce n'est quelques lacs. Pas âme qui vive à des kilomètres à la ronde, sauf des milliers de moutons blancs et noirs. Dylan s'interrogeait. MK le devinait.

— C'est un pays rude. Pas pour des mauviettes, mais pour les gens qui travaillent fort. Oui, les moutons noirs sont d'une race distincte, les *Black Welsh Mountain Sheep*. Leur laine est noire ou noire teintée de roux appelée *cuchddu*. Elle est très prisée.

Ray n'était pas le moindrement intéressé, mais Dylan écoutait attentivement.

— Qui s'occupe des moutons? On voit personne.

— Il y a des fermes à l'intérieur des terres; des bergers et des fermiers s'en occupent. Ce sont des gens courageux et déterminés. Certaines personnes célèbres sont nées ici, dont Elihu Yale, un descendant d'immigrant écossais qui a été le fondateur de l'Université Yale à New Haven, aux États-Unis. Un autre, Hopkin Rees, fonda l'Université de Beijing. Il y a encore bien des choses intéressantes sur ce pays, mais je vois que Ray s'ennuie, alors je vous laisse causer, moins de trente minutes et nous serons à Londres.

Londres! Ils traversèrent Londres, via Edgware Road, virent Hyde Park, prirent le pont Vauxhall qui surplombe la Thames (la Tamise). Les jeunes ne tenaient plus en place, se regardaient, riaient. Il y avait tant à voir. Comme c'était immense! Ils ne s'y retrouveraient jamais dans cette grande ville. Les autos? Il y en avait des millions. La tête leur tournait.

— Dylan, on viendra jamais ici tout seuls. Ah non! On s'perdrait pour de bon.

— T'en fais pas Ray, on va apprendre à s'débrouiller.

MK était silencieux. Ce Dylan irait loin. Ray? Une bonne pâte à modeler.

8

À destination

Brighton ! Enfin, ils y étaient. La limousine s'arrêta.

— Vous voici à Brighton, il est dix heures quarante-cinq. Regardez cette maison, *The Sundance,* la porte bleue. Vous y serez bien.

— Merci beaucoup MK.

Contents d'être à destination, Ray remercia profusément MK, et Dylan aussi, mais sans lécher l'asphalte. MK baissa la vitre.

— Vous serez très bien ici. Dites que je vous envoie, ne vous préoccupez de rien. C'est mon cadeau de bienvenue. Je viendrai vous voir dans quinze jours.

La limousine démarra, tourna à gauche à la première intersection et disparut. Dylan fit quelques pas de danse, sortit un cigare de sa poche, le planta dans sa bouche et se dirigea vers la porte d'entrée. Étonné, Ray pouffa. Dylan Quinn fit semblant de ne pas le voir. Ils entrèrent. Une petite femme, cheveux noirs torsadés, les yeux enfoncés dans leurs orbites, le menton en galoche, le visage comme une pomme cuite, le tout fixé sur un cou de girafe, les yeux plissés à peine visibles derrière un comptoir, les dévisagea. Ces deux jeunes ne lui disaient rien qui vaille.

— Vous désirez messieurs ?

Dylan prit l'initiative.

— Une chambre, deux lits.

— Combien de nuits ?

— Quinze jours. Peut-être plus, ajouta Ray.

— Je ne sais pas, je vais voir.

— C'est MK qui nous envoie.

— MK ? Fallait le dire ! Jenny Ross, à votre service. Suivez-moi !

D'un pas vif, elle monta l'escalier, alla au fond du corridor, ouvrit une porte et leur fit signe d'entrer.

— Voilà, messieurs. Installez-vous.

Une belle chambre, toute simple, deux lits avec couvre-lits assortis, un bureau et deux chaises. Dylan et Ray se regardèrent.

— Vous êtes chanceux. Je loue six chambres, vous avez la plus belle. Vous avez même un lavabo avec eau chaude et froide.

— Où est la salle de bain?

— Au bout du corridor. Les toilettes et la douche. Vous les partagez avec les deux autres chambreurs.

— C'est combien pour deux semaines?

— Laissez! Les amis de MK sont les bienvenus ici. J'oubliais... Si vous avez froid, regardez cette petite chaufferette à gaz, elle fonctionne très bien. Il suffit de mettre dix pence. Le déjeuner est servi à partir de cinq heures trente. Si vous avez besoin de quoi que ce soit, n'hésitez pas, je suis à votre service.

Elle tourna les talons et dévala l'escalier.

Perplexes, les deux se consultèrent du regard, puis Dylan éclata de rire. Il riait tellement que des larmes coulaient sur ses joues. Ray ne savait pas pourquoi Dylan riait tant. Quand enfin Dylan put reprendre son sérieux, il détacha les syllabes:

— Jen-ny... Tu l'as vue? Ce n'est pas une Jenny. Plus laide qu'une grenouille, même un nénuphar en aurait peur.

Interdit, Ray le regarda attentivement et s'esclaffa. Ils se bidonnaient.

— Dylan, je sais pas où t'as pris ça.

MK devait être un homme important. Un peu trop même; ils avaient certes une belle chambre, mais se sentaient tout drôles, comme s'ils traînaient un boulet. Ray regarda Dylan. Ce dernier se redressa.

— On a deux semaines, on va en profiter. Après, *bye, bye Cotton Candy*. Celui-là commence à me donner la chair de poule.

— *Cotton Candy?*

— Oui, j'commençais à l'trouver pas mal collant. En attendant, on va faire un tour. Il est presque onze heures. Après, on mangera. J'ai encore faim, même si on a bien déjeuné. La fuite pis *Cotton Candy* m'ont coupé l'appétit, mais elle me revient. Là, j'ai comme un petit creux. On est à Brighton, il doit bien y avoir des restaurants pas loin. On va se faire plaisir. La chambre coûte pas cher, on va en profiter.

— Bien parlé! Je respire déjà mieux. Au diable M. *Cotton Candy*! En avant la liberté!

Ils descendirent, Madame Ross rampa au-devant d'eux.

— Voici les clefs de la porte d'entrée et deux clefs de votre chambre. Vous pouvez aller et venir à votre guise. Si vous avez besoin...

— Merci beaucoup, madame Ross.

Ils sortirent en vitesse. Ils n'avaient pas l'intention de lui faire la conversation. Sitôt à l'extérieur, Ray fit le clown et ébouriffa les cheveux de Dylan.

— Je me sens léger comme une plume.

— Moi, pas tout à fait aussi léger, mais mon cœur l'est.

Ils regardèrent autour d'eux. Toutes les maisons étaient blanches. Une belle architecture, mais aucun espace ne les séparait. Les yeux écarquillés, Ray se tourna vers Dylan, perdu devant ces grosses maisons.

— Dylan, j'ai jamais vu tant de maisons toutes pareilles. Elles sont toutes collées ensemble et terriblement belles.

En effet, ces maisons en rangées à trois étages étaient splendides, toutes rehaussées de pilastres corinthiens, portique semicirculaire au rez-de-chaussée, balcons en fer forgé aux deux premiers étages et larges *bay-windows* au deuxième. Seules les couleurs des portes d'entrée différaient. Du rouge, du noir, du vert foncé. La leur était bleue.

— Y a pas d'espace entre ces maisons. C'est comme étouffant. Elles sont bien plus belles en dehors qu'en dedans. Va falloir faire attention quand on va s'parler, les voisins peuvent nous entendre.

— Ouah, même quand on pisse.

— *Too bad!* J'pourrai pas tout garder ça en dedans, ma bedaine éclaterait.

Tout était nouveau, différent, parfois drôle. Sur une plaque, à gauche de la porte, *The Sundance,* pas de numéro civique. La maison adjacente, *Belvedere,* et ainsi de suite. Aucune difficulté à se retrouver. Deux gros pots de fleurs flanquaient la porte d'entrée et enjolivaient la maison voisine.

— J'espère que le propriétaire n'enlèvera pas les pots avant qu'on revienne.

— Ils vont pas changer la couleur et le nom de notre maison durant notre absence. Sundance, c'est un nom pour danser.

Causant, riant, ils marchèrent jusqu'à la première intersection, lurent le nom de leur rue, Sillwood Road, et tournèrent à droite sur Western Road, puis sur Preston Street, une artère commerciale ayant des boutiques de chaque côté. Pas très loin, un petit casse-croûte.

— Tiens, *Chris & Geoff's Cafe*! C'est pas mal! Je m'demande qui fait la popote? Chris ou Geoff? On r'viendra manger ici tout à l'heure. On fait du progrès. On connaît deux rues et un café.

La nature s'était fait belle. Ils déambulèrent pendant plus d'une heure. Affranchis de la douleur de leur passé, ils avaient une ardente appétence de leur avenir.

— Allons au Cafe, j'ai un petit creux…

— Moi? Une grosse cavité!

9

Le meilleur, à l'étranger…

D'un air de clients habitués, ils pénétrèrent dans le *Chris & Geoff's Cafe*. Très propre, accueillant, le Cafe qui faisait une dizaine de mètres de longueur sur environ six à sept de largeur, murs et plafond blancs, banquettes en cuirette rouge de chaque côté et une série un rang de tables au centre. Sur les murs, de grandes affiches en papier glacé de sites historiques de Brighton – *Regal Pavilion, West Pier, Theatre Royal, The Lanes* – ainsi que quelques autres de Londres.

Une odeur de pain frais et de tarte aux pommes excita leurs papilles gustatives.

— Ray, j'espère qu'on va être servis vite, sinon je vais m'évanouir.

— Bonjour messieurs. Bienvenue au *Chris & Geoff's Cafe*.

Une jeune fille les salua bien bas et leur indiqua une banquette près de la fenêtre. Au même moment, une belle grande femme, chevelure châtaine, sourire aux lèvres, s'avança vers eux.

— Ça va, messieurs ?

Bien droit, Ray la regarda dans les yeux (il l'avait vu faire dans un film) et répondit :

— Parfaitement, madame. N'est-ce pas, Dylan ?

— C'est très bien.

— Voici le menu, prenez votre temps, je reviendrai quand vous serez prêts à commander.

— Merci, madame.

— Appelez-moi Chris. C'est mon nom.

— D'accord, Miss Chris.

Les yeux ronds, Dylan regarda Ray.

— C'est le début de notre nouvelle vie. Regardons le menu.

Ils lisaient, regardaient le menu, mais n'étant jamais allés seuls dans un restaurant, ils ne savaient quoi choisir. Pendant qu'ils se questionnaient, Miss Chris revint à leur table.

— Vous avez faim? Puis-je vous suggérer quelque chose?

— Ah oui!

— Attendez, je vais vous faire préparer un bon repas.

Chris fit signe à la serveuse, lui glissa quelques mots, et celle-ci se dirigea vers la cuisine. Miss Chris s'assit près d'eux.

— C'est plutôt tranquille avant le souper, et Grace peut s'occuper des clients. On a le temps de faire connaissance. C'est votre jour de chance, je travaille rarement le dimanche. Vous êtes partis de Dublin très tôt?

— Comment le savez-vous?

— Je suis de Cork, je reconnais mes compatriotes. Vous venez d'où et comment vous appelez-vous?

— Je suis Ray Doyle et mon ami, Dylan Quinn, et… on est de Dundalk.

— Vous vous êtes enfuis? Vos parents?

Dylan préférait ne pas exposer sa vie à cette dame, même si elle était irlandaise.

— Je me suis pas sauvé, mon beau-père ne pouvait plus me sentir et ma mère… l'aime.

Ray était comme un livre ouvert. Il hésita, mais il n'avait jamais su tenir sa langue.

— Ma mère nous a abandonnés, ma sœur et moi et mon père est parti. Ma tante était très fine, mais mon oncle n'aime pas les enfants, encore moins moi. Dylan? Son beau-père est un sadique. C'est pour ça qu'on est partis. On ne retournera plus jamais en Irlande. On va se trouver du travail…

— Pourquoi êtes-vous venus ici, à Brighton?

Ray expliqua comment il avait fait la rencontre du chic MK sur le traversier. Dylan leva les yeux au ciel et secoua la tête.

— On devait aller à Wakefied travailler dans une mine, son cousin est là, mais MK nous a expliqué…

— MK? Monsieur K? Vous avez rencontré Monsieur K? *Sweet Jaysus!* Savez-vous qui est Monsieur K? Il vous a parlé?

— Bien oui. C'est lui qui nous a amenés à Brighton dans sa grosse limousine. On loge dans une belle chambre, même que c'est lui qui paie, dit Ray en riant.

Elle n'en crut pas ses oreilles. Déjà dans la gueule du loup avant même d'arriver dans la ville. Elle devait les mettre en garde. Ray et Dylan la regardaient.

— Voici votre repas messieurs.

Grace déposa une grande assiettée de *fish and chips* devant chacun d'eux. De belles frites bien dorées et de gros morceaux de poisson pané.

— Les meilleurs *fish and chips* de toute l'Angleterre! Régalez-vous, on parlera après.

Ils ne se firent pas prier, savourant chaque bouchée avec délice sans articuler une seule parole. Quand les assiettes furent vides, Grace revint avec deux gros morceaux de tarte aux pommes et deux tasses de thé fumant.

Quand enfin ils eurent terminé, Miss Chris revint. Elle insista pour qu'ils lui disent exactement ce qui s'était passé avec MK et où ils logeaient. À tour de rôle, ils lui racontèrent tout. Dylan ajouta qu'il ne faisait pas confiance à ce MK et qu'il n'avait pas l'intention de travailler pour lui.

— Ce type-là est peut-être riche, mais travailler pour lui, non. Son business d'import-export, je n'y crois pas. Devoir obéir au doigt et à l'œil sans jamais poser une seule question, c'est louche.

— Et nous deux, on est amis pour la vie, alors je me fie à Dylan. Au début, ça me tentait bien beaucoup, mais maintenant… Vous le connaissez MK? Dylan l'appelle *Cotton Candy*, parce qu'il le trouve collant.

Perspicace, le jeune! Elle ne pouvait pas tout leur dire, mais elle devait les prévenir. Ces deux jeunes étaient encore innocents, pas *street-wise* (dégourdis).

— Je sais que c'est un homme puissant. C'est tout ce que je peux vous dire, et s'il vous donne deux semaines pour réfléchir à son offre, il tiendra parole, mais n'essayez pas de jouer au plus fin avec lui, vous le regretteriez amèrement. Je vous le répète, c'est un homme puissant. Dès qu'il reviendra, si vous décidez de ne pas travailler pour lui, c'est votre affaire. Dites-le-lui franchement et trouvez-vous une autre chambre ailleurs. Je connais des endroits.

— On pourrait partir demain.

— Écoutez-moi bien et rentrez-vous bien ça dans vos têtes. Ne faites pas ça! MK vous a offert une chambre et vous allez y rester jusqu'à ce qu'il revienne. Ça vous donnera le temps de vous chercher du travail. Pour Wakefield, MK a raison. Ce n'est pas pour vous. Vous avez quelques économies, faites-y attention. Si vous avez besoin de quelque chose, venez me voir, je peux vous faire des suggestions. Encore une fois, je vous le répète, vous seuls déciderez si vous voulez travailler pour MK. Si vous avez aimé le repas, revenez, je veillerai à ce que vous soyez bien servis.

Ils étaient soulagés, ils avaient quelqu'un sur qui compter. Ce qu'il y avait de mieux à l'étranger? Y trouver un compatriote.

— Merci beaucoup, Miss Chris. C'est combien?

— Pour cette fois, c'est gratis, je vous l'offre. La journée a été difficile, allez vous reposer. Demain, vous visiterez un peu et penserez à ce que vous voulez faire.

Ray et Dylan insistèrent pour payer, mais elle refusa. Ils la remercièrent profusément et partirent d'un pas plus léger, le ventre plein. Dylan marchait droit, il était un homme nouveau. Les mains dans les poches, Ray chantonnait. Ils avaient réussi. Dundalk? À des années-lumière. Ils étaient à Brighton!

10

Le bonheur est exigeant

Chris McGuire, fille de Pat et Arlene McGuire, l'aînée d'une famille de trois enfants, avait, par un hasard du destin, rencontré Geoff Nelson, de Brighton. Un jour de juillet, alors qu'elle était dehors avec sa mère, elle avait vu passer une moto et, sur un coup de tête, Chris avait envoyé la main au conducteur. Ce dernier, Geoff Nelson, n'avait vu qu'une robe blanche flottant au vent et une chevelure auburn. En vacances en Irlande, Geoff Nelson, vingt-quatre ans, dessinateur-ingénieur, célibataire, avait été intrigué par cette apparition blanche, mais avait continué sa route. Sur un coup de tête, dix minutes plus tard, il revenait sur ses pas. Son «fantôme» était à l'endroit même où il l'avait entrevu. Sans prendre le temps de réfléchir, il s'était présenté, et le plus naturellement du monde, les dames l'avaient invité à s'asseoir dans la balançoire et lui avaient offert une limonade.

Souriant, Geoff regardait son apparition. Sans être une beauté fatale, elle était belle de partout. Elle exhalait l'odeur de la campagne, du propre, du pur, de la dignité, de la décence. Ses yeux bleu vif reflétaient la joie de vivre. Un corps en santé, bien proportionné, des seins glorieux, des traits empreints de fierté. Drôlement bien tournée, jolie, pétillante de vie. Ils avaient parlé de tout et de rien. Sa seule présence égayait le cosmos. Geoff, qui appréciait sa liberté, avait été conquis par sa folle envie de vivre. Elle rêvait d'avoir son propre commerce, de se marier et d'avoir des enfants.

Boute-en-train, Chris le considérait d'un sourire espiègle. Il lui avait parlé de son travail, de son amour de la moto, du sentiment de liberté qu'il ressentait quand il conduisait. De son côté, Chris, dix-huit ans, lui avait confié ses rêves. Suivre un cours en administration, déménager à Londres et avoir son propre commerce.

— Un commerce ? Quel genre ? Ce ne sera pas facile, la compétition est féroce à Londres.

— Un restaurant. Quelque chose de simple, de propre. De la bonne nourriture, celle qui nourrit le corps et l'âme. Difficile ? Il faudra que je travaille plus fort que les autres. C'est tout ! Ma détermination, mon enthousiasme, mon sourire et mon charme naturel feront le reste.

— Je pense que vous y arriverez parce que vous ne manquez d'aucun de ces ingrédients.

Cette jeune fille, jolie, entière, le fascina.

— Bonjour papa !

Geoff se ressaisit, pendant que Chris embrassait son père. Bien cambré, des mains puissantes, un peu de neige dans les cheveux, une légère calvitie lui agrandissant le front, il inspirait l'autorité et le respect.

— Papa, je te présente Geoff Nelson, de Brighton.

Avec des yeux rieurs, un regard chaleureux, interrogateur, il salua Geoff.

— Bonjour jeune homme ! Vous n'êtes pas un peu loin de chez vous ? Votre moto vous a laissé tomber ?

Avant qu'il ait pu articuler un mot, avec un rire dans la voix, Arlene McGuire le mit au parfum.

Bredouillant, cafouillant, le visage cramoisi, Geoff tenta de s'expliquer.

— Mon erreur !

Riant de bon cœur, Pat McGuire vint à sa rescousse.

— Ne vous en faites pas et surtout ne dites rien, je connais ma Chris, elle ne vous permettra jamais d'oublier cette journée. Chris, ma belle, va chercher deux bières. Je veux faire plus ample connaissance avec cet Anglais.

Fin causeur, il sut mettre son hôte à l'aise. Geoff reconnut en lui la même aisance, la même ouverture d'esprit que chez sa fille.

— Vous avez fait un brin de causette avec ma femme et Chris, mais j'ai aussi deux garçons, William et Logan. Je suis directeur d'une division de la *Glencar Mining Pic* à *Kilkenny*. William est mon adjoint. Logan est à *Trinity College* à Dublin; il veut devenir médecin. Seule Chris reste avec nous, mais vous le savez déjà.

— Oui, monsieur. J'envie vos enfants; j'ai perdu mes parents il y a maintenant six ans. Ils me manquent toujours.

— Vous avez des frères, des sœurs?

— Je suis fils unique. Je suis dessinateur-ingénieur chez *G.S. Walker.*

Jetant un coup d'œil à sa montre, il se leva.

Madame McGuire l'invita à souper, son mari insista, mais il déclina. Il voulait visiter l'Irlande, faire le tour du *Ring Of Kerry.* Toutefois, il demanda la permission de revenir. Monsieur McGuire acquiesça.

— Vous serez le bienvenu, à moins qu'une autre apparition ne vous en empêche.

Il le taquinait.

— Je ne pense pas. Ce n'est pas dans mes habitudes...

Il posa son regard sur Chris, entrevit l'espérance dans ses yeux, lui sourit, les salua tous, enfourcha sa moto et détala.

Six jours plus tard, la moto revint. Geoff et Chris se promenèrent; il lui raconta sa vie, son adolescence, ses études et la perte tragique de ses parents au cours d'un voyage en Écosse. Doublée par un chauffard, leur voiture avait manqué un virage et s'était écrasée au fond d'un précipice.

— Au début, je ne pouvais pas y croire. J'avais à peine dix-sept ans, j'étais révolté. Pourquoi un couple si heureux pouvait-il mourir pendant que d'autres qui se disputent comme chien et chat étaient toujours vivants? J'ai blâmé la Providence jusqu'à ce que je réalise qu'elle n'avait rien à voir avec les chauffeurs saouls. Je me suis plongé dans mes études. Mes parents auraient été fiers de moi.

— Ils vous manquent toujours?

— Oui, et j'envie votre vie familiale, vos parents accueillants, chaleureux. Je me sens bien ici et... avec toi. Je suis heureux. J'aime la nature. Quand je roule sur ma moto, je me sens libre comme l'air. Encore plus quand je vois des apparitions blanches qui me saluent.

— Vous en voyez beaucoup?

— Non. Et puis une seule me suffit.

Elle le taquinait. Il lui plaisait et le sentiment était réciproque. À peine encore quelques jours de vacances et il retournerait chez lui à Brighton. Ses parents lui avaient légué une maison plus que convenable.

— Pourrais-je revenir vous voir, Miss Chris?

— Oui, à deux conditions. Que vous m'appeliez Chris, et que je puisse vous appeler Geoff.

— D'accord. Je reviendrai avant de retourner en Angleterre.

La suite de son voyage fut moins intéressante, son esprit était ailleurs. Chris habitait ses pensées. Il revoyait sa frimousse rieuse, entendait ses éclats de rire, ses taquineries… Elle avait conquis son cœur et il s'en voulait de s'être laissé tenter par cette apparition blanche.

Le cours en administration que Chris envisageait de suivre était d'une durée de douze mois. Il débuterait en septembre et se terminerait à la fin août. Elle y tenait, il l'encouragea: «Une femme doit être autonome. Il en y va de sa dignité.»

Geoff lui demanda de lui écrire et elle accepta. Il revint à Noël et à Pâques. Ils se fiancèrent le jour de sa collation des grades. Chris adorait son grand *British* et il était fou d'elle.

Les parents de Chris aimaient bien Geoff. Il serait le gendre idéal, mais son père aimait encore plus sa fille et son épouse appréhendait déjà le départ de son unique confidente.

Le 15 septembre, ils s'épousèrent et Chris emménagea à Brighton. La maison de Geoff «tout à fait convenable» léguée par ses parents se révéla une bien belle maison de gens à l'aise. Chris adorait tout de Brighton et voulait tout voir. Geoff appréciait qu'elle visite sa ville, admire chaque bâtiment. Son enthousiasme le stimulait. Lui-même redécouvrait Brighton à travers ses yeux. Des édifices, des monuments qu'il avait vus maintes fois, sans vraiment les regarder. Jamais sa ville ne lui avait semblé aussi belle, aussi intéressante.

Geoff était un mari patient, attentionné. Ses amis avaient tous été très heureux de rencontrer la dame en blanc. Bonne cuisinière, Chris aimait lui mijoter des petits plats. Déterminée à se cultiver, elle se passionnait pour tout. Dès qu'elle entendait un mot ou une expression qu'elle ne comprenait pas, elle en demandait la signi-fication à Geoff et la notait dans un calepin. Quelques jours plus tard, Geoff remarquait qu'elle utilisait une de ces expressions. Il l'admirait. Huit mois plus tard, un jeudi soir, Geoff partit à moto visiter un confrère avec qui il travaillait à un projet.

— Je serai de retour vers vingt heures au plus tard.

Il sortit, puis revint sur ses pas et l'embrassa. Chris regarda une émission à la télévision. La programmation s'avérait très différente de celle de l'Irlande et le choix, plus varié. Les heures passaient. L'émission terminée, elle prit une douche, se brossa les dents et les cheveux, puis regarda sa montre. Vingt-deux heures trente. Geoff retardait, mais elle ne s'inquiéta pas. Le projet était peut-être complexe. Mais quand l'horloge anglaise sonna minuit, elle commença vraiment à se tracasser. Elle connaissait le numéro de téléphone d'Howard, le confrère de Geoff. Il était tard, mais tant pis, elle l'appela.

— Ça fait plus d'une heure et demie qu'il est parti. Il a dû s'arrêter en chemin, je ne suis qu'à vingt minutes de chez vous.

— Il est peut-être arrivé quelque chose.

— Chris, ne vous inquiétez pas ; je pars sur-le-champ, je vais me rendre chez vous, mais je le rencontrerai certainement en route.

Dix minutes plus tard, on sonnait à la porte. Croyant voir Howard, elle resta interdite devant deux *bobbies* (policiers londo-niens). Son mari avait eu un accident, mais il n'était pas mort. Le cœur de Chris se serra. Où était-il ? À quel hôpital ?

Howard arriva. En voyant les deux policiers, il blêmit. Ceux-ci le mirent au courant. Une voiture avait frappé la moto… Howard insista pour accompagner Chris à l'hôpital. Geoff était déjà sur la table d'opération quand ils arrivèrent. Le docteur Flemming, un orthopédiste qui avait bien connu les parents de Geoff, l'avait pris en charge et amené aussitôt en chirurgie. L'intervention dura plus de trois heures. Chris ne tenait plus en place. La présence d'Howard la réconfortait.

— Geoff est entre bonnes mains. Il est fort, en pleine forme, il va s'en sortir.

Aussitôt l'opération terminée, le docteur Flemming vint la voir.

— Madame Nelson, votre mari va s'en sortir.

Les yeux pleins d'eau, Chris soupira de soulagement.

— Merci docteur, merci beaucoup. J'ai eu si peur.

— Il est chanceux d'être encore vivant, mais il n'est pas sorti indemne de cet accident. Il va s'en sortir, mais il faudra du temps. Il a des petites ecchymoses au visage, une fracture au bras gauche, des fractures à la rotule et à la cheville droites, des fractures ouvertes au fémur et au tibia de la jambe gauche. Ces dernières sont plus sérieuses parce que des petites particules de goudron et de gravier s'y sont incrustées. Il marchera, mais il devra être patient. Ne paniquez pas en le voyant ; il est mal en point, mais je vous répète qu'il va s'en sortir. Nous allons l'installer dans la chambre 207. Je reviendrai le voir demain.

Quand Chris le vit, son cœur se serra. Le visage tuméfié, bleu, un bras dans le plâtre, les jambes enveloppées dans une montagne de gaze, il était à peine reconnaissable. Même Howard eut un choc en l'apercevant. Chris avait posé un baiser sur le front de son cher Geoff et s'était assise près de lui. Encore sous l'effet de l'anesthésie, il ouvrit les yeux, la reconnut, et une larme coula sur sa joue.

— Je suis là mon amour. On a une côte à remonter, mais tu vas t'en sortir et tu vas pouvoir marcher, parole du docteur Flemming. *T grá agam duit, mo ghrá* (Je t'aime, mon amour) et je vais être près de toi.

Sa voix lui venait de très loin, même si elle était à ses côtés. Il ferma les yeux et s'endormit.

Courageuse, Chris avait pris les choses en main. Elle ne quittait la chambre que pour aller manger un peu. Elle eut très peu de repos les premiers jours.

La route vers la guérison s'annonçait longue et pénible. La quatrième journée, il eut une poussée de fièvre. Malgré les antidouleurs, il souffrait beaucoup. Après avoir effectué des radiographies, le médecin diagnostiqua une ostéomyélite. Conscient de son état, Geoff était très inquiet, plus pour Chris que pour lui-même. Il ne voulait pas qu'elle ait à prendre soin de lui toute sa vie. Le médecin leur avait expliqué que cette complication retarderait sa guérison.

— Quand une fracture ouverte s'infecte, la moelle osseuse enfle et exerce une pression contre les vaisseaux sanguins de l'os. Les cellules osseuses ne reçoivent plus assez de sang et une partie de l'os peut mourir. L'infection s'étend parfois aux muscles et aux autres tissus mous environnants. Elle produit alors une accumulation de pus, appelée un abcès.

Chris en avait été consternée.

— Pensez-vous pouvoir guérir cette ostéomyélite?

— Je commence l'administration d'antibiotiques par intraveineuse tout de suite. Avec un peu de chance, on devrait en venir à bout d'ici deux à trois semaines.

Il fallut cinq longues semaines. Son bras et sa cheville guérissaient bien. On avait enlevé les plâtres. Geoff ne se plaignait pas. Chris restait à ses côtés. Il l'apercevait à son réveil. Il avait peu d'appétit, mais elle employait mille stratagèmes pour l'encourager à manger, y compris certains jeux de mots à double sens. Comme il l'aimait!

Sept semaines plus tard, il revint à la maison en chaise roulante. Une infirmière vint chaque jour pendant deux semaines, puis Chris la congédia et la remplaça par un physiothérapeute. Elle pouvait prendre soin de son mari. Geoff était incapable de marcher. Pour lui, ce fut terrible. Il voulait divorcer. Chris n'avait que vingt ans, elle n'allait pas passer sa vie avec un paraplégique. Chris ne voulut rien entendre.

— Tu te rappelles chéri: «Pour le meilleur et pour le pire.» Tu n'es pas un paraplégique. Ton cerveau fonctionne très bien, tu es en bonne santé et tu as deux bras, deux mains, un corps et tes jambes. Tu vas remarcher.

11

Les rêves ne meurent pas

Les semaines passèrent. Geoff suivait les directives du physiothérapeute à la lettre, mais les progrès s'effectuaient lentement.
Il pouvait se déplacer seul et, après plusieurs essais infructueux,
il apprit à s'asseoir et à se lever seul. L'humiliation de ne pouvoir
aller seul aux toilettes lui fut épargnée.

Le docteur Flemming était content de ses progrès.

— Vous êtes chanceux d'être vivant. À un certain moment,
j'ai craint pour votre vie. Vous êtes dans la force de l'âge, et votre
jambe droite guérit très bien ; vous pourrez bientôt vous en servir.
Pour la gauche, il faudra du temps, peut-être quelques années. (Il
est possible qu'il vous faille une canne.

— Une canne ? Je n'ai pas encore trente ans…

— Oui, vous êtes jeune, vous avez une femme qui vous adore,
un foyer… Remerciez le ciel d'être vivant.

Déçu, un peu honteux, Geoff le remercia et se promit qu'il
marcherait sans canne.

Chris avait longuement réfléchi. Cette maison était beaucoup
trop grande et pas du tout pratique. Elle avait fait le tour de
Brighton et avait aperçu un commerce à vendre. À l'étage, un
logement. Cuisine, salle à manger et salon, grande salle de bain
et deux chambres à coucher. Trois mois plus tard, un lundi soir,
alors qu'ils regardaient la télévision, elle se jeta à l'eau et lui parla
de son projet.

— Mais comment veux-tu que je monte à l'étage ?

— Un ascenseur ! Pour le moment, tu te débrouilles déjà bien.
D'ici quelque temps, tu n'auras plus besoin de ta chaise roulante.
Mon chéri, il faudra faire des rénovations. C'est toi l'architecte. Tu

l'étais, tu l'es toujours, et je veux que cet appartement soit éclairé et ait un beau balcon de même qu'une belle véranda. J'aimerais que tu viennes le voir. J'ai besoin de ton… expertise. C'est le mot juste ? Le tout doit être adapté pour une chaise roulante.

— Et le commerce ?

Elle se leva, alla à la cuisine, noua un tablier autour de sa taille, prit un carnet et un crayon et revint au salon. Avec un sourire enjôleur, elle se pencha vers lui.

— Bonjour mon beau monsieur. Qu'est-ce que vous désirez manger aujourd'hui ? Tout est absolument délicieux. Ma devise : « Satisfaction garantie ou argent remis. »

Elle était tout simplement adorable. Il se rappela son rêve. Son restaurant !

Il allongea la main, l'attira à lui et l'embrassa passionnément. Elle se pencha, le caressa, et plongea ses yeux dans les siens. Il se consumait de désir.

— *Jaysus !* Chris, tu vas avoir plus de clients…

— Je retrouve mon amour. Comme je t'aime ! Et je t'aimerai jusqu'à mon dernier jour. Alors, Geoff Nelson, tu vas m'aider à réaliser mon rêve et reprendre ton travail de dessinateur-ingénieur.

Son enthousiasme lui fit mal. Il aurait donné sa vie pour elle, et regretta de ne pas l'avoir perdue dans l'accident. Elle attendait sa réponse ; il ne pouvait la décevoir. Il s'agissait d'un changement radical. Vendre sa maison ! Celle que ses parents lui avaient léguée. Son handicap le rongeait. Il ne pouvait concevoir de ne plus jamais pouvoir marcher. Pour elle, pour son bonheur, il était prêt à tout.

Le lendemain, il visitait le commerce. Il ne payait pas de mine, mais était très bien situé. Marchant sur son orgueil, Geoff avait sollicité l'aide de deux confrères, Howard et John, qui le portèrent à l'étage. Il examina chaque pièce, Chris le suivit sans mot dire. Non ! Il ne voulait pas de cet étage.

— Venez prendre un verre à la maison samedi soir. Emmenez vos femmes. Tu veux bien chérie ?

— Certainement. On vous attend pour souper, disons dix-huit heures.

Chris ignorait à quoi Geoff pensait, mais elle sentait son cerveau en ébullition. Aussitôt arrivés chez eux, il lui fit part de ses projets. Le restaurant aurait besoin d'être rénové. Elle allait devoir visiter quelques restaurants et décider ce qu'elle aimait. L'étage servirait de remise pour le restaurant. Le chauffard qui l'avait frappé était responsable, cependant les assurances ne lui offrait que vingt mille livres, mais il savait pouvoir en recevoir trente-cinq. L'avocat de sa firme d'ingénieurs s'occupait *pro bono* de la réclamation. Et ils avaient des économies. Alors pas question de vendre leur maison.

— D'abord, j'ai besoin d'une chaise roulante plus légère et plus maniable. Je ne peux pas encore marcher longtemps et je veux pouvoir me déplacer seul et rapidement.

L'après-midi même, il appela son ami John, un agent d'immeubles. Ils voulaient acheter un restaurant. Celui qu'ils avaient visité ne semblait pas faire fortune, il pensait l'avoir à bon prix. Ils paieraient comptant, pas de tergiversations.

L'affaire fut menée rondement. Le restaurant appartenait à un monsieur âgé. Il perdait de l'argent, et se fit tirer l'oreille. Mais sa femme voulait vendre, elle en avait assez de s'épuiser six jours semaine. Le fait que Geoff payait comptant avait fait pencher la balance. Le propriétaire flairait une bonne affaire et fit monter les enchères, mais quand l'agent de Geoff menaça d'aller voir ailleurs, il accepta une somme raisonnable.

Geoff jubilait. Ce projet le stimulait. Une nouvelle vie commençait pour eux. Le bonheur de Chris était son unique préoccupation. Le soir, sur l'oreiller, ils avaient longuement discuté. Ils garderaient la maison, elle serait entièrement rénovée.

Chris avait préparé un festin pour recevoir les amis de Geoff et leurs épouses. C'était la première fois qu'ils recevaient des amis à la maison depuis l'accident. La bonne chair et le bon vin, les rires et les échanges agréables, firent oublier à Geoff son handicap.

Le souper terminé, la vaisselle lavée et rangée, Geoff alla chercher un grand bloc de papier et leur montra l'ébauche des changements qu'il souhaitait apporter à leur maison. Howard et John l'examinèrent, et se consultèrent du regard, puis, se tournant vers Geoff, John dit :

— Tu recommences à zéro, n'est-ce pas ?

— Pas tout à fait, mais c'est une rénovation majeure. Je veux quelque chose de bien, de spacieux. Une grande cuisine – Chris adore cuisiner – un salon, une salle à manger, un coin pour mon bureau. Le tout à aire ouverte, sauf les deux chambres à coucher et la grande salle de bain. Je garde les fenêtres en avant, mais j'en veux des plus grandes sur les côtés et l'arrière doit être entièrement vitré. Le tout accessible en fauteuil roulant… en attendant que je recommence à marcher.

— Tu crois pouvoir remarcher bientôt?

— Oui, je sais, le docteur pense que ce sera long. Tout le monde le pense… Sauf que moi, je sais.

— Eh bien mon vieux, si on peut t'aider…

— Vous le pouvez! Pour l'instant, faites fonctionner vos neurones. J'ai les dimensions intérieures de cette maison, vous avez une copie du plan et l'endroit des poutres de soutien y est indiqué. J'aurai besoin d'un bon entrepreneur en construction.

Geoff distribua quelques pages à Howard et à John, puis ils se mirent à l'œuvre. Geoff était leur ami, ils l'aimaient et le respectaient. Habitués à travailler en équipe, ils mirent tout leur cœur dans ce projet. Chacun prépara une ébauche de la rénovation. Howard et John ajoutèrent un solarium à l'arrière, ainsi qu'un bureau et une petite salle d'attente avec entrée privée extérieure.

— On te demande au bureau, certains ne veulent que toi. En attendant ton rétablissement, le patron te prépare un plan de travail. Les clients doivent pouvoir venir te rencontrer. Avec la grandeur de ton terrain, on peut ajouter un beau bureau très fonctionnel.

Perplexe, Geoff réfléchissait. Il ne pouvait passer les deux, trois années suivantes à ne rien faire. Et Chris serait tellement contente s'il reprenait intérêt à son travail. Le projet n'en était qu'au stade embryonnaire, mais l'ensemble était extraordinaire. Geoff était heureux, il préparerait le plan final.

Quand Chris le vit, elle se mit à pleurer.

— Chérie, tu ne l'aimes pas?

— Mais oui, je l'adore! Tu es un génie et je t'aime à la folie. Je suis comblée. On va rénover la maison de tes parents, de ton enfance, en ajoutant un solarium et un bureau et on va aussi rénover mon restaurant. On commence une nouvelle vie, elle sera époustouflante. Viens dans notre chambre, que je t'en donne un aperçu.

Quelle femme! Oui, leur vie serait époustouflante. Il y mettrait tout son cœur.

Le soir où Ray et Dylan étaient entrés dans le *Chris & Geoff's Cafe*, plus d'une année s'était écoulée depuis l'accident de Geoff. Le restaurant était rentable, Chris aimait le contact quotidien avec les clients et Geoff avait une clientèle florissante. Ils sortaient et recevaient souvent. Geoff marchait avec une béquille, mais il se servait parfois de son fauteuil roulant.

12

Dépaysés

Ce premier soir, Morphée ne se fit pas attendre. Une vingtaine d'heures sans dormir vraiment, le stress du départ, la rencontre de MK, un bon souper réconfortant… leur tête avait à peine touché l'oreiller qu'ils tombèrent dans un profond sommeil.

Celui de Ray fut entremêlé de cauchemars. Il se réveilla en sursaut. Un lampadaire éclairait le mur tapissé de fleurs ; telle une apparition psychédélique, il y voyait surgir des fantômes. Désorienté, tremblant comme une feuille, se demandant où il était, il sauta de son lit. Dylan ouvrit un œil et l'observa.

— Qu'est-ce que tu fais, Ray ? Tu retournes en Irlande ?

— Dylan, j'ai fait un cauchemar. Un homme courait après moi armé d'un fusil, il voulait me tuer.

— Il courait pas vite puisque t'es ici. C'est juste un mauvais rêve. On est ensemble, y peut rien nous arriver. Mon lit est grand, viens t'allonger à côté de moi. Tu verras, les hommes avec des fusils ne me font pas peur.

Il se glissa près de son ami, sa frousse était plus forte que sa gêne. À peine quelques minutes plus tard, il dormait comme un loir. Dylan n'avait plus sommeil. Ray se collait contre lui, il avait chaud. Avec mille précautions, il s'étendit dans le lit de Ray, mais ne s'endormit que deux heures plus tard. À huit heures trente, les coups de klaxon d'une voiture les tirèrent de leur sommeil. Dylan se précipita à la fenêtre.

— Lève-toi, paresseux ! J'ai faim. On est à Brighton. Miracle ! Il fait soleil.

— On est en vacances ! C'est lundi ! Quelle heure ?

— Huit heures quarante-cinq. On s'habille, on va déjeuner…

— C'est les vacances d'été. Tu sais, on a deux mois de vacances.

— Plus maintenant, Ray! On est libres, on n'est plus à Dundalk, on n'ira plus à l'école. Mais on doit se trouver du travail.

— J'sais pas si j'aime ça.

— OK! Appelle ton oncle. Il viendra te chercher.

— Perds-tu la boule? Appeler mon oncle! *Never!* J'me lève. On va au *Chris & Geoff's Cafe.*

— On va prendre un bon déjeuner ici, c'est gratis. Un petit dîner, pour le souper, on ira au *Chris & Geoff's Cafe.*

— 'Coute donc, tout d'un coup, t'es un vrai général. Tu veux remplacer *Cotton Candy*?

— Moi? *Cotton Candy*? Jamais! Excuse-moi Ray. Je suis tellement content d'être ici avec toi, j'ai hâte de mieux connaître la ville, d'avoir un job, notre appartement... J'me suis laissé emporter.

— Non, non, c'est correct. Tu me donnes confiance! T'es champion!

Dylan souriait de toutes ses dents, il avait des ailes. Après le déjeuner, ils allèrent prendre un thé au *Chris & Geoff's Cafe.* Ils furent déçus. Chris n'y était pas et ce n'était pas la même serveuse, mais celle-là savait qui ils étaient.

— Je m'appelle Rita. Je vous prépare un thé. Ensuite, Chris et Geoff vous attendent chez eux.

— Mais on n'a pas leur adresse et on connaît pas la ville.

— Pas nécessaire, ils demeurent pas très loin, et elle va venir vous chercher.

— Dylan, ça me gêne d'aller là. Son mari? Qu'est-ce qu'il nous veut?

— Écoute Ray! J'pense pas que c'est le même genre que *Cotton Candy*. Chris ne nous veut pas de mal. J'suis certain. *Smile!* La vie est belle!

Vingt minutes plus tard, Chris arriva. Elle était venue en autobus.

— Vous devez apprendre à circuler en ville. Aujourd'hui, c'est votre première sortie en autobus.

Toute pimpante, le sourire aux lèvres, elle leur expliqua qu'ils allaient d'abord se rendre à l'arrêt d'autobus au coin de la rue Western.

— C'est à deux pas, peut-être trois ou quatre. Regardez bien ! L'autobus portant le nom Brighton & Hove District sur numéro 19, vous amènera presque chez moi. C'est cinq pence chacun pour aller et cinq pour revenir. Le trajet prend de quinze à vingt minutes.

Dix-huit minutes plus tard, l'autobus arrivait au bout de l'avenue Queen Victoria. C'était son dernier arrêt. De là, il retournait au centre de Brighton. Après une marche d'une dizaine de minutes, ils étaient arrivés chez Chris et Geoff, au 57, Woodland Avenue.

C'était une maison spacieuse, sobre, accueillante, à l'image des propriétaires. La richesse des meubles dénotait un goût exquis, sans affectation. Chris les accueillit en lançant : « Geoff, nos invités sont arrivés. »

Ébahis, ils eurent à peine le temps d'admirer la maison qu'un homme en fauteuil roulant, la main tendue, s'avançait vers eux. Un visage noble de praticien, des épaules qui emplissaient la chaise.

— Bonjour, je suis Geoff, le mari de cette adorable femme que vous connaissez déjà. Dylan et Ray, bienvenue chez nous.

Gauches, bafouillant, ils s'avancèrent et lui serrèrent la main. Ils étaient drôles à mourir. Chris s'amusait. Ray brisa le silence.

— *Wow !* C'est beau ici ! C'est à vous ?

— À nous deux. C'est notre petit paradis.

— Geoff voulait vous rencontrer et j'ai des courses à faire. Ne craignez rien, il ne mange pas les Irlandais.

Geoff se dirigea vers le solarium en leur faisant signe de le suivre. Ray et Dylan n'osaient regarder ses jambes. Sans aucune gêne, il leur parla de son accident, de son travail de dessinateur-ingénieur, leur montra son bureau. Il sut les mettre à l'aise.

Une heure plus tard, il savait tout d'eux et avait une idée assez juste de ce qui attendait ces deux « orphelins ». Ray était plus jeune, semblait moins sérieux. Geoff avait des doutes sur son avenir, mais il souhaitait se tromper. Dylan était un bon berger allemand, il ferait un bon travailleur et irait loin.

— Qu'est-ce que vous allez faire d'ici le retour de MK ?

— Avant d'aller plus loin, nous avons quelque chose à vous dire. Quand on a quitté l'Irlande, on avait peur que nos familles nous recherchent, alors on a changé nos noms. Mon vrai nom est Dylan Finnian, j'ai choisi le nom de ma mère, Quinn.

— Moi, je m'appelle Ray O'Brien. J'ai aussi choisi le nom de famille de ma mère, Doyle. Ray Doyle. On aimerait les garder pour un certain temps.

— Mais ça peut compliquer votre vie et votre adaptation en Angleterre. Vous devez absolument reprendre vos vrais noms pour diverses raisons. Pour obtenir vos permis de travail, pour vos employeurs, partout où vous irez, il vous faudra donner vos noms. Je comprends vos craintes, mais vous n'avez pas à vous inquiéter. Si jamais il y a des fouineurs qui s'informent de vous, nous y verrons.

— Oui, on comprend. On pensait bien faire mais on n'a pas votre expérience. On va reprendre nos noms.

— C'est mieux ainsi ! Croyez-moi.

— Il faut qu'on déménage dans deux semaines ; on doit se trouver un logement. Dylan pense qu'on devrait faire le tour des environs pour voir ce qu'il y a de disponible. On ne veut pas aller travailler pour MK. Moi j'voulais, mais Dylan pense que c'est pas une bonne idée.

— Il a raison. Chris et moi, on a pensé à quelque chose qui pourrait peut-être vous rendre service. Il y a un appartement au-dessus du Cafe. Une chambre sert de remise, mais il reste une autre chambre, un salon et une cuisine avec un poêle et un réfrigérateur. Il faudrait tout balayer et laver, mais si vous promettez d'être responsables, on vous le louera à très bon prix, juste assez pour payer le chauffage et l'électricité.

Ray en avait perdu la parole. Les larmes aux yeux, Dylan s'avança vers Geoff et lui serra la main.

— Merci monsieur Geoff, merci. Merci beaucoup. Vous êtes vraiment trop généreux.

— Chris vous fait confiance. Elle est très perspicace pour juger les gens, je me fie à son jugement.

— On va la remercier aussi. Et tout nettoyer. Tout sera bien propre. Vous nous direz quand on pourra commencer et on dérangera pas.

Ray était tout aussi content. Ils avaient deux amis, des gens qui offraient de les aider.

— Non, non, on dérangera pas.

— On ne veut pas d'alcool chez vous, ni de filles.

Ray éclata de rire.

— Des filles? On est trop jeunes! Et on boit pas.

— Ça viendra, et plus vite que vous ne le pensez. Je m'excuse, j'ai du travail. Je dois remettre un devis aujourd'hui. Chris vous expliquera tout.

Ray et Dylan se retrouvèrent à l'extérieur. Pas très rassurés, ils marchèrent vers ce qu'ils pensaient être l'arrêt d'autobus. Ils essayaient de se rappeler le nom de la rue, mais peine perdue, ils n'avaient fait que suivre Chris, sans porter attention aux noms des rues. Ils tournaient en rond lorsqu'ils aperçurent Chris. Surprise, elle les conduisit jusqu'à l'arrêt et attendit leur autobus avec eux.

— Geoff n'a pas pensé que c'était la première fois que vous preniez l'autobus sinon il vous aurait dit d'attendre avant de partir. Ce n'est pas sa façon de faire habituelle. C'est un homme merveilleux, bon et généreux.

Aussitôt qu'ils furent montés dans l'autobus, Chris demanda au conducteur de les déposer à l'avenue Western.

Le lendemain matin, après le déjeuner, ils se rendirent au *Chris & Geoff's Cafe*. Chris vint s'asseoir avec eux. Comme c'était sécurisant de l'avoir près d'eux, un peu comme une mère. Elle voulait leur montrer le logement. Plus tard, elle leur fournirait tout ce dont ils auraient besoin pour tout nettoyer.

— C'est préférable de faire ça maintenant parce qu'après, il va falloir vous trouver du travail.

La petite cuisine comprenait une table et quatre chaises. Le salon, un long divan et une chaise; le divan avait connu des jours meilleurs, mais les garçons étaient déjà chanceux de l'avoir. La chambre à coucher était spartiate, deux lits superposés et une petite commode. Il y avait assez d'espace pour placer les lits côte à côte. La salle de bain avait besoin d'un bon récurage. La deuxième chambre à coucher, qui devait servir de remise, était pratiquement vide. Ray et Dylan se réjouissaient. Ce n'était pas le grand luxe, mais ils seraient chez eux.

Chris n'était pas montée à l'étage depuis longtemps. L'appartement lui parut misérable. Il nécessitait plus qu'un bon nettoyage, il devait être entièrement repeint. Elle regarda les deux jeunes, ils avaient déjà assez souffert. Ce logement ne leur convenait pas. Sa décision fut aussitôt prise. Elle allait s'occuper de le rendre plus présentable, plus agréable.

Ray et Dylan la regardaient, ils ne savaient que penser. Ce dernier se hasarda :

— Vous ne voulez plus nous le louer ?

— Pas aujourd'hui. On est mardi. Revenez mardi prochain et apportez votre bagage.

Ray la regarda :

— On n'a pas de bagage, juste un sac à dos chacun et un peu d'argent. J'ai 45 livres et Ray, 41. On a dépensé une livre chacun. C'est tout !

Inquiet, Dylan se tourna vers Madame Chris.

— On peut le nettoyer. Vous verrez, il sera très propre.

— Ne craignez rien. Je veux vous le louer. Fiez-vous à moi, vous ne serez pas déçus. Je m'en occupe. Retournez à votre maison de chambres et reposez-vous. C'est assez pour aujourd'hui. Demain, allez vous promener, explorez le centre-ville de Brighton.

Dylan soupira d'aise, Ray se colla contre lui. Ils la remercièrent, puis ils partirent le cœur léger. Leur ange gardien veillait.

Le soir même, Chris s'entretint avec Geoff. Il était entièrement d'accord avec elle. Ce logement ne rapportait pas un penny.

— On leur demandera un montant minimum.

— Fais-le nettoyer et peindre. Achète aussi ce dont ils auront besoin. Il reste quelques bons meubles de la rénovation de notre maison. Ils sont sous une bâche dans la remise. On a toujours fait la charité aux pauvres. Ils le sont. Pauvres et seuls dans une grande ville.

— Merci mon amour. Je ne dépenserai pas une fortune, mais je vais leur organiser un endroit chaleureux. Il leur faut aussi un emploi.

— Ça, ma chérie, ce ne sera pas facile.

13

Sans-papiers

La précarité de la situation de Ray et Dylan inquiétait Geoff. Leur trouver du travail ne serait pas chose facile. Ils n'étaient pas citoyens britanniques, ni citoyens du Commonwealth. En 1949, l'Irlande s'était retirée du Commonwealth. Seuls certains groupes d'Irlandais avaient eu l'autorisation de garder la citoyenneté britannique : ceux qui avaient déjà un passeport britannique, ceux qui avaient déjà fait partie du gouvernement britannique, ceux nés avant 1949 et dont le père était Anglais, et quelques exceptions. Les deux garçons ne répondaient à aucune de ces exigences. Ils ne pourraient faire une demande de citoyenneté, ni même obtenir un permis de travail avant l'âge de quinze ans. À treize ans, Ray aurait dû fréquenter l'école. À quatorze ans, il aurait pu aller travailler, avec la permission de ses parents. Toutes ces contraintes leur étaient étrangères. Sidérée, Chris lui demanda s'il y avait possibilité de trouver une solution.

— Je n'en suis pas certain. Il faudra voir. Dis-leur de revenir avec toi demain.

Le lendemain matin, Chris était venue à leur maison de chambres leur dire que Geoff voulait les revoir. Perplexes, ils ne savaient à quoi s'attendre. L'inconnu est l'essence même de la peur, c'est avec appréhension qu'ils se retrouvèrent devant Geoff.

À peine furent-ils assis que Geoff leur expliqua dans quel bourbier ils s'étaient enfoncés. Ray et Dylan faillirent en perdre connaissance. Dylan secouait la tête.

— C'est pas croyable ! J'aime mieux me jeter à l'eau que de retourner en Irlande ou même travailler pour MK.

Abattu, il se tourna vers Ray. Ce dernier n'y comprenait rien.

— On pourra pas travailler? J'm'en r'tourne pas non plus. Jamais!

Navrés, Geoff et Chris les regardaient. Des brebis qu'on amenait à l'abattoir.

— Il y a peut-être une solution, expliqua Geoff cependant, avec un sourire, mais elle ne m'enchante guère. Comme je ne veux pas avoir votre mort sur la conscience…

Raide comme une barre de fer, Dylan attendait; Ray se tortillait sur sa chaise.

— Je veux bien essayer de vous aider, mais je veux que vous compreniez que je mets ma réputation en jeu. J'ai une profession, je suis connu et respectable comme l'est Chris. Je ne suis pas MK, je devrai mentir pour vous deux, ça ne me plaît pas, mais si je ne le fais pas vous êtes perdus.

— Monsieur Geoff, on f'ra comme vous allez dire.

— À partir de maintenant, Ray, tu as quinze ans, et Dylan, dix-sept. Ne l'oubliez jamais. Vos parents vous ont abandonnés ou sont décédés, faites votre choix, mais ne choisissez pas la même raison. Pour l'instant, vous ne pourrez avoir un emploi officiellement. Je vais essayer de vous trouver un travail où vous serez payés au noir. Je ne peux faire mieux. Si on vous demande votre certificat de baptême, vous ne l'avez jamais eu. Si l'on insiste, dites de me téléphoner, de venir me voir ou d'aller voir Chris au Cafe.

Il voulait qu'ils comprennent bien que Chris et lui prenaient un risque en les aidant et espéraient qu'ils ne les décevraient pas. Pour commencer, Ray et Dylan leur remettraient une livre et demie chacun pour les frais de rénovation. Chris ferait peindre tout l'appartement, ajouterait quelques meubles et tout ce dont ils auraient besoin. Quand ils auraient un emploi, ils paieraient une livre et demie la semaine pour le logement, plus une livre et demi pour le gaz, l'électricité, le chauffage. S'ils allaient ailleurs, il leur en coûterait le double. La nourriture, environ deux livres chaque semaine. Le tout s'élèverait à cinq livres.

C'en était trop pour Ray. Il donna libre cours à sa détresse. Ce qui devait être si simple, un nouveau départ, une belle aventure, devenait soudainement tellement concret. Un logement à payer, le gaz, l'électricité, la nourriture et quoi encore? Et il n'avait jamais touché une casserole, ne s'était même jamais fait un seul sandwich. Plus de vacances d'été ? Ils étaient des moins que rien en Angleterre. Il leur fallait se trouver du travail, encore là Monsieur Geoff parlait en termes qu'il ne comprenait pas. Treize ans ! Encore enfant. Il ne s'était pas enfui pour chercher misère. Mal à l'aise, ses yeux allaient de Geoff à Dylan.

— Mes parents m'ont abandonné.

Et Dylan d'ajouter :

— On ne veut pas reculer mais… ça fait beaucoup de choses en même temps. Vous nous connaissez même pas et vous voulez nous aider.

La voix raffermie, il continua :

— Dès qu'on aura un job, on va travailler fort, vous allez voir. Vous r'grettrez pas de nous avoir aidés.

Un sourire inonda le visage de Ray.

— Oui, on f'ra front commun, on va être capables.

Geoff et Chris comprenaient leur détresse, ils souffraient avec eux. Geoff reprit :

— Écoutez, n'ayez pas peur. J'ai voulu vous faire comprendre ce qui va se passer. Je veux vous trouver un travail et je suis convaincu que vous allez très bien vous en tirer. Après tout, vous avez planifié votre départ, vous vous êtes organisés seuls, avez traversé la mer d'Irlande… Vous êtes des débrouillards.

La douceur dans la voix, Chris leur expliqua qu'ils auraient un bel appartement.

— Vous ne serez pas seuls, je serai tout près de vous.

— Vous allez peindre… Ça pas d'bon sens.

Stupéfaits, Ray et Dylan ne savaient plus s'ils devaient rire ou pleurer, ce qui se voyait à leurs mimiques drolatiques. Ils avaient perdu la parole.

Geoff leur serra la main en leur disant qu'ils devaient venir le voir s'ils avaient des problèmes et que Chris veillerait sur eux. Pauvres gosses !

— Retournez en ville ! Dès que j'aurai trouvé un boulot, Chris vous le dira. Assez d'émotions pour vous deux. Allez vous promener, laissez tomber la pression.

14

Étincelle d'espoir

Soulagés, ils parlèrent peu durant le retour. Ils se comprenaient sans l'aide des mots, marchant en silence pendant plus d'une heure, n'allant nulle part, le cerveau embrouillé, tels des aveugles ayant perdu leur canne blanche. Brusquement, Dylan s'immobilisa. Interdit, Ray le questionna du regard.

— Ça va faire Ray! On s'en va pas à l'abattoir, on a une belle grande chambre pour les deux prochaines semaines. Et puis Sexy Jenny est un vrai cordon bleu. Son sourire ensoleille ma journée!

Ils riaient comme des fous.

— On va avoir un logement pratiquement gratis, Chris et Geoff veillent sur nous, on a de petites économies… *Enough is enough!* Tu vois ce Cafe? On entre, on s'assoit, on se paye quelque chose pis on relaxe. Tu te rappelles? La belle vie? On est en plein dedans.

— Ah Dylan! Là tu me fais plaisir! Une chance que t'es là! J'te suis, *boss*!

Ils choisirent une petite table près de la fenêtre. Une jeune serveuse s'avança. Petit nez retroussé, plutôt jolie, pas très grande, elle leur demanda ce qu'ils désiraient. Riant, Ray lui dit qu'il ne pouvait pas lui dire ce qu'il… voulait. Elle éclata de rire.

— Mais un bon sandwich au jambon avec tout le *kit* ferait mon affaire.

S'adressant à Dylan:

— Et vous monsieur?

— Le monsieur, c'est Dylan, et moi, c'est Ray. Et le Monsieur Dylan est obligé de penser comme moi. Un bon sandwich au jambon et ne rognez pas trop sur le «kit». Pis deux grands colas.

Elle s'éloigna en souriant. Ray murmura:

— Elle est drôlement bien. *Nice shape!*

— *Yeeees!* Mais je me demande d'où elle vient.

— Elle a un accent à déchirer le cul de la reine.

Le trop-plein d'émotions les poussait au paroxysme du rire. Ils riaient à gorge déployée, se tordaient, essayaient de se retenir, sans succès.

Hésitante, la serveuse s'approcha, recula, rigola et repartit.

Quand ils purent enfin reprendre leur sérieux, Dylan murmura :

— Monsieur Geoff a dit : « Pas de filles dans notre appartement ? » Notre appartement ? C'est drôle, parce qu'y vient de me pousser une hormone.

Il essayait de se ressaisir, mais peine perdue. Il riait tellement qu'il en pleurait.

— Dylan, j'aimerais connaître tes symptômes, parce que si elle pousse au même endroit que ma moustache, on a des problèmes.

— Mon cher, c'est beaucoup plus…

— C'est bien ce que je pensais, c'est « la chose ». À la maison, ma tante parlait de « la chose ». Une fois, elle parlait d'une femme qui attendait un bébé. Elle a dit : « Elle est comme ça ! » Sans rien de plus !

Dylan se marrait.

— C'est peut-être à cause de « la chose » qu'elle était « comme ça ».

— Mon oncle, le cher homme, disait que j'étais précoce, trop précoce. Je sais pas trop c'que ça veut dire.

— Ça veut dire que t'es un enfant prématuré. Pis tiens-toi tranquille.

Ils riaient encore quand leur petite fée blonde revint avec leur commande. Elle avait peine à garder son sérieux. Ray la remercia de son plus beau sourire et, presque tout bas :

— On aurait besoin d'une bonne cuisinière comme vous. Faites-vous des visites aux maisons ?

— Mademoiselle, n'écoutez pas mon ami, il est très fatigué.

Elle s'éloigna. Ils passèrent une heure à rire. Le stress des derniers jours se dissipait lentement, ils se sentaient libres, euphoriques. La serveuse, Lily, leur apporta l'addition et ils passèrent le reste de l'après-midi à se promener, à examiner les maisons, les magasins. Ils retrouvèrent leur maison de chambres sans difficulté. Chris leur avait remis une carte du centre-ville de Brighton, et ils ne s'étaient pas aventurés très loin. Une bonne douche, des vêtements propres ; à dix-sept heures, ils étaient prêts à se rendre chez Chris et Geoff.

— Tu sais Ray, j'ai lavé mon linge, je sentais le *swill*.

— Mais on n'a pas de laveuse ! Tu veux dire que t'as lavé ta chemise sur toi, sans l'enlever ?

— Oui, j'lai savonnée puis je l'ai rincée. Même chose avec mes caleçons et mes chaussettes. Après, j'me suis lavé. Regarde, mon linge sèche sur un cintre.

— Bien, c'est pas fou ! Faudra que j'fasse la même chose, mon linge est pas propre, propre.

— Oui, pis faut s'habituer à être propres.

Brighton, située sur la côte sud de l'Angleterre, jouissait d'un climat ensoleillé et chaud. Elle était connue comme la « Londres près de la mer ». Pendant l'été, des milliers de touristes envahissaient le bord de mer, les magasins, les bars, les restaurants, les clubs et les centres d'attractions.

En juin 1960, à l'arrivée de Ray et Dylan, la population de Brighton dépassait les 150 000 habitants. L'agglutinement des maisons et des boutiques, ainsi que la marée de visages qu'ils avaient entrevus à leur arrivée étaient déconcertants. Visiter la ville ? Ils le feraient… à pas de tortue. Ils ne s'éloigneraient pas de leur zone sécuritaire.

Revenus à leur chambre, assis sur le rebord de la *bay-window*, les yeux au loin, l'esprit tranquille, libérés d'un grand poids, ils vivaient l'instant présent. Geoff et Chris les protégeraient. Dundalk était déjà à des années-lumière.

— Ray, c'est pas croyable. On a pris le traversier dimanche soir, ça fait juste quatre jours qu'on est arrivés.

— Oui, pis c'est un autre monde ici. L'autre monde d'avant (il se refusait à mentionner Dundalk), j'veux vraiment pas y retourner, malgré qu'ici c'est pas mal énervant…

— J'pense qu'on va s'en sortir. D'ici quelques semaines, on connaîtra la ville, on aura un salaire, peut-être pas gros pour commencer, mais assez pour vivre et payer notre logement. Un beau logement.

— Dylan, j'me sens comme un homme. Ben pas un vrai homme, mais y m'semble que j'ai vieilli, en quatre jours.

— Pas assez pour que ta moustache pousse.

Un grand éclat de rire fusa, comme un ressort qu'on relâche, et la tension s'affaissa. Les soucis? Momentanément évaporés. L'enfance refaisait surface dans son état primaire.

— Viens, Ray. On va regarder la carte de Brighton.

Au début, ils ne trouvèrent même pas leur rue, puis en y regardant de plus près, ils virent un petit cercle rouge. La rue Sillwood!

— Regarde, Dylan c'est notre rue. L'autre petit rond, c'est la rue Preston, la rue du *Chris & Geoff's Cafe*.

— Oui, mais on voit pas la rue de leur maison. Ça doit être parce que c'est un peu plus loin, pas au centre-ville.

— On se r'trouvera jamais dans ce casse-tête. On va y aller petit à petit.

Ils passèrent le reste de la soirée à échafauder des plans. MK n'en faisait pas partie. Ils évitaient d'en parler, sauf qu'il était toujours là, comme une plaie béante qui refusait de guérir. Ray se jeta à l'eau.

— Penses-tu que MK va être choqué qu'on voudra pas aller travailler pour lui?

— Choqué? Non! Content? Non! Il est rusé, il l'mont'ra pas.

— Qu'est-ce qu'on va y dire?

— J'y ai pensé. On va déménager une partie de notre linge dès que l'appartement sera prêt, mais y faudra coucher ici jusqu'à vendredi soir. Quand il arrivera, on l'attendra sur le perron avec notre sac à dos.

— Y va penser qu'on l'attend pour partir avec lui.

— C'est là qu'y va frapper un nœud. On va y dire qu'on veut pas. Pas de discussions. Merci, pis *goodbye Cotton Candy*.

— *Oh boy!* J'ai hâte qu'on s'en débarrasse. Ça m'énerve rien qu'à y penser.

— J'ai pensé à ma tante. Elle doit avoir beaucoup de peine. Elle faisait tout pour moi. J'peux pas dire que… J'suis pas content d'y avoir fait d'la peine. Mon oncle? J'm'en fous. Pis y a Tara.

Quand j'étais p'tit, j'étais toujours collé contre elle. J'l'aimais tellement. Sept ans qu'on nous a séparés. J'ai perdu le «collage», tu comprends?

— Ben penses-y pas! Pense plus à Dundalk, c'est loin.

— Oui, on dirait que ça fait longtemps, pis ça fait juste quatre jours qu'on est partis.

— Ray, tu te rappelles? Une nouvelle vie? C'est ici! L'autre? On n'en parle plus. Nos anges gardiens sont avec nous, comme une apparition permanente. L'autre vie? Elle existe plus.

15

L'autre vie

L'autre vie ? Ray et Dylan préféraient croire qu'elle n'existait plus. Pourtant, elle existait bel et bien.

Stanley et Ceili avaient passé la journée à Kells, au mariage de leur nièce Mary. La journée avait été magnifique. Échanges avec parents et amis obligent, la fête s'était éternisée. Ils avaient bien mangé, ri et dansé. Ceili avait réussi à entraîner Stanley sur la piste de danse. Détendue, euphorique, elle avait hâte de retrouver son ti-garçon.

— J'espère qu'il ne s'est pas trop ennuyé de nous.

— Ennuyé ? Voyons, Ceili ! Il était avec Dylan, il n'a même pas eu le temps de penser à nous autres. Il est à peine vingt-deux heures, il doit dormir.

Sitôt rentrée, Ceili se dirigea vers la chambre de Ray. Le cœur en attente, sans faire de bruit, elle s'approcha du lit. Vide ? Impossible ! Sa tête lui jouait des tours. Doucement, elle passa sa main sur le lit et poussa un cri. Stanley accourut. Il alluma la lumière. Le sang figé dans les veines, les yeux hagards, Ceili pointait le lit.

— Stanley, Ray n'est pas rentré !

— Ne t'énerve pas avec ça, il est en retard, c'est tout. Il doit s'amuser et n'a pas regardé l'heure. Ce n'est pas la première fois qu'il tarde. Il est toujours en retard.

Ceili n'était pas convaincue. Son intuition maternelle lui disait que, cette fois, c'était différent. Elle commença par regarder dans son placard. Son *jacket* neuf, ses bons pantalons, même son sac à dos…

— Doux Jésus, Stanley, il est parti !

Les mains jointes, elle se balançait d'en avant en arrière et éclata en sanglots.

— Attends un peu, ne panique pas!

Il n'était pas très rassuré. En disant cela, il se mit à ouvrir les tiroirs de la commode, quelques vêtements épars.

— Le petit maudit! Il est parti. C'est ça qu'il préparait.

Ceili se jeta sur le lit en poussant des cris déchirants. Si Ray avait pénétré dans la chambre à cet instant même, Stanley l'aurait tué. Pas parce qu'il avait de la peine que son neveu soit parti. S'il l'était vraiment, il en serait très heureux. Mais il y avait Ceili, sa femme, sa douce Ceili qu'il adorait. Ce sacripant! Il s'approcha d'elle et la prit dans ses bras.

— Écoute Ceili, je t'en prie. Il n'est peut-être pas allé loin.

— S'il est parti pour toujours, j'aime autant mourir. C'est mon enfant, Stanley. Ça fait sept ans que je l'aime, que j'en prends soin. Je l'aime! Peux-tu comprendre cela?

— Je t'en supplie, Ceili, ne dis pas ça. Je suis là, je suis ton mari et je t'aime. Nous étions heureux avant qu'il arrive.

Rien de ce qu'il disait ne l'atteignait. Il devait faire quelque chose. Aller chez Big Finn ne l'enchantait guère, mais il n'avait pas d'autre choix.

— Ceili, je vais me rendre chez Big Finn.

— Je vais avec toi, il faut que je sache.

Il ouvrit la bouche pour parler mais se retint. Un escadron de chasseurs n'aurait pu la retenir. Dix minutes plus tard, ils cognaient à la porte de Thomas Murphy. Ce dernier l'entrouvrit. L'accueil fut tout sauf amical.

— Qu'est-ce que vous voulez?

Stanley prit la parole:

— Notre fils, Ray n'est pas rentré. Il se tenait toujours avec Big Finn. Ma femme est très inquiète.

Thomas les dévisagea. Une colère intense déformait son visage.

— Inquiète? Vous êtes inquiète? Moi, j'suis pas inquiet, pas du tout. Big Finn, ce maudit bon à rien, oui, il est parti. Il est parti et il m'a volé 15 livres. Quinze livres, le gros tata! Non content de s'enfuir, il m'a volé 15 livres. Le maudit! Il m'a acheté un beau portefeuille neuf et a mis de la merde dedans. C'est vrai que des fois je le brassais un peu. J'aurais dû le tuer. Votre Ray, je le connais pas, mais s'il est parti avec Big Finn, il est aussi pire que lui.

Sa femme, voyant la détresse dans les yeux de Ceili, murmura :

— Mon fils travaillait pour Monsieur Quinn, à l'épic…

Thomas ferma la porte avec fracas, mais Stanley et Ceili avaient tout compris.

— Stanley, on se rend chez Monsieur Quinn.

— Ceili, on ne va pas aller déranger les Quinn, il est presque vingt-trois heures…

— Si tu ne veux pas y aller, j'irai seule.

Stanley la regarda avec tendresse, elle ne broncha pas. Aucune parole ne pourrait apaiser son anxiété. Quelques minutes plus tard, ils étaient dans le salon des Quinn. Ils les connaissaient bien. Des rumeurs avaient couru sur le petit garçon. En voyant le visage défait de Madame O'Brien, ils furent sincèrement désolés.

— Je ne connais pas votre fils, mais je ne suis pas surpris de savoir que Big Finn est parti. C'est un excellent garçon, travailleur, honnête. Son beau-père le battait. Je l'ai vu plus d'une fois avec un œil au beurre noir, des marques au visage et des bleus sur les bras… Ce Murphy ? Une sale brute !

— Savez-vous où ils sont allés ?

Il hésita, n'ayant pas le cœur d'ajouter à leur souffrance. Stanley prit les devants.

— Je vous en prie, nous voulons savoir. Ma femme se meurt d'inquiétude, elle aime Ray comme son fils.

— J'ai entendu dire qu'ils avaient pris l'*Hibernia* ce soir. À cette heure, ils sont déjà en route vers l'Angleterre.

Ceili perdit connaissance. La mort dans l'âme, Stanley la prit dans ses bras. Madame Quinn accourut avec une serviette mouillée d'eau froide. Quand Ceili ouvrit les yeux, elle était complètement désorientée.

— Mon ti-garçon… Je veux mon ti-garçon, je veux mon ti-garçon.

Madame Quinn s'interposa.

— Monsieur O'Brien, votre femme a subi un choc, l'enfant qu'elle aime le plus au monde est parti. Je pense qu'elle devrait voir un médecin. Nous irons à l'hôpital avec vous.

— L'hôpital ? Vous n'y pensez pas ? Ça va passer.

— Non, monsieur. Si vous tenez à votre femme, vous la ferez voir par un médecin immédiatement. On y va !

Dépassé par les événements, la mine défaite, il se laissa guider.

Il était presque minuit quand le médecin approcha Ceili. Les yeux au loin, elle pleurait toutes les larmes de son corps.

— Pourquoi est-elle dans cet état ? Un accident ? Un décès ?

Furieux, impuissant, Stanley tenta d'expliquer la situation, mais il bafouillait. C'était tellement humiliant. Madame Quinn s'avança. Elle connaissait Ceili, sa peine de n'avoir jamais eu d'enfant, son bonheur incommensurable à l'arrivée de Ray, ce garçon qu'elle avait aimé, chouchouté et bercé malgré ses frasques. Cet amour inconditionnel s'était épanoui au cours des sept dernières années. Il était sa vie. Ce petit garçon avait trahi son amour. Il s'était enfui sans même lui dire un seul mot. Le médecin avait tout compris.

— Monsieur O'Brien, votre femme vient de perdre son fils.

— Mais ce n'était même pas son fils, ce sans-cœur ingrat !

— Monsieur, pour votre épouse, c'était son fils. Vous ne savez pas ce que ça signifie, pour une mère, de perdre son enfant. Un père aussi, mais pour une mère, je pense que c'est encore pire.

— Mais docteur, ce n'était pas…

— Monsieur O'Brien ! Si vous vous entêtez à ne pas comprendre ce que je viens de vous dire, votre épouse ne s'en remettra jamais. Nous allons la garder sous observation pour quelques jours. Ensuite, il vous faudra beaucoup d'amour et de patience pour qu'elle se remette de ce drame. Il faudra du temps, beaucoup de temps.

La tête baissée, Stanley, s'approcha de sa Ceili, lui baisa le front, lui caressa les mains. Il pleura amèrement. Il écumait de rage. Si ce diable de Ray était apparu devant lui, il l'aurait fouetté à mort. Une heure plus tard, il rentrait chez lui. Il se rendit dans la chambre de Ray, vida les tiroirs, enleva tout ce qui avait appartenu à cet enfant qu'il maudissait, même le couvre-lit. Ensuite, il se rendit au garage. Armé d'une masse, il démantibula la bicyclette et mit le tout aux ordures.

La nuit fut longue, le réveil difficile. Il revoyait sa Ceili, son ange de bonté, le cœur en lambeaux. Elle ne pourrait jamais oublier cette ordure, cette canaille. Elle avait gobé tous ses mensonges, persuadée qu'il l'aimait. Les derniers mois, il s'était montré si fin. Lui n'avait pas été dupe. Il avait ressenti un certain malaise, une certaine fourberie dans la conversion de ce Ray. Mais le cœur de Ceili avait vibré devant ses petites gentillesses, ses petits bisous. Son chagrin serait d'autant plus aigu en réalisant que tout n'était que mensonge, même si ce n'était pas tout à fait vrai. Ray avait réellement aimé sa tante, mais il avait la bougeotte. Devant les gentillesses de Ray, le cœur de Ceili avait vibré. Pour sa part, jamais Stanley ne l'avait porté dans son cœur.

C'était bien le fils de son frère et de sa pute de mère. Ils avaient bien joué leur jeu, lui et ce Big Finn. Ce dernier serait vite oublié. Il avait volé de l'argent à son beau-père. Heureusement que Ray ne leur avait rien dérobé. Cette pensée le souleva. Son argent, les 47 livres qu'il gardait dans le premier tiroir de sa commode. Il courut vérifier. Quatorze livres, il lui manquait quatorze livres! Son neveu, cette canaille l'avait volé. Quatorze livres. Au fond, c'était peu payé pour en être débarrassé.

Trois jours plus tard, le cœur brisé, Ceili revint à la maison. Elle courut vers la chambre de Ray. Stanley l'avait repeinte, avait remplacé le lit par un divan.

— Pourquoi Stanley? Tu veux m'enlever jusqu'au moindre souvenir de lui?

Elle s'affaissa sur le divan. De gros sanglots la secouaient. Qu'avait-il fait? Il avait pensé éliminer sa souffrance en effaçant toute trace de Ray. Il n'avait fait qu'ajouter à sa peine.

— Mon pauvre amour, j'ai cru bien faire. Je te demande pardon.

— Il l'aida à se relever. Tant bien que mal, il réussit à l'emmener dans leur chambre. Elle pleurait toujours et il ne savait plus à quel saint se vouer. Sa belle-sœur? Il l'appela.

Oui, l'autre vie existait toujours en Irlande. La vie d'une femme désillusionnée, au cœur brisé, et d'une jeune fille, Tara, qui pleurait toutes les larmes de son corps. Sa mère, son père et maintenant Ray. Quel gâchis! Conséquences de parents irresponsables.

16

À l'aventure

Le lendemain, Ray et Dylan firent la grasse matinée, flânèrent au lit, descendirent déjeuner en retard, mais Madame Jenny les salua bien bas. Un déjeuner copieux et ils étaient prêts à partir à l'aventure. En regardant la carte, ils décidèrent de se rendre au bord de la mer visiter le *Palace Pier*, une immense jetée s'avançant dans la mer, aussi appelé le *Brighton Pier*. Chris la leur avait décrite comme une merveille du monde, la plus longue jetée avec parc d'attractions jamais construite, environ quatorze mètres par soixante-deux. Le long de la côte, vous verrez des terrains de volley, de basket, des aires de jeux et beaucoup de boutiques, des bars et des restaurants avec vue sur la mer. On appelle la plage *pebble beach,* la plage de galets. Très peu de sable, beaucoup de beaux galets de toutes les formes et de toutes les couleurs. On en utilise pour faire de très beaux bijoux.

Dylan commença à lire le dépliant à haute voix : «*Le Palace Pier* est assurément unique. De style oriental, il est encadré de trois arches en filigrane, de deux kiosques suivis de deux autres recouverts d'écailles de poisson, de quatre larges minarets, du *Palace of Fun* – une salle de jeux vidéo coiffée d'un dôme – et d'un théâtre flanqué de colonnes. »

— Arrête, arrête, Dylan. C'est trop «théorisé». J'en comprends pas la moitié. Viens-t'en, on regard'ra le *pier* quand on l'verra.

— T'as raison, le *Palace Pier* commence à m'sortir par les oreilles.

— Pis si c'est aussi gros que c'est écrit, tu vas avoir des oreilles de Bimbo.

— Ray, avant d'partir, y faut compter notre argent, savoir c'qu'y nous reste, c'que ça nous coûte pour manger et comment longtemps on peut durer avant qu'on travaille.

— Là, tu gâtes mon *fun*. On n'a pas beaucoup dépensé… On a pas mal d'argent.

— Pas tant qu'ça. On n'a pas payé notre souper lundi soir, mais chaque souper nous coûte trois shillings. Aujourd'hui, 12 shillings chacun, plus la livre et demie chacun qu'on a donnée à Chris. Notre appartement et la nourriture, ça fait deux livres et demie. T'avais 41 livres, et moi 45. Y t'reste 39 livres, et moi, 43.

— On est bons, c'est assez. On est corrects, Dylan.

— Pas si bons qu'ça. On n'a pas à payer de déjeuners pour les sept prochains jours, mais y faut payer nos soupers et des petits *snacks,* environ une livre. Ça, c'est le minimum.

— Y va nous en rester assez. J'ai confiance que Geoff va nous trouver un job avant que *Cotton Candy* revienne. Sinon, y faudra peut-être le suivre.

— Le suivre, Ray? Jamais! Pas moi! J'irai quêter avant ça.

— Eh ben, j'frai comme toi. En attendant, on sort. J'ai confiance, on sait c'qu'y nous reste. Geoff et Chris le savent aussi, y nous laisseront pas tomber. C'est pas une journée pour s'lamenter, on va s'amuser.

Riant, heureux sans raison, ils franchirent la porte du *Sundance*. Un beau soleil les attendait. Avec l'aide de Chris, ils s'étaient fait un itinéraire simple, facile à suivre, sans crainte de s'égarer. Le torse bombé pour se donner du courage irlandais, ils avançaient d'un pas assuré, s'arrêtant tantôt pour regarder les maisons, tantôt les boutiques et les Cafes. Ils avaient remonté la rue Sillwood, puis tourné à droite dans la rue Western.

— C'est pas compliqué, Ray, la rue Western change de nom, elle devient la rue North, à North, encore à droite, on passe devant le Regent Dance Hall et on descend jusqu'à la mer.

— Oui, ça veut dire un peu moins de deux kilomètres. C'est rien là.

— Ray, va falloir dérouiller nos pattes. J'aurai besoin de pas mal d'huile si j'veux impressionner les filles ou me déhancher comme Elvis…

En disant cela, il se mit à se tortiller ; derrière eux, deux filles éclatèrent de rire.

— *No ! No ! Not Elvis yet.*

Souriant, Ray se retourna et les salua à la manière des chevaliers. Gêné, Dylan les regarda à la dérobée. Il se sentait heureux sans savoir pourquoi. Un autre Cafe, *Bardsley's Fish & Chips*, attira leur attention. En grosses lettres : *THE BEST IN TOWN*.

— Dylan, peut-être qu'on pourrait souper ici en revenant.

À l'intersection de la rue Queens, ils s'arrêtèrent pour contempler la Clock Tower. Un monsieur immobile regardait la tour et sa montre. Avisant les deux jeunes étrangers, il se fit un plaisir de leur parler de la tour. Ray n'était pas du tout intéressé, mais Dylan était tout oreilles. Une colonne de granite rose et de calcaire. Au faîte, quatre horloges illuminées, une sur chaque face, et un long mât. Le tout atteignant une hauteur de quatorze mètres.

— Regardez bien, juste au-dessus des horloges, vous voyez une boule en cuivre doré, c'est une *time ball*. À chaque heure, la boule monte au faîte et à l'heure suivante, elle redescend.

C'est la seule chose qui intéressa Ray.

— Merci monsieur. Excusez-nous, mais il faut y aller. Viens Dylan, on nous attend.

Il avait fait déjà quelques pas quand Dylan le rejoignit.

— Écoute, si on arrête à tous les coins de rue comme un p'tit chien, on s'rendra jamais au Palace Pier.

Quinze minutes plus tard, ils foulaient la plage de Brighton. Le Palace Pier ! Extraordinaire ! Ils n'auraient jamais pu imaginer une telle merveille. C'était comme si un magicien, d'un coup de baguette magique, avait fait surgir la jetée hors de la mer. Une magie semblable à celle du Royaume enchanté de Disney. Malgré que ce fût un vendredi, beaucoup de gens se promenaient sur la grève, de jeunes couples, d'autres plus âgés, mais aussi des jeunes dans la vingtaine. Ray et Dylan, immobiles, seuls dans cette multitude, ne savaient s'ils devaient retourner à leur chambre ou se mêler à la foule.

— Personne nous connaît. On sait d'où on est venus, on connaît notre chemin, on va avancer, se mêler aux autres. On va aller voir ce palace.

Deux heures à se faufiler au milieu des touristes et des gens du coin. Fascinés par la grande roue, si invitante, encore plus quand on est pauvre ; le carrousel, la musique ambiante, les parents qui tenaient leur petit dans leurs bras avant de les déposer sur les chevaux mécaniques. Les regardant avec convoitise, le cœur de Ray se serra. Le visage de sa mère s'imposa à lui. Dylan le vit blêmir.

— Ça te tente de faire un tour dans la *ferris wheel* (grande roue) seul ? Ben pas tout seul, avec les autres. Moi, j'peux pas, j's'rais malade comme un chien.

Les yeux de Ray s'allumèrent.

— Mais… on n'a pas…

— C'est juste cinq pence. Tiens, vas-y, j'te paye une « *ride* ».

Dylan lui avait à peine donné ses cinq pence que Ray s'était acheté un billet et se faufilait au milieu de la file d'attente. Aussitôt qu'il fut monté, Dylan recula pour mieux l'observer. Telle une girouette, il parlait avec un jeune garçon et gesticulait. Le cou allongé, ébloui par la hauteur, la sensation d'euphorie qu'il ressentait. Il vit Dylan et lui envoya la main. Celui-ci partageait son bonheur. La roue s'était à peine arrêtée qu'il alla le rejoindre, mais Ray lui tourna le dos et courut s'acheter un autre billet. Rigolant, il cria à Dylan :

— C'est trop l'*fun*, j'y r'tourne.

Ce dernier soupira. Comment ferait-il pour travailler et ne pas tout dépenser son argent avant de payer pour le logement et… le nécessaire ? Il eut peur pour lui. Lentement, il tourna le dos à la roue et s'éloigna, ne se sentant pas capable d'être la mère et le père de Ray. Il ne lui fournirait pas d'argent pour ses fredaines. Sauf s'il tombait malade.

Cinq minutes plus tard, il entendit les cris de Ray. Essoufflé, celui-ci s'arrêta devant lui.

— C'est quoi ça ? Tu m'laisses tout seul ? T'es pas content parce que j'ai fait un autre tour ? J'suis plus chez ma tante, j'ai pas de permission à te d'mander.

— T'as raison Ray.

— Alors…

— On va aller s'asseoir sur le banc qu'est là pis on va s'parler. Ça s'ra pas long. Pis j'suis pas ta tante ni ton oncle, et j'veux pas l'être.

C'que j'veux t'dire, je te l'répétrai pas une autre fois. T'es libre de faire c'que tu veux, et moi j'suis pas ton gardien. J't'aime Ray, t'es mon frère, mais moi, j'suis ici pour me trouver un emploi, payer mon logement, me mettre quelques pence de côté, pis me payer des p'tits plaisirs… quand j'pourrai. Toi, tu f'ras c'que tu voudras avec ton argent, c'qu'y t'restera après avoir payé ta part du logement, du gaz, de l'électricité et de la nourriture. Le nécessaire, quoi. Si tu dépenses tout l'reste pis que t'es cassé, j'ten prêtrai pas.

— Ouaah! T'es raide! Tu fais penser à *Cotton Candy*!

— Quoi? Moi? *Cotton Candy*? Tu m'fais d'la peine.

— Voyons, c'est juste une farce! T'es la bonté même. Toi, tu sais où tu t'en vas. Moi, j'sais pas. J'va faire mon possible et on va rester ensemble. J'va payer ma part. Pour le reste, si j'dépense tout mon argent, ben j'resterai cassé jusqu'à ma prochaine paie.

— D'accord! On s'comprend! Il est juste quatorze heures trente, y fait beau, on va continuer à se promener.

Ray soupira d'aise. Les paroles de Dylan chamboulaient quelque chose à l'intérieur de son corps, une chose à laquelle il ne voulait pas penser. Payer un logement, le nécessaire… Il allait devoir payer sa part, mais il préférait l'oublier, c'était pas l'*fun*.

Ray commençait à traîner de la patte. La faim commençait à les tenailler, il était temps de partir. En passant devant *Bardsley's Fish & Chips*, Dylan salivait déjà. Ray voulut entrer mais Dylan l'arrêta.

— Je pense qu'on fait mieux de se rendre au *Chris & Geoff's Cafe*, après tout, c'est Chris qui nous aide. Mais on va venir ici au moins une fois quand on aura un job.

— T'as raison mon vieux sage, observa Ray en pouffant, mais si j'tombe sans connaissance, tu m'ramasses.

— J'te traîne par une jambe. Un p'tit coup d'cœur, Ray.

Trottinant, ils furent bientôt arrivés. Soulagés, ils se laissèrent tomber sur une banquette. Chris s'approcha aussitôt.

— Je suis bien contente de vous voir. Je voulais vous dire que je ne travaille pas les week-ends et que vous venez souper chez nous. Geoff veut vous parler.

— Il a un job pour nous?

— Vous le saurez demain après-midi. On vous attend à seize heures.

93

À la fois confiants et un peu anxieux, Ray et Dylan se demandaient comment ils allaient tenir jusqu'au lendemain après-midi. Chris pouvait presque lire dans leurs pensées.

— Relaxez! N'êtes-vous pas des Irlandais? C'est un peu comme un casse-tête, tous les morceaux finissent par s'emboîter l'un dans l'autre.

— Pendant ce temps-là, nous autres, on vous en donne des casse-têtes.

— Vous êtes de mon pays, vous êtes seuls, ça nous fait plaisir de vous rendre service. Mais vous allez nous le rendre. Demain, c'est vous deux qui faites le souper.

Ray et Dylan se prirent la tête à deux mains.

— *Bejesus,* madame Chris! Le souper va faire pitié! J'peux beurrer une tranche de pain, c'est à peu près tout c'que j'sais faire.

Et Dylan d'ajouter:

— J'sais faire un sandwich… et le manger.

Comment allez-vous faire dans votre appartement? Vous devrez vous faire à manger.

— Des sandwichs, pis on apprendra deux-trois recettes, rien de compliqué.

— J'vous taquinais. Il va falloir que vous appreniez. Vous n'aurez pas les moyens de manger au restaurant tous les jours. Je vous aiderai.

— J'suis prêt à apprendre, j'veux apprendre à m'débrouiller tout seul, à devenir *aunotome*, répondit Dylan.

Souriant, Chris lui tapa sur l'épaule:

— Tu iras loin, Dylan. Je suis certaine que tu deviendras au-to-no-me.

— Et moi, je serai son assistant. Il est plus vieux, un petit peu plus… prévoyant. C'est ça? Prévoyant? Comme disait notre professeure: «Prévoyant, pas faire comme la cigale, voir plus loin que son nez, penser avant d'agir. Vous m'avez compris les jeunes?»

Il avait imité Madame Kelly à la perfection. Ce jeune ne passerait pas inaperçu.

— Alors toi tu es la cigale, et lui, la fourmi?

— Ouais, si on veut. Mais j'va essayer d'être plus comme la fourmi. Dylan, la fourmi.

Il éclata de rire, Chris et Dylan en firent autant. Il n'avait que treize ans, mais il ne manquait pas de logique. Peut-être serait-il plus « prévoyant » dans quelques années.

Chris retourna chez elle et les garçons à leur chambre. La journée avait été impressionnante, mais aussi réjouissante et étourdissante. S'éloigner des rues Sillwood et Preston, se rendre au *Palace Pier* fut un peu inquiétant, mais la plage, les jeux, le palace… de la magie.

17

Le futur sera...

Le lendemain, seize heures, Ray et Dylan, assis dans le solarium chez Chris et Geoff, buvaient une limonade, leur regard glissant de l'un à l'autre. Anxieux, nerveux, ils savaient que Geoff tenait leur avenir entre ses mains. Ce dernier voulut savoir ce qu'ils avaient fait. Volubile, Ray raconta leurs découvertes au *Palace Pier*. Il voulait tout dire, les mots s'entrechoquaient. Quand il parla de la grande roue, il devint incompréhensible.

— J'ai monté deux fois, tout tournait, c'était l'*fun*!

— Et toi, Dylan, tu y es allé aussi?

— Non! J'ai regardé Ray, il était si content que...

— C'est parce qu'on n'a pas beaucoup d'argent, il était pas très content... Mais je comprends. Lui, c'est la fourmi.

Geoff n'y comprenait rien. Chris lui expliqua pourquoi Ray était la cigale et Dylan, la fourmi. Il espérait que la cigale ne serait pas à la remorque de la fourmi toute sa vie. Encore jeune, il pourrait s'assagir. Chris retourna à ses fourneaux et un long silence suivit. Geoff était un homme de principe, mais avant tout un homme de cœur. Ayant perdu ses parents, il compatissait avec ces deux garçons. Il les regarda en souriant.

— Maintenant qu'on est entre hommes, je vous annonce que je vous ai trouvé un emploi.

Dylan se leva d'un bond, suivi de Ray:

— Merci, monsieur Geoff. Merci. J'vais travailler fort.

Ray opina de la tête. Il ne savait quoi ajouter.

— Toi, Dylan, tu vas travailler au *Brighton Open Market*. C'est un très grand marché. De nombreux petits commerçants y exposent leurs produits. Il y a une trentaine de stands, chaque commerçant a le sien. Un de mes amis, Monsieur Cyril Mears, a deux stands. C'est le plus grand et le plus connu de tous les distributeurs de fruits et de légumes de tout Brighton. Son épouse Michelle et lui ont travaillé très fort pour faire de leur commerce un succès. Monsieur Mears est un homme honnête, juste et humain. Vous êtes chanceux, vous allez travailler à temps plein. D'habitude, les jeunes font une quinzaine d'heures par semaine. Son épouse Michelle est préposée à la caisse. Dylan, tu vas travailler aux stands. Au début, tu vas voir à ce que chaque boîte de légumes soit toujours bien garnie. S'il manque des carottes, des choux, n'importe quel légume, tu iras en chercher à l'arrière. Tu seras très occupé, tu n'auras pas beaucoup de temps libre.

— C'est pas grave, je ferai tout ce qu'on me dira de faire. J'ai travaillé dans un magasin à Dundalk. J'suis fort.

— Parfait! Tu iras loin, Dylan. Tu commences lundi, à sept heures, et tu finis à dix-sept heures. Même chose le mardi. Le marché ferme à treize heures les mercredis, les jeudis et vendredis, puis les samedis à dix-huit heures. Tu es libre les samedis et dimanches. Tu devras te lever tôt. As-tu un réveil?

— Non, j'ai jamais pensé...

— Ne t'en fais pas, j'en ai un dans ma chambre dont je ne me sers pas. Tu vas travailler sur Marshalls Row. C'est une marche d'environ vingt, peut-être vingt-cinq minutes, ou tu peux prendre l'autobus. Je te montrerai comment t'y rendre après le souper.

Nerveux, Dylan était tout oreilles. Il avait peur d'oublier quelque chose.

Geoff en fut conscient, et il se pencha vers lui.

— Ne t'inquiète pas, Dylan. Monsieur Mears est un homme d'affaires qui a bon cœur. Je suis convaincu que tu vas bien accomplir ton travail, il va être content de toi et moi aussi. J'ai confiance en toi.

Une boule dans la gorge, les larmes au bord des cils, Dylan murmura:

— Ah! monsieur...

Il avait une telle envie de pleurer. Des fichus sanglots dans la gorge, qui faillirent l'étouffer quand il les ravala. Si seulement il pouvait trouver les mots appropriés pour le remercier. Mais quels mots pouvait-il employer pour lui exprimer sa reconnaissance, lui dire comment il se sentait soulagé d'avoir un emploi ? Il avait frôlé le bord du gouffre.

Chris faisait la navette entre la cuisine et le solarium. À un moment donné, elle se pencha vers lui et le serra contre elle.

— Souris, mon grand, la vie est belle. Un jour, tu auras ton propre stand au marché, avec ton nom écrit en grosses lettres : CHEZ DYLAN.

Il éclata de rire.

— C'est pas pour demain. Un jour, j'aimerais avoir un métier, même s'il me faut dix ans...

— Eh bien mon gars, tu as de l'ambition. Si tu travailles bien et que tu persistes à vouloir t'instruire, rien n'est impossible.

Gêné, il rougit et baissa la tête. Il avait trop parlé. Surpris, Chris et Geoff le regardèrent avec des yeux nouveaux. Pendant ce temps, Ray brûlait d'impatience. La langue lui démangeait, il faisait des efforts surhumains pour ne pas interrompre Monsieur Geoff, mais il devait savoir s'il avait un emploi.

— Et moi, monsieur Geoff ? Est-ce que j'va travailler au marché avec Dylan ?

— Toi aussi tu vas travailler pour Monsieur Mears, au Brighton Municipal Market, sur Circus Street. C'est tout près. Tu vas travailler sur une fourgonnette de livraison. Tu vas aider le chauffeur à charger les boîtes de fruits de légumes du marché, ensuite vous irez les livrer dans les hôtels, restaurants et cafés.

— *Wow !* Travailler sur un camion ? Combien ça paye ?

Geoff le regarda. Dylan n'avait même pas posé la question. Faisant semblant qu'il n'avait rien entendu, il lui répéta les mêmes conseils que ceux qu'il avait donnés à Dylan, mais en insistant sur la ponctualité et le travail bien fait. Il aurait le même horaire que Dylan.

— Il arrive qu'un chauffeur laisse son aide faire presque tout le travail. C'est plutôt rare chez les Mears, mais on ne sait jamais. Alors tu ne dis rien. Tu m'entends ? Pas un mot, et tu fais ce qu'il te dit. Tu dois toujours être à l'heure, le chauffeur ne t'attendra pas. Si tu n'es pas là, il prendra quelqu'un d'autre et je ne te trouverai pas un autre emploi. Ce n'est pas à Dylan de te réveiller le matin. Tu m'as bien compris ?

— Oui, monsieur. J's'rai à l'heure.

Puis il expliqua à Dylan qu'il ne rendrait pas service à Ray en le couvant. Il devait le laisser prendre ses responsabilités. Ray lui coupa la parole.

— Ah ! monsieur Geoff, il me l'a dit hier que si je gaspillais mon argent, il ne m'aiderait pas. Il est venu ici pour travailler, ramasser un peu d'argent et...

— Bravo, Dylan. Tu agis comme un grand frère responsable. Et toi Ray, écoute-le.

Étant considérés comme des sans-papiers, ils avaient cet emploi parce que Geoff s'était porté garant de leur honnêteté et de leur bonne conduite. Ils ne recevraient pas de chèques à la fin de chaque semaine, mais seraient très bien payés en livres, cinq livres chacun par semaine. Plus que ce que bien des ouvriers recevaient. Le tout conditionnel à la qualité de leur travail. Dylan n'eut pas à faire un grand calcul, il leur resterait deux livres et demie à chacun par semaine. Il pourrait économiser.

— Ces messieurs sont servis.

Geoff ramassa ses béquilles, se leva lentement et marcha vers la table. Surpris, les garçons le regardèrent.

— Vous marchez !

— Eh oui ! Pas vite, mais d'ici quelques mois, je n'aurai plus besoin de béquilles. Peut-être d'une canne. Ça fait plus distingué !

— Chéri, tu es déjà un homme très distingué. Maintenant, oublions le travail, détendons-nous et mangeons.

Jeunes garçons en pleine croissance, Ray et Dylan avaient toujours faim. L'odeur qui venait de la cuisine titillait leurs papilles gustatives. Ils salivaient. Chris déposa un poulet dodu bien croustillant sur la table. Geoff le découpa et les servit. Vinrent les pommes de terre, les légumes et tout le nécessaire à un copieux repas. Dylan faillit s'évanouir. C'était tellement bon ! Ils auraient tout avalé, mais une certaine gêne les retenait. Chris raconta des anecdotes du Cafe, Geoff ajouta quelques plaisanteries. Ils mangèrent avec appétit. Ray finit le premier.

— J'ai jamais mangé d'aussi bon poulet.

— Ma femme est une excellente cuisinière. Il en reste, prenez-en encore un peu.

Sans attendre leur réponse, il leur servit de belles tranches épaisses de viande blanche tendre. Ils n'avaient jamais été aussi heureux. Le bonheur par le ventre! Ils étaient comblés.

Geoff et Chris partageaient leur joie. Ils fondaient beaucoup d'espoir sur ces deux jeunes exilés. Puis, ils ne refusèrent pas le gâteau au chocolat. Soulagés d'avoir un emploi, le ventre bien plein, un sentiment de calme, de sécurité les enveloppa.

Le souper terminé, ils aidèrent Chris à tout ramasser, une première pour eux. Ils devaient apprendre. Le mardi suivant, leur logement serait prêt, ils devraient le garder propre. Tout était presque terminé. Literie, vaisselle, ustensiles, chaudrons, deux lampes… Chris avait acheté deux causeuses et deux bons matelas à prix d'aubaine. Elle n'avait rien oublié : balai, vadrouille, sceau, savon, nettoyant pour la salle de bain et quelques vieilles serviettes usées indispensables. Quel plaisir que de tout préparer, de magasiner! Geoff était de la partie. Il donna une petite télévision en noir et blanc, y compris les oreilles de lapin.

— Ils n'ont pas de radio. Ne connaissant personne, seuls entre quatre murs, rien à faire, au moins ils pourront regarder les émissions de la BBC : *Coronation Street*, *The Avengers*, *The Pink Panther*, *Zorro*, *Bugs Bunny*, *Leave it to Beaver*, *Popeye*, *Road Runner*, etc. Ils sont jeunes.

Geoff retrouva son vieil attaché-case, il y mit une tablette à écrire, deux plumes, quelques crayons, une gomme à effacer, une paire de petits ciseaux. Il la remit à Dylan.

— C'est pour vous deux!

— Je pense que c'est Dylan qui va s'occuper de ces affaires-là. Moi, je lui paierai ma part de tout le nécessaire. C'est ça qu'on a décidé. Le reste, c'est chacun pour soi. Si j'gaspille, y m'en prêtra pas. Y m'la dit.

Innocence! Spontanéité! Pas de fenêtre fermée chez lui.

Avant qu'ils partent, Chris et Geoff les emmenèrent dans le jardin. Des arbustes l'encadraient. Ici et là, des vasques de fleurs allant du jaune au rouge étaient entourées de gravier rose et blanc. Un peu à droite, une balancelle abritée lovée sous un arbre. Aux quatre coins de la tonnelle, une vasque de roses blanches. Ray se glissa sur le banc, Dylan s'avança, embrassant du regard ce jardin d'Éden. Comme il aurait aimé s'y asseoir, rester seul un instant, tout simplement assis, sans parler. Simplement oublier les trois dernières années de sa vie, les tensions. À l'intérieur, le cœur n'était pas au repos. Ils devaient réussir. Où serait-il à la même date l'année suivante? Geoff lui parla, il ne l'entendit pas. Ray le secoua.

— Tu viens? Il est temps de partir.

— Je m'excuse. C'est tellement beau, si calme, j'me croyais au paradis.

— Ce n'est pas loin. Entrons! Je veux vous montrer la façon de vous rendre de chez vous au *Brighton Open Market*. Ça peut sembler compliqué la première fois, mais après quelques jours vous pourrez vous y rendre les yeux fermés.

Il prit une feuille blanche et écrivit le trajet à partir de leur maison de chambres. De Sillwood Road, à droite sur Western Road. Arrivés à la Clock Tower, à gauche, c'est Queen's Road. Continuez sur cette rue jusqu'à la gare, tournez à droite sur Trafalgar Street jusqu'à London Road, puis à droite sur London Road. Un peu plus de deux kilomètres jusqu'à Marshalls Row. Le *Brighton Open Market* est à droite.

— Ne perds pas cette feuille, Dylan. Tu devrais en dessiner une copie.

— Certainement, je la ferai dès notre retour à la chambre.

— J'ai mis un livre pour toi dans ton attaché-case, tu y jetteras un coup d'œil quand tu auras du temps libre. On s'en reparlera quand on se reverra.

— C'est pas trop difficile à lire? Je suis pas très instruit.

— Non, c'est l'histoire de Brighton. Tu vas voir, il y a des choses intéressantes. J'ai ajouté un petit dictionnaire, au cas où il y aurait des mots que tu ne comprendrais pas.

— J'sais pas comment j'ferai pour vous payer pour tout ce que vous faites pour nous, vous et Madame Chris.

— Moi si! Faites bien votre travail et nous serons bien récompensés. Dylan, si tu te conduis bien, dans un an, je ferai en sorte que tu obtiennes ton permis de travail. Toi, Ray, il faudra que tu attendes d'avoir vraiment quinze ans.

Les remerciements ne suffisaient pas, mais c'est tout ce qu'ils avaient à offrir.

Une heure plus tard, allongés sur leurs lits, à trois reprises ils se répétèrent tout ce que Chris et Geoff leur avaient dit. Chaque recommandation fut analysée. Ray flottait. Il se mit à danser, à faire le clown, à imiter son oncle. Droit comme un balai, les nerfs du cou étirés, ses yeux fixes dardaient Dylan.

— Mon jeune, sais-tu ce qui t'attend? Le fouet? Non. Le pénitencier? J'ai dit le pénitencier? Non! Non! Mes excuses, je me suis trompé. Jeune homme, j'ai décidé, de moi-même, de vous donner tout mon argent, un joli magot, un joli magot. Vous le méritez.

Dylan se marrait.

— C'est une merveilleuse journée, la plus belle depuis notre arrivée. Demain soir, on sort. On va souper au *Chris & Geoff's Café*. Vers dix-neuf heures on ira dans un autre café.

— Bingo! Dylan, je suis ton homme. Ça va nous faire du bien. Aujourd'hui, par moments, c'était pas mal un tord-boyaux. Pas le jour J. Non! Non!

18

Besoin d'évasion

...d Ray et Dylan pénétrèrent dans ...iddle Street, aux environs de vingt ... la marche à suivre. Ne pas raser ...es, ne pas parler de leur famille ...qu'ils étaient chez des amis avec ... temps? Peut-être pour toujours. ...des habitués.

...le jeunes garçons et jeunes filles ...sique, l'ambiance d'un endroit ..., les bouleversa. Dylan se raidit : ...le libre au fond à gauche. On va ...

...yeux les suivaient. Ils détonnaient dans ce bar. Un jeune lança : «Tiens tiens! *Paddy* et *Paddy*!» Dylan faillit rebrousser chemin, mais se redressa, continua d'avancer, esquissa un sourire en coin et se laissa choir sur sa chaise. Ray en fit autant. Leur bravoure avait pris la poudre d'escampette.

— Dylan, qu'est-ce qu'on va faire? On reste pas ici?

— Oui, on reste, sinon on pourra jamais revenir. On les laisse dire. Souris, c'est juste avant le Jour J.

Ray se mit à rire. Ses forces lui revenaient. Un serveur arriva.

— Bonsoir les jeunes. Vous arrivez à Brighton?

— Non! On y est depuis déjà quelques semaines.

— De l'Irlande?

— Oui, mais ma mère est anglaise.

Calme, souriant, Ray répondait.

— On peut commander?

— Oui! Oui! Certainement. Qu'est-ce qu'on peut vous servir?
Dylan prit la relève.

— On nous a dit que vous serviez les meilleures frites de Brighton, que c'était le meilleur *coffee bar* et qu'ici, on serait bien servis.

Ils savaient qu'ils pouvaient avoir une grosse assiettée de frites et deux cafés pour douze pence. Ils feraient durer.

Un peu déboulonné, le serveur les jaugea du regard. Pas fous ces deux nouveaux.

— On ne vous a pas menti. Alors, une grosse assiettée de frites et deux cafés?

— S'il vous plaît, monsieur!

Ray et Dylan se regardèrent, ils avaient passé un premier obstacle. À la table voisine, deux filles et trois garçons. Ils n'avaient rien perdu de la conversation, se parlaient, les regardaient en chuchotant… assez fort pour se faire entendre.

L'un d'eux les dévisagea, étira le cou.

— Vous allez rester longtemps à Brighton?

Dylan le regarda, puis prenant tout son temps, il répondit:

— On pense que oui. C'est ça qu'mon père a décidé.

— Où vous restez?

— Chez un oncle de mon père.

— C'est qui?

— Le serveur revenait avec les cafés et les frites.

— C'est pas tes affaires, Owen. Laisse nos invités tranquilles. On leur a dit qu'ils seraient bien reçus ici.

— J'voulais juste savoir.

— T'en as assez su. Bon appétit les gars. Prenez votre temps, écoutez la musique.

Ray lui donna un shilling, six pence. Il leur remit quatre pence, Ray les lui laissa. Même si leur argent fondait vite, il valait mieux ne pas se montrer trop radins.

Les frites étaient excellentes, mais ils n'en prirent que quelques-unes à la fois. Le café était corsé mais ils ne laissèrent rien paraître. Ray adorait la musique, il se sentait heureux. Dylan se détendait plus lentement. Il n'était pas en terrain connu. Quinze minutes plus tard, un autre jeune, du genre insolant, se déhancha jusqu'à leur table, les dévisagea avec insistance. Tous les yeux étaient tournés vers eux. Il mit ses poings sur la table et fixa Dylan. Ce dernier soutint son regard. Deux coqs se jaugeant. Il se tourna vers Ray. Ce dernier l'ignora.

— *How are you diddling?* (Ça va?) J'm'appelle James, mes amis m'appellent Jimmy. Vous autres?

— Nous autres quoi?

— C'est quoi vos noms?

— Moi, c'est Raymond, mes amis m'appellent Ray.

— Et moi, c'est Dylan!

— On n'aime pas la vermine d'Irlande ici. Ça fait que, *sod off*! (décampe!)

Ray et Dylan haussèrent les épaules. Haussant le ton, Jimmy répéta:

— Ça fait que…

Dylan se leva. Il dépassait Jimmy de quatre centimètres.

— J'suis ceinture noire en judo, et on aime ça ici. Alors t'as l'air ben fin, ça fait que… on va écouter la musique, manger nos frites et passer une belle soirée.

Il avança sa main, serra celle de Jimmy avec une poigne de fer, en disant:

— Content de te connaître Jimmy.

Surpris, l'autre murmura:

— Moi aussi.

Un silence se fit. Un autre jeune se mit à rire.

— Ça va Jimmy? Tu t'es fait des amis?

Plusieurs faisaient les gorges chaudes.

Jimmy rougit.

— Des amis? Ces deux Paddy? *Bloody wanker!* Tu veux rire?

Il n'était pas très heureux de la tournure de sa rencontre avec les «indésirables». Il s'était fait avoir, son prestige en prenait un coup. Pendant ce temps, Ray se mordait les lèvres pour ne pas rire.

— Depuis quand t'es ceinture noire en judo?

— Depuis que j'ai mis les pieds sur l'*Hibernia*. J'me laisserai plus jamais tabasser. Cet *eigit* (idiot) ne me fait pas peur. J'commencerai pas la chicane, jamais. J'la finirai. J'veux la paix! T'es content d'être ici?

— Oui. J'adore la musique, voir d'autres jeunes. J'me sens plus vieux, moins un enfant, tu sais c'que j'veux dire.

— J'sais c'que tu veux dire. Moi aussi, j'me sens un homme. J'prenais un risque en lui serrant la main. J'sais pas c'qui m'a pris. J'ai été un peu baveux.

— T'as été absolument parfait! J'en r'viens pas, t'es pas le même gars qu'en Irlande. On dirait que t'as grandi, comme en d'dans… T'as de l'aplomb. J'me sens plus en sécurité.

— J'suis pas aussi brave que j'parais, mais j'ai fini de faire le chien couchant. Son *diddling,* tu sais où il peut se l'mettre.

Ray pouffa.

— On écoute la musique pis on tète notre café.

— Bon Dieu qui est mauvais!

— Peut-être que c'est pas du champagne, mais pense à quelqu'chose de délicieux. Faut s'habituer.

Deux heures plus tard, ils décidèrent qu'il était temps de partir. C'était assez… pour une première fois. Ils se levèrent, Jimmy applaudit, deux ou trois autres en firent autant. Quand Ray passa devant la table de Jimmy, ce dernier allongea une jambe. Un autre jeune lança:

— Laisse-les passer!

Le serveur surgit.

— Tu veux marcher avec des béquilles ou tu les laisses passer?

— J'faisais juste une farce. Si on peut pas rire des Paddy asteure.

Le serveur le toisa.

— Tasse-toi!

Puis s'adressant à Dylan et à Ray:

— Allez les jeunes, mais n'oubliez pas de revenir.

— Merci, monsieur.

D'autres jeunes les saluèrent. Ils ne s'étaient pas fait que des ennemis.

Ils marchèrent en silence pendant quelques minutes, chacun revivant les deux dernières heures. Pas facile d'arriver dans un pays étranger, de se faire des amis, surtout pour des Irlandais en Angleterre. Certains ne leur feraient pas de cadeaux.

— On va prendre notre place, mais sans se battre.

— Ben là, Dylan, si on nous attaque, on devra bien se défendre…

— Si on nous attaque, mais pas si on nous pousse ou on nous tasse un peu. Les confrontations ne rapportent jamais rien. Faut pas être trop vite sur la gâchette, faut s'contrôler. Oublie pas, Ray, si on se blesse, on perd notre job, on est foutus. Dans quelques semaines, on s'ra connus et tout ira mieux. Des Jimmy, y en a partout. On les ignore.

Le lendemain matin, l'aube explosait dans leur chambre quand ils ouvrirent les yeux. C'était dimanche, leur journée de congé. D'abord un bon déjeuner. Il leur restait sept jours pendant lesquels ils pouvaient manger sur le bras de MK; ils n'allaient pas s'en priver. Depuis leur arrivée, ils prenaient un déjeuner copieux chaque jour et ne se privaient pas pour en redemander. Pas particulièrement religieux, ils décidèrent tout de même de se rendre à l'église, un peu plus pour rencontrer des gens que pour prier.

— J'y allais toujours avec ma tante et mon oncle, j'trouvais ça long, mais j'aimais le chant.

— Mon beau-père serait content que j'aille à l'église…

Éclatant de rire, il ajouta :

— Mais j'pense qu'il aimerait mieux que ce soit pour mon enterrement.

L'église St. Mary Magdalen était à cinq minutes de leur maison. À dix heures trente, bien sagement assis au centre, dans le vingtième banc, ils promenaient leur regard un peu partout, sans s'arrêter aux détails mais bien plus aux paroissiennes. Des familles avec leurs enfants, d'autres jeunes de leur âge ainsi que certains plus âgés. C'était une belle église, très différente de celle de Dundalk. Ray se pencha vers Dylan et murmura :

— C'est un bon endroit pour rencontrer des filles.

Dylan fit semblant de n'avoir rien entendu, il se mit à lire son feuillet paroissial. De belles grandes statues sur le mur derrière l'autel, et sur un des côtés en trônait une de saint Antoine de Padoue. Il la montra à Ray.

— C'est lui qu'y faut prier, on est pas mal perdus.

— Ma tante aimait sainte Thérèse de Lisieux. J'l'aime mieux, elle est plus belle.

L'organiste se mit à jouer, la chorale entonna le chant d'entrée et le père Alain Smith, curé de la paroisse s'avança. Les chants

étaient beaux, la messe ne fut pas trop longue. En sortant, plusieurs personnes les saluèrent, trois leur demandèrent leurs noms
et leur souhaitèrent la bienvenue.

— C'est mieux qu'au *Cottage Coffee Bar* hier soir.

— Oui, Dylan. On a été mieux reçus, mais j'aime mieux le
bar, dit-il en riant. Pas le même genre, mais ça m'a fait du bien,
me semble que ça prépare bien notre première semaine de travail.

— Oui, on a besoin de toute l'aide possible, celle d'en haut
aussi.

19

Les vacances ?

La sonnerie du réveille-matin les tira de leur sommeil. Ray sursauta.

— Qu'est-ce, qu'est-ce qui se passe ?

— Il est cinq heures quarante-cinq. Il faut se lever. On travaille à sept heures ce matin. Faut déjeuner. La journée va être longue.

— Y fait à peine jour, comment on va trouver notre chemin ?

— On l'connaît, on l'a fait hier. On s'habille, on déjeune pis on part. Fini les vacances. Faut gagner notre croûte, mon ami.

Dylan n'ajouta pas qu'il n'avait presque pas fermé l'œil de la nuit. Ils avaient tout préparé la veille. Ils s'étaient douchés, avait préparé leur dîner : chacun un pain à hot-dog avec une saucisse et deux pommes. Ce n'était pas un dîner de roi, mais ils ne savaient trop quoi apporter. Ils avaient averti Madame Ross qu'ils partiraient tôt toute la semaine. Elle avait attendu des explications qui n'étaient pas venues. Ils dévorèrent leur déjeuner et se mirent en route. À six heures dix, ils étaient à la Clock Tower. Ray tourna à droite dans la rue Queen's.

— Qu'est-ce que tu fais là ? On tourne à gauche.

— Non, c'est à droite.

— Ray, j'ai la carte et c'est écrit à gauche.

— Tu l'as mal copiée. J'm'en va à droite.

— Fais c'que tu veux, mais moi je vais à gauche parce que c'est à gauche.

Il partit vers la gauche et Ray vers la droite. Cet idiot qui avait à peine regardé la carte allait arriver en retard. Maudit ! Il allait tout gâcher. Il ne se retourna pas. Trois minutes plus tard, il entendit les pas de Ray. Soufflant comme un bœuf, il rattrapa Dylan. Un long silence qui dura jusqu'à la gare. Ils tournèrent à droite dans Trafalgar Street jusqu'à London Road.

— OK, t'avais raison Dylan, j'me suis trompé, excuse-moi.

— Ray, tu m'fais ça encore et j't'assomme pis j'te porte sur mon dos.

Ray éclata de rire.

— T'es ben capable de l'faire. J'aurais dû savoir que t'avais la carte étampée dans l'cerveau. Je fais mieux de me fier à toi, parce que moi…, confessa-t-il d'un rire espiègle…, c'est moi.

Ils tournèrent à droite sur London Road et hâtèrent le pas. À six heures quarante, ils étaient devant le *Brighton Open Market*. Celui-ci était entouré d'un mur ouvert au centre par deux grandes portes solides au grillage en fer forgé. À l'entrée, un camion Bedford, capacité de sept tonnes, identifié à l'arrière par le logo *C.H. Mears & Sons*. Il partait chaque matin pour le fameux marché de Covent Garden, à Londres, pour y acheter les fruits et légumes pour ses stands et ses clients de Brighton. Souvent, Cyril Mears y allait avec un employé, mais il lui arrivait de déléguer un membre de sa famille. Ils marchaient tous sur les traces du père, ils ne lambinaient pas.

Quand Ray arriva, le camion se trouvait dans Marshalls Row. Cyril Mears les attendait.

Quand Geoff était venu le rencontrer, il avait été très surpris que lui et Chris se soient mis dans une situation aussi délicate. Mettre leur réputation en jeu pour deux inconnus qui s'étaient enfuis du domicile familial. Quand il sut que Ray avait été abandonné par ses deux parents et que l'autre était battu par son beau-père, son cœur de père eut mal. Sa femme, Michelle, était aussi attristée. Mais Cyril Mears voulait être certain qu'ils n'étaient pas tout simplement des délinquants qui s'étaient enfuis.

— Comment sais-tu qu'ils disent vrai?

— Chris est irlandaise, et mon beau-père a fait une petite enquête discrète. Ils ne mentent pas. Le plus jeune, Ray est moins sérieux. Dylan, le plus vieux, veille sur lui. Ils ont traversé bien des difficultés pour arriver jusqu'ici. Chris les a pris sous son aile, et moi aussi. Ils ne connaissent personne ici. Nous sommes leur seule famille.

C'est à toutes ces choses que Cyril Mears pensait quand il les vit arriver. Il les avait regardés quelques minutes ; deux condamnés attendant le fourgon cellulaire.

— Bonjour ! Cyril Mears, votre employeur. Vous êtes ?

— Je suis Dylan et mon ami, c'est Ray.

— Eh bien, Ray et Dylan, c'est ce matin que vous commencez à travailler. J'imagine que mon ami Geoff vous a dit comment vous conduire.

— Ah oui, monsieur ! Il nous l'a dit, pis on va essayer de bien faire.

— C'est ce que j'attends de vous deux.

— Oui, monsieur Mears.

— Bon, toi Ray, tu vas aller rejoindre Nick sur Circus Street, juste à côté. Il t'attend au bout de l'allée, près d'une fourgonnette blanche. Il te dira ce que tu dois faire. Bonne journée !

Ray regarda Dylan, lui donna un coup de poing amical sur l'épaule, lui serra la main et partit. Dylan baissa les yeux, puis releva la tête. Ému malgré lui, Monsieur Cyril replaça quelques fruits dans une boîte devant lui.

— Toi, mon grand, je veux que tu prennes quelques minutes pour bien regarder les légumes qui sont de ce côté-ci. Si tu trouves quelque chose qui cloche, tu le remets en ordre. Je te laisse cinq minutes.

Monsieur Mears s'éloigna et Dylan se retrouva seul devant les boîtes. Il ne vit rien les deux premières minutes. Le stand n'était que des boîtes de légumes. Il se concentra, regarda chaque boîte, il vit deux carottes, des pommes dans une boîte de céleri, puis un rutabaga mêlé aux poivrons. Ses yeux couraient d'une boîte à l'autre. Il trouva des « erreurs » dans quatre boîtes et remit tout en ordre. Monsieur Mears revint et le regarda.

— Je pense qu'on va bien s'entendre, mon grand. Au cours de la journée, les gens vont venir. Tu dois veiller à ce que les boîtes ne soient jamais vides, toujours au moins à moitié pleines ou plus. Viens, je vais te montrer où est la remise.

Il indiqua une clef sous le comptoir de la caisse enregistreuse. Dylan devait la prendre et la remettre au même endroit chaque fois et s'assurer que la remise était bien barrée en tout temps.

— Si tu as une ou deux boîtes à transporter, pas de problème, trois ou plus, tu prends le diable qui est là. Tu écoutes bien ce que le client demande, il ne se sert pas lui-même. S'il essaie de prendre un légume, fais ton plus beau sourire et dis poliment mais fermement : « Je vais vous servir madame, ou monsieur. » Les sacs sont en dessous de cette rangée. Certains clients sont un peu capricieux, ils rouspètent : « Ça coûte cher… Les légumes ne sont pas aussi beaux que la dernière fois, et tralali et tralala. » Dans ce cas, fais le sourd. S'ils sont avec des enfants, tu peux dire que l'enfant est beau, ou belle… même si… il sourit. Je sais que tu sauras t'y prendre. S'ils te questionnent, qu'ils veulent savoir d'où tu viens, tu réponds : « D'ici, de Brighton. » Ton accent ? « Ma mère était irlandaise, mon père, anglais. » Quand ils sont servis, tu les diriges vers la caisse en leur disant merci.

Madame Mears venait d'arriver, ainsi que Ron et Lily, deux autres employés avec qui il allait travailler. Monsieur Mears fit les présentations et s'éclipsa. Ils étaient tous au courant qu'un nouvel employé serait là. L'accueil fut poli et cordial. On ne badinait pas avec les décisions du patron. Il arrivait au marché à trois heures chaque matin, était partout, voyait à tout. Dylan ne le reverrait qu'à midi.

Dès sept heures, les clients commencèrent à arriver. Lily les accueillait, Ron était au stand de fruits et Dylan, aux légumes. Les acheteurs affluaient. Presque tous étaient surpris de voir un nouveau visage. Ils lui demandaient son nom. Attentif, souriant, poli, il répondait, mais pas de grandes conversations. À quelques reprises, quand un sac était lourd, il s'offrait pour le mettre dans leur panier. Dès qu'il voyait qu'une boîte était à moitié vide, il courait à la remise. La première fois, il oublia la clef. Le visage rouge, il revint en courant. Madame Michelle la lui remit en souriant :

— *Don't worry dear, just learning.* (Ne t'en fais pas chéri, tu apprends.)

Il la remercia et partit au pas de course. Lily et Ron lui dirent quelques mots, mais il n'avait pas une minute à lui. Les gens achetaient plus de légumes que de fruits. À midi, Cyril Mears revint. Il alla d'abord à la caisse. Dylan était trop occupé pour le voir.

— Ça va ici Michelle ? Le petit nouveau ?

Elle éclata de rire.

— Lui ? Il carbure à l'adrénaline ! Regarde-le, il n'a jamais arrêté depuis ce matin. Il pourrait faire marcher les deux stands à lui tout seul. Modère-le, il va se tuer. Un vrai Irlandais !

Monsieur Mears s'approcha, le regarda travailler. Les légumes étaient bien rangés dans les boîtes, pas une seule feuille par terre. Dylan saluait une dame qui le remerciait.

— Ça va, Dylan ? Pas de problèmes ?

Dylan sursauta et bafouilla :

— Oui, oui, monsieur Cyril, je pense que ça va. Ça va bien.

— Tu es tout trempé. J'aime que tu travailles, mais je ne veux pas que tu te fasses mourir. Maintenant, va dîner. Tu peux t'asseoir sur un banc près du petit camion. Va, mon grand.

— Merci, monsieur Mears.

Il prit son petit sac, s'éloigna et laissa tomber son corps sur le banc. Fatigué mais heureux, il croqua sa première pomme, puis mangea son pain avec la saucisse. Il y avait ajouté un peu de ketchup. Ce n'était pas si mal. Ses muscles étaient de vrais ressorts qu'il essaya de détendre, mais le temps de finir son hot-dog, il était d'attaque.

À dix-sept heures, on ferma la grille de l'entrée principale. Dylan n'avait pas vu filer le temps. Ray l'attendait debout près de la caisse. Malgré une cliente rébarbative et querelleuse, il s'était bien conduit, n'avait pas élevé la voix, l'avait remerciée quand elle était partie en grognant un peu… pour la forme. Lily lui avait dit quelques mots à deux reprises. Ron lui avait souri.

Levant les yeux, il vit Cyril Mears venir vers lui.

— Ta première journée est terminée, mon grand. Tu as bien travaillé, pour une première journée. Continue comme ça, Dylan, on va bien s'entendre.

Un large sourire illumina son visage.

— Merci beaucoup monsieur Cyril. Je vais essayer de ne pas vous décevoir.

— Va, ton ami t'attend. À demain.

Monsieur Mears le regarda partir. Il le vit entourer Ray de ses bras. Les deux s'éloignèrent en souriant. Si le plus jeune avait la moitié de la détermination du plus vieux, ils s'en tireraient.

20

Ray dans son élément

Tout en marchant, Dylan voulut savoir comment s'était passée la journée de son ami.

— Comme un charme ! Quand j'suis arrivé au camion, Nick m'attendait. J'y ai dit : « Tasse-toi, c'est moi qui conduis. » Y m'a r'gardé, pis y s'est tassé. Le reste ? Du bonbon, mon Dylan, du bonbon !

Les yeux arrondis, Dylan se demandait s'il devait rire ou lui botter le cul. Son récit était cousu de fil blanc. Il opta pour la première option.

— Espèce de fanfaron, raconte ta journée, pas celle que t'avais imaginée dans ta petite tête.

Debout, un bras sur la fourgonnette, une bouteille de cola dans l'autre main, Nick, le chauffeur, l'attendait. Grand, plutôt mince, une petite moustache qui regardait vers le bas, il l'avait détaillé de la tête aux pieds. Il n'avait pas semblé trop impressionné. Ray s'était avancé.

— Je m'appelle Ray, mes amis m'appellent *Swifty* !

— *Swifty* ? Es-tu fou ?

— Tu veux savoir ? Laisse-moi continuer.

— Nick a souri, un ben p'tit sourire. Y voulait pas abîmer son maquillage.

— Y était maquillé ?

— Non, c'est une farce ! Vas-tu te taire et m'écouter ?

Dylan n'était pas trop rassuré, il allait devoir se contenter de la version de Ray.

— Alors la vraie version ?

Nick ne l'avait pas reçu à bras ouverts, mais avait été poli.

— Nick, Nick Harris. Je suis ton patron. Et toi?

— Ray, Ray O'Brien. Mes amis m'appellent *Swifty*.

— *Swifty*? J'aime mieux *Paddy*.

— Pas moi!

— D'accord, monte, on a du travail. J'espère que t'es pas un traîne-savates.

Ray avait fait semblant de n'avoir rien entendu. La fourgonnette était remplie de boîtes de fruits, de légumes. Nick lui expliqua qu'ils allaient livrer dans certains hôtels, quelques restaurants et des cafés.

— Chaque boîte est étiquetée. Avant d'entrer, il faut prendre la bonne commande, cogner à la porte arrière de l'hôtel, du restaurant ou du café, et crier «Mears». Aussitôt entré avec la boîte, faut la remettre au cuisinier ou à la personne responsable et lui faire signer la facture.

Leur premier arrêt, *The Grand Hotel*. Nick avait pointé une boîte, Ray s'en était saisi pendant que Nick cognait à la porte et criait «Mears». La porte s'entrouvrit, ils entrèrent. Aussitôt, un jeune garçon vint chercher la boîte pendant que Nick causait avec Bob.

— Un nouveau? Il vient d'où celui-là?

— Lui? C'est *Paddy*.

— Je m'appelle Ray, monsieur.

Bob éclata de rire. Ray bouillait. Le jeune lui remit la boîte vide et lui sourit.

Sitôt dans le camion, Nick se mit à rire.

— Écoute *Paddy*, j'te taquine...

— Ray, monsieur Nick. Ou préférez-vous monsieur Snick? J'suis votre aide, c'est vous qui décidez ce qu'on fait. Mais mon nom c'est pas Chose, c'est pas *Paddy*, c'est Ray. J'suis pas un *snitch*, je l'ai jamais été, mais j'vous dis ce que j'va faire. J'va demander à Monsieur Cyril de vous apprendre mon nom.

— OK! OK! Énerve-toi pas le jeune.

— Ray, t'as pas fait ça?

— Oui, Dylan. J'souffre pas d'une irritation au gravier, pis j'balayerai la rue avant de m'faire appeler *Paddy* ou n'importe quoi.

— Qu'est-ce qu'il a fait?

— Rien ! Il s'est mis à siffler en me jetant des coups d'œil de travers. J'souriais.

De temps à autre, Nick le questionnait. Il voulait en savoir plus que Ray voulait lui en dire. Futé, Ray lui posait les mêmes questions, avec la différence que Nick était peut-être plus franc que lui. Un peu plus tard, Nick se mit à rire. Ray ne savait pas pourquoi il riait. Ça devait être drôle. Le rire le gagna aussi. Ils allaient bien s'entendre. Ils firent les grands hôtels, les restaurants, et les Cafes. Quelle journée !

— Pendant un moment, j'ai eu peur qu'il te dénonce.

— Dénoncer ? Pourquoi ? À qui ? Ça va bien aller. Il a vingt-trois ans et travaille pour Monsieur Cyril depuis trois ans. Il reste avec sa mère. Son père est mort.

Ray était intarissable. Il avait vu des endroits où il fallait beaucoup d'argent pour manger. Les gens qui y entraient étaient habillés comme des millionnaires.

— J'travaille demain. Nick a dit à Monsieur Cyril que j'avais bien travaillé. Il semblait drôlement content de toi aussi. Un jour, Dylan, on aura d'l'argent…

— C'est pas pour demain. Ray, on est libres, on travaille, on va avoir notre appartement, on est déjà bien chanceux.

Ray ne répondit pas. Ce genre de richesse, c'était à peine mieux que de crever de faim. Il garda ses pensées pour lui seul. D'ailleurs, ils arrivaient. Épuisé au point de ne vouloir se laver, Dylan se fit violence, prit une douche. Son linge était humide, trempé de sueur. Il le rinça à trois reprises sous la douche, le tordit et le roula dans une serviette. Rendu à sa chambre, il le mit sur un cintre près de la fenêtre. Assis sur le lit, il n'avait qu'une envie : dormir !

— Habille-toi, Dylan. Faut aller souper, j'meurs de faim.

21

Le paradis existe

Chris les attendait avec impatience. Elle avait hâte d'avoir leur compte rendu de vive voix. Elle leur servit un cola. Ray en bu la moitié avant de reprendre son souffle. Verbomoteur, il ne se fit pas prier pour parler. Riant, gesticulant, il ne négligea aucun détail, même les demi-vérités qu'il avait racontées à Nick. Dylan buvait son cola lentement.

— Et toi, Dylan. Comment s'est passée ta première journée ?

— Monsieur Cyril m'a expliqué ce que je devais faire. Il est revenu me voir à midi et avant de partir… Je pense que j'ai bien travaillé. Il m'a dit qu'il était content de moi et de revenir demain. Ray retourne aussi.

— Bien ! Je suis contente de vous et Geoff va l'être aussi.

Geoff était déjà au courant. Préoccupé, il venait de donner un coup de fil à son ami Cyril. Il avait bien ri en entendant ce dernier lui répéter les commentaires de sa femme concernant Dylan. Celui-là est un «winner». Le plus jeune avait bien travaillé, au dire du chauffeur.

Chris voulut savoir ce qu'ils avaient mangé pour dîner. C'était mieux que rien, elle allait dire à la cuisinière de leur préparer des sandwichs. Le souper fut expédié en vitesse, Dylan se leva pour partir. Chris l'arrêta.

Leur logement était prêt. Anxieux, ils la suivirent. Elle ouvrit la porte, Dylan jeta un : «Oh mon Dieu !» Ray en fit autant. L'appartement ne ressemblait en rien à celui qu'ils avaient visité une semaine plus tôt. Cuisine et salon peints tout en blanc, armoires en vert très pâle, un rideau blanc à la fenêtre au-dessus de l'évier et des draperies beiges devant la fenêtre du salon. La cuisinière et le réfrigérateur semblaient neufs ainsi que le grille-pain et la bouilloire sur le comptoir. Au salon, deux causeuses bourgogne séparées par une petite table. Au centre, une table ovale placée sur une carpette ovale tressée. Dans un coin, une lampe torchère, dans l'autre, un téléviseur. Tous les planchers étaient recouverts d'un linoléum beige pâle de bonne qualité.

Ray et Dylan se regardaient, regardaient Chris. Dylan se mit à pleurer. De gros sanglots le secouaient tout entier. Leur fuite et le stress des derniers jours, la fatigue de cette première journée de travail, cet appartement, c'était trop d'émotions pour ce jeune homme ballotté par la vie. Chris l'entoura de ses bras. Elle le laissa pleurer pendant que Ray, les yeux écarquillés regardait partout. Mal à l'aise, il s'approcha de Dylan.

— T'aimes pas ça? C'est le paradis ici. J't'avais dit que Madame Chris et Monsieur Geoff étaient des anges, nos anges gardiens. Tu vas pas m'dire que tu préfères aller avec MK, asteure qu'ils ont fait tout ça? Grouille, qu'est-ce que tu décides? Ici ou avec MK?

Bien malgré lui, Dylan s'esclaffa. Sapré Ray! Il savait s'y prendre.

— Bon! Là, c'est mieux, même si tu fais pas mal dur. *Check this!* Une télévision! Ah! madame Chris! J'vous aime assez, si vous étiez pas mariée, j'vous marierais.

Dylan était comme Jean qui rit et Jean qui pleure.

— Ray, fais attention à ce que tu dis.

— J'dis la vérité. Mouche-toi pis regarde notre paradis. Viens! Un TÉ-LÉ-VI-SEUR dans NOTRE salon! Y penses-tu Dylan? On est millionnaires… Peut-être pas, mais ici… Viens voir notre chambre.

Leur chambre bleu pâle, les lits superposés, disposés à angle droit le long des murs. Une commode, des couvertures, une draperie à la fenêtre et une grande photo du *Palace Pier* sur le mur en faisaient une pièce de repos chaleureuse et accueillante. Ray enleva ses souliers et s'allongea sur un des lits. Les mains croisées derrière la tête, il se bougea le fessier.

— C'est pas le même matelas. *Swell!* On va bien dormir!

Tout était neuf! Dylan osait à peine s'asseoir.

— Madame Chris. C'est trop pour nous, il va nous falloir dix ans pour payer tout ça.

— Écoutez bien. Geoff et moi, on aide souvent des personnes dans le besoin. Vous n'êtes pas très riches, alors cette année, c'est votre tour. Vous avez gagné à la loterie. Dylan, arrête de t'inquiéter pour rien. Tu veux faire quelque chose pour nous remercier? Travaille bien, sors un peu, sois heureux. La même chose s'applique à toi, Ray. En agissant ainsi, vous nous paierez, capital et intérêts. Nous serons récompensés. Alors on recommence la visite avec le sourire et le cœur heureux.

Dylan lui sourit. Chris, débuta par la cuisine. Elle leur montra les casseroles, la vaisselle, les ustensiles, les torchons, le savon à vaisselle, etc. Sous l'évier, un seau, des tampons à récurer. Un balai, un ramasse-poussière et une vadrouille étaient suspendus dans un coin. Le réfrigérateur était propre mais vide.

— Vendredi, vous serez payés. Vous ne payerez pas de loyer cette semaine. Je viendrai vous aider à faire votre première épicerie.

— On sait pas faire grand-chose.

— Vous allez voir, vous apprendrez à faire cuire des œufs, du jambon, des hamburgers, des hot-dogs… C'est déjà un commencement. Je vous montrerai deux ou trois recettes toutes simples. Pour les rôties, le grille-pain est là. La télévision n'est pas neuve, mais elle fonctionne.

Comme une vraie maman qui veille sur ses enfants, elle avait pensé à tout. Elle leur montra quels canaux offraient une image bien claire et en avait inscrit les numéros sur un carton.

La visite terminée, elle remit à chacun une clef de l'appartement. Taquine, elle les prévint:

— Ne les perdez pas.

Ils redescendirent au Cafe.

— Vous pouvez revenir quand vous voudrez. Vous êtes chez vous.

Grace vint vers eux avec deux sacs de papier kraft. C'étaient des sandwichs pour le lendemain. Dylan et Ray embrassèrent Chris.

— Dites à Monsieur Geoff qu'on le remercie aussi.

Dès qu'ils furent hors de vue du Cafe, Ray se mit à sautiller, à danser. Les bras en l'air, ses pieds martelaient l'asphalte. Il exprimait son plaisir, sa joie d'avoir un si bel appartement bien à eux. Dylan le regardait avec indulgence. Peu importe le sérieux dans la vie, chacun a besoin d'un ami espiègle pour s'amuser. Ray était ce bon ami débridé, insouciant. Il faisait contrepoids à sa propre rigueur.

Le cœur joyeux, ils entrèrent au *Sundance*, accueillis par le sourire de Jenny Ross. Avant qu'elle ait pu articuler un seul mot, Dylan déclara :

— Déjeuner à la même heure demain matin. Merci.

Ils étaient déjà en haut de l'escalier quand elle commença à parler. Il était trop tard. Ils firent comme s'ils n'avaient rien entendu. Sitôt rentrés, sitôt au lit. Ray bouillait d'impatience.

— Ray, reste debout si tu veux, mais moi, j'ai mal dormi. Au fond, j'ai presque pas fermé l'œil de la nuit. Je prépare mon linge, monte le réveille-matin et te dis bonsoir !

— Oui, assez d'émotions pour une première journée de travail. À un moment donné, mon cœur faisait un *jingle.* J'ai cru que la corde allait casser. On dort ! Cinq heures quarante-cinq, c'est tôt.

La deuxième journée se passa comme la première. Dylan ne ralentit pas son rythme, servit les clients avec un sourire, se permit même une petite blague, vit à ce que les boîtes de légumes soient bien remplies, salua Madame Mears, dit quelques mots à Ron et Lily. Cette dernière lui demanda s'il avait aimé sa première journée, il répondit par l'affirmative. Ron le salua, sans plus, il ne s'en offusqua pas.

À midi quinze, Lily vint le remplacer. En allant manger, il remarqua plusieurs autres stands. On vendait de tout : des plantes, des arbustes, des œufs, du fromage, du poisson, des fleurs, des charcuteries, des vêtements pour dame, de la nourriture pour animaux de compagnie et plus encore. Au moins une trentaine de stands. Ils pourraient y faire une petite épicerie.

Quelques minutes avant son départ, Monsieur Cyril arriva.

— Une bonne journée, mon grand ?

— Je pense, monsieur.

— Nous sommes très occupés les samedis. Pourrais-tu venir nous aider ? Juste l'avant-midi. Ron doit s'absenter quelques heures.

— Certainement monsieur. Le même travail ?

— Naturellement, tu seras payé pour ces heures supplémentaires.

— Merci, monsieur Cyril.

Quand Ray revint, Monsieur Cyril lui fit la même demande. Il hésita. Il avait hâte à samedi, Nick lui mentionna le nom d'un Cafe où les jeunes s'amusaient ferme. Il voulait dormir jusqu'à midi, se promener l'après-midi et sortir le soir. Dylan le regarda avec insistance. Monsieur Mears n'avait rien perdu du langage silencieux entre les deux. Ray ne serait jamais qu'un *clock-watcher* (les yeux fixés sur l'horloge), ce n'était pas du tout le genre de Monsieur Cyril.

— Je viens samedi matin. Toi ?

— Samedi matin ? Ah oui ! J'va venir. Oui monsieur…

D'un signe de tête, il les salua. Ils attendirent que le remplaçant de Dylan arrive, puis se dirigèrent vers la maison.

— Ça m'tente pas beaucoup de travailler le samedi. J'veux me reposer, sortir, m'amuser.

— Moi, je r'fuserai jamais. Je vais même lui dire que j'suis disponible tous les samedis. Je veux avoir quelques livres en réserve. Si jamais on perd notre job, va falloir payer notre loyer et manger quand même.

— Ben moi, j'pense pas si loin. Nick et moi, on s'entend bien. J'aime faire la livraison. Aujourd'hui, j'ai vu des femmes… et des hommes entrer dans le *Grand Hotel*. Les femmes ? Habillées comme des princesses, grimpées sur des souliers avec des talons ben hauts. J'te jure que ça sentait l'argent à plein nez. Un jour, moi aussi j'pourrai aller dans cet hôtel comme client.

— Pas avec des talons hauts j'espère.

— Tu peux te moquer si tu veux Dylan, mais un jour j'serai riche.

— T'as besoin de travailler le samedi et le dimanche, et même les soirs.

— Viens pas fou. C'est déjà assez de me lever à l'heure des poules.

Ils bavardaient encore quand ils arrivèrent à leur maison de chambres.

22

Coup de théâtre

— Bonjour mes amis.

Ray poussa un cri. Ils n'avaient pas aperçu la limousine de MK, ni ce dernier qui les regardait avec ses yeux de faucon.

— D'où venez-vous comme ça?

— Du travail.

— Vous travaillez! Bravo! Vous êtes débrouillards! Est-ce que je dois comprendre...

Ray se tourna vers Dylan.

— On va pas travailler pour vous.

— Toi Ray?

— Non, merci monsieur.

— Tu ne veux pas venir travailler pour moi?

Ses yeux lançaient des flammèches.

— Je pense que vous allez le regretter, mais c'est votre choix. Je vous ai donné deux semaines pour réfléchir, mais quand j'ai su que vous partiez tôt le matin, j'ai pensé que vous vous étiez trouvé du travail.

— Vous nous aviez dit de prendre notre temps, qu'on avait deux semaines pour regarder aux alentours. C'est ça qu'on a fait. On s'est trouvé du travail.

— Où travailles-tu Ray?

— Pour Monsieur Mears, au marché de Brighton. On aime ça.

— Un salaire de crève-faim. Je sais que vous allez le regretter.

Ses yeux allaient de Ray à Dylan, qui était le responsable. Dylan soutint son regard. MK avait des antennes partout. Il connaissait leurs moindres mouvements depuis qu'il les avait déposés devant cette maison. Il savait qu'ils travaillaient, qu'ils allaient emménager au-dessus du *Chris & Geoff's Cafe*.

Au début, il pensait les retrouver découragés, attendant son aide avec reconnaissance. Jenny l'avait appelé pour lui dire que ses deux protégés travaillaient, ce qu'il n'avait pas prévu. Humilié de s'être fait couillonner, il était venu sur-le-champ. D'une voix sans réplique, il leur expliqua que maintenant qu'ils travaillaient et qu'ils avaient un appartement, ils n'avaient pas besoin de cette chambre qu'il leur payait.

Dylan resta de marbre, Ray les yeux comme ceux d'un chevreuil poursuivi par un chasseur. Comment MK savait-il tout ça? Jenny les espionnait. Dylan fixa Ray et se tourna vers MK. Cette présence le troublait.

— Merci MK. On comprend. Viens Ray, allons chercher notre linge.

En moins de deux, ils redescendaient l'escalier. MK alla vers Ray et lui parla à voix basse.

— Tiens, voilà ma carte. Ne la perds pas. Si jamais tu es fatigué de ta vie de misère, appelle-moi. Ce que j'ai à t'offrir, ce n'est pas de mettre dans carottes dans une boîte.

Il tourna le dos à Dylan, son chauffeur lui ouvrit la portière, et MK monta dans sa limousine. Ray et Dylan le regardèrent s'éloigner.

Enragé comme un lion en cage, MK flanqua une claque à la tête de son chauffeur et cria:

— Allez! Accélère et vite!

Surpris, le chauffeur écrasa l'accélérateur. La limousine bondit vers la gauche. Bousculé, MK se redressa et lui administra une gifle cuisante. La tête du chauffeur pivota et son pied enfonça violemment l'accélérateur. Donnant un coup de volant pour tenter de redresser la voiture, celle-ci bondit, fit une embardée vers la droite et alla s'écraser sur une bétonnière dans un fracas étourdissant. Sous l'impact, les vitres volèrent en éclats, MK fut projeté à travers le pare-brise et son corps rencontra la bétonnière alors que la tête du chauffeur heurtait le tableau de bord et que le volant s'enfonçait dans sa poitrine. Ray et Dylan avaient vu MK frapper son chauffeur, puis la voiture bondir, s'élancer vers la gauche pour ensuite foncer à droite sur le « monstre à béton ».

Ray faillit s'évanouir et le cœur de Dylan manqua un battement.

— *Sweet Jaysus,* Ray, filons d'ici et vite avant que la Jenny ne surgisse et que la police arrive.

Figé, Ray n'entendait rien. Dylan l'agrippa et se mit à courir.

— Ray! *Brostaigh!* (Dépêche!) Cours, cours, dépêche, on s'en va à notre appartement. On veut pas être vus ici.

Les talons aux fesses, en un rien de temps ils montaient les marches allant à leur appartement. Ray ne pouvait plus avancer. Dylan le souleva et le porta au deuxième, déverrouilla la porte et le déposa sur un divan. Attrapant une serviette, il la mouilla à l'eau froide et lui essuya le visage. Éberlué, Ray se redressa.

— Dylan, qu'est-ce qu'on va faire? MK va dire que c'est de notre faute.

— Voyons donc, Ray, on n'est responsables de rien. On l'a vu frapper son chauffeur, maudit fou. Tu vas rester ici bien tranquille, je cours en bas appeler Geoff. Il va savoir quoi faire.

— Tu reviens tout de suite, hein?

— Oui, oui, Ray, reste allongé.

Il débroula l'escalier et pénétra dans le Cafe en coup de vent. La serveuse le regarda.

— Je dois appeler Geoff.

Elle l'envoya dans le petit bureau de Chris. Ses mains tremblaient tellement qu'il dût s'y prendre à trois reprises pour composer le numéro. Geoff répondit.

— Monsieur Geoff, j'aimerais que vous veniez au Cafe.

— Qu'est-ce qui t'arrive?

Il commença à lui expliquer ce qui s'était passé, mais n'était pas très cohérent. Geoff finit par comprendre que MK était venu, qu'il y avait eu un accident, que lui et Ray étaient à leur appartement.

— Dylan, du calme. Restez là, on arrive.

— Merci, monsieur.

Il remonta. Ray l'attendait. Ses yeux de biche effarouchée le questionnaient. Il le prit dans ses bras.

— T'en fais pas, je suis là. Tu me connais, je suis fort, et ceinture noire en judo! On n'a rien fait de mal. Geoff et Chris vont arriver. En attendant, respire par le nez.

Ray sourit malgré lui.

Geoff tenta d'expliquer à Chris ce que Dylan lui avait dit, mais c'était plutôt confus. Quinze minutes plus tard, ils étaient assis en face de Ray et Dylan. Apeuré, Ray ne riait pas et Dylan était blême.

— Dylan, tu vas nous expliquer ce qui s'est passé. Vas-y lentement, depuis le début.

Le pauvre jeune prit une profonde inspiration et commença par l'arrivée de MK jusqu'à son départ et… l'accident.

— Est-ce que tu penses que c'est grave?

— Ah oui! Quand le chauffeur a essayé de redresser la limousine, on aurait dit qu'elle avait été soulevée de terre. Le devant a levé et bang! sur la bétonnière. On n'est pas restés pour regarder mais j'pense qu'elle est pas mal amochée.

— Le chauffeur et MK?

— On sait pas. J'ai attrapé Ray par le bras et on a décampé.

— Moi, j'étais comme gelé là. Une chance que Dylan courait assez vite et qu'il me tirait par la main. Il m'a porté dans ses bras pour monter l'escalier, j'étais plus capable. MK va dire que c'est de notre faute, il va nous tuer.

— Non, non et non! Vous n'êtes responsables de rien. Calmez-vous. Ne craignez rien. La police est là, on l'a vue, et l'ambulance aussi. Je vais aller voir les policiers, j'en connais plusieurs. Nous sommes allés à l'école ensemble. Chris va rester avec vous deux.

— Merci, merci monsieur Geoff. On vous en donne des problèmes.

— Ce n'est pas votre faute. Reposez-vous, je m'en occupe.

Chris était avec eux, ils respiraient mieux.

Geoff prit sa béquille, descendit lentement l'escalier et se dirigea vers le lieu de la tragédie. En arrivant près des curieux, il eut un choc. Le devant de la belle limousine de MK, celle décrite par Ray et Dylan, était monté sur la bétonnière et tellement écrasé que le véhicule avait raccourci d'au moins un mètre. Une portière avant était presque arrachée, et l'autre, tordue.

Deux ambulanciers déposaient une personne sur une civière et la recouvraient.

Geoff s'informa auprès d'un « spectateur » s'il savait ce qui s'était passé.

— Je marchais de l'autre côté de la rue quand j'ai vu ce bolide passer. Il fusait à gauche, puis le chauffeur a donné un coup de volant pour le redresser et a accéléré comme un fou. La voiture a chargé la bétonnière. L'impact a été terrible.

Les policiers avaient délimité un périmètre de sécurité à l'aide d'un ruban jaune. Les curieux étaient tenus à l'écart. Trois policiers étaient sur le lieu de l'accident. Un autre empêchait les voitures de passer. Geoff s'approcha. C'était le constable Walker. Il le connaissait bien.

— C'est grave?

— Regarde bien, tu peux déduire…

— Des enfants dans l'auto?

— Non, le chauffeur et un passager, lui…

— Ils sont blessés?

— Blessés? Le passager?

Il leva les yeux au ciel:

— Finies, ses combines! Le chauffeur, très mal en point… Sa vie ne tient qu'à un fil. Excuse-moi, j'ai à faire.

— Je comprends, merci.

Il partit mais se retourna:

— Content de te voir marcher.

Geoff lui envoya la main.

Soulagé, il remonta à l'appartement des jeunes d'un pas calculé. Anxieux, Chris, Ray et Dylan l'interrogèrent des yeux.

— Eh bien les jeunes, vous n'avez plus à vous tracasser.

— MK n'est pas blessé? Ouf!

— Ray, MK est parti…

— Parti où?

— Au ciel? tenta Dylan.

Il essayait de comprendre.

— Au ciel… comme mort?

— Oui, c'est la seule façon de s'y rendre.

Ray et Dylan s'embrassèrent, embrassèrent Geoff et Chris. Elle les taquina.

— Vous êtes bien méchants! Vous êtes contents qu'il soit mort?

Interloqués, ils se regardèrent.

— Oui, on est contents. On avait peur de lui, surtout ce soir. Il avait l'air de vouloir nous tuer, surtout toi Dylan.

Geoff et Chris se mirent à rire.

— On ne veut la mort de personne, mais dans son cas...

— Et le chauffeur?

— Il est très gravement blessé. Je doute qu'il s'en tire. Et là, les jeunes, vous avez gâté mon souper, alors on descend, mais pas un mot sur l'accident.

— On s'excuse pour votre souper, mais ça va être meilleur en bas qu'en haut ici. Dylan se débrouille, mais moi, je fais même brûler l'eau.

Ray était secoué. Dylan l'était encore plus, mais il se maîtrisait. L'instinct féminin de Chris lui disait que d'aller manger au Cafe n'était pas la meilleure chose à faire.

— Vous avez subi un gros choc; je vais aller chercher notre souper et on le mangera ici. Dylan, peux-tu préparer le thé?

— Oui, madame, et je vais mettre la table. J'aime mieux manger ici. Je sais pas comment on va pouvoir aller travailler demain. Juste penser à sortir me donne la chair de poule.

— Une chose à la fois, mon grand! Chris, j'ai faim.

L'atmosphère n'était pas à la fête même s'ils ressentaient tous le même soulagement. La présence de MK tapi dans un coin, espionnant leurs moindres faits et gestes, n'empoisonnerait plus leur vie. Au début, Ray et Dylan picoraient. Cet accident avait bouleversé Chris et Geoff. Ils se concentrèrent à les rassurer et à faire prendre conscience à Ray qu'il était chanceux que Dylan ait eu la présence d'esprit de les éloigner précipitamment de cet accident.

— Je sais, sans lui, je serais resté figé là. J'aime mieux pas penser à ce qui aurait pu m'arriver. J'étais parti dans les vapes.

— Ray, tu es un bon garçon. Reste avec Dylan. Rappelle-toi que tu ne trouveras jamais un ami tel que lui. Il est là pour toi.

— Oui, je sais, je sais ! Cette fourmi-là est solide.

Une fois l'atmosphère détendue, il fut convenu qu'ils iraient travailler le lendemain. Le mercredi, ils finissaient à treize heures. En travaillant, MK et l'accident seraient plus vite oubliés. S'ils se sentaient mal, ils devaient le dire à Monsieur Cyril Mears qui appellerait Geoff.

— Ne lui dites rien de cette malheureuse histoire, et Ray, ne le mentionne jamais à Nick, ton compagnon de travail. Même s'il est gentil, ne lui dis rien, précisa Chris.

Elle savait que Dylan ne parlerait pas, mais Ray parlait parfois sans réfléchir.

— Reposez-vous. Si quelque chose ne va pas, appelez-nous. Reposez-vous bien. Demain, à votre retour, on préparera votre liste d'épicerie.

23

En attendant la blonde...

Le vendredi, à treize heures quarante-cinq, assistés de Chris, Ray et Dylan préparaient leur liste d'épicerie. Deux pains, du beurre, du thé, du lait, des œufs, des oignons, de l'huile à cuisson, du beurre d'arachide, un pot de marmelade, quelques tranches de jambon, du bœuf haché, des saucisses, du fromage, des pains à hamburger et à hot-dog, du ketchup, du sucre, du sel, du poivre, de la moutarde, de la relish, quelques pommes de terre, des biscuits doux et six colas. Monsieur Mears leur donnait quelques fruits et légumes de temps à autre.

— Ça va coûter cher ?

— Pas tellement, environ trois livres pour une première fois ; ensuite deux livres devraient suffire. Vous pourrez même vous permettre quelques petites gâteries.

Ray ne demandait pas mieux.

Faire l'épicerie ne fut pas tâche facile pour les deux jeunes. Si Chris n'avait pas été avec eux, Ray aurait oublié la moitié de la liste au profit de biscuits, de chocolats et de toutes sortes de friandises.

— Il y a trop de bonnes choses et c'est fou comme tout coûte cher. Va falloir se trouver une blonde qui a une épicerie.

— Ou bien de l'argent.

Chris comprenait Ray, trop jeune pour se « mettre en ménage ».

La nourriture remisée, Ray marchait de long en large.

— Dylan, j'ai faim.

— Y est que seize heures trente.

— Mon estomac sait pas l'heure. J'te dis, j'ai tellement faim que j'mangerais un cheval ! Bien... un petit.

— Pas avec les sabots, tout de même?

— Non, trop dur pour mon dentier, lança-t-il en riant.

— D'accord. Je vais préparer des hamburgers. Toi, tu vas peler quatre patates.

— On peut pas les faire cuire sans les… C'est meilleur pour la santé, c'est vrai, j'ai entendu…

— Ça va, lave-les bien et coupe-les en deux, elles cuiront plus vite.

— Pourquoi pas en quatre? Elles cuiront encore plus vite!

— Sors le chaudron, mets de l'eau et mets-les à cuire.

— Dylan, faut que tu me montres comment faire.

La mère de Dylan travaillait à l'extérieur. Très jeune il avait appris à se faire un sandwich, à cuire des œufs, à peler les pommes de terre et à les mettre au feu. Quand sa mère revenait du restaurant, les patates étaient cuites, la table, déjà mise. Elle le félicitait. «Dylan, tu es un amour, j'ai juste à faire cuire la viande et on mange.»

Ray ne s'était jamais fait une rôtie. Il était trop jeune pour tenir maison, trop jeune pour assumer des responsabilités d'adulte.

Dylan lui expliqua quelle plaque de cuisson choisir, lui demanda de mettre la table.

Assis face à face, Ray et Dylan savouraient leur hamburger. Un oignon bien cuit, de la moutarde, de la relish et les patates. Un morceau piqué dans sa fourchette, Ray admirait son chef-d'œuvre.

— As-tu déjà vu des patates plus belles? Deux tons, cuites à point, enrobées de beurre… Mmmm. Un pur délice!

Les yeux au ciel, Dylan essayait de l'ignorer, mais Ray en remettait.

— Je pense que je ferai un grand chef.

— Chef de ta langue qui frétille sans arrêt.

— Attends que le reste se mette à frétiller.

Inutile de penser qu'il allait s'assagir. Il continua sur le même ton durant le repas. Dylan fut incapable de garder son sérieux. Quand arriva le temps de laver la vaisselle, Ray alla au salon. Dylan le suivit. Ray s'étendit par terre, mais Dylan le tira jusqu'à la cuisine par une jambe.

— Tu essuies la vaisselle tous les soirs!

— C'est maintenant qu'une blonde serait utile.

— À condition que la blonde veuille faire la vaisselle.

— Ma blonde me servira et elle fera la vaisselle.

— *Good luck!* En attendant, la blonde, c'est toi. Compte-toi chanceux que je prépare notre collation pour demain.

— Merci chef. J'suis contente d'être ta blonde.

La collation préparée, Dylan alla rejoindre Ray au salon. Allongés sur leur causeuse respective, ils oublièrent tout devant les frasques des personnages de *Road Runner* et de *Pink Panther*. Avant peu, ils cognaient des clous. Les lits étaient propres, confortables, invitants.

La sonnerie du réveil les tira de leur sommeil. Ragaillardis, ils se firent cuire des œufs. Deux des jaunes s'étaient affaissés.

— Ils sont excellents, bien meilleurs que ceux de Sexy Jenny!

— Ray, gâte pas ma journée. Allons!

Heureux, ils se hâtèrent vers le marché. Libérés du joug qui les oppressait, ils se sentaient différents, comme s'ils étaient délivrés d'un gros boulet. Ils marchaient d'un pas plus léger. Ils avaient connu toutes les peurs, et ce MK incarnait la menace, la terreur, l'inconnu. Arrivés au marché, ils se donnèrent l'accolade et chacun partit de son côté. Quelques acheteurs attendaient, pressés, impatients. Dylan se hâta tout en gardant son calme et son sourire. Il transpirait profusément, un vrai coupeur de cannes à sucre sous un soleil de plomb. Une dame lui offrit un mouchoir de papier, il la remercia en s'épongeant le front sans diminuer la cadence.

— Pas si vite, jeune homme, on va tous arriver à Noël en même temps.

— J'ai l'impression que c'est demain.

— Non, non! Si tu te tues au travail, on va perdre un bon employé.

Les deux autres opinèrent de la tête.

— Alors, tu viens ou tu couches ici? Arrive, il est treize heures.

Il n'avait pas vu le temps passer.

— Donne-moi quelques minutes pour reprendre mon souffle.

24

Sous influence

Ray marchait d'un pas allègre ; sa tâche était moins ardue.

— Nick aime rire, on a du plaisir. On écoute de la musique et je chante. J'aime travailler avec lui, aller dans les grands hôtels, les restaurants, les Cafes. Je dis quelques mots aux hommes, aux filles. Je commence à les connaître. Nick va parfois manger dans les grands hôtels. Il s'habille bien, bel habit, chemise repassée, cravate… Il aime être chic.

— Où prend-il l'argent pour ça ? C'est pas avec son salaire de chez Mears…

— J'y demande pas, pis j'veux rien savoir.

Nick lui avait raconté que, deux fois l'an, une grosse vente de meubles, d'articles ménagés, de vêtements, de souliers et de beaucoup d'autres choses utiles se déroulait dans certaines paroisses.

— Ils appellent ça une *jumble sale*. Ils ne vendent pas du neuf, mais Nick dit qu'on peut trouver de très beaux vêtements pour presque rien.

— Je veux y aller aussi. Mon pantalon et mon tee-shirt s'usent vite, mes chandails aussi.

— On ira ensemble. C'est là que Nick a acheté son habit de sortie, pour moins qu'une livre. J'en veux un ! J'irai me frotter aux gens riches dans les grands hôtels moi aussi.

— T'as besoin de travailler tous les samedis.

— J'passerai pas ma vie à livrer des carottes.

Dylan ne souffla mot, il entendait les idées toupiller dans la tête de son « frère de sang ». Pourvu qu'il ne commette pas de gaffes majeures. Il glissait déjà un peu.

Les trois jours suivants furent très occupés. En retournant à leur appartement, le jeudi, Ray offrit une poire à Dylan.

— Où as-tu pris ça? Monsieur Cyril?

— Ben non, voyons. Nick m'en a donné. Y a rien là. Personne ne s'en apercevra. Les autres employés le font aussi. C'est pas voler, c'est juste prendre…

— … prendre quelque chose qui t'appartient pas. Voler une pomme ou cinq pommes, c'est voler. Ray, j'ai peur pour toi et ce Nick.

— Laisse faire Nick. Y est correct. J'aurais pas dû t'en parler. T'es toujours à faire le curé.

— Ça va. Fais à ta guise. Moi, j'vais suivre la ligne droite, j'irai moins vite, mais peut-être plus loin. Je te souhaite de décrocher le gros lot. Si t'es pris à voler, c'est un coup de pied au cul et dehors! La semaine dernière…

— Ah Dylan! Tu comprends rien. Je f'rais mieux de rien te dire. Le pauvre type qui s'est fait prendre, c'est de sa faute. C'est un niaiseux.

— Parce que toi, t'es trop intelligent pour te faire prendre.

— Oui, j'suis intelligent. J'vois loin! J'sais c'que j'fais. Parlons d'autre chose. Samedi soir, on sort avec Nick.

— Pas moi! J'travaille dur, j'suis brûlé.

— Tu peux pas m'faire ça. On est frères. J'ai dit que tu venais.

— Ray, la semaine prochaine, je sortirai avec toi.

— Dylan, c'est samedi qui vient qu'on sort. Tu penses juste à toi!

— Ah Ray! Tu penses pas vraiment ce que tu dis?

— Laisse faire. J'irai quand même.

Ray alla souper au Cafe pendant que Dylan suivait son rituel habituel. Il se douchait toujours en arrivant. Il se fit cuire deux côtelettes de porc, deux pommes de terre. Madame Mears lui donnait des tomates et des concombres. Il mangea lentement. Ray pouvait l'insulter, il ne changerait pas d'idée. Mais son cœur avait mal. Quand Ray revint, Dylan avait lavé la vaisselle et était assis devant le téléviseur. Ray ne reparla plus de sa sortie, Dylan lui en sut gré. Deux heures plus tard, ils dormaient.

Samedi, treize heures, leur première paie leur fut remise. Ray ne tenait plus en place. Cette première paie était l'apothéose pour cet adolescent. Il était un homme! Monsieur Mears leur donna six livres chacun, et trois shillings pour l'avant-midi du samedi. Ils se permirent un hamburger au *Chris & Geoff's Cafe*.

Plus tard, Dylan mit de l'eau dans l'évier, y ajouta du détergent, lava ses draps, changea l'eau et lessiva ses vêtements, ne gardant qu'un ensemble sec. Le temps était au beau fixe, le tout sécherait rapidement sur la corde à linge. Ray le regardait. Évidemment, Dylan allait aussi laver le sien… il avait déjà les mains dans l'eau savonneuse.

— Ray, penses-y même pas! J'travaille beaucoup plus fort que toi. Ta vie, tes amis, tes affaires… ton linge sale.

— Ouaaa, bon! C'est pas une chose que je f'rai toute ma vie.

Il se leva à regret, alla fouiller dans son linge. N'étant pas certain quels morceaux étaient sales, il se fia à son nez. Aucune erreur possible! Il commença par verser le détergent dans l'eau chaude, y ajouta son linge, qu'il brassa assez vigoureusement. La mousse savonneuse déborda et il se retrouva le fessier par terre dans la mousse. En se dépêchant pour se relever, il glissa à nouveau. Levant les yeux, il aperçut Dylan qui riait à gorge déployée.

— *Damú air!* Bon sang, Dylan, aide-moi!

— Pratiques-tu une nouvelle danse?

Ray ne put garder son sérieux. Il se releva tant bien que mal.

— Veux-tu que je t'étende sur la corde, tu…

— Attends une minute, tu vas y goûter.

Vif comme une anguille, il glissa vers Dylan, l'attrapa par un pied et les deux se retrouvèrent sur le plancher mouillé. Dylan était plus fort, mais Ray s'avérait plus agile. Dylan finit par l'immobiliser et lui flanqua quelques claques sur les fesses.

— Maintenant, arrête et va sous la douche. Je vais aller chercher la vadrouille. Passe pas une heure sous la douche, j'finirai pas ton lavage.

— Enlève au moins la mousse, s'il te plaît, Dylan. Faut aussi que je change mon lit. Il sent pas les fleurs.

Dylan eut pitié de lui. Ses vêtements étant mouillés, il se changea, essuya le plancher, changea l'eau et lava le linge de Ray.

Quand son ami revint, il l'embrassa. Bientôt son linge battait au vent.

— Dans une heure, il sera séché.

— Merci Dylan. Tu sais, être libre, c'est pas toujours le *fun*. Se lever avant l'jour, travailler toute la semaine pour un p'tit p'tit salaire, faire ses repas, son lunch. C'est ça la vie?

— Ça, et être libres, loin de ceux qui nous font souffrir, être ici dans notre petit paradis, avoir deux anges gardiens, être dans une belle ville. On la connaît pas encore, mais ça va venir. On va aller à Londres, avoir des blondes…

— *Oh boy!* Tu vois la vie en rose. J'va rester coller à toi. Peut-être que t'as… pardon, tuuuu as raison.

— J'ai raison, et jeeee veux que tu restes collé à moi. Nous deux, Ray, c'est à la vie, à la mort!

— Merci encore d'avoir lavé mon linge. Faut que je sois toujours propre, Nick me l'a dit, et faut que je parle mieux. Il faut que je parle bien.

— Là, il a raison, et moi aussi je vais faire plus attention. Chris et Geoff parlent bien.

Ray et Dylan n'avaient pas éprouvé les mêmes difficultés à l'enfance. Dylan avait perdu son père, sa mère avait été aimante, présente même si elle travaillait. Il était souvent seul, mais n'avait jamais peur puisqu'elle revenait toujours. Fatiguée mais ayant toujours assez de temps pour l'embrasser, lui parler, lui dire qu'elle l'aimait. Docile, calme, il était facile à aimer. Ce n'est qu'à l'arrivée de son beau-père, Thomas Murphy, alors qu'il avait treize ans, que tout avait changé. Sa mère avait porté son amour sur ce sadique qui ne voulait qu'une chose, se débarrasser de lui le plus tôt possible.

Ray avait été abandonné par ses deux parents à six ans, séparé de sa sœur, puis déraciné. Il ne s'en était jamais remis. Ajouté à cela, l'enfance dysfonctionnelle de sa mère, les gènes de son père bon à rien, le tout n'était certainement pas étranger à son comportement. Leur souffrance les avait rapprochés. Leurs différences allaient-elles les séparer?

Dylan était l'antithèse de Ray, autant par son comportement, ses attitudes que par ses ambitions. Depuis l'entrée en jeu de Nick, une brèche s'insinuait dans leur relation. Lentement, insidieusement, allait-elle nuire à leur promesse de ne jamais se quitter? Dylan se refusait à penser à cette éventualité.

Ray passa le reste de l'après-midi devant la télévision pendant que Dylan, assis à la table de cuisine, planifiait son avenir. Après avoir payé trois soupers, sa part de l'épicerie, il lui restait 38 livres. Ray devait en avoir 36, mais ça ne le regardait pas. Il allait s'ouvrir un compte bancaire. N'étant pas citoyen britannique, il demanderait à Chris ou à Geoff de l'aider. Sa première paye avait été de six livres, mais à l'avenir, il ne recevrait que cinq livres trois shillings. Il décida qu'il allait s'offrir à travailler le samedi. Ses dépenses essentielles se chiffraient à deux livres et demie. Il lui fallait un minimum de une livre pour les imprévus. Il lui resterait un peu plus de deux livres et demie chaque semaine. De ses économies, il allait déposer 35 livres à la banque, ensuite 2 livres les semaines suivantes. Pour l'instant, il se gardait 7 livres… C'était beaucoup, mais il devait pouvoir faire face à toute éventualité. Ray se demandait ce qui retenait Dylan dans la cuisine. Quand celui-ci le lui expliqua, Ray le regarda avec étonnement.

— Ouvrir un compte bancaire? On n'a rien! Es-tu certain que t'es pas un peu fêlé là-haut?

— On a plus d'argent que bien des couples. Y en a pas beaucoup qui ont 38 livres dans leurs poches.

— Ouaa! T'es pas fou, mais pas de banque pour moi. Quand j'voudrai sortir, m'acheter quelque chose, j'le f'rai. J'suis jeune, j'veux avoir du *fun*.

— Tu as le droit. On n'est pas obligés de faire la même chose, pis on s'aime pareil.

Ray retourna au salon. Il n'était pas obligé, mais la façon dont Dylan envisageait sa vie lui faisait quelque chose en dedans… comme un reproche silencieux. Son ami n'était pas celui qu'il pensait qu'il était. Dans l'autre vie, ils ne se voyaient qu'en classe, se parlaient dans leur cachette, avaient planifié leur départ, mais ils ne se connaissaient pas vraiment. Ray n'avait pas réfléchi à son avenir. Les comptes bancaires, c'était bon pour les vieux! Son raisonnement s'était limité à «plus d'école, plus de devoirs, plus de tante, ni d'oncle pour lui dire ce qu'il devait faire, plus d'entraves à sa liberté». Il n'allait pas commencer à se «régimenter» maintenant. Une chance qu'il avait Nick. Ils avaient la même soif de profiter de la vie. Au diable les carcans!

Birds of a feather flock together. (Qui se ressemble, s'assemble.) Le *Cottage Coffee Bar* était bondé quand Nick, Katy, Audrey et Ray arrivèrent ce samedi soir-là à vingt et une heures. Quelques heures plus tôt, Ray avait rencontré Nick à la Clock Tower. Il n'était pas seul, mais escorté de deux jeunes filles: une brunette, cheveux coupés court, yeux malicieux, assez grande, très bien proportionnée, pantalon ajusté et gilet rouge échancré qui ne laissait rien à l'imagination. Nick fit les présentations:

— Voici Katy, ma compagne de ce soir et, qui sait…

Ray se recula, plongea son regard dans le sien puis la détailla de la tête aux pieds. Il y avait quelque chose de fauve dans la façon dont elle se mouvait. Elle était splendide et le savait. Elle lui sourit. Ray en perdit la parole.

— Comme tu es seul, j'ai pensé emmener Audrey, une amie de Katy. Tu vas l'aimer.

Cette dernière, un peu moins grande, mais taillée au couteau, cheveux blonds, un joli minois, habillée de couleurs différentes mais dans le même style suggestif que celui de Katy, s'approcha de Ray.

— Bonjour jeune homme. Contente de te connaître. Très contente. Pas mal du tout!

Le sang de Ray ne fit qu'un tour. Une chaleur parcourut son corps, il se sentit presque un homme. C'est fou ce que Dylan pouvait manquer. Et puis, tant pis! Libre à lui de vivre comme un escargot dans sa coquille. Il se sentait plus libre avec Nick et ses amies.

— Alors Ray, tu veux juste les admirer ou tu veux qu'on entre au *Cottage Coffee Bar*? J'ai une de ces fringales!

D'un sourire coquin, il reluqua Katy et Audrey.

— Et moi donc! La faim me tiraille de partout.

Nick jubilait! Ce Ray, quelle trouvaille! Il les avait emmenés au *Cottage Coffee Bar* parce que Ray lui en avait parlé. L'accueil fut très différent de la visite précédente, avec Dylan. Nick y était connu, ainsi que ses deux invitées. Il menait le bal, saluant à droite, à gauche, même que Jimmy vint à leur table.

— Tiens, tiens, tiens! Quelle surprise! Si c'est pas le jeune Paddy. Où est l'autre?

— Salut Jimmy. C'est mon ami Ray. On travaille ensemble.

— Ray, t'es vite en affaires! Et ton copain?

— Y est occupé. Y viendra la prochaine fois.

— T'es chanceux, Nick a beaucoup d'amis. C'est un débrouillard, tu vas aller loin avec lui.

Ray ne s'était jamais senti aussi heureux. Grâce à Nick, sa chance tournait. Ce dernier commanda un spaghetti bolognaise, une spécialité de la maison, Katy un *steak and kidney pie*. Ray fit de même et Audrey y alla pour un *fish and chips*. Nick paya pour Katy et Ray fit de même pour Audrey. Le tout, avec les desserts et le thé lui coûta six shillings. Il fut largement récompensé quand Audrey se colla contre lui. Il « maturait » vite.

Nick ne se gênait pas pour passer sa main sous la table, peloter Katy, frôler son sein gauche. Elle roucoulait. Il fit un clin d'œil à Ray, qui semblait vouloir s'amuser et se hasarda à frôler le bras d'Audrey. Celle-ci se colla à nouveau contre lui. La conversation s'anima.

Ray apprit que Katy et Audrey travaillaient comme femmes de chambre dans un grand hôtel.

— On ne gagne pas une fortune, mais il y a des avantages.

— Oui, Audrey. On a un bel uniforme bleu marine, belle coupe, et des bénéfices… tangibles, dit-elle en claquant des doigts.

Elle se passa les mains sur les seins et la taille. Katy l'imita.

— Quelques clients de l'étranger, des habitués, savent se montrer généreux.

Nick souriait de toutes ses dents. Il voulait impressionner Ray, afin qu'il comprenne le système. Celui-ci feignait de comprendre, mais était dans la plus totale ignorance.

— Ah! oui Katy… Qu'est-ce que vous devez faire pour qu'ils ouvrent leur portefeuille?

— Rien de bien difficile. Certains nous demandent de venir après le travail pour ranger leur linge, leur faire couler un bain… Quelques-uns veulent juste un peu de compagnie…

— Ça nous permet de petites gâteries. On a notre appartement, nos amis.

Katy avait commencé sans vraiment réfléchir. Un soir, un client s'était confié, lui avait ouvert son cœur. Si elle consentait à s'occuper de lui, il n'y aurait rien d'immoral. Il s'ennuyait, avait besoin d'affection. Naturellement, il la paierait pour les heures supplémentaires. Audrey l'avait imitée.

Un peu craintive au début, mais, attirée par l'appât du gain autant que par le plaisir de se voir remarquer par un chic monsieur, elle se confia d'abord à Nick... sur l'oreiller. Il était tellement fin, elle avait en lui une confiance aveugle.

— Ne t'inquiète pas, tu sais que je t'aime. Je m'occupe de tout, je vais te protéger.

À dix-sept ans, elle ne réalisait pas qu'elle jouait avec le feu. Le monsieur, et les autres ne se contenteraient pas qu'elle fasse couler l'eau du bain et leur masse le dos. Les petites entorses à la morale n'avaient aucune conséquence, puisque Nick l'aimait et qu'elle était prête à se damner pour lui faire plaisir.

Elle avait papillonné, puis avait dérapé. Le désir peut être insidieux. Au début, un coudoiement, un frémissement, un frôlement plus ou moins involontaire émoustillent les sens. Un câlin, juste un petit câlin, puis le désir s'intensifie et le feu semble moins brûlant. Une gratification ajoutée au plaisir de se sentir séduisante et le risque devient inexistant, la pente de plus en plus glissante.

Astucieux, Nick avait glissé un pourboire au gérant de l'hôtel, obtenant ainsi toutes les informations pertinentes sur les clients sélectionnés. Ces derniers n'avaient qu'à bien se tenir... et à bien payer. Évidemment, Nick réclamait une ristourne sur l'argent de chaque client. Après tout, il prenait tous les risques, assurait la sécurité des filles. Les clients ne se contentaient plus de quelques petites caresses de jeunes et jolies filles. Ils en voulaient plus et... payaient plus.

Katy et Audrey regardèrent Nick d'un air entendu.

— Tu as pensé à tout. D'abord, deux ou trois clients par mois, maintenant... on fait la belle vie. On ne nous voit même pas monter aux chambres. On passe par une porte arrière qui ne sert presque jamais, après notre quart de travail, bien entendu.

— Nick, on t'adore. Du plaisir et... pas mal de *cash*.

— Qu'arriverait-il si les clients devenaient trop exigeants, trop gourmands? osa Ray.

Nick haussa les sourcils.

— Je leur dis un mot dans le creux de l'oreille. Ils apprennent vite.

Captivé par l'audace de ces filles, Ray les voyait comme des stars. Et que dire de l'intelligence de Nick? Brillant! Il évoluait dans un monde tellement différent de celui de son enfance calfeutrée chez son oncle Stanley et sa tante Ceili. Du *cash* et très peu de risques. Impossible de se faire arrêter.

L'inconscience de la jeunesse. Dans quelle toile on s'entortille, quand on se laisse séduire par un exploiteur.

L'orchestre jouait du Elvis Presley : *Jailhouse Rock, Hound Dog, Don't Be Cruel…* Ray jubilait. C'était ça, la vie. Ses inhibitions? Envolées! Il chantait avec son cœur et ses tripes. Katy et Audrey se marraient. Nick alla parler avec des amis. Quelques filles lui faisaient de l'œil.

— Excusez, mes amours, mais je suis pris ce soir.

En revenant s'asseoir, il suggéra d'aller terminer la soirée dans une salle de danse, le *Starlight Rooms*, sur Montpelier Road. La soirée était belle, ils s'y rendirent à pied. Nick et Katy, bras dessus bras dessous, ouvraient la marche. Ray et Audrey suivaient, collés, collés, en parlant de tout et de rien. Ray aimait être à l'avant-scène, il faisait le pitre.

Le *Starlight Rooms* était la « *in place* », le lieu de rencontre des jeunes. Désorienté, Ray suivit Nick. Installé au sous-sol d'un vieil hôtel désaffecté, sombre, la « *in place* » était divisée en trois ou quatre très grandes « salles » de style rétro et à l'éclairage particulier. Un groupe de rockers faisait trembler la baraque.

Nick, Katy et Audrey se mirent à danser, Ray les regardait. Audrey le tira vers elle.

— Ray, viens danser!

— J'sais pas, j'sais pas… j'ai jamais dansé cette danse-là.

— Ça fait rien, tu sais bouger, suis le *beat* de la musique.

La danse? Il l'avait dans la peau. À l'école, il excellait. Rejoignant Audrey sur le plancher de danse, la musique s'insinua lentement dans toutes les fibres de son corps, guidant ses pas. Le passé, l'avenir n'existaient plus. Seul l'instant présent le projetait dans un état second, un plaisir qu'il aurait voulu éternel. La musique s'était arrêtée, mais son corps bougeait toujours. Ses amis se mirent à rire.

— Pour un gars qui ne sait pas danser, tu te débrouilles pas trop mal.

— J'pense que j'étais sur une autre planète. J'adore le rock'n'roll.

— J'suis contente que t'aimes danser, parce que dès que j'entends de la musique, j'ai des fourmis dans les jambes. On va faire un beau couple.

Avait-il bien entendu? Un couple? Il ne voulait pas être en couple. Jamais! Son père et sa mère avaient été en couple... Pas lui! Il se sentait bien avec elle, il voulait la revoir, elle et d'autres aussi. Être comme Nick, pas d'attaches, libre. Ils se séparèrent à la Clock Tower en promettant de se revoir. Audrey l'avait embrassé. Elle goûtait la cigarette, mais c'était bon.

25

Fascination anesthésiante

Dylan, seul, avait lu et relu le livre sur Brighton, avait regardé les photos et s'était promis de visiter cette ville. D'abord, Le Civic Centre, le Sea Life Centre et l'aquarium, au West Pier. Il désirait admirer les hôtels ; il ne connaissait rien en architecture, mais voulait apprendre. Les cinémas, les musées et bien d'autres endroits l'intéressaient. Une fois son linge séché, il l'avait rentré et plié, et celui de Ray. Il avait passé le balai, une vadrouille humide partout et avait épousseté. À dix-neuf heures, douché, changé, il décida qu'il ne souperait pas seul. Il n'avait rien d'un baise-la-cent et il pouvait se payer un repas.

Quand il pénétra dans le Cafe, il y trouva Chris et Geoff. Ils étaient allés magasiner et avaient décidé de manger au Cafe. Dylan s'assit à leur table. L'absence de Ray les surprit, encore plus quand ils apprirent qu'il était sorti seul avec Nick. Dylan minimisa cette sortie en répétant qu'il préférait se reposer, mais Geoff ne fut pas dupe de sa déception. Un peu plus volubile, il parla du livre sur Brighton, et Geoff fut impressionné par tout ce que Dylan avait retenu sur la ville. Il lui promit de lui faire faire un tour de la ville.

— En voiture, oui. Je suis à nouveau capable de conduire. On sortira entre hommes.

Dylan remonta chez lui, se coucha tôt et s'endormit rapidement.

À vingt-deux heures, Ray quitta ses amis. Baignant dans les émotions de la soirée, il n'entendit rien jusqu'à ce qu'il soit attaqué par-derrière et projeté par terre. Vite comme l'éclair, il se retourna. Jimmy et un autre garçon sautillaient devant lui en le narguant. Il recula, mais ils étaient deux.

— Qu'est-ce que tu veux, Jimmy?

— Rien *Paddy*, c'est juste qu'on n'aime pas ta face, pis on veut te faire comprendre qu'on veut pas de toi ici. Pis nos filles sont pas pour toi.

— Bon! Pis y faut que tu viennes avec un autre brave pour me dire ça?

— Oui, parce que des *Paddy* comme toi, c'est traître.

Avant que Ray ait pu articuler un seul mot de plus, Jimmy l'attrapa à la gorge et lui asséna un coup de poing en pleine poitrine, ce qui le projeta par terre. Deux, trois bons coups de pied et ils disparurent en criant: «Ça, c'est un premier avertissement.»

Il se releva tant bien que mal et se traîna jusqu'à son appartement.

Aussitôt entré, il appuya sur l'interrupteur. Dylan ouvrit les yeux, les referma aussitôt. Il ne voulait pas entendre Ray parler de sa soirée.

— Dylan, j'ai besoin de toi.

Dylan se retourna, cligna des yeux et sursauta.

— Qu'est-ce qui t'arrive? Tu t'es battu avec Nick?

— Non, non, pas avec Nick. C'est Jimmy.

La joue gauche enflée, il était plié en deux sur son lit.

— Aide-moi à enlever mon tee-shirt.

Ses côtes le faisaient souffrir. Inquiet, Dylan courut au réfrigérateur et revint avec des morceaux de glace enveloppés dans trois petites serviettes.

— Mets-en une sur ta joue et ces deux-là sur tes côtes. On va les retenir avec la grande serviette.

— Aïe! Ça fait plus mal avec la glace.

— Oui, mais garde-la pareil, si tu veux pas avoir l'air d'un monstre lundi. J'vais aller te chercher des aspirines. Madame Chris en a mis dans la salle de bain. Je crois qu'elle pensait à toi.

— C'est pas l'temps de faire des farces. Si t'avais été là, ça serait pas arrivé.

— Si t'avais été ici non plus! Prends trois aspirines, pis essaie de dormir.

— Aïe! Aïe! Y perd rien pour attendre, le Jimmy, pis Dan non plus, son *bum* de *chum*.

— Parce que t'en n'as pas eu assez? Tu veux te faire ramasser par la police pis renvoyer en Irlande? C'est ça qu'tu veux faire? J'pensais que tu sortais avec Nick pour avoir du *fun*. Une belle soirée…

— J'ai eu du *fun*! Attends! J'va me venger! Le Jimmy, j'va l'tuer!

— Écoute-moi bien. Avant de décider de tuer quelqu'un, assure-toi de creuser deux tombes.

— Ahhh Dylan, laisse…

Le lendemain, Dylan se rendit à la messe. Ray dormit jusqu'à midi. Quand il se leva, Dylan dînait. Son visage était moins enflé mais un peu plus coloré, et ses côtes, très douloureuses. Dylan ne s'offrit pas pour l'aider. Ray se versa un verre de lait. Sa raclée n'avait pas diminué son euphorie de la veille.

— Mon cher Dylan, t'as manqué une belle soirée hier soir. La plus belle soirée de ma vie.

— Je suis bien content pour toi.

— Attends que j'te raconte, tu vas voir que t'aurais dû m'écouter.

Sans attendre une réponse, d'une seule traite, sans omettre le moindre détail, il débita le récit de cette sortie avec Nick et les deux filles. Encore sous le coup de l'émotion, il gesticulait en parlant.

— Aïe! Aïe! Aïe! T'aurais dû voir ces filles-là. Fines, belles, ajouta-t-il en faisant des gestes suggestifs avec ses mains. Et pas folles, pas du tout.

Dylan frémit en l'entendant raconter la combine de Nick et de ses deux filles avec certains clients de l'hôtel. Ce Nick avait la morale d'un chat de gouttière, une mauvaise influence pour Ray qui s'en allait à sa perte. Et il n'y pouvait rien.

— Alors, qu'est-ce que t'en dis? Tu dois regretter ce que t'as manqué.

— Mais non, vous étiez deux couples. Si j'avais été là, j'aurais été de trop.

— Ouaa, c'est un peu vrai. Mais on va sortir ensemble, j'veux que tu connaisses mes amis. Y sont fins!

Horrifié, Dylan aurait voulu lui dire de ne plus fréquenter Nick, mais il ne le pouvait, il n'avait aucune autorité sur lui. D'ailleurs, le résultat aurait été le même, son ami n'en ferait qu'à sa tête.

Pourquoi commencer une discussion perdue d'avance? Il venait d'enlever le bandeau de ses yeux. Ray mangea ses rôties avec du fromage, puis regarda la télévision. Au souper, n'ayant pas envie de cuisiner, il proposa à Dylan de descendre souper avec lui au Cafe.

— Non, je suis allé hier soir.

— Comment ça? Tu voulais pas sortir avec moi.

— J'voulais pas sortir, mais je voulais pas manger seul. Chris et Geoff y étaient.

— Y t'ont demandé où j'étais? J'imagine que tu leur as dit.

— Ben oui! C'est normal, tu voulais sortir. C'est ton affaire.

— J'aime pas ben ben ça. T'aurais pu leur dire que... que je dormais.

Dylan se mit à rire.

— Voyons Ray, y sont pas fous.

— Ouaa, pis c'est pas d'leurs affaires. Je m'en va souper.

Dylan resta assis, immobile, absorbé par un cumulus de pensées. Il craignait que leurs projets d'avenir ne se réalisent pas parce que Ray était déjà dans l'œil du cyclone et ferait tout pour y rester. Il voulait tout avoir. Trop et trop vite. Il ne voyait pas le danger. Son avenir? Il le voyait dans un miroir embellissant. Il n'avait que treize ans. Le succès était accessible, ils avaient tout pour réussir, mais ce n'était pas suffisant pour Ray. Pourvu qu'il ne perde pas son emploi. Dylan pleura sans témoin. Il appréhendait le pire. Pourvu qu'il se trompe.

Quand Ray revint, il était de bonne humeur. Il prit d'autres aspirines et passa une heure devant la télévision tout en commentant avec Dylan. La nuit précédente avait été courte. À vingt heures, ils dormaient déjà.

La semaine ne fut pas facile pour Ray. Monsieur Mears lui demanda ce qui lui était arrivé. Ray lui répondit qu'il était tombé chez lui, en montant l'escalier. Il ne le crut pas, le regarda puis se mit à rire.

— T'as mangé un coup de poing. Tu ferais mieux d'apprendre la boxe.

Ray se contenta de sourire.

Dès que Nick le vit, il comprit. Quelqu'un l'avait attaqué. Quand Ray déballa son sac, il l'avertit de ne rien faire.

— Personne ne touche à mes amis. J'ai des amis, ils vont lui régler son cas à ce fendant de Jimmy et à Dan, son chien de poche.

Ray était content, Nick allait le venger. Ils discoururent long-temps sur Katy et Audrey. Elles étaient gentilles et serviables : une partie de jambes en l'air de temps en temps était salutaire pour la santé. Ray lui avoua qu'il n'avait jamais…

— Tu n'as pas encore… et tu as quinze ans et demi ! J'ai com-mencé à treize ans. On va arranger ça. On ne sortira pas avec elles en fin de semaine. Pas avec Katy et Audrey ! Les filles, si tu commences à sortir *steady*, tu sais, toujours avec la même, elles se font des idées, elles veulent se marier et avoir des bébés. Là, Ray, t'es pris à la gorge. La femme, le bébé, les nuits blanches, tu vis pauvrement. Tu t'en sors pas. Tombe pas dans le piège.

Ray se devait d'éviter ce piège. Les conseils de Nick ? Sa bible ! Il ne voulait pas d'enfants. C'était trop malheureux d'être un enfant.

La journée ne fut pas trop pénible. Nick lui donna les petites commandes. Un peu plus et Ray mangeait dans sa main. Il fut content de voir le mercredi arriver – une demi-journée – pour se reposer.

26

À la croisée des chemins

Ce fut une période déterminante pour Ray et Dylan. Le samedi suivant, Ray sortit avec ses amis, ne demanda pas à Dylan de l'accompagner. Le dimanche, ils marchèrent ensemble, ils parlaient, riaient, mais la magie n'y était plus. Trois semaines plus tard, un vendredi soir, Ray déménagea chez Nick. Sa mère avait une petite chambre de libre, et pour deux livres par semaine, il était logé, nourri, blanchi. Plus besoin de laver son linge, de se faire à manger. Travail et plaisir ! Plus de Dylan pour lui faire la morale.

Ce dernier était désespéré.

— Dylan, c'est mieux pour nous deux. On pense pas pareil. J'veux pas faire mes repas, laver mon linge, et des fois, je me sens mal à l'aise, comme si je faisais quelque chose de mal. Tu t'inquiètes pour moi.

— Oui, t'as raison. Mais c'est comme si je perdais mon frère.

— Mais non ! On va se voir tous les jours ; on va rester amis et on va sortir ensemble de temps en temps. J'aimerais même venir coucher, des fois, si tu veux.

— Je le veux. Certain ! Quand tu voudras !

Il le regarda descendre l'escalier et pleura amèrement. Sans parents, sans amis, sans personne à qui parler de sa journée, de ses espoirs, de ses rêves. Ray n'était pas sérieux. Il agissait sans réfléchir, même s'il était plein de vie, de rires, de folie. Qu'allaient-ils devenir ? Lui restait seul, et Ray était influencé par ce Nick... Ils avaient un avenir, pourquoi tout gâcher ?

Ray n'était pas retourné au Cafe, mais Chris y avait remarqué Dylan. Ce dernier ne payait pas de mine.

Le samedi matin, prenant son courage à deux mains, il descendit au café et appela Chris. La mort dans l'âme, il lui demanda s'il pouvait aller les voir Geoff et elle. Voudraient-ils toujours lui laisser le logement?

Chris et Geoff furent surpris en le voyant. Le regard fuyant, nerveux, il ne savait par où commencer. Geoff lui facilita la tâche. Ils allèrent s'asseoir dans la cuisine. Il lui parla avec douceur pendant que Chris lui servait une tasse de thé et des *crumpets*.

— Dylan, est-ce que Ray a fait un mauvais coup?

— Non… Il est parti. Il habite avec son ami Nick. On va se voir de temps en temps.

— Dylan, tu dois tout nous dire, je sais qu'il est ton ami mais j'ai mis ma réputation en jeu pour vous deux.

— Je sais, mais ce n'est pas facile. J'ai peur pour lui.

Il fallut du doigté et de la patience pour qu'enfin Dylan raconte ce qu'il avait appris sur Nick, Katy et Audrey et la raclée que Jimmy et son ami avaient administrée à Ray. Chris et Geoff le savaient imprévisible, mais furent estomaqués par sa conduite. Ils ne pensaient jamais qu'il dériverait si vite. Ce que Dylan leur raconta leur fit dresser les cheveux sur la tête. Ce jeune était bien mal parti. Geoff devait prévenir son ami Cyril, lui dire que Ray avait emménagé avec Nick et bien préciser qu'à la moindre incartade de Ray, il ne se porterait plus garant de lui. Il serait laissé à lui-même, ne le protégerait pas, ne voulait pas se mettre dans le pétrin pour lui. Aucune crainte pour Dylan. Il était fiable.

Ce dernier voulut savoir s'il pouvait encore rester dans leur logement.

— Certainement, mais tu vas reprendre la clef de Ray. Au lieu de payer une livre et demie par semaine, tu nous paieras une livre.

Le cœur gros, il les remercia. Ils le gardèrent à dîner et Geoff l'emmena dans son bureau, lui parla de son travail, le félicita pour son assiduité au marché, lui dit que Monsieur Mears était très content de lui et eux aussi.

— Tu as déjà un compte bancaire. On est très fiers de toi. C'est difficile pour toi, parce que Ray est ton ami. Il l'est toujours, mais à sa façon. Tu es mieux seul, sinon il arriverait chez toi avec des amis peu recommandables, ils sauraient où tu demeures, tu serais peut-être entraîné dans des affaires louches bien malgré toi.

Chris lui prit les mains.

— Tu sais, s'il reste avec toi, tu ne dormiras jamais en paix, tu vas constamment t'inquiéter pour lui.

— Tu vas être seul, mais peut-être pas pour longtemps. Tu vas te faire des amis. Tu es débrouillard, profite de la vie. Je veux que tu viennes me voir au café. J'y suis de onze à dix-sept heures du lundi au vendredi. Les mercredis, tu finis à treize heures, viens me voir en arrivant.

Geoff lui promit de sortir avec lui le mercredi suivant pour une visite de Brighton. Il serait chez lui à treize heures trente. Il lui remit un autre livre, mais sur Londres. Un jour, ils iraient ensemble. Dylan repartit d'un pas plus léger. Il était habitué à vivre seul, il l'avait fait pendant plusieurs années, quand sa mère travaillait.

Le lundi suivant le départ de Ray, quand Dylan arriva au travail, Monsieur Mears était à la barrière. Geoff l'avait appelé. Il salua Dylan et attendit Ray. Il le vit arriver avec Nick. Il fit signe à Nick de passer son chemin et s'approcha de Ray.

— Tu n'arrives pas avec Dylan?

Ray se cambra sous ce regard perçant.

— Non, j'reste chez Nick maintenant.

— Pourquoi?

Ray ne répondit pas. Monsieur Mears n'avait pas de temps à perdre. Ce jeune avait été abandonné, il connaissait son histoire, il était prêt à lui donner une chance, mais pas à n'importe quel prix.

— Mon ami Geoff m'a appelé. Tu peux continuer à travailler ici. Si tu fais bien ton travail, ça va, mais si tu fais quelque chose de pas correct, je te mets dehors et Geoff ne fera plus rien pour toi. Compris?

— Oui, monsieur.

Quand il monta dans la fourgonnette, il pestait. Ce Dylan, il avait probablement tout raconté à Chris et Geoff. Que le diable l'emporte! Nick lui avait dit de ne pas s'en faire. Ils allaient continuer leur boulot comme avant.

— T'es bien chez nous? Ma mère t'aime bien. Elle est fine, elle fait sa vie. Elle a une petite pension, va jouer aux cartes avec ses amis, regarde la télévision et fait de la couture. Ta pension lui fait un surplus. Elle va me le donner, dit-il dans un grand rire. Elle m'adore. Je sors et je rentre quand je veux. Je peux compter sur elle.

— T'es ben chanceux. Moi, ma mère...

Il se mit à lui raconter sa vie. Tout y passa.

— T'aurais pu mal tourner, mais t'as bon caractère. Je vais m'occuper de toi. J'ai des projets très précis pour notre avenir. D'ici deux ou trois ans, on ne travaillera plus ici. On va faire la belle vie.

Ray buvait ses paroles. Les caisses de fruits et de légumes lui semblèrent moins lourdes. De plus, il aimait aller livrer dans les grands hôtels : le *Queen's Hotel*, le *Grand Hotel*, le *Metropole*, le *Royal Albion*, sans parler des Cafes et des quelques restaurants.

Brighton Beach et le West Pier étaient le centre d'attractions pour les jeunes. La promenade comprenait des boutiques et des Cafes. Nick et Ray y allaient avec des filles, ils se joignaient à d'autres amis, s'assoyaient ensemble pour écouter de la musique, rire, s'amuser et... prendre un verre. L'âge légal pour consommer une boisson alcoolisée était de dix-huit ans, mais cela n'empêchait pas les contrevenants de faire des affaires d'or.

Nick aimait bien prendre une bière, Ray n'en aimait ni le goût ni l'odeur. De plus, la hantise de finir comme son père renforçait sa révulsion. Il préférait s'abstenir... pour le moment.

La plage n'était pas un endroit pour s'allonger et se faire bronzer, ce n'était que des galets, toute la plage était couverte de galets. Les gangs de jeunes s'y rencontraient. Ils le fascinaient, surtout les Mods et les Rockers. Les premiers étaient bien habillés, se promenaient en scooters. C'étaient des amateurs de musique ska — du style jamaïcain, reggae, calypso, jazz américain et autres. Les Rockers, eux, portaient des *jackets* de cuir noir, des jeans, des chaussettes blanches qui dépassaient de leurs bottes. Un foulard blanc ajoutait une touche d'élégance à leur tenue. Ils adoraient le rock'n'roll. Ray rêvait d'en faire partie. Pour Nick, ils étaient des voyous, cela refroidissait l'enthousiasme de Ray. Il ne les mentionna plus. Parfois, ils voyaient aussi des groupes de jeunes hippies qui se formaient sous le quai, au bas de West Street. De longues couvertures sur le dos, souvent sales, ils n'avaient certainement pas la faveur de Nick.

27

Dans l'antre du fripon

Ce Nick était le nouvel «ami» de Ray, son idole. Mais Ray voyait Dylan tous les jours. Au début, il l'avait évité, puis, petit à petit, il avait commencé à aller le saluer.

— Tu as gardé l'appartement?

— Oui, et je l'aime de plus en plus.

— As-tu trouvé un autre ami, quelqu'un pour partager les dépenses?

— Non, personne d'autre. Mon ami, c'est toi. Tu es heureux?

— Oui. J'ai beaucoup d'amis, je fais bien mon travail. Ça va bien. L'an prochain, j'aurai peut-être mon permis de travail.

— Je suis bien content pour toi.

— OK, on se reparle.

À partir de ce jour, Ray alla le saluer chaque jour avant de partir. Parfois, il revenait avec lui le vendredi soir. C'était toujours une soirée vivante, même si Ray avait grandi, mûri. Il n'avait pas perdu sa folle envie de vivre, était encore un feu pétillant. Chacune de ses journées était une pièce de théâtre, une comédie. Il les révisait, imitait les gens qu'ils rencontraient dans les grands hôtels, les Cafes, les salles de danse.

— Tu devrais me voir danser. La musique me soulève, je suis comme dans un tourbillon. C'est l'*fun!* Je ne pense plus à rien, juste à jouir.

— Tu parles comme un grand seigneur.

— Des fois, quand je suis bien excité, je parle encore mal, Nick me corrige.

— C'est bien. Mais tu peux pas danser ces danses-là?

— *Fós! Is féidir!* (Oui! Je peux!) C'est comme difficile à expliquer, mais quand j'entends du rock'n'roll, ça commence comme un chatouillement dans les orteils et ça monte, le popotin s'agite, j'commence à me déhancher et j'suis parti. Je chante avec les chanteurs, j'oublie tout, tout bouge, j'ai les sens en feu.

— Oui… Je commence à te comprendre. Va falloir que j'aille voir ça.

— Tu viendrais avec moi… avec mes amis? Là Dylan, tu me fais plaisir.

Le samedi soir, malgré une certaine réticence, Dylan était allé rejoindre Ray qui l'attendait devant le *Starlight Rooms*. Nick, Katy, Audrey et une autre jeune fille les attendaient. Ray fit les présentations. Nick l'avait entrevu au marché, mais ne l'avait jamais vraiment regardé. Grand, droit, bien mis, assez bel homme, une certaine force, une assurance se dégageait de lui. Nick s'avança et Dylan lui serra la main; une bonne poigne, le jeune! Il n'avait rien en commun avec Ray.

— Dylan, on est contents de te voir. Ray parle beaucoup de toi.

— Ray parle beaucoup.

Ray rayonnait. Dylan était venu. Il en savait déjà assez sur Kate et Audrey, mais la troisième, Mary, devait faire partie du harem de Nick. Elle se colla contre lui, mais il ne mordit pas à l'hameçon. Nick, d'ordinaire si loquace, était un peu déboussolé. Dylan en imposait. Quand celui-ci le regardait, ses yeux semblaient le fouiller au plus profond de son âme. Il n'appréciait pas! Dylan n'était guère impressionné par ses sourires artificiels, ses enflures verbales dévoyées. S'ils obnubilaient l'esprit de Ray, ce n'était pas son cas. Ray n'y voyait que plaisir et argent. Entouré de ses amis, il exultait. La musique battait son plein, Nick se leva d'un bond.

— Les amis, on se dégourdit les pattes? Venez, on va s'amuser.

Tous se levèrent. Ray se tourna vers Dylan, mais ce dernier suivait déjà Mary. Audrey le tira vers elle.

— Tu viens ou quoi?

— Oui, oui, j'arrive. Mais regarde Dylan, il danse.

— Il danse comme un professionnel. Il n'est pas mal ton ami.

— Pas mal du tout. C'est la première fois que je le regarde vraiment. On dirait un *big shot*. Dansons!

Il tourna le dos à Dylan et laissa la musique l'envahir, mais la fièvre n'y était pas.

Nick était surpris par l'apparence et la prestance de Dylan. Il s'était attendu à un lourdaud, mais il voyait un homme bien. Sa présence le dérangeait, le diminuait. Il ne l'inviterait plus, il n'était pas son genre.

Plus tard, assis, sirotant un cola, Dylan fut assailli de questions.

— Où as-tu appris à danser? Tu ne m'en as jamais parlé.

— Ray, on pensait à la course, pas à la danse.

— Oui, t'as raison, mais…

— Ma mère adore la musique, comme toi Ray. Quand elle entend de la musique, il faut qu'elle bouge. Après la mort de mon père, j'étais son partenaire, je n'aimais pas danser, mais elle me montrait les pas et j'ai appris. Je n'aime pas ça autant que toi Ray, mais c'est agréable.

Ray était fier de son ami. Mary glissa sa main sur le genou de Dylan, il la repoussa prestement. Il ne voulait pas d'amies et certainement pas celles de Nick. Ce dernier se sentant relégué au deuxième rang, il se leva pour aller parler à des amis. Perspicace, Dylan s'excusa, salua la tablée, serra la main de Ray, fit un signe de tête en direction de Nick et s'éclipsa. Il ne sortirait plus avec les amis de Nick. Il n'avait rien en commun avec eux. Mais Ray avait été très fier de son «frère».

— Dylan, c'est un homme honnête, un homme bien. Il ira loin.

Nick avait acquiescé, mais il ne souhaitait pas le revoir.

Ray continua à visiter Dylan. Celui-ci en était soulagé, même si la blessure était encore vive. Il travaillait bien, ne servait plus seulement au stand, il aidait à placer les fruits et légumes, à marquer les prix, à ramasser au fur et à mesure, et à faire le thé. Les Anglais sont de grands buveurs de thé. Chaque stand avait accès à un genre de remise en arrière, la plupart avaient un évier, de l'eau, un petit comptoir et l'électricité. Il veillait à ce qu'il y ait toujours une théière de thé bien chaud, ordre de Monsieur Mears.

Monsieur Cyril était très content de lui, il en aurait pris d'autres du même acabit. Madame Mears avait toujours un bon mot pour lui. Mère de famille dévouée, elle compatissait à sa situation. Même Ray était dans ses pensées. Abandonné par ses deux parents à l'âge de cinq ans, c'était l'âge de son petit dernier. Elle frissonnait rien qu'à y penser. Un soir, elle en avait parlé à table.

— C'est l'âge de Lenny. Vous le voyez, placé chez des étrangers?

— Voyons maman, ça n'arrivera jamais. Ce serait monstrueux.

— Oui, et ça l'a été pour Ray. Ne l'oubliez pas.

— Changeons de sujet. On ne le connaît pas, on ne veut pas connaître sa vie, on a assez de la nôtre.

— D'accord, c'est monstrueux seulement pour ceux qu'on aime… Les autres, on s'en fout.

Cette remarque les avait bouleversés plus qu'ils ne l'avaient laissé paraître.

Dylan continuait de fréquenter l'église. Entouré des gens des environs, il s'y sentait bien. Il priait pour sa mère, Ray, Chris et Geoff, les gens du Cafe ainsi que la famille Mears. Chris et Geoff étaient souvent présents, parfois ils s'assoyaient dans le même banc. Dylan se sentait bien. Certains paroissiens le reconnaissaient, le saluaient. De temps à autre, Chris et Geoff l'invitaient à dîner. Il leur vouait une admiration sans bornes. Geoff était son mentor, il avait le tour de le faire se révéler. Un jour, il lui avait demandé quel métier il préférerait.

— Si j'avais plus d'instruction, j'aimerais être électricien. Oui, pour apporter la lumière partout.

— C'est un bon métier, bien rémunéré.

— Je sais que ce n'est pas possible. Ce n'est qu'un rêve.

— Dylan, on ne doit jamais abandonner nos rêves, il n'y a rien d'impossible. Tu as toutes les qualités requises pour bien réussir.

Geoff avait une idée en tête. L'année suivante, il verrait à ce que Dylan obtienne son permis de travail. Ensuite, il agirait.

28

La *jumble sale*

Au début de septembre, un lundi matin, dès son arrivée au marché, Dylan fit signe à Ray.

— Samedi, c'est la *jumble sale* à notre paroisse. On l'a annoncée, hier, après la messe.

— Parce que tu vas toujours à l'église?

— Faut bien que quelqu'un prie pour toi.

Ray éclata de rire:

— Je peux en avoir besoin… D'accord pour la *jumble sale*, je serai là.

— Ça commence à neuf heures, dans la salle paroissiale à côté de l'église.

— OK, on se reparle ce soir.

Tout en faisant la livraison, Ray mentionna la *jumble sale,* mais Nick ne pouvait y être.

— J'ai un rendez-vous que je ne peux remettre, mais réfléchis bien à ce dont tu as besoin. N'oublie pas, tu sais qu'il pleut beaucoup ici, plus souvent l'automne. L'hiver, la température oscille entre huit et douze degrés Celsius. Pense aussi à un habit, des chemises, des souliers, une ceinture. Vas-y avec Dylan, il sera content.

Le soir venu, Ray était un peu déçu, mais Dylan était bien content. C'était comme au premier jour. Il prépara sa liste, voulant profiter des aubaines sans trop dépenser. Ray prépara la sienne aussi. Ses économies avaient fondu. Les trois livres qui lui restaient chaque semaine suffisaient à peine. Parfois, il payait pour Nick et ses amis. Ça lui donnait de l'importance, mais sa réserve diminuait.

— Il faut être là dès l'ouverture si on veut profiter des bons vêtements et des aubaines.

— Oui. J'irai te rejoindre chez toi. J'ai grandi et grossi. Porter des boîtes, ça donne des muscles. Il me faut d'autres pantalons. Il ne me reste pas beaucoup d'argent, à peine 14 livres.

Dylan en fut abasourdi mais ne laissa rien paraître.

— Moi j'ai perdu du poids et je ne m'en plains pas. Viens me retrouver, on ira ensemble.

Le mercredi après-midi, comme à son habitude, il était allé saluer Chris au Cafe. Ils avaient parlé de la *jumble sale*. Chris y travaillait chaque fois. Les profits allaient à la paroisse.

— Ray vient aussi.

— C'est bien que vous soyez encore amis.

Elle l'aida à préparer sa liste ; deux pantalons, des polos et des chandails, des chemises épaisses, des sous-vêtements, des pyjamas en flanelle, des chaussettes, un bon *jacket* d'hiver, des gants, une casquette, des bottes de travail et une paire de souliers.

— Ça va coûter une fortune. J'ai pas besoin de tout ça. Deux, trois chandails…

— L'hiver, c'est froid. Comme tu dois payer ton chauffage, ce sera moins cher si tu peux t'habiller chaudement. Et tu travailles à l'intérieur, mais ce n'est pas chauffé. Et puis il te faut un ensemble propre pour sortir.

— Mais je ne sors jamais, je ne connais personne !

— Ça va venir, et plus vite que tu ne le penses. Il faut aussi penser à Noël. Ma famille vient passer quelques jours avec nous, et tu vas fêter avec nous.

— Madame Chris, je ne pourrai jamais, je serais bien trop gêné.

— Tu vas voir ma famille et nos amis. Tu fais partie de notre famille maintenant.

Il ne put articuler un seul mot.

Ray arriva chez Dylan à huit heures quarante-cinq avec son sac à dos. Dylan prit le sien et ils se rendirent à la salle paroissiale. Chris vint à leur rencontre. Ray se sentit mal à l'aise. Elle l'embrassa, lui ébouriffa les cheveux et les dirigea au fond de la salle.

— J'ai mis de côté toutes sortes de vêtements sur cette table. La plupart sont à deux ou trois shillings. Je pense qu'ils sont à peu près de votre grandeur. Il n'y a pas de salles d'essayage, mais prenez ce galon à mesurer. Allez-y, maintenant. Les aubaines partent vite.

Madame Chris avait bien choisi; Dylan trouva tout ce qui était sur sa liste, sauf des chaussettes. Ray en prit moins, puis alla demander à Chris où trouver un complet et une belle chemise... pour être chic.

— Ces vêtements sont au fond, à droite.

Ray se choisit un habit bleu marine à fines rayures, une chemise blanche et une ceinture. Chris y ajouta une cravate, et pour Dylan, un blazer vert foncé, un polo et un pantalon noir. Ces vêtements n'étaient pas neufs mais s'avéraient de bonne qualité. Dylan et Ray voulurent savoir combien leur avaient coûté leurs achats.

— Dylan, une livre sept shillings; Ray, une livre et demie. Ce n'est pas cher. Laissez-moi vos sacs et je vais tout ranger.

— Merci, madame Chris, vous êtes fine. Ah! J'ai vu un beau chapeau noir, à bord étroit.

— Mais les jeunes ne portent pas de chapeaux.

— Moi, ça me tente, ça va me donner un style... original, un style à moi.

— À ta guise!

— Viens Dylan, on va aussi aller voir les chaussures.

Dylan se trouva une bonne paire de bottines et des souliers; Ray, des souliers noirs. Ils continuèrent à fouiner.

Chris chercha Ray. Quand elle le vit, elle pouffa de rire. Il portait un chapeau noir abaissé sur l'œil droit. Aucun autre jeune n'oserait le porter, mais il lui allait à merveille.

— Vous l'aimez, madame Chris?

— Spécial! Mais il te va comme un charme.

Elle riait toujours en additionnant tous leurs frais. Dylan avait dépensé deux livres et Ray, deux livres et deux shillings. Dylan la remercia chaleureusement.

— Merci, madame Chris, dit Ray. Sans vous, on n'aurait jamais trouvé tout ça. Vous êtes toujours aussi belle. Quand on sortira ensemble, je mettrai mon chapeau.

— Je l'espère bien.

Quel numéro! Farceur, fanfaron, mais adorable.

— Dylan, c'est pas croyable. Les riches jettent leurs bons vêtements. On est chanceux, on les achète pour presque rien.

— C'est comme ça Ray. On n'a pas tous les mêmes moyens. Les pauvres ont de la glace en hiver et les riches en été.

— *Wow!* C'est intelligent ton affaire. Tu deviens… phisolophe!

Dylan se mit à rire.

— Phi-lo-so-phe, Ray!

Ray revint avec Dylan. Il ne se rappelait pas que l'appartement était aussi beau. Il marcha de long en large, regarda la chambre à coucher. Tout était propre. Il regretta presque d'être parti.

Dylan prépara deux sandwichs au jambon, versa deux verres de lait. Le bonheur était dans cet appartement, un bonheur tout simple, comme la caresse d'une brise. Pourquoi avait-il tant besoin de la tempête? Ray voulut savoir si Chris et Geoff lui en voulaient.

— Mais non. Geoff est un ami intime de Monsieur Cyril, et il lui a demandé de nous donner une chance. Si nous faisons quelque chose d'inapproprié, c'est lui qui sera blâmé. L'appartement, les meubles, le job, c'est lui et Chris.

— Penses-tu qu'il va dire à Monsieur Cyril de me renvoyer?

— Jamais! Il voudrait que tu réussisses, Chris aussi. Ils aimeraient te voir. T'as vu, ce matin, elle a été gentille avec toi.

— Oui. J'étais un peu nerveux! Je suis bien content de l'avoir vue et de te voir aussi.

— Viens quand tu voudras. Si tu es heureux, je le suis aussi. Tu as toujours une place dans mon cœur.

Celui de Ray se serra. Il l'avait laissé tomber, il ne méritait pas sa considération.

— J'aimerais être comme toi.

— Ne change pas, je t'aime comme tu es.

— Bon, j'y vais. Va falloir faire laver ce linge-là. Toi, t'en as pour un mois. Moi, Madame Harris va s'en occuper. Tu sais, moi, la cuisine, le lavage, le ménage, ce n'est pas pour moi.

Il s'approcha de lui et lui donna l'accolade.

— On va s'arranger pour sortir ensemble bientôt.

— Quand tu voudras, mon ami, quand tu voudras.

Ray partit en chantant et en se déhanchant comme Elvis: «*Let's rock, Everybody let's rock, Everybody in the whole cell block,*

Was dancing to the jailhouse rock. » C'était du Ray à l'état pur. La vie ? Une chanson.

Aussitôt que Nick fut de retour, Ray s'empressa de lui montrer ses achats. Tout était bien. Nick était très content, mais quand Ray mit son chapeau, il s'esclaffa. Madame Harris le trouva superbe.

— Un chapeau ? Il te va bien, tu vas faire sensation. Chose certaine, tu ne passeras pas inaperçu.

— Je vais le porter.

— *Why not ?* Si ça te tente, c'est ton genre.

Ray prit son chapeau et le lança vers un crochet de la patère. Il manqua son coup cinq à six fois.

Chaque soir, il s'entraînait. À la fin, il réussissait presque à tous les coups.

Le mercredi suivant, Dylan avait demandé à Madame Chris quels vêtements il pouvait laver et comment nettoyer le veston et le beau pantalon. Les chemises, les pyjamas et les pantalons de travail allaient dans la laveuse. Les chandails, il valait mieux les laver à la main. Elle lui montra comment les laver, comment les faire sécher. Le blazer et le pantalon noir, il devait les apporter au pressing.

— Ça va te coûter huit shillings, mais ils seront comme neufs. Geoff a un beau pardessus qu'il ne porte plus, il te le donnera. Tu seras chic, quand tu sortiras l'hiver avec ton blazer, ton beau pantalon, un paletot et un beau foulard. Tu vas être beau comme un cœur.

— Madame Chris, c'est trop chic pour moi, je ne suis qu'un pauvre diable.

— Pardon ? Tu es un beau jeune homme et on n'a pas besoin d'être riche pour bien s'habiller. J'ai vu que tu étais toujours propre, c'est une belle qualité. Tu travailles dur, alors tu dois être fier de toi, marche la tête haute. Quand tu sors, habille-toi bien et souris. Malgré le départ de Ray, vous êtes toujours amis. Mais je pense que tu es mieux seul.

— Pourquoi ?

— Les sorties, les amis de Ray, ce n'est pas ton genre. Tu te serais fait du mauvais sang, et ce qu'on ne sait pas ne nous dérange pas.

— Vous avez raison. Je pense que c'est mieux comme ça.

29

Émancipation ou corruption

Nick continuait « l'éducation » de Ray. Il le présentait aux cuisiniers, aux employés, dont plusieurs filles. Ray n'aimait pas la confrontation, aimait rire, chanter. Nick l'aimait bien. Sa présence ? Un flot constant d'enthousiasme et d'effervescence, justement ce qu'il recherchait. Une combinaison gagnante. Un soir, Barry, le chef cuisinier d'un grand hôtel, demanda à Nick s'il pouvait lui rendre service. Un congrès d'optométristes se tenait à l'hôtel et un banquet avait lieu le jeudi soir. Lui et son ami pourraient-ils venir servir le vin, les hors-d'œuvre, peut-être aider à monter les tables ?

— Tu l'as déjà fait, tu sais comment faire. Et le jeune pourra te seconder tout en apprenant.

Quand Nick en parla à Ray, ce dernier était tellement excité qu'il faillit provoquer un accident.

— Calme-toi, ou je ne pourrai jamais t'emmener avec moi. C'est un banquet, des gens chics, la *high society,* le fric.

— J'me calme, je me calme. Dis-moi ce que j'devrai faire et je le ferai.

— Fais attention à ton langage, tu dois avoir l'air instruit.

— Mais je ne le suis pas.

— Si tu veux faire de l'argent, me suivre, il va falloir que tu apprennes vite.

— D'accord, monsieur, j'va essayer… Je vais essayer. *Good Lord!* Du moment qu'on s'comprend.

— Ray! Tu veux devenir riche ?

Nick n'avait que quelques jours pour lui donner un peu de vernis et Ray faisait attention, il voulait servir à ce banquet. Il répétait chaque expression, chaque mot dix fois. Le même soir, Nick prit un plateau et lui montra comment servir : toujours commencer du côté gauche, ne jamais passer un plateau ou une assiette devant le visage des gens. Pas de commentaires, il n'était pas là pour se mêler aux conversations ou se mettre en valeur. Il devait bien se tenir et se taire.

— Poli et discret mon ami ! Sois beau et tais-toi ! Si tu te conduis comme un homme bien élevé, j'aurai autre chose pour toi plus tard. N'oublie pas, ce sont des gens importants. Si un invité te dit que tu ne lui as pas servi de salade, même si tu l'as fait, tu ne dis rien et te dépêches de le resservir.

— Mais il ment !

— Quand tu as de l'argent, tu ne mens jamais et tu as toujours raison. Compris ?

Ray était prêt à faire tout ce que Nick lui demandait, il serait allé jusqu'à ramper si c'était nécessaire.

Après le travail, c'est avec moult détails qu'il expliqua à Dylan l'incroyable aventure qu'il allait vivre avec Nick dans un grand hôtel.

— Y faut… Pardon, IL faut que j'faise, que JE FASSE attention. Torrieux que c'est compliqué. Faut, il faut que j'apprenne à mieux parler.

Le visage plissé, Dylan se retenait pour ne pas rire. Peine perdue, il s'esclaffa.

— Il paraît que se mettre des billes dans la bouche aide à…

— Tu veux que j'm'étouffe ou quoi ?

— Non, non, JE trouve que c'est une très bonne idée, pas les billes, mais qu'on parle bien.

Puis, prenant une petite voix féminine :

— Chéri, je fais des efforts pour bien *perler*.

Ils riaient encore comme des fous quand Nick vint lui dire qu'il partait.

Le cœur joyeux, Dylan riait encore sur le chemin du retour. Quel bonheur que de partager les péripéties de la vie de Ray sans y être mêlé ! Rien n'était banal avec lui, il sautait à pieds joints dans l'imprévu.

Enfin, le jeudi arriva. Au travail, Ray piaffait d'impatience. Nick l'avertit de se calmer, mais c'était comme lui demander d'escalader l'Everest à reculons. Il renversa une commande de légumes. Les mains pleines de pouces, à peine l'avait-il ramassée qu'il chuta et en renversa encore la moitié. Sans lui jeter le moindre regard, Nick avança vers l'hôtel pendant que le pauvre Ray faisait des efforts surhumains pour tout remettre en ordre. Nick était déjà à l'intérieur quand enfin il entra. Muet comme une carpe, il déposa la commande sur une table.

Aussitôt à l'extérieur, Nick lui demanda s'il pensait pouvoir être plus détendu à l'hôtel, s'il pouvait compter sur lui.

— Ah oui! J'va… JE VAIS prendre mon temps, tu vas voir.

— Parce qu'on ne servira pas des carottes, ni des panais ce soir.

Ray avait le fou rire, il se retenait pour ne pas rire pendant que Nick riait sous cape.

À dix-neuf heures, douché, en polo beige, pantalon noir et souliers vernis, les cheveux coiffés à la Elvis et enduits de Brylcreem, il se planta devant Nick droit comme un piquet.

— C'est bien?

— Attends, ta coiffure banane, c'est bien, mais ta banane est trop grosse, on dirait la moitié d'un pneu.

— D'accord, patron, on écrase la banane.

— Pour le reste… ce n'est pas mal.

— Pas mal? Je suis beau!

— Surtout vaniteux comme un paon.

Ray suivit Nick en se déhanchant. Un taxi les attendait.

Le banquet fut une réussite complète. Ils partageaient la salle avec sept autres serveurs. Droit, fier comme un coq, le sourire aux lèvres, Ray se faufilait parmi les invités, présentait les plateaux en faisant attention de ne toucher personne et surtout de n'oublier personne. Dès qu'un plateau était vide, il murmurait «Je reviens!» et se hâtait vers les cuisines. Les invités n'avaient pas le temps de remarquer son absence. Nick était sur place et veillait à la bonne marche de la soirée. Deux de ses clientes étaient présentes; elles le virent, mais n'étaient pour lui que des invitées parmi tant d'autres. Le regardant parler et sourire à Ray à deux reprises, elles auraient aimé savoir qui était ce tout jeune serveur. À peine pubère, il se déplaçait avec une aisance si naturelle. Une des deux femmes remarqua qu'il portait un polo qui ressemblait beaucoup à un de ceux qu'elle avait offerts à Nick. Une pensée lui effleura l'esprit, mais un ami vint la saluer et elle oublia le jeune homme.

Durant le repas, Nick envoya Ray desservir après chaque service, du côté opposé à celui de ses clientes, en le prévenant de rester dans cette partie de la salle. Ray regarda les autres serveurs et fit comme eux.

— N'oublie pas, tu ne fais pas la conversation aux invités. Si on te demande quelque chose, tu dis «Oui monsieur, oui madame» et tu viens me dire ce que la personne veut. Tu as bien compris?

— Oui, très bien monsieur.

Tout marchait comme sur des roulettes. Le cuisinier était content que Nick soit venu le dépanner avec le jeune garçon.

— Nick, celui-là est né pour travailler avec le public. Il a ça dans la peau.

— Oui, je craignais un peu, mais ce soir, il flotte sur un nuage. C'est mon poulain! Je veux qu'il arrive premier à la ligne d'arrivée.

— Eh bien, à moins d'une chute, il est bien parti.

Le chef remit deux livres cinq shillings à Nick, qu'il partagea avec Ray: une livre cinq shillings pour lui, et une livre pour Ray, avec des félicitations pour sa bonne conduite et sa performance.

— Tu t'es très bien tiré d'affaires, je suis content de toi.

— Tous ces messieurs si chics et ces dames habillées comme des millionnaires, pas toutes des beautés, mais pas mal de beaux *bodies*.

— Tu as eu le temps de voir ça?

— Je passais les plateaux et j'ai de bons yeux et certains parfums... *Diaga!* (Divin!), mon cher j'en ai effleuré deux... par accident.

— Mon petit...

— Chut! Elles ont aimé ça. Elles ont essayé de me frôler à nouveau, mais je me suis éloigné. Faut pas aller trop vite. C'est ça que tu dis?

Nick éclata de rire. Un bon début pour Ray, et pour lui.

Les fêtes de fin d'année approchaient. Chaque jour Ray constatait l'amour inconditionnel de Madame Harris pour son fils, jamais la moindre critique. Ses vêtements étaient toujours impeccables, elle nettoyait sa chambre et lui préparait ses petits plats préférés. Elle l'adorait et Nick le lui rendait bien. Il avait à peine franchi la porte, qu'il allait l'embrasser.

— Comment va la plus belle femme de Brighton aujourd'hui?

Elle souriait, lui racontait sa journée, il l'écoutait religieusement. Son mari avait été frappé par un tram quand Nick était bébé. Elle recevait une pension de veuve. Nick lui parlait brièvement de son travail pour Monsieur Mears. C'était un foyer heureux. Souvent, elle embrassait aussi Ray. Ça lui faisait tout drôle, et pour la première fois depuis quelques années, il se mit à regarder la photo de sa mère. Était-elle vivante? Est-ce qu'elle pensait à lui?

C'est à cette période de l'année que les sentiments filiaux sont à fleur de peau. Pour Ray, c'était encore plus pénible. Sa peine s'était émoussée avec le temps, mais à Noël, les familles se réunissaient. Lui n'avait plus de famille. Malgré les années et la distance, il ressentait toujours un vide, que même les amis les plus intimes ne réussissaient pas à combler. Il aurait aimé préparer Noël avec Dylan, son frère «de sang», mais il y avait Nick, et ils s'entendaient comme larrons en foire. Nick se sentait plus à l'aise avec les filles. Il lui en fit connaître quelques-unes, il revit Katy et Audrey à deux reprises. Cette dernière devenait de plus en plus entreprenante. À peine assise, elle passait une main sur ses cuisses, parfois la glissait jusqu'à l'entrecuisse, son corps s'électrisait. Il s'en était confié à Nick.

— Mon cher Ray, tu es mûr. Il est temps de devenir un homme.

— Tu veux dire… moi? Avec une fille? Je ne saurais quoi… que faire.

— Je vais t'aider. C'est pour ça que je suis ton ami. La première fois, c'est très important. Ce sera le plus grand plaisir de toute ta vie. Après… tu ne pourras plus t'en passer.

— *Oh boy!* Ça ressemble à un virus qui ne se guérit pas.

— C'est un bon virus. Audrey, ça ne te tente pas de la toucher?

— Ouaaa. Mais j'ai jamais entendu parler d'un bon virus.

— Tu me fais confiance? Je vais te faire un beau cadeau de Noël.

— J'ai hâte. Je ne sais pas si je pourrai attendre.

— Ah! Mon jeune coq, il ne faut pas manger tout son dessert d'une seule bouchée. Il faut savoir déguster.

— Attendre? Ce n'est pas mon fort. Je veux tout. Avoir du *fun* et faire de l'argent. Je ne veux pas passer ma vie chez Mears. *No way!*

— Patience, ça va venir! Reste avec moi et tu ne le regretteras pas.

30

Un être abject

Le samedi suivant, la mère de Nick allait passer le week-end chez sa sœur. Nick lui demanda s'il pouvait inviter deux amies. Lui faisant entièrement confiance, elle leur avait préparé un bon souper. Nick et Ray y firent honneur, puis se rendirent au *Starlight Rooms*. Katy et Audrey les y attendaient. La musique rock aiguisa aussitôt les sens de Ray. Elvis était le King, Audrey était sa partenaire, il était heureux. Vers vingt-deux heures, Nick décida qu'ils iraient terminer la soirée chez lui. Bras dessus bras dessous, ils entrèrent chez Nick. Il alluma la petite lampe au-dessus de l'évier et mit un microsillon sur le tourne-disque, une valse. L'éclairage était parfait, la musique entraînante, ils se mirent à danser. Nick tenait Katy serrée contre lui et Ray fit de même avec Audrey. Quelques minutes plus tard, Nick s'était glissé dans la chambre de sa mère avec Katy, et Audrey entraîna Ray dans celle de Nick.

Assise sur le lit, elle lui prodigua des petites caresses tout en douceur, ne voulant pas l'effaroucher. Ce n'était pas son premier client et Nick lui avait demandé de se surpasser. Ses mains étaient partout, ses dents lui mordillaient les oreilles.

— Ce que tu es beau! Je suis bien avec toi. Tu es viril.

Son intellect ne connaissait pas la signification du mot viril, mais si c'était ce que son corps ressentait, alors il voulait l'être. Fidèle à lui-même, il voulut brûler les étapes. Audrey le fit languir. L'ivresse du moment lui fit perdre la notion du temps, il se laissa aller au plaisir imminent. À cet instant, il aurait tout fait pour elle. Il confondait sexualité et amour, la première étant de satisfaire son instinct animal, le second étant la générosité, la tendresse, l'oubli de soi. Malheureusement, Nick lui avait offert un cadeau de Grec. Il avait éveillé ses sens, prétendant vouloir en faire un homme. Mais ce qui aurait dû être son premier amour avec une jeune fille de son âge n'était qu'un viol orchestré par un souteneur et consommé par une fille de joie.

Totalement inconscient des desseins de son ami, son mentor, Ray flottait sur un nuage.

Il n'avait jamais été un modèle d'humilité, mais son ego avait fait un bond. Pour un peu, il aurait embrassé Nick.

— Je dois toujours te faire confiance, tu as toujours raison et tu tiens parole. Et... je veux revoir Audrey.

— Pas si vite. Je t'ai déjà expliqué qu'on ne doit pas s'attacher à une seule fille. On magasine, mais on n'achète pas. De cette façon, tu es toujours un homme libre.

— Oui, mais avec elle, c'était...

— Oui, c'était bien. Elle me l'a confirmé. Il semble que la nature a été généreuse avec toi. Et tu n'as que quinze ans! Tu vas faire des conquêtes. Tu me fais confiance? Ça va aller de mieux en mieux.

— *Wow!* Une chance que j't'ai rencontré.

Pauvre Ray!

Il avait un travail, des amis, il était un homme. Dylan pâlit quand Ray le lui annonça.

— Qu'est-ce que tu veux dire, un homme? T'as treize ans.

— Dylan, ne dis plus jamais ça! J'ai quinze ans, et moi et une fille... on a fait...

— Vous avez fait...?

Il n'osait pas prononcer le mot.

— Oui, oui, chez Nick, avec Audrey, une fille qu'il m'a présentée et que tu as déjà vue.

Assommé, la bouche ouverte, Dylan ne savait que dire. Ce Nick exerçait une influence néfaste sur son ami et ce dernier n'y voyait que du feu.

— Ça t'en bouche un coin! J'suis un homme, Dylan.

Autant se mettre la tête dans le sable. Il allait avertir Ray de ne plus lui raconter ses combines avec Nick. C'était néfaste pour sa santé mentale.

Enfin Noël arriva! Ce n'était pas trop tôt. Comme la fête était un dimanche, les gens avaient fait des courses jusqu'au samedi à dix-huit heures. C'était la cohue dans les magasins et au marché. Les clients se bousculaient, s'impatientaient, Dylan était partout à la fois, il ne suffisait pas à la tâche. Nick et Ray n'en pouvaient plus de sortir les commandes de la fourgonnette et de les transporter aux hôtels, aux restaurants, aux Cafes. De plus, Barry leur avait à nouveau demandé de l'aider. Le temps des fêtes était propice aux banquets.

— Ray, il va falloir y aller, sinon il ne nous demandera plus.

— Je suis prêt. Si c'est comme la première fois, ne t'inquiète pas.

— Ray, je m'inquiète un peu. Tu as bien travaillé la première fois, mais durant les fêtes, les gens abusent parfois de l'alcool, ils peuvent devenir un peu impatients, osés. Il faut du doigté.

— Du doigté? Je me servirai de tous mes doigts!

— Du doigté, ça veut dire savoir remettre les gens à leur place poliment, sans que ça paraisse.

— Fie-toi à moi! Je vais être parfait. Un de mes sourires irrésistibles, un petit *swing* habile, t'auras jamais vu un doigté aussi efficace.

Nick gloussa. Il devait lui faire confiance, mais quel exalté! Et si attachant. Trois banquets et 11 livres plus tard, il dut admettre que le doigté de Ray était très efficace. Vif-argent, droit, un éternel sourire dans les yeux, il coulait d'un convive à l'autre. Parfois, d'un air innocent, il glissait une petite remarque espiègle à une dame et elle partait d'un grand rire, mais il était déjà ailleurs. Ray empocha ses quatre livres cinq shillings, un petit boni pour le temps des fêtes.

Ce temps des fêtes exigeait beaucoup de Nick. Ses «clientes» se fichaient de ses autres occupations. Elles tenaient à le voir avant les fêtes. Il avait refusé certaines invitations, mais devant la promesse implicite d'un petit à-côté, il se laissait convaincre. Au fond, il se jouait d'elles, il refusait à dessein, sachant qu'elles se montreraient reconnaissantes. Qu'est-ce que certaines femmes ne feraient pas pour satisfaire leur concupiscence?

Le 24 au soir, à dix-sept heures, Cyril Mears ferma les barrières et chacun se hâta de partir. Madame Michelle remit un sac de fruits et de légumes à Ray et Dylan, et leur souhaita un heureux Noël. Dylan fêterait chez Chris et Geoff. Elle était contente d'apprendre qu'il ne serait pas seul à Noël.

À dix-neuf heures, Dylan arrivait chez les Nelson. La maison débordait de bonheur, de rires, de bonnes odeurs. L'arbre de Noël brillait de tous ses feux. À peine avait-il pénétré à l'intérieur et enlevé son paletot que Chris venait l'embrasser et que Geoff lui donnait l'accolade. Geoff le présenta à tous, et chacun lui serra la main. Sans même s'en rendre compte, et sans gêne, il se surprit à parler avec les parents de Chris, ses frères, leurs blondes, les amis de Geoff, Howard et John et leurs épouses. Le père de Chris s'était approché.

— C'est de ce beau jeune homme dont ma fille et mon gendre disent le plus grand bien? Je suis content de vous rencontrer.

— Ils sont vraiment très bons pour moi.

— Vous devez le mériter.

Il lui parla de l'Irlande, de ses fils, William et Logan. Geoff se joignit à eux. Bientôt, Dylan se trouva au milieu de gens qu'il ne connaissait pas, mais avec qui il se sentait bien. Il n'oublierait jamais ce premier souper de Noël en Angleterre. La verrerie, l'argenterie, la vaisselle, le centre de table garni de chandelles rouges, de poinsettias et de ramures vertes sur la nappe en dentelle blanche. Dylan osait à peine toucher la table. Quand Chris y déposa la dinde, il se dit qu'il devait rêver. Les plats se succédaient. Geoff versa le vin, même un verre à Dylan.

— Ce n'est pas tous les jours Noël, Dylan et tu as bien mérité de fêter.

Le souper s'éternisa, le vin coulait à flots, les rires fusaient de toutes parts. Dylan n'avait jamais été aussi heureux. Vint ensuite la distribution des cadeaux. Chris et Geoff furent touchés par le geste de Dylan: le foulard de soie de Chris était superbe et Geoff fut surpris que Dylan ait choisi un livre d'un grand écrivain, Jonathan Swift. Le libraire le lui avait proposé. Il n'avait pas eu tort de lui faire confiance. Dylan reçut un ensemble plume et crayon de ses anges gardiens, et un élégant cardigan tricoté à la main et rehaussé de torsades irlandaises, offert par la mère de Chris.

— Madame McGuire, vous êtes vraiment gentille d'avoir pensé à moi. Je vais le porter avec plaisir en pensant à vous, dit-il avec un sourire chaleureux.

— Ça me réjouit. Je te sais loin de ta mère, mais je suis certaine qu'elle ne t'oublie pas. Une mère n'oublie jamais ses enfants.

L'échange de cadeaux terminé, les papiers jonchaient le plancher. Madame McGuire se mit à les ramasser et Dylan se précipita pour l'aider.

Le même soir, à l'autre bout de la ville, Nick et Ray fêtaient aussi. Katy et Audrey étaient venues avec deux autres amies. Nick devait avoir une certaine influence, puisqu'ils étaient montés à l'étage du *Cottage Coffee Bar*, où l'on servait de l'alcool. Décorée et éclairée de lumières de Noël, la salle était bruyante, l'atmosphère presque survoltée. Nick avait insisté pour que Ray s'en tienne au cola, puisqu'il était mineur.

— Tu sais Ray, tu ne devrais pas être ici, tu es trop jeune. Alors pas de folies mon jeune coq.

— Je ne dois pas parler ou rire ?

— Oui, mais ne fait rien pour te faire remarquer, tu comprends ?

Assis entre Katy et Audrey, il avait chaud. À tour de rôle, elles allongeaient leurs jambes et frôlaient les siennes, tout en conversant comme si de rien n'était. Était-ce Nick qui les y encourageait ? Il ne demandait pas mieux. Vers minuit, Ray s'éclipsa. Nick essaya de le retenir, mais peine perdue.

— C'est le jour de Noël, je veux voir mon ami. C'est grâce à lui que je suis ici.

31

Les liens du cœur

À minuit, Howard et son épouse décidèrent de partir et offrirent à Dylan de le déposer chez lui. Il venait de descendre devant sa porte quand il entendit un bruit.

— Tu fêtes tard pour un jeune homme! Le soir de Noël, on fait sa prière et on se couche, mon enfant.

Dylan sursauta. Le sourire fendu jusqu'aux oreilles, Ray sortit de l'ombre.

— Tu ne pensais pas que tu allais fêter sans moi? Qu'est-ce que tu ferais si je n'étais pas là? Faut que je pense à tout.

— Ray, mon grand fou.

Il le souleva de terre et le serra dans ses bras.

— Viens, on va fêter ensemble. J'ai une bouteille de vin.

— Une bouteille de vin? Dylan, tu te corromps, un vrai débauché!

Les vêtements, sauf les pantalons, prirent le large; pieds et torse nus, un verre de vin à la main, ils se regardèrent.

— *Damnaigh!* (Maudit!) Dylan, on a réussi! MK est *knock out.* Je l'ai vu rôder aux alentours deux ou trois fois... dans mes cauchemars... C'est drôle, je pense qu'il t'aimait pas beaucoup. Et puis, au diable MK! C'est Noël. Buvons à notre santé, à notre avenir! Espèce de cachottier, t'avais acheté une bouteille de vin.

— Oui, puis on va la boire. C'est Noël, on va fêter!

— On peut faire du bruit! Le Cafe est fermé. Je me suis acheté un vieux tourne-disque et un microsillon d'un groupe celtique.

Délicatement, il posa l'aiguille sur le microsillon. Le son de la musique irlandaise se répandit dans l'appartement et s'immisça dans chaque cellule de leur âme, jusqu'à leurs racines profondes. Ray vida son verre et se leva.

Bien droit, les bras tendus le long de son corps, légèrement tirés vers l'arrière, les poings serrés, il se mit à danser. Dylan le laissa danser seul, remplit leurs verres et le rejoignit. Souriant, Dylan se laissa aller ; ils dansèrent jusqu'à épuisement, puis se laissèrent tomber sur le divan.

— Ray, c'est mon plus beau Noël depuis bien longtemps.

— Moi, c'est mon plus beau en Angleterre. J'suis content qu'on le fête ensemble.

— C'est ton *seul* Noël en Angleterre !

— Oui ! Mais c'est mon plus beau. Dylan, laisse faire les virgules. Ce vin-là est bon, y donne un bon *feeling* en descendant.

— Oui, c'est ce que je pense aussi. Ça fait six mois qu'on est ici, on n'est pas toujours ensemble, mais on est encore des vrais amis.

— Oui, tricotés serré !

Il se mit à rire ; Dylan aussi. Le vin aidant, les sentiments à fleur de peau, c'étaient des moments propices aux confidences. Un peu hilare, la tête penchée vers Dylan, la langue un peu lourde, mollement, Ray laissa parler son cœur.

— Dylan, tu sais que j't'aime beaucoup, mais toi pis moi… on peut pas rester ensemble. T'es trop *straight*. Des fois… tu fais monter ma pression, pis moi je fais monter la tienne. J'suis pas assez *straight*. J'suis un peu… un peu… excité ; un p'tit peu à gauche, un p'tit peu à droite, ça m'dérange pas. Tu comprends ?

— Oui, Ray. Je…

— Laisse-moi finir. Y a un autre monde ici. Je l'ai vu, pis j'veux en faire partie. Oublie jamais que… que je fasse n'importe quoi, dit-il en se frappant la poitrine, dans mon cœur, tu seras toujours là. Regarde dans mon portefeuille. Y a la photo de Tara, de mon père et ma mère, puis la tienne, avec ton nom et l'adresse ici. Si jamais… tu sais. Ah ! Verse-moi encore du vin.

— Ray, si jamais… je serai là. Maintenant, chante-moi une chanson d'Elvis.

Se levant, il faillit tomber.

— *Jaysus,* Chris n'a pas réparé le plancher ? Ce plancher-là y est pas à niveau ! J'va essayer de suivre la pente. Riant de plus belle, se redressant, il entonna la chanson d'Elvis : « *That's all right, mama,*

Well, That's all right mama, That's all right for you. That's all right mama, just anyway you do... »

Dylan avait envie de rire... et de pleurer. Ce Ray avait du talent. Il y avait deux facettes en lui ; celle qui engourdissait ses scrupules pour atteindre ses fins, et l'autre, celle qui voulait être aimée, acceptée pour ce qu'il était. Les deux étaient indissociables. Il était son ami, ce frère qui le faisait rire et pleurer.

La chanson terminée, Ray se laissa tomber sur le divan et s'endormit. Dylan le prit dans ses bras et le déposa lourdement sur son lit. À midi le lendemain, ils se levèrent avec une gueule de bois. Une douche rapide, un café au *Chris & Geoff's Cafe*, un brunch copieux, gracieuseté de Dylan, et ils se remémorèrent les six derniers mois.

— Moi, Dylan, je n'ai jamais regretté d'avoir quitté l'Irlande, j'ai chassé ça de ma mémoire.

— Même Tara ? Tu n'as pas oublié Tara ! Ni ta mère !

— Non, pas oublié, je regarde encore leur photo, mais... j'y pense de moins en moins souvent. Je préfère ne pas penser. La vie prend tout mon temps. Et toi ?

— Je suis content d'être ici et je n'y retournerai pas, pas maintenant, mais je pense à ma mère. Dans quelques années, si jamais son imbécile de Murphy n'était plus dans le portrait, j'aimerais la revoir. C'est ma mère.

— Ma tante ? Oui ! Mon oncle, je ne le veux même pas dans mes souvenirs. J'ai fermé cette porte à jamais. Je dois y aller maintenant.

Ils se séparèrent en se promettant de répéter l'expérience au prochain Noël. D'un air crâneur, Ray partit en sifflotant pendant que Dylan remontait chez lui.

En route, Ray avait regardé la photo de sa mère un bref instant, il ne voulait pas se torturer inutilement. Ces foutus souvenirs ne servaient qu'à lui faire mal. Son père était mort, Tara le lui avait dit. Sa mère ? Elle ne les cherchait pas.

Dylan passa la soirée de Noël à se reposer. Sa mère lui manquait, son sourire, ses petites attentions, l'odeur des gâteaux, des tartes, il ne retrouverait jamais les odeurs de son enfance, sa cuisine unique. Elle avait été bonne pour lui, elle l'avait aimé, mais lui avait préféré ce Murphy, un homme qui s'attaquait à un enfant... il ne pouvait faire un bon mari. Pourvu qu'il se trompe.

Deux semaines plus tôt, Ray avait aidé Nick et sa mère à monter l'arbre de Noël tout en écoutant des cantiques.

Madame Harris avait préparé le souper de Noël, la dinde, le *plum pudding* et les pâtisseries. Une de ses sœurs, son mari et leur fille Mary, quinze ans, étaient venus. Nick aidait sa mère et, versait le vin, sans oublier Ray. Celui-ci refusa, mais Nick insista: «C'est Noël Ray, t'es un homme, un verre te fera juste du bien.» Il finit par en boire deux. Tout devint drôle! À chaque gorgée, il levait son verre: *Adh Mor! Cheers!* Il mimait son oncle, Monsieur Mears et même Dylan. Madame Harris et sa sœur riaient aux larmes et Nick l'encourageait.

— C'est ça, amuse-toi, c'est Noël. On est ici pour avoir du plaisir.

— Oui, je m'amuse, madame. C'qu'on est bien en Angleterre. C'est le plus beau Noël de ma vie.

32

Le bonheur des uns

Le premier janvier, Ray se reposa. La veille, il avait été de service à un banquet. Le 2 janvier, il reprit le collier. Le temps faisait des siennes, vent, pluie, froid. La chaufferette au gaz dévorait les shillings. Au marché, Dylan avait profité d'un ralentissement, après les fêtes, puis les activités reprirent de plus belle. Les gens ne traînaient pas devant les stands, ils achetaient et repartaient. Certains soirs, Nick s'absentait. Ray ne savait rien de ses rendez-vous, mais il se doutait qu'il s'agissait d'une femme. Chaque jour était différent. Tous deux dans la fourgonnette, ils discouraient sur les gens qu'ils rencontraient, se moquaient un peu. Ray chantait. Ce travail était un plaisir.

En juin, une année s'était écoulée depuis l'arrivée de Ray et Dylan à Brighton. Ils avaient un emploi, Ray voyait l'avenir avec des lunettes roses, Dylan avait pris de l'assurance. Il s'habillait bien, lisait beaucoup, écoutait les nouvelles à la télévision. Son compte bancaire indiquait 55 livres, il avait toujours les 7 livres qu'il gardait chez lui.

Ray était venu célébrer avec Dylan. Celui-ci avait acheté un poulet BBQ, des frites, une bouteille de vin et un beau gâteau au chocolat. Assis au salon, ils sirotaient un verre de vin quand ils entendirent des pas dans l'escalier. On cognait à la porte. Les verres disparurent.

— Vous nous ouvrez ou vous fêtez seuls?

Chris entra, suivie de Geoff. Et ils n'arrivaient pas les mains vides. Ray les voyait rarement, mais ils l'embrassèrent ainsi que Dylan. Geoff regarda Ray.

— Ça fait longtemps qu'on ne t'a vu, tu as grandi.

— Oui, trop longtemps, mais je ne vous oublie pas.

— Tu travailles toujours. Tu fais bien. Je suis fier de toi.

— Merci, merci beaucoup. C'est grâce à vous deux si on s'en sort.

Chris avait apporté un poulet, une salade de pommes de terre… un festin.

Elle vit le poulet sur l'armoire et les verres au fond. Elle se mit à rire.

— Vous aviez décidé de fêter.

— Oui, mais on ne boit jamais… ou rarement.

— Juste la veille de Noël, il s'est laissé aller et a acheté une bouteille de vin. On l'a bue et on a ri.

Étonné, Chris protesta :

— Dylan était chez nous jusqu'à minuit !

— Et moi j'étais ici à minuit trente. On a eu du *fun*.

— Ray a dansé et chanté.

Ils se mirent à table, burent quelques verres, firent honneur au poulet et aux frites. Fidèle à lui-même, parfois par phrases décousues, Ray raconta ce qu'il faisait chez Mears et dans les banquets. Geoff était surpris. Débrouillard le jeune, de l'énergie perpétuellement en mouvement. Finalement, il travaillait toujours, s'exprimait mieux… Pour un jeune abandonné de ses parents, il se défendait bien.

À Dundalk, chez les O'Brien, ce premier anniversaire du départ de Ray ne fut pas des plus heureux. Malgré tous les efforts de Stanley et de Dorothy, Ceili n'était pas entièrement remise. Perdre un enfant est la pire épreuve qui puisse arriver à un parent et Ceili avait perdu le sien de façon tragique. Malgré son amour inconditionnel, il était parti sans même regarder en arrière. Pire encore, il avait planifié sa fuite en abusant de sa bonté. Ses câlins, ses bisous, tout était faux. En désespoir de cause, Stanley avait vendu son commerce et leur maison, et en avait acheté une autre près de chez sa belle-sœur.

Petit à petit, elle était sortie de sa torpeur. À peine avait-elle déjeuné que Dot arrivait. Les deux sœurs s'aimaient ; deux fèves dans une même cosse. Ensemble, elles discutaient décoration, couleurs, tentures. Parfois, Ceili oubliait Ray pendant quelques heures. Aucune trace de lui dans cette maison, ni dans les environs. Rien ne lui rappelait sa présence, Stanley y avait vu. Il lui arrivait même de rire. Le temps, la patience exemplaire, l'amour et les petites attentions de Stanley la touchaient. Plus jamais de Ray dans leur vie. Ils découvraient Kells, la fameuse tour de Lloyd, une colonne dorique d'une hauteur de plus de trente mètres, le puits de Saint-Kieran, puits quasi sacré. On dit qu'en 770, trois poissons cuits apparurent dans le puits à minuit le premier samedi d'août. Chaque année, ils reviennent, apparaissent entre les roches, se croisent puis disparaissent jusqu'à l'année suivante.

— Voyons Stanley, cette histoire est une fabulation.

— Elle est vraie pour bien des personnes… Moi je l'aime bien.

Stanley avait eu tellement peur de la perdre qu'il se prenait à la taquiner, même à lui raconter des légendes. Rarement pensait-il à Ray. Quand il le faisait, ce n'était que pour le maudire. Jamais il ne lui pardonnerait.

Chez Madame Dever, le cœur de Tara saignait. Huit années que sa mère était partie, sans jamais donner signe de vie. Son père était décédé et Ray, parti depuis un an. Comme il lui manquait. Sa mère? C'était comme si elle était disparue de la surface de la terre. Heureusement qu'elle avait Mamie.

Au début de septembre 1962, au cours d'une visite de Dylan chez Chris et Geoff, ce dernier l'avisa qu'il devait s'absenter du travail le lundi suivant.

— Tu viens chercher ton permis de travail. Ensuite, tu donnes ta démission à Monsieur Cyril.

— Mon permis de travail! Je vais avoir mon permis de travail, *Sweet Jaysus!*

— C'est grâce à ton honnêteté, à ton assiduité et à ta droiture. Tu as toute notre confiance. Il est temps d'aller de l'avant. Chris ne s'était pas trompée à ton sujet.

— Vous avez dit donner ma démission? Qu'est-ce que je vais faire?

Lui mettant la main droite sur une épaule, Geoff lui expliqua que dès mardi matin, il commencerait à apprendre son futur métier d'électricien. Il travaillerait avec un électricien. Naturellement, il commencerait au bas de l'échelle au salaire de cinq livres par semaine pour la première année. Ensuite, il aurait une augmentation annuelle.

— Électricien… C'est ton rêve, non ?

Dylan se tenait la tête à deux mains et pleurait à chaudes larmes. Chris l'entoura de ses bras.

— Écoute, Geoff ne t'envoie pas danser pour la reine. Pas cette fois !

Les rires et les larmes s'embrouillaient. Chris lui passa un mouchoir. Il lui fallut quelques instants pour se ressaisir.

— Je ne pourrai jamais vous remercier assez pour tout ce que vous faites pour moi. Je n'ai pas beaucoup d'instruction, je n'ai pas les bons mots, mais je vous aime beaucoup… La journée où je suis entré dans le *Chris & Geoff's Cafe*, ma chance a tourné. Vous êtes mes anges gardiens, mes amis, mes confidents, mes mentors.

— Dylan, on est contents de t'aider et si tout va bien, dans quatre ans tu passeras tes examens, tu les réussiras et tu seras électricien. D'habitude, tu dois faire ton cours *apprenticeship* (d'apprentissage) mais j'ai réussi à contourner le règlement. Tu le feras en étant aide-électricien.

— Monsieur Cyril ne sera pas content. Grâce à vous, il m'a donné une chance et je le laisse tomber.

— Il n'est pas très heureux, mais il a de l'estime pour toi. Il veut ton bien et Madame Michelle aussi. Ray va te remplacer au stand.

— Ouf ! Lui ne sera pas content ! Il adore travailler avec Nick, aller dans les hôtels…

— Il fera ce que Monsieur Cyril lui dira de faire. Ce n'est peut-être que temporaire. Ce n'est pas ton problème.

— Il va m'en vouloir, je le sais.

— Écoute bien Dylan. Ta bonne conduite et ta volonté de réussir font que tu vas aller loin. Si Monsieur Cyril voit que Ray travaille fort, qu'il est consciencieux, il y a de l'avenir pour lui. À lui de faire ses preuves.

— Je n'ai pas hâte qu'il l'apprenne.

Dire que Ray était fâché de remplacer Dylan était une affirmation bien en deçà de la vérité. La nouvelle l'avait stupéfié. Il avait protesté. Monsieur Cyril fut sur le point de le renvoyer.

— Pourquoi ? J'aime aider Nick. Je ne fais pas bien mon travail ?

— Tu le fais bien, mais Dylan s'en va et toi tu vas le remplacer.

— Dylan s'en va où ? Il ne m'en a pas parlé vendredi.

— Il l'a appris hier et puis je n'ai pas de temps à perdre à discuter de mes décisions avec toi. Tu veux continuer à travailler pour moi ou tu veux t'en aller ?

— Je vais rester, je n'ai pas d'autre emploi.

— Alors, dépêche. Tu as vu Dylan travailler, tu feras comme lui. Les clients arrivent et je n'ai pas de temps à perdre.

Déçu, il se dirigea vers le stand. Se retournant, il vit Monsieur Cyril qui tirait un jeune nouveau par l'oreille ; il semblait furieux.

— Ne remets plus jamais les pieds ici, petit voleur ! Va-t'en !

— Mais ma paye ?

— Ta paye ? Tu n'en as pas ! Tu t'es payé en me volant.

Sur ce, il le poussa violemment vers la sortie. Le jeune s'affala de tout sa longueur, se releva et prit ses jambes à son cou. Monsieur Cyril remarqua le regard de Ray.

— Il y en a qui pensent qu'ils peuvent me voler et que je ne m'en apercevrai pas. Ils se trompent. Je les attrape toujours.

Ray se retourna sans commenter. La correction du jeune lui avait été salutaire. Il ferait très attention de ne pas succomber à la tentation.

Son remplaçant partait avec Nick. Bouleversé, le cœur dans les talons, Ray parvint au stand. Ce travail n'avait rien à voir avec l'autre. Il fut happé dans un tourbillon. Servir les clients avec le sourire, aller chercher les légumes, remplir les étals... il n'avait pas une seconde à lui. Il avait envie de hurler. De plus, Monsieur Cyril vint lui dire de faire du thé.

— Faire du thé. Faire du thé ? Je n'ai jamais...

— Eh bien apprends, et vite. Ici, les employés boivent du thé, et souvent et beaucoup.

Dans le camion, il jasait avec Nick, il riait, il rencontrait des gens dans les hôtels, il en connaissait plusieurs. Il perdait tout par la faute de Dylan.

Losa ! Jaysus ! Il ne suffisait pas à la tâche. Monsieur Mears exigeait que la théière soit toujours pleine. En furie, suant à grosses gouttes, relevant la tête, il aperçut Dylan qui parlait avec Monsieur Cyril. Ah ! celui-là ! Il avait envie... Dire qu'il avait essayé de lui faire la morale. Son ami ? Un traître, oui ! Quand il le vit se diriger vers lui, il faillit aller à sa rencontre et lui administrer une baffe.

— On peut dire que tu m'as joué un tour de cochon. J'ai perdu mon beau job que j'aimais tant, sur le camion, parce que *mooonsieur* a un autre emploi. C'est pas un travail, ici, c'est les travaux forcés !

— Voyons Ray, tu sais bien que jamais je ne te jouerais de tours. Et je ne suis pas un traître. Monsieur Cyril ne m'a jamais dit que tu prendrais ma place. Ce n'est pas moi qui décide. Je suis peiné pour toi. Ce travail, je l'ai fait pendant deux ans, ce n'est pas si difficile.

— T'aurais pu le garder. J'veux pas travailler ici.

— Donne-toi une chance, ça ne durera peut-être pas.

— Ça a besoin, sinon je lève les feutres.

Peiné, Dylan alla saluer Madame Michelle et les autres employés pendant que Ray rongeait son frein. Comment pourrait-il continuer à faire ce travail de forçat ? Il le fallait pourtant, il n'avait pas le choix... Pour le moment. Il ne le ferait pas éternellement. Ça non ! Jamais !

À dix-huit heures, tous les muscles de son corps criaient miséricorde. Il était vidé. Dès que Cyril eut fermé la barrière, il s'empressa d'aller rejoindre Nick. Il vit son remplaçant, tout sourire, avec *son* ami. Était-ce possible ? Sa tête n'était qu'un tourbillon de colère, de déceptions et de contradictions. Son corps, un paquet de nerfs survoltés. À peine fut-il seul avec Nick qu'il déversa sa colère, blâma Dylan.

— C'est sa faute si Monsieur Cyril m'a enlevé mon job. J'avais tellement de *fun* avec toi.

L'occasion était trop belle pour Nick, qui n'aimait pas Dylan. Trop droit, trop aimable, un éteignoir.

— C'est évident que si Dylan avait continué ici, tu serais encore avec moi.

— Nick, penses-y ! Moi, travailler au stand ? C'est pas pour moi ! J'cours tout l'temps, j'travaille comme un chien. Nick, j'pourrai jamais endurer ça. N'importe quoi sauf ça !

Hors de lui, son bon parler avait pris le large. Il en avait gros sur le cœur et Nick le laissa s'essouffler.

— Prends une grande inspiration et calme-toi une minute. On va aller prendre un café et après on va se parler.

— J'veux rien…

— Ray, on se calme le pompon ! Ta tête va exploser !

Le ton de Nick ne justifiait pas une réplique. Assis face à face, Nick sirotait lentement son café tout en scrutant les yeux de Ray, qui lançaient des éclairs.

— Maintenant Ray, je vais te parler et je veux que tu m'écoutes. Tu as confiance en moi ?

— Oui !

— Alors voici. J'ai su ce matin que Dylan avait eu son permis de travail.

— Ça, c'est à cause de Chris et Geoff, ils l'aiment… lui.

— Ce n'est pas important à qui la faute. Il doit bien travailler puisqu'on lui offre cette chance. Ce n'est pas ton problème. Je suis déçu que tu ne sois plus avec moi ; on s'entend bien, t'es un peu mon petit frère.

Ray poussa un soupir de soulagement. Comme Nick le comprenait ! Lentement, il commença par lui expliquer que, pour le moment, il n'avait pas le choix, il devait travailler au stand, du moins pour quelques mois.

— Mais j'va mourir, c'est trop dur !

— Non, tu ne mourras pas ! Tu n'es pas une mauviette, tu es un homme. Tu vas montrer à Monsieur Cyril de quel bois tu te chauffes.

— Du bois mou, mon cher, du bois mou !

— Non ! Ouvre tes deux oreilles et écoute bien. C'est ta première journée. Tu as eu un choc, tu ne t'y attendais pas. Tu vas faire ton possible. Non ! Plus que ton possible ! Tu vas te faire des muscles.

Ce n'était pas ce que Ray voulait entendre, mais Nick le persuada que ce n'était pas une mauvaise chose. Il devait faire mieux que Dylan. Le travail était exigeant, mais en moins d'une semaine, son stand serait superbement bien organisé, sa personnalité et son sourire attireraient les gens. Sceptique, Ray l'écoutait.

— Tu sais t'y prendre avec les gens. Dès le premier soir chez Barry, à servir au banquet, il m'a dit : «Celui-là est naturellement doué, il sait s'y prendre avec les gens. »

— Et l'an prochain, tu vas avoir ton permis de travail.

— T'es capable de faire ça? Ce sera le plus beau des cadeaux.

— Oui. Ça et bien d'autres choses.

Les mois suivants s'avérèrent exténuants pour Ray. Malgré les conseils et les encouragements de Nick, sa détermination de surpasser Dylan, il n'y arrivait pas. Il n'avait ni la force ni l'endurance de Dylan. À deux reprises, Monsieur Cyril le surprit assis sur une caisse de légumes.

— Qu'est-ce que tu fais là? Es-tu malade?

— Non, monsieur Cyril, mais j'suis plus capable. Faites ce que vous voulez. Ça fait deux mois que j'fais mon possible, mais j'suis brûlé.

Il se pencha et attendit. Monsieur Mears le savait. Ce n'était pas sa faute, mais ce Ray n'avait pas la constitution robuste de l'autre. Qu'allait-il faire de lui? C'était un jeudi.

— Tu vas t'en aller chez toi et te reposer jusqu'à lundi. Lundi matin, je verrai ce que je ferai de toi.

— Ah oui? Certain? Vous me renvoyez pas? Merci! Merci monsieur Cyril.

— Ouste! Va-t'en. On va s'arranger sans toi.

Ray se traîna jusque chez lui; il se jeta sur son lit et s'endormit pour ne se réveiller qu'à dix heures trente le vendredi. Une douche, un bon déjeuner et il se recoucha. Délivré de ce travail qui le tuait à petit feu, allongé sur son lit, il se reposait. Madame Harris vint le voir, craignant qu'il ne fût malade. Quand elle comprit la raison de sa journée de «congé», elle lui prépara du thé. Ils devisaient de tout et de rien quand Nick revint du travail.

— On fait la belle vie! On fait semblant d'être fatigué pour venir papoter avec ma mère.

— Je ne faisais pas semblant et Monsieur Cyril le savait. Il ne m'a pas congédié. Je ne sais pas ce que je vais faire lundi, du moment que c'est moins pire que le stand de légumes.

— Je sais et j'avais de la peine pour toi, mais je ne pouvais rien faire. Je pense bien que je vais être pris avec toi à partir de lundi. Monsieur Cyril m'a dit que je devrai te reprendre avec moi. Je vais devoir t'endurer…

— Parce que je retourne avec toi faire la livraison ? *Oh boy ! Yes ! Yes ! Yes !*

Ray sauta sur ses pieds, se mit à sauter et à danser.

— Je suis content. Tu n'es pas choqué au moins ? Peut-être que ton aide était mieux que…

— Non ! Il n'était pas mieux. Toi et moi formons une bonne équipe.

Ray avait peine à croire en sa bonne fortune.

Ray reprit sa routine avec Nick ; il était en terrain connu. Toujours aussi volubile, le cœur en liesse, il chantait, tapait du pied, les journées étaient presque trop courtes. Dans les hôtels, dans les Cafes, on le recevait comme l'enfant prodigue. Au moins une fois chaque mois, un chef cuisinier demandait à Nick et Ray de venir aider à servir lors de grandes réceptions. Ce n'était plus toujours au même hôtel, on les connaissait un peu mieux, on les appréciait. Ray adorait faire le service, se promener entre les tables, répondre à des gens aisés ; il s'estimait important.

Nick lui avait suggéré de mettre cet argent de côté.

— C'est comme un pourboire. Demande un pot à ma mère et mets-y ce surplus. Tu verras, ça monte vite.

— Et toi, tu en as un pot pour les… pourboires ?

— J'ai commencé il y a plus de six ans. Maintenant, quand mon pot est plein, je dépose le tout à la banque. À trente ans, même avant, j'aurai ma maison et je pourrai me retirer.

— *Oh boy !* Tu veux dire dans cinq ans. Je pensais que Dylan était fou d'ouvrir un compte bancaire, mais si tu me le dis… Je ne veux pas travailler au marché toute ma vie.

33

Proxénète à la carte

Aucune activité n'intéressait Nick. Il préférait être tiré à quatre épingles et frayer avec les gens des grands hôtels. Il visait haut! Le marché? Des petites grenailles, une façade. Comme la panthère, il attendait patiemment sa proie. Il avait déjà placé ses pions, Katy et Audrey étaient «ses filles», elles lui rapportaient quelques livres par semaine. Beau parleur, toujours aux aguets, il en avait racolé deux de plus dans un autre hôtel. Sandy et Floss commençaient à peine dans le métier. Ce n'était qu'une facette de l'organisation de cet «homme d'affaires».

Sa fréquentation des grands hôtels lui était profitable. Soupant souvent seul, ses yeux balayaient discrètement la salle et savaient repérer, parmi les femmes mûres, les épicuriennes, les solitaires. Coup d'œil gêné, sourire discret, une tactique quasi infaillible. Il se concentrait sur une seule à la fois. Flattée de l'attention de cet élégant jeune homme, elle l'invitait à sa table. Courtois, charmeur, flatteur, le don de l'écoute, avant que la soirée se termine, la dame était subjuguée. De là à recevoir une invitation, il n'y avait qu'un pas qui était vite franchi. Une légère pression de la main au départ, un regard chaud, profond, la dame se mourait d'impatience de le revoir. C'est ainsi qu'il s'était monté une clientèle, facilitée aussi par le bouche à oreille.

Au moment où Ray était entré dans sa vie, plusieurs dames l'imploraient déjà, réclamant ses services une ou deux fois par mois. Il se limitait à douze clientes. Il tenait une comptabilité double rigoureuse, incluant le nom et le prénom de chacune, affublée d'un surnom correspondant aux besoins et exigences souvent très spécifiques de chacune ainsi que le montant de chaque transaction. Le tout inscrit dans un calepin bourgogne à couverture rigide soigneusement dissimulé dans un coffret à double fond, ce dernier indétectable pour quiconque.

Ainsi, *Sourpuss, Sizzle, Candy, Cutie, Dashy, Cold Spot, Lola, Speedy, Sugar, Sunshine, Tiger Lady* et *Diddle-Daddle* reposaient incognito dans la chambre de Nick.

Sourpuss avait été sa première; elle s'appelait Chentel, mais après la première visite, il avait consigné le nom de *Sourpuss* dans son petit calepin bourgogne. Cinquante-six ans, cheveux blond cendré légèrement ondulés, visage ovale, yeux froids, mains un peu fripées décorées de quelques fleurs de cimetière. «Les mains ne mentent jamais», s'était-il dit. Des doigts courts chargés de bagues toutes très distinctes et très coûteuses: un cabochon, une opale parée de diamants, une perle et une bague marquise. Grassouillette, hautaine, un corps assez bien conservé, mais quelques «dérapages» perceptibles.

Sourpuss avait expliqué ses attentes dès la première rencontre. Pas de bavardage. Ils n'étaient pas du même statut social; elle était une dame et Nick n'était qu'un… Elle avait laissé la phrase en suspens. Se penchant vers elle, la regardant droit dans les yeux pendant quelques instants, il avait répliqué: «Si je ne suis qu'un gigolo, ce que vous sous-entendez, vous n'avez rien d'une dame et je vous souhaite le bonjour.» Il avait passé la porte et s'était promis qu'elle paierait pour cette insulte. Elle l'avait rappelé à trois reprises. La troisième fois, elle lui avait offert 12 livres au lieu des 8 livres préalablement convenues. Nick avait accepté.

Aucune conversation n'avait lieu entre eux; il ne saurait rien d'elle et lui ne dévoilerait rien sur sa vie. De toute façon, il ne lui aurait débité qu'un chapelet de mensonges. Le rituel était toujours le même. Assise dans sa bergère, une bouteille de champagne au frais sur la table – les 12 livres y étaient aussi –, elle le saluait. Il lui versait un verre et en prenait un. Il savourait une première gorgée.

Elle avait insisté pour qu'il arrive en smoking. Pas question! Elle lui avait alors remis un ensemble complet: polo, caleçon et chaussettes de soie noire, pantalon moulant, ceinture Anthony et souliers Steve Madden, le tout noir aussi. Un trench-coat et des verres fumés complétaient l'ensemble.

Il se dévêtait très lentement au son d'une musique langoureuse, mais n'était pas un *gogo boy*. Le polo s'enlevait un peu plus rapidement, il le pliait soigneusement, prenait une autre gorgée de champagne et enlevait la ceinture. Il ne dansait pas. Cette étape pouvait durer quarante secondes ; pour les souliers et les chaussettes, soixante-dix secondes ; venait ensuite le pantalon, une minute ; et – la pièce de résistance – le caleçon. Les yeux bleu acier de la femme suivaient chaque mouvement. Il lui avait tenu tête et elle le détestait, mais le désirait encore plus qu'elle le détestait. Lorsqu'enfin nu, elle en était à son troisième verre de champagne. Il terminait le sien, la prenait dans ses bras, la soulevait et la déposait sur son lit. Alors, il la déshabillait encore plus lentement, baisait chaque partie de son corps à mesure qu'il enlevait chaque vêtement. Son corps entier le désirait, elle le voulait, mais il la faisait patienter.

À ce moment, Nick était son maître, elle était l'esclave. Quand enfin il plongeait en elle, pas la moindre parcelle d'amour, de tendresse. Ce n'était que de la passion sauvage, fruste. Sitôt terminé, Nick sortait du lit. Elle essayait de le retenir. Sans lui accorder le moindre regard, il remettait ses vêtements. La première fois, elle avait voulu qu'il laisse ses «vêtements de scène» chez elle, mais sa réponse avait été catégorique. Ce n'était pas négociable. «On n'entre pas chez une dame habillé comme *un homme du peuple*!» Elle avait compris.

Trois semaines plus tard, elle le rappela et essaya de négocier le tarif à la baisse. Après tout, ils s'étaient entendus pour huit livres la première fois. Mais il refusa net. Les taux de la Bourse avaient monté, c'était à prendre ou à laisser. Elle accepta. Quand il revint, elle le reçut avec l'esquisse d'un sourire aux lèvres. Il resta de marbre. Elle l'avait dans la peau, pensait pouvoir le dresser. Il ne fut pas dupe. Il menait le bal.

Deux autres clientes étaient moins froides, moins hautaines. *Candy*, divorcée, mi-cinquantaine, grande, mince, gentille. Elle était en manque de touchers, de chaleur, de caresses d'homme. Très riche, elle avait son yacht – quinze mètres –, assez modeste mais très confortable.

— Vous avez un capitaine ? Vous sortez en mer ?

— J'ai un capitaine, il n'a que quelques clients. Il s'occupe aussi de l'entretien. Si j'ai envie de faire une tournée en mer avec quelques amis, il est presque toujours disponible.

— Vous pouvez coucher sur ce yacht?

— Certainement! Trois belles grandes cabines et une plus petite, on peut y coucher huit personnes, je préfère quatre ou six. C'est plus intime.

Elle vivait seule. Un remariage ne l'intéressait pas. Encore très désirable, son argent l'était encore plus. Nick l'écoutait. Il était un amant tendre et doux, patient. Elle l'accueillait toujours avec le sourire. Lui, arrivait toujours avec une fleur, une carte qu'il choisissait avec attention, quelques chocolats de choix ou une pêche bien juteuse. Ce n'était pas la valeur monétaire de ces petites surprises qui la touchait. Ce n'étaient que des peccadilles, mais le geste comptait, il pensait à elle. Et elle attendait sa venue, anticipait «sa surprise».

Avec elle, il était un amant attentionné, il l'écoutait lui raconter ses journées, apprenait à connaître ses amies. Il lui faisait l'amour avec révérence, sans hâte, la caressait, veillait à son plaisir. Ensuite, il restait allongé à ses côtés, la tenait dans ses bras. Comblée, elle le remerciait, et il repartait avec la promesse de revenir quand elle le voudrait. Il ressentait une certaine affection pour elle. Elle ne voulait pas se passer de ses visites. Leur rencontre d'une heure s'allongeait parfois à une heure trente. Pas radine, elle lui offrait parfois une ceinture, un bijou, une bague, une montre, un bracelet. Elle aimait qu'il soit bien vêtu et avait pris plaisir à aller magasiner pour lui. Un habit griffé de couleur sobre, une chemise blanche, des boutons de manchette en nacre, des souliers vernis, un parfum discret mais coûteux. Quand il se présentait, douché, rasé de frais, parfumé subtilement, il portait l'habit qu'elle lui avait offert. Elle le remarquait et ajoutait parfois une chemise sport et un pantalon sport, un polo, de sorte qu'il avait une garde-robe bien garnie. Elle était bonne pour lui, il l'était pour elle.

Une autre de ses clientes était l'antithèse des deux autres. *Sizzle*, quarante-quatre ans, était une sportive qui aimait la vie et les hommes. Grande, musclée, cheveux coupés à la Cléopâtre, elle vivait seule. Le premier rendez-vous fut surprenant. Avocate et femme d'affaires, elle ne voulait pas d'homme dans sa vie, mais son corps avait des besoins, des besoins assez particuliers. Leur premier rendez-vous le désarçonna. Elle le reçut dans la cuisine, habillée comme une écuyère, un long fouet posé sur la grande table. Depuis la crise de *Sourpuss*, son tarif était de 10 livres. Elle lui remit ses honoraires, puis lui fit signe de la suivre. Ses exigences étaient trop osées, il refusa net, lui remit son argent et partit. Une femme de ce genre pouvait devenir dangereuse. Une semaine plus tard, *Sizzle* le recommanda à une autre dame, Myrtle, qu'il surnomma *Frosty*.

Lola, débordante d'énergie, fin quarantaine, aimait faire diversion. Polie, rieuse, elle le recevait en tenue légère, un martini sec à la main. Il se versait un verre de vin, elle parlait de tout et de rien. S'envoyer en l'air avec ce jeune homme la stimulait, elle en redemandait. Quand elle devait aller dans une grande soirée, elle paradait devant lui, lui demandait quelle robe mettait ses attributs en valeur. Il professait son ignorance, mais elle aimait bien quand il lui disait qu'une telle robe représentait la femme fatale, une autre, une femme désirable ou alors une vraie *lady*.

Ces femmes, Nick les trouvait un peu « dérangées ». Il se croyait supérieur à elles. Certaines étaient très à l'aise, d'autres, un peu moins. Elles se cachaient pour assouvir leurs fantasmes. Il ne s'en plaignait pas, elles contribuaient à remplir son « pot de confiture ». Sa clientèle augmentait, il devenait gourmand, ses clientes régulières le recommandant à leurs amies. Certaines le désiraient une fois la semaine, d'autres tous les quinze jours. L'une d'elles l'appelait régulièrement tous les douze jours. Il s'en tenait à deux rendez-vous la semaine, parfois deux clientes à la fois, un trio. La session durait environ deux heures. Il y mettait tout son « cœur », et le tarif augmentait en conséquence, 20 livres. Son compte bancaire gonflait d'au moins 100 livres mensuellement ; une fortune. En moins de cinq ans, il ne serait plus à l'emploi des Mears. Il l'aurait sa maison !

34

Mise en scène diabolique

C'était ce Nick que Ray considérait comme son guide, son mentor. Tout ce qu'il lui disait était parole d'évangile. Avec Nick à ses côtés, rien ne pouvait lui arriver. Quatre années s'écoulèrent. Ray faisait toujours équipe avec lui. Un jour de décembre 1964, alors qu'ils faisaient une livraison, Nick avertit Ray qu'il avait à discuter d'une chose importante avec lui. J'ai quelque chose à te proposer. Quelque chose de plus payant que de livrer des carottes.

— N'importe quoi, Nick. Je suis prêt à te suivre quand tu voudras.

— Tu es encore jeune et je ne sais pas si je devrais…

— Je t'en supplie Nick, tu peux me faire confiance.

— Viens, on rentre à la maison, on sera plus à l'aise pour parler.

En arrivant, Ray s'était débarbouillé en deux temps, trois mouvements. Il avait sué de tous les pores de sa peau mais serait volontiers resté dans ses vêtements moites tant il avait hâte d'entendre ce que Nick avait à lui confier. Mais ce dernier l'avertit de bien se savonner. Nick exigeait la propreté. Enfin propre! Nick le fixa longuement. Assis sur le divan, les bras croisés, Ray attendait.

— Ce que je vais te dire devra rester entre nous deux, tu comprends?

— Oui, oui…

— Ne dis pas «oui, oui» du bout des lèvres. Tu dois m'écouter attentivement. Je veux que tu réfléchisses parce que c'est une proposition pas tout à fait légale, tu comprends? Si tu parles, ou même si tu mentionnes le moindre mot de ce que je vais te dire ou de ce qui va se passer, je te… Tu ne diras jamais rien à personne, y compris Dylan.

Nick crachait littéralement ses mots.

— Rien! Ni maintenant ni jamais. Sinon, tu es un gars fini! Je te le jure. Est-ce que tu comprends bien ce que je te dis? Au fond de la Manche… Et je suis sérieux. Tu te rappelles Dan, l'ami de Jimmy, celui qui t'avait tabassé? Tu te rappelles ce qui lui est arrivé. Eh bien, ce n'est rien comparé à ce qu'il t'arrivera si tu parles.

Il prit les mains de Ray et darda ses yeux sur lui. Ray en frissonna.

— Est-ce que tu me comprends bien?

Ray le comprenait et le lui fit savoir sans l'aide de mots.

— Disons que, un beau jour, tu te mettes dans la tête que tu pourrais faire plus d'argent sans moi… Oublie ça. Je ne veux pas finir en taule! On va faire de l'argent, mais il faut savoir se contrôler. Ne pas être trop gourmands. Tu veux faire de l'argent? Tu feras exactement ce que je te dirai de faire, juste ce que je déciderai. Est-ce que tu me comprends bien? Réfléchis bien avant de me répondre.

Nick alla chercher deux colas dans le réfrigérateur, en déposa un devant Ray et se promena de long en large dans le salon pendant que Ray rentrait en lui-même. Se concentrer sur un projet dont il ne présageait ni le danger ni les ramifications était quasi impossible. Il avait compris les avertissements non équivoques de Nick, mais il n'allait pas se creuser les méninges pour se rappeler chaque détail. Par contre, ce qu'il allait retenir, c'était de «Ne jamais vendre la mèche, sinon… le fond de l'eau».

Cependant, l'élément vraiment dominant dans tout ce que Nick lui avait confié jusque-là était cette phrase: «Quelque chose de plus payant que de livrer des carottes.» En entendant ces mots, son taux d'adrénaline avait monté d'un cran. Faire de l'argent! Combien? Il n'en savait rien, mais si Nick lui parlait de ce projet avec cette prudence, il fallait que ce soit payant. Enfin, il allait réaliser son rêve! Légal? Illégal? Il n'en avait cure.

De manière théâtrale, Nick avança sa chaise et, sans jamais quitter Ray des yeux, d'un geste calculé, y posa son postérieur. Hypnotisé, Ray le contempla. Il tremblait à la fois d'anticipation et d'appréhension. Nick l'avait mené exactement où il le voulait.

Le fruit était mûr. Avec un calme et une précision diaboliques, il lui expliqua son plan. Ray était maintenant un homme. Il avait adoré sa première expérience avec Audrey et s'était hâté de recommencer à moult occasions.

— Bien sûr! Ce soir, si tu veux!

— Pas si vite. Bien des filles aiment l'expérience aussi... des jeunes femmes... et des moins jeunes.

— Même des femmes mariées?

Il pensa à sa mère mais se tut.

Nick lui expliqua que certaines femmes n'avaient pas de mari ou, si elles en avaient un, il était trop affairé, ou trop souvent absent, ou s'accommodait ailleurs, alors elles regardaient autre part pour satisfaire leurs besoins. Certaines de ces dames avaient beaucoup d'argent, de belles maisons. C'étaient des femmes de la haute société. D'autres, moins riches, avaient une carrière, une profession bien rémunérée.

— Comme celles qu'on voit dans les grands hôtels?

— Celles-là et d'autres. Parfois, elles ont envie de...

Ses yeux malicieux fixaient le plafond.

— Elles sont prêtes à payer pour avoir un homme.

— *Téigh ar!* (Ben voyons donc!) Payer pour faire... ça? Je le ferais pour rien du tout!

— Pas si vite, Ray. Suis-moi bien. Ces femmes, celles qui m'intéressent, ne sont pas des jeunes filles; ce sont des femmes plus âgées, disons la quarantaine, mais surtout la cinquantaine et même plus.

— *Yuk!* Faire ça avec des vieilles? Ça ne me tenterait pas beaucoup.

— Pas vieilles, Ray. Disons mûres, matures. Et tu oublies une chose! Souvent ce sont de très belles femmes, et même celles qui sont moins belles ont parfois un beau corps bien conservé. Crois-moi, elles n'ont jamais travaillé dans un stand à légumes, ni lavé la vaisselle. Quelques-unes ont un majordome, un chauffeur, un cuisinier, une femme de ménage, une femme de chambre, un jardinier... Des personnes qui s'occupent de tout.

— Tout ce monde-là pour s'occuper d'une ou deux personnes? Qu'est-ce qu'elles font de leurs journées?

— Elles s'occupent de leur beauté, de leur corps, ont un entraî-
neur. Elles font partie de certains organismes de bienfaisance en
faveur des démunis, des arts, de la culture. Il y en a qui sont très
charitables. Elles rencontrent aussi leurs amies et... se paient des
amants. D'autres se donnent tout entière à leur carrière: travail,
réunions, conventions.

— Là Nick, tu m'assommes! Je n'aurais jamais pensé qu'on
pouvait faire de l'argent en... Combien ça paye?

— Moi, je suis un homme d'expérience et c'est mon propre
business. Chaque femme me donne 10 livres ou plus pour une
heure en ma compagnie.

— *Oh boy!* Dix livres pour une heure de *fun,* dit-il en riant,
avec des mûres, matures.

— Ray, ce n'est pas tout à fait ça.

Nick prit conscience que s'il voulait que Ray devienne un
acolyte payant, il devait lui expliquer les rouages du métier.
Lui recevait 10 livres par cliente. Elles étaient *ses* clientes. Il
planifiait l'horaire des rencontres, voyait à ce que tout se fasse
avec grande discrétion. Il décrivait l'affaire comme un business,
mais quelle que fût la façon dont il le présentait, il n'était qu'un
pimp, un souteneur. Ray n'y voyait que les livres qu'il pourrait
accumuler.

— Ray, tu recevras sept livres par cliente, parfois sept et demie.
Je dis bien parfois. Compte-toi chanceux que je t'aime bien et que
je ne sois pas radin. D'autres, dans ce business, te donneraient
peut-être quatre ou cinq livres.

Nick préférait remettre une plus grande part à Ray. Il se repren-
drait plus tard.

— Sept livres pour une heure? C'est plus que ce que je fais dans
une semaine. Quand est-ce que je commence?

— Pas si vite. D'ici quelques mois, tu seras prêt. En attendant, je dois parfaire ton éducation. Tu es un homme, mais tu
as encore beaucoup à apprendre. On ne va pas chez une cliente
sans bien connaître ses besoins, ses goûts. Il y a des règles à
suivre. Diplomatie, discrétion, savoir se taire, politesse, savoir-
vivre. Chaque femme est différente, elle doit croire qu'elle est ta
seule cliente au monde. Quand tu es avec elle, elle doit avoir ton

attention pleine et entière. Par exemple, je garde un registre de chacune, de ce qu'elle aime.

— Nick, je suis content que tu me fasses confiance. Enfin, je vais gagner de l'argent. Tu es un vrai ami. Je ferai tout ce que tu me demanderas, et jamais un mot à personne. Mais je dois t'avouer quelque chose.

— Rien de grave ?

Ray se tordait les mains. Il lui avoua qu'il avait menti sur son âge en arrivant en Angleterre. Pour pouvoir travailler...

— Quel âge as-tu ?

— Dix-sept ans.

— Dix-sept ans ? Ah ! mon petit diable ! Tu es débrouillard.

— Tu n'es pas fâché ?

— Non !

Il n'avait que dix-sept ans. Encore mieux. Les femmes...

— J'ai quelque chose à te demander. J'aimerais bien changer mon nom, juste quand je ferai... ça.

— Oui ! Comment voudrais-tu t'appeler ? J'imagine que tu y as déjà pensé.

— Oui ! Le nom m'est venu juste là. Vasiliiino !

Nick s'efforçait de ne pas rire.

— Quoi ? Vasiliino ? Où es-tu allé chercher ça ?

— J'ai entendu ma tante parler de Vasiliino. C'est un artiste, un bel homme qui s'est marié trois ou quatre fois.

Nick n'en pouvait plus. Il éclata de rire. Il riait tellement qu'il en pleurait.

— Excuse-moi Ray, je ne ris pas de toi.

C'était trop drôle, il ne pouvait s'arrêter. Ray le regardait, mal à l'aise. Il n'aimait pas être tourné en ridicule.

— Je sais de quel homme tu parles. Il s'appelait Rudolph Valentino ! Valentino, Ray, pas Vasiliino.

— Ça sonne pas mal pareil. J'aime bien le prononcer à l'italienne. *Valentiiino !*

— Alors, ce sera *Valentiiino.*

Ce Ray. Il ne ferait pas une indigestion de modestie.

Ray était fou de joie. À dix-sept ans, s'affichant comme en ayant dix-neuf, tout juste sorti de l'adolescence, Ray n'avait pas l'esprit entièrement développé. Il n'avait pas la sagesse nécessaire pour comprendre dans quel guêpier il s'empêtrait. Il se voyait abandonner son emploi au marché, ce travail qu'il abhorrait et faire de l'argent sans travailler! Bien mis, les poches bourrées, il irait manger dans les grands hôtels, fraierait avec les gens de la haute société. Sa vie ne serait qu'une partie de plaisirs ininterrompus.

Il pensa à son ami, Dylan. Pauvre lui, il n'irait pas loin. C'était son choix, il voulait passer sa vie à marcher dans le même sillon. Mais Dylan serait toujours son ami. Il avait hâte de lui voir la mine quand il verrait le nouveau Ray. Tiré à quatre épingles, il passerait à l'appartement et l'emmènerait souper au Queen's Hotel. On était en juin. Ce serait probablement au prochain Noël. Fidèle à elle-même, la cigale chantait.

35

Touche de vernis

Ray élaborait des projets. D'ici quatre ou cinq ans, il ne serait pas riche mais la vie serait plus douce. Nick lui avait présenté quelques-unes de ses filles. Elles perfectionnaient l'apprentissage du jeune Ray. C'était un élève attentif.

Nick préparait sa stratégie, révisait sa liste, visitait ses clientes régulièrement.

Après les fêtes, le temps était venu de lancer son poulain. Il avait tâté le terrain, la terre était fertile. Certaines femmes étaient prêtes à débourser de grosses sommes pour s'offrir un jeune ayant à peine dépassé l'âge de la puberté. Par mesure de sécurité, il n'utilisait que leur surnom.

Un jour, alors qu'ils terminaient leurs livraisons pour les Mears, Nick avait tout bonnement mentionné à Ray que s'il voulait se faire de l'argent, il était prêt à le recommander à certaines dames.

Lola, Candy et Sugar étaient les plus gentilles. Généreuses, sans affectation, elles ne jetaient pas leur argent par les fenêtres mais savaient apprécier les délicatesses de Nick. Ponctuel, toujours propre, bien mis, il ne les questionnait jamais et savait écouter. À leur grande surprise, il avait glissé le nom de son jeune ami Valentiiino dans la conversation. Son jeune ami? Intéressant! Un jeune homme beau comme un dieu et si talentueux! Concupiscentes, les sens en alerte, elles se demandaient quel âge pouvait avoir ce Valentiiino. La seule prononciation de ce nom, Valentiiino, les aguichait.

— Il a dix-sept ans et demi, frais comme une rose. Je me dois d'ajouter la demie. À cet âge, on a tellement hâte de vieillir, de tout découvrir, on tient à être précis.

Chacune se mourait d'envie de le rencontrer, mais Nick ne tenait pas à ce que Valentiiino lui pique ses «amies». Ce qu'il souhaitait, c'était qu'elles le recommandent à une de leurs connaissances, non qu'elles le laissent tomber, lui, pour Valentiiino. Toutes juraient qu'elles ne pouvaient se passer de lui, mais il savait que certaines mentaient effrontément. Il les ferait patienter avant de leur envoyer Valentiiino. Mais après mûre réflexion, ayant marché sur ses sentiments, il jeta son dévolu sur Madame Wilson, Candy.

— Ma chère amie, j'ai beaucoup d'estime pour vous. Vous êtes une grande dame, bonne et généreuse, et peut-être la seule à qui j'aimerais présenter mon jeune ami Valentiiino.

— Monsieur Nick, vous êtes et vous serez toujours mon amant et mon ami; je serai très heureuse de rencontrer votre jeune ami. D'ailleurs, j'y ai pensé. Vous savez que je suis seule, sans enfant, que j'ai de bonnes amies, que je vais au théâtre et suis impliquée dans certaines œuvres caritatives. Je suis le seul maître à bord.

— Vous ne savez rien de lui mais vous ne serez pas déçue. Il est très attachant et pas du tout ennuyeux.

— Cher Nick, vous et moi, c'est pour... aussi longtemps qu'il vous plaira. Votre ami? Ce sera différent. N'ayez crainte, si cette première sortie m'est agréable, me divertit, nous discuterons affaires.

— Je n'ai aucune inquiétude. Ce soir, oublions tout le reste, je suis ici pour vous, pour votre bon plaisir.

Des sentiments contradictoires s'affrontaient; il voulait que son poulain contribue à garnir sa cagnotte, mais il ne voulait pas qu'il prenne trop d'importance, lui fasse ombrage. Et puis l'important était de ne pas dévier de son objectif. Quand il aurait assez d'argent, il n'aurait aucune difficulté à se trouver une belle jeune femme financièrement à l'aise.

L'après-midi du lendemain, il avertit Ray que dès leur arrivée, il devrait prendre sa douche, bien se laver, mettre son beau pantalon noir, une chemise, ses souliers de sortie et... son chapeau coquin.

— Pour aller où, tu m'envoies en mission?

— Ouvre grandes tes oreilles, je n'ai pas de temps à perdre. *The early bird catches the worm.* (L'avenir appartient à ceux qui se lèvent tôt.)

— Oui, mais c'est tout ce qu'il attrape, un vers.

Nick se mit à parler de tout et de rien, à siffloter. Ray n'osait pas le questionner. Il essayait de se retenir, mais sa curiosité l'emporta sur sa « sagesse ».

— Vas-tu attendre que je tape une crise de nerfs ou vas-tu m'expliquer ce que tu as en tête?

Nick éclata de rire, il voyait bien que Ray ne tenait plus en place.

— *Well! Well! Have I got a surprise for you!*

— *Surprise! Surprise!* Envoie! C'est quoi ta *surprise*?

— Je me demande…

Ray fit mine de le frapper.

— Aujourd'hui, ce soir même, tu rencontres ta première cliente. Tu vas vivre une première aventure palpitante. Tu vas vers ton destin.

Il aurait plutôt dû dire que son esprit tordu, ignoble, lui inventait un destin, un destin à sa mesure et conçu selon une planification rigoureuse. Assis au bout de son siège, Ray fouillait son regard.

— C'est ton premier rendez-vous avec une de mes clientes, Madame Wilson.

— Tu veux dire une cliente… pour faire…?

— Oui, et je ne sais pas ce que vous ferez.

— Elle est vieille, Madame Wilson?

— Mi-cinquantaine.

— *Holy…* Elle est mûre, mature celle-là!

— C'est une très belle femme. Et une femme dans la cinquantaine n'est pas vieille, Ray.

— Pour moi, OUI!

— Ray, ne pars pas en peur. C'est ta chance et tu ne vas pas tout bousiller. Tu veux faire de l'argent? Tu entres en affaires. Je répète! Ouvre grandes tes oreilles.

Fort de son expérience et voulant s'assurer que Ray serait à la hauteur de ses espérances, lentement, doucement, il lui expliqua ce qu'il attendait de lui.

— Madame Wilson est seule, sans enfants et riche, très riche, mais toi, tu ne dois jamais lui dire que tu le sais. Ray, tu ne répètes jamais à personne ce que je te dis.

— Je sais, sinon tu me zigouilles.

— Tu as bien compris. C'est une dame instruite, cultivée, elle a beaucoup voyagé, elle connaît beaucoup de choses et beaucoup de gens importants. Elle m'aime bien et je l'aime bien aussi parce qu'elle est très gentille.

Ray pourrait lui dire que ses parents étaient tous deux décédés ou qu'ils l'avaient abandonné à l'âge de cinq ans et que sa tante l'avait élevé jusqu'à l'âge de treize ans. Après, il s'était enfui parce que son oncle le battait.

— Si elle te demande si c'est difficile pour toi, tu peux lui dire qu'un enfant a besoin de parents et que… arrête de parler pendant un moment, regarde au loin, et dis-lui : « Madame, je préfère ne pas en parler. Pour le moment, je travaille au marché. J'espère avoir mieux plus tard. Je demeure chez Nick. J'aime la vie ici à Brighton. »

Pour la suite de la rencontre, il se fiait au bon jugement de Ray. Il saurait comment se conduire, être toujours poli et bien écouter. Il ne savait pas comment les choses se passeraient, mais il avait confiance en lui.

Pensif, Ray réfléchissait à tout ce que Nick venait de lui confier. Ce serait facile de lui répéter tout ce qu'il avait entendu, car tout correspondait exactement, non seulement à ce que Nick voulait, mais aussi à ce que son esprit cogitait.

— Ray, tu es bien silencieux… Tu veux y aller ?

Il ne répondit pas tout de suite. Nick était sur des charbons ardents. Madame Wilson attendait Valentiiino le soir même. S'il fallait qu'il refuse d'y aller ou… Sa « carrière » défila en accéléré.

— Alors parle !

— Du calme ! Valentiiino réfléchit !

Puis, il se mit à chanter : « *You ain't nothing but a hound dog, crying all the time ; You ain't nothing but a hound dog* (Tu n'es qu'un chien de meute, une canaille) *and you ain't no friend of mine* (et tu n'es pas mon ami). » Inconsciemment, ces mots dont il n'imaginait pas la portée correspondaient à Nick. Il était bien une canaille et certainement pas un ami pour Ray. Nick s'en foutait et se mit à rire.

— Tu me faisais marcher, je commençais à douter de toi.

— J'ai pigé tout ce que tu m'as dit, bien plus que tu ne le penses. Je vais me conduire comme un gentleman! Elle demeure où, la jeune mûre, mature?

— Dans un quartier huppé, une grosse maison à deux étages, presque un château, entourée d'une haute clôture en fer forgé.

— C'est une prison ou quoi?

— Non, les riches ne veulent pas que des voyous entrent chez eux, ils se protègent. Tu n'auras qu'à appuyer sur la sonnette.

— Pour m'y rendre?

— Tu n'as qu'à prendre l'autobus 14.

36

High-class cliente

Sitôt arrivé à la maison, Ray avala son souper et se rua dans la salle de bain. Une demi-heure plus tard, en caleçon, il se présenta devant Nick. Il s'étira une oreille, puis l'autre, tira la langue, montra ses dents, leva un pied, puis l'autre, redressa ses orteils, se secoua le popotin. Nick lui donna une tape sur les fesses. Il retourna à sa chambre pour s'habiller. Fier comme un paon, il passa devant Nick, le regarda de biais, leva le nez et déclara : « À moi, la richesse et la gloire. »

À vingt heures trente, il sonnait à la porte de Madame Wilson. Une jeune femme vint ouvrir, il déclina son nom.

— Suivez-moi, lui dit-elle.

Ils montèrent un escalier et tournèrent à gauche. Dans un immense salon, il vit une dame debout près d'une fenêtre. Madame Wilson ! Elle l'attendait avec le sourire. Qu'il était drôle, ce jeune homme, avec son chapeau. Unique !

Un pantalon marine, une veste mille-raies marine. Grande, svelte, cheveux blond cendré, très belle, Madame Wilson ne ressemblait à aucune des femmes que Ray avait déjà connues, sauf qu'elle suintait l'argent. Elle était du genre de celles qu'il avait vues quand il était de service dans les grands banquets.

Lord ! Elle était beaucoup plus vieille qu'Audrey. Cette pensée lui avait traversé l'esprit comme l'éclair. Le cœur battant, il s'avança vers l'inconnue.

Elle vint à sa rencontre, il enleva son chapeau, se passa la main dans les cheveux, se redressa bien droit, la regarda droit dans les yeux, esquissant son plus beau sourire, puis la salua bien bas.

— Madame Wilson, je suis Valentiiino. Ravi de vous rencontrer.

— Le plaisir est pour moi. J'avais hâte de voir ce jeune homme dont Nick me dit le plus grand bien. Viens, allons sur la véranda, nous serons plus à l'aise pour faire connaissance.

Oh Boy! Une grande véranda vitrée, meublée de fauteuils recouverts de chintz qui entouraient une longue table en teck. À l'extérieur, un immense parterre, des arbustes, des fleurs à profusion. Il aurait préféré être à l'extérieur, mais Candice Wilson s'installa dans un fauteuil et lui fit signe de s'asseoir en face d'elle. Émerveillé, il inspira profondément en admirant la belle dame.

— Madame, merci de m'avoir invité. Je ne suis pas certain d'être réellement ici ou de rêver. Si je rêve, je vous en supplie, ne me réveillez pas.

Madame Wilson se mit à rire.

— Rêve ou réalité, je ne sais pourquoi je t'ai invité, si ce n'est que j'étais curieuse de te connaître. Quelle qu'en soit la raison, je suis contente que tu sois ici. Je commence à m'amuser.

— Moi aussi, madame.

— D'abord, tu as travaillé aujourd'hui, tu dois avoir faim?

— J'ai soupé madame.

— D'accord, mais tu es un jeune en pleine croissance, alors nous prendrons quelque chose plus tard.

Elle se versa un verre de champagne, se pencha pour en verser un à Ray. Il secoua la tête.

— Loin de moi l'idée de vouloir te faire boire, mais juste un demi-verre, pour célébrer notre première rencontre.

— D'accord. C'est en effet une occasion à célébrer.

Elle leva son verre et le salua.

— À la santé de mon nouvel ami Valentiiino.

Il leva le sien.

— À la santé de la belle dame qui m'a invité chez elle.

Elle resta un moment silencieuse, puis lui demanda:

— J'imagine que Nick t'a parlé de moi…

— Oui, il m'a dit que vous étiez belle, raffinée, aimable; une bonne personne très cultivée. Une grande dame. C'est ça qu'il m'a dit et je dis la vérité.

— C'est très gentil à lui. Parle-moi un peu de toi, Valentiiino.

— Madame Wilson, j'ai dit à Nick que je voulais qu'il vous dise que je m'appelais Valentiiino. Je trouvais que ça faisait… mystérieux. Mais avec vous, je ne peux vous mentir. Je m'appelle Ray, Ray O'Brien.

— Tu es Irlandais ? Tu es loin de chez toi. Tes parents sont toujours en Irlande ?

— Madame Wilson, je ne sais quoi vous dire… Quand Nick m'a dit que j'allais vous rencontrer, je m'étais dit que je vous dirais que mes parents étaient morts. Il m'a dit de faire et de dire ce que je voulais. Maintenant, vous êtes là… et je pense que vous pouvez garder un secret… Ce n'est pas un beau secret, mais c'est la vérité.

— Cher Ray, je ne veux pas te faire de peine, tu n'es pas obligé de me révéler quoi que ce soit.

— Mon ami Dylan dit que la vérité, c'est toujours mieux, mais des fois… pas vraiment.

Ray se leva et se dirigea vers la fenêtre. Il voyait toute cette richesse, si loin de sa portée. Il faisait un peu sombre, la lune se levait. À cet instant, il ne pensait même pas à ce que Nick lui avait dit ; il se demandait s'il devait tout lui dire. Soudainement, la vérité lui fut pénible. Il revint sur ses pas sans la regarder, le regard ailleurs, puis il commença à parler.

— Ma mère nous a abandonnés, ma sœur Tara et moi. Mon père est parti lui aussi, deux jours plus tard. J'avais six ans. Tara m'aimait beaucoup et moi je l'aimais beaucoup, beaucoup. J'aimais ma mère aussi, elle était bonne pour nous deux. Une partie de la suite… je l'ai apprise que plus tard. Mon père était un ivrogne qui buvait tout son argent, alors ma mère prit des amants pour nous nourrir et nous habiller, et elle a fini par partir avec un de ces hommes. Ce dont je me rappelle, c'est que deux jours après son départ, mon oncle et ma tante sont venus me chercher. Je ne les connaissais pas, je ne les avais jamais vus. Ils n'avaient pas d'enfants ; ma tante en voulait, pas mon oncle. Oh non ! Je me suis retrouvé dans une ville étrangère. Ma tante était bonne, pas mon oncle. Ah non ! Moi ? Je ne tenais pas en place, je cherchais toujours quelque chose mais je ne savais pas quoi. Il sortit son portefeuille, lui montra la photo de ses parents.

— Mon père ne ressemblait pas à cet homme quand j'étais petit. Ma mère ? C'est elle. Elle est belle ?

— Oui, elle est même très belle. Tu lui ressembles.

— Peut-être. Et voici ma sœur Tara. Elle est très belle et intelligente, elle demeure chez une dame qui l'aime beaucoup et elle m'aime aussi. Mais je me suis sauvé avec mon ami Dylan. Deux jeunes que la vie a ballotés pas mal. Et…

Il fit une longue pause. Puis :

— Je ne veux plus en parler, madame.

Il se tut.

Madame Candice Wilson n'avait pas ouvert la bouche durant son récit. Quand il se hasarda à la regarder, il vit des larmes sur ses joues. Il alla vers elle.

— Oh madame, ne pleurez pas, je vous en prie. Je ne voulais pas vous faire de peine, non jamais. La vérité n'est pas toujours bonne, non, non. *Oh boy,* je vous ai fait pleurer. Et Nick sera fâché, ça va aller mal pour moi.

Nick avait donc tellement d'emprise sur ce jeune homme. Cette pensée la révolta.

— Ne te tracasse pas à propos de Nick. Ce qui se passe entre nous reste entre nous. Nous n'en parlerons jamais à Nick. Je te le jure. Tu as bien fait de me dire la vérité ; je suis sincèrement peinée de ce qui t'est arrivé.

— Soyez pas peinée. Je suis bien, je suis avec vous, je vis un conte de fées. C'est tellement beau, les meubles, tout. Et mon cœur est heureux. J'ai envie de rire, de chanter, de danser. Il se releva et fit quelques pas de danse, puis, souriant, il se rassit.

— Cher Ray, viens près de moi. Je suis contente que tu sois ici, tu es un beau garçon très agréable. Il faudra que tu danses encore pour moi… peut-être plus tard.

Elle l'entoura de ses bras. Il se dit qu'elle sentait bon. Elle sentait la rose.

Ne sachant que dire et pour lui faire oublier sa détresse, il valait mieux changer de sujet. Ses parents étaient à l'aise, fille unique, elle avait grandi dans une grande maison. Sa mère était très douce. Ray n'aimait pas l'entendre parler de son enfance ; mal à l'aise, il croisait et décroisait les jambes. L'esprit en alerte, consciente de sa bévue, Madame Wilson détourna la conversation.

— Tu es content d'être ici à Brighton? Tu demeures avec ton ami?

— Dylan! Au début oui, mais plus maintenant, on est trop différents. Mais on est toujours amis et on le sera toujours.

— Vous vous êtes trouvé un emploi?

— Oui, grâce à nos anges gardiens, Monsieur Geoff et Madame Chris. On a été chanceux.

Volubile, avec son caractère entier et moult détails, il expliqua son cheminement. Plus il parlait, plus il s'animait. À la fois sérieux et avec beaucoup d'humour, il commença avec la rencontre de MK sur le traversier, puis le terrible accident. Il s'arrêta net.

— Excusez. Ça c'est secret et ce n'est pas notre affaire.

— Alors, tu travailles au Brighton Market?

— Oui, depuis plus de quatre ans. Dylan était avec moi au début, maintenant il suit un cours d'électricien. Je travaille avec Nick sur la fourgonnette, on fait la livraison. On est tout de suite devenus amis. Quelques semaines plus tard, j'ai quitté Dylan pour aller demeurer chez lui. Il avait une chambre de libre, c'était une chance pour moi. Quand Dylan a quitté son emploi au marché pour suivre un cours d'électricien, Monsieur Cyril m'a mis à sa place. Après deux mois, je perdais connaissance tellement c'était fatigant. Alors il m'a remis sur la livraison avec Nick.

— Je vois que tu es un jeune homme débrouillard.

— Je sers aussi dans des banquets grâce à Nick. J'aime ça et un chef cuisinier a dit que j'étais naturellement doué avec le public. Je pense que ça veut dire que je suis bon, et ça fait un peu plus d'argent pour moi. Parce que travailler au Brighton Market, ce n'est pas beaucoup très payant.

Elle ne savait rien de la vie de Nick, et ce qu'elle entendait la laissait perplexe.

— Nick a des projets pour moi. Je lui fais confiance. Mon ami Dylan est différent. Il est grand et fort! Il est *straight*, va à la messe, économise chaque sou. Des fois, je lui parle comme notre professeur en Irlande: «Les virgules, mes petits amis, n'oubliez pas les virgules!» Je lui dis: «Dylan, laisse faire les virgules.»

Il se mit à rire, Madame Wilson aussi. Sans avoir jamais rencontré son professeur, elle était certaine qu'il en avait fait une excellente imitation. Qu'il était drôle! Tellement authentique, tout d'une pièce, pas de minon-minette avec lui.

— Dylan, lui, n'aime pas Nick. Pas du tout. On est sortis une fois ensemble et il n'a pas aimé les amis de Nick. C'est juste qu'il ne le connaît pas. Alors nous deux, quand on se rencontre, on parle d'autre chose. On a du plaisir, on rit. Je l'aime bien Dylan.

Il se mit à rire.

— Excusez-moi, madame Wilson, je parle trop. Je me laisse emporter et j'oublie de me taire.

— Tu es très intéressant et j'apprends à te connaître.

— Ah madame! Il n'y a pas grand-chose à connaître. Un enfant qu'on abandonne ne doit pas être intéressant, il ne doit pas valoir grand-chose... Ah ça non, madame!

— Ne dis jamais cela, et surtout, ne le pense pas. Tu vaux une fortune. Tu n'es pas ton père, ni ta mère. Ils n'ont aucune influence sur toi. Tu réussiras ta vie si tu le veux.

Elle voyait bien qu'il riait, crânait, mais sa blessure était toujours à vif. Sa personnalité, son caractère en avaient été altérés. Elle le constatait par ses paroles, ses gestes, son semblant d'insouciance. Il avait beau feindre, la douleur flottait toujours à la surface. Plus Ray se révélait, plus le cœur de Madame Wilson lui faisait mal. Comble de malheur, il avait rencontré Nick Harris. Ce dernier l'initiait à la prostitution, pour son propre profit. Elle en fut persuadée.

Elle se leva, le prit par le bras et l'entraîna vers sa chambre. C'était l'heure, et il ne savait plus s'il voulait... L'argent? Oui! Faire ça? Il le fallait. Nick voudrait son argent et on ne badinait pas avec ça. Les draperies étaient fermées. Une lumière tamisée, discrète, éclairait la chambre.

— Mon cher Ray, j'aime bien ton nom, et je suis contente que tu sois ici avec moi.

Elle voulut lui enlever son pantalon et son chandail... Il l'arrêta.

— Permettez madame.

Ensuite, langoureusement, avec des gestes calculés, il se déshabilla, mais garda son caleçon. Le lit était défait, des draps de satin blanc. Il les toucha et se tourna vers Madame Wilson. La lumière voilée n'atténuait en rien les signes perceptibles de ses dix-sept ans et donnait à son visage un éclat lumineux. Elle le détailla avec un intérêt soutenu. Doux Jésus! Ce n'est qu'un enfant!

— Ray, quel âge as-tu?

Mal à l'aise, il baissa la tête.

— Nick dit dix-neuf, mais il sait que je n'en ai que dix-sept.

— Revêts-toi!

— Madame! Si jamais Nick apprend que je n'ai pas fait… avec vous, il sera terriblement en colère.

Ce Nick si attentionné, si gentil, prévenant, était donc un monstre, un proxénète. Pauvre enfant! Elle lui donna un baiser sur le front.

— Ne crains rien. Je lui dirai que tu as été formidable. Je vais même ajouter un boni.

— Merci! Pas de boni pour moi. Je le donnerai à Nick.

Madame Wilson le regarda avec affection.

— Allons au salon. Tu ne travailles pas demain, tu prendras bien le temps pour un petit goûter avant de partir.

Elle appuya sur un bouton et presque aussitôt une soubrette arriva avec un charriot garni de petits pains fourrés, de viandes froides, de morceaux de poulet, de crevettes, de fromage, de légumes frisés qu'elle déposa sur la table suivi d'un plateau avec du vin, du thé, de l'eau, des boissons gazeuses et d'un plateau de pâtisseries. L'estomac de Ray gargouillait.

— Madame Wilson, je sais maintenant que je rêve, mais mon estomac est bien réveillé et… il meurt de faim.

— Eh bien, j'ai faim aussi. Approche, nous allons manger.

Il attendit, elle se servit quelques biscottes, un morceau de viande froide et une pointe de fromage. Il fit de même. Pas autant qu'il l'aurait voulu, mais avec l'encouragement de la dame, il en ajouta.

Ils mangèrent en silence. Elle ne mangeait pas vite, que de petites bouchées; Ray se retint. Elle ne fut pas dupe, mais agréablement surprise de sa délicatesse. Quand ils eurent terminé, elle prit son assiette et la remplit.

— Je mange peu, mais toi, tu dois manger. J'ai fait préparer cela pour toi, alors tu dois y faire honneur.

Il la remercia et mangea, mais sans s'empiffrer. Quand elle lui parlait, il finissait sa bouchée avant de répondre. Quand il eut terminé sa deuxième assiette, il la posa sur la table et la regarda.

— J'ai presque honte, mais les pâtisseries sont tellement tentantes, et je n'en mange pas souvent.

Il baissa la voix :

— Ça coûte trop cher.

— Je t'en prie, ne te prive pas. J'ai plaisir à te voir apprécier la bonne nourriture.

— Vous mangez comme un oiseau. Pas un aigle… plutôt un oiseau-mouche.

Il avait la parole facile, la spontanéité et l'innocence de la jeunesse. Il l'amusait. Quelques minutes plus tard, il se leva. Elle lui fit un signe de la main. Comme avec Nick, elle avait déposé un billet de 10 livres, plus 2 livres sur la table. Rougissant, il l'empocha.

— Merci beaucoup, madame.

— La prochaine fois, j'aimerais que tu danses pour moi.

— Avec plaisir, mais il faut de la musique… De la musique irlandaise… C'est mieux.

— J'y verrai. Mon chauffeur t'attend devant la porte.

— Ce n'est pas nécessaire, je peux reprendre l'autobus.

— Ça me fait plaisir. Il fait noir, et tu travailles fort.

Sérieux comme un pape, il s'avança vers elle, se pencha, fléchit le genou, lui prit la main droite et lui fit un baisemain.

— Mes hommages, madame.

Il se releva, mit son chapeau et sortit.

Ébahie et amusée, elle se rendit à la fenêtre et le regarda partir. Mille et une pensées se bousculaient dans sa tête. Elle ne devait faire de sentiment. Elle payait Nick pour un plaisir qu'elle se permettait de temps en temps, mais avec ce jeune, ç'aurait été s'avilir. Il était trop jeune pour ce métier. Elle se serait méprisée si elle avait fait l'amour avec cet enfant.

Fâchée contre elle-même, elle reprit une coupe de champagne… Elle se devait d'en rester là.

37

L'agent d'intrigues gobe des mouches

Nick attendait Ray avec impatience. Cette première «sortie» de Ray était cruciale pour le succès de son business. Il le savait enjoué, taquin, impulsif, mais serait-il à la hauteur de cette cliente particulière. Quand il le vit descendre de la limousine, il ressentit un soulagement. Ray prit tout son temps pour rentrer. Il jeta un coup d'œil à Nick, lança son chapeau sur un crochet de la patère, se laissa choir sur le divan et se mit à chantonner. Pas le moindre mot. Ce dernier s'impatientait.

— Alors, Madame Wilson?

— Elle va bien!

— Oui, mais...

— Elle est d'âge... mûr.

— Tu ne lui as pas dit ça?

— Pas tout à fait!

— Qu'est-ce que tu veux dire, pas tout à fait? Ray!

Il avait levé le ton.

Ray s'amusait.

— On se calme, on se calme. Elle est fine, gentille et... riche. Comme tu me l'avais dit.

— Et toi?

— Moi? Je suis fin, gentil... et pauvre.

Nick fulminait. Ray se marrait. Il éclata de rire.

— Moi, mon cher? Un vrai Valentiiiiiino. J'ai été parfait. *Just perfect, my dear. She loved me!*

— Tu n'exagères pas un peu?

— Même pas! Je suis très, très modeste.

Il riait tout en tapant du pied.

— Abracadabra! Abracadabra! Nick…

D'un geste à la Ray, il sortit 12 livres de sa poche. Surpris, Nick les lui prit et lui en remit 7.

— Maintenant raconte.

Lentement, Ray lui fit un compte rendu de sa soirée, une version très abrégée. Tout de même, certaines choses lui appartenaient. Quand Nick voulut en savoir plus, entrer dans les détails, il frappa un mur.

— Nick, la dame a été très contente. C'est ça, les deux livres de plus. Tu pourras le lui demander. Moi, je ne veux pas me confesser.

— D'accord, je comprends. Je suis fier de toi. Tu commences à faire de l'argent. Ça va bien aller. J'ai une nouvelle cliente pout toi, vendredi prochain, et peut-être une samedi.

Ainsi commença la double vie de Ray. Le jour, il travaillait au marché, et une ou deux fois la semaine, il trafiquait de ses charmes. Avant chaque nouvelle cliente, Nick expliquait le pedigree de la dame, ses goûts, ses caprices, ses petites manies. Elles n'étaient pas toutes des Madame Wilson. Nick avait beau lui expliquer les exigences de chacune, les rencontres ne se passaient pas toujours agréablement. Des cinq clientes suivantes, aucune n'eut la délicatesse, la classe de Madame Wilson.

Sourpuss, la deuxième, pensait croquer le jeunot; elle se promettait de le mettre à sa main. Nick était trop sûr de lui, il la dominait et elle le détestait. Valentiiino serait tout autre. Elle l'attendait, mais son arrivée la déstabilisa. Coiffé de son chapeau exclusif, le visage paré de son plus beau sourire, il la salua.

— Valentiiino, à votre service, madame.

— Tu sembles bien jeune. Quel âge as-tu?

— L'âge d'être ici, madame.

— Je pense que tu…

Imperturbable, mais toujours avec le même sourire, il posa les yeux sur elle, fit une pause, puis:

— Excusez-moi, madame, désirez-vous que je parte?

— Mais non! Quelle idée! Viens! Verse-moi un verre de champagne.

Il lui en versa un et le lui porta, revint et se préparait à s'en verser un demi quand il vit huit livres sur le coin de la desserte.

Il les prit et les lui montra, les reposa, puis il se tourna pour partir.

— Mais où vas-tu?

— Madame, je n'ai pas envie de jouer au chat et à la souris. Vous savez que le taux est de 10 livres. Même jeune, je sais compter.

— Elle rougit et lui lança les deux livres manquantes.

Il reprit les huit livres, les jeta sur le tapis et s'avança vers la sortie.

D'un bond, elle fut près de lui.

— Valentiiino, je t'en prie, ne t'en va pas. Je m'excuse.

Il hésita, le temps de la faire mariner, puis revint au salon.

— Madame, vous avez demandé à me voir, plusieurs femmes me demandent. Je suis arrivé avec le sourire et vous jouez à m'abaisser. Pour cette fois, madame, je reste. Pour cette fois. À moins que...

Humiliée, elle posa les 10 livres sur la table. Ce maudit Nick lui avait certainement parlé d'elle. Elle aurait aimé gifler ce jeune prétentieux. Il se servit un peu de champagne et la toisa. Plus jeune que Madame Wilson, mais moins jolie et plus orgueilleuse.

— Alors, l'examen est réussi?

— C'est bien!

— C'est bien! C'est tout ce que vous trouvez à dire?

— Madame, si vous me disiez ce que vous voulez? Le temps file, une heure, c'est court.

Décidément, tout allait de travers. Elle l'avait mal jugé. Elle sourit, mais son sourire était pire que son visage de glace.

— Déshabille-toi, si tu veux bien.

Il n'en avait aucune envie, mais il pensa à Audrey et se mit à se dénuder nonchalamment tout en fredonnant un air irlandais. Il se laissa gagner par le rythme de la mélodie. Fascinée, elle le dévorait des yeux. Lui ne la voyait pas. Il était beau et jeune, très jeune, mais elle n'allait pas s'embarrasser de scrupules. Elle se leva, lui fit signe de la suivre.

Les préliminaires furent écartés, elle ne voulait pas attendre, mais il n'était pas pressé. Il était payé pour faire «ça» avec elle et il s'appliqua à gagner ses 10 livres. Son corps était ferme, sans une once de graisse, mais c'était un corps de plus de quarante ans. Ray ne devait pas y penser s'il voulait qu'elle apprécie son savoir-faire. Il avait été à l'école de Nick, elle ne fut pas déçue. Elle aurait aimé le garder avec elle toute la nuit. Quand elle le lui dit, il faillit pouffer, mais se retint et se rhabilla.

— Madame, je travaille demain.

— Que faites-vous?

— Ministre sans portefeuille.

Il avait entendu l'expression à la télévision, n'avait aucune idée de la fonction, mais en avait bien ri.

— Je dois y aller.

Elle sourit bien malgré elle.

— Vous reviendrez?

— Je suis à votre service, madame.

Il la salua et sortit.

L'air lui fit du bien, il se sentait sale. Une heure, 10 livres. Ce n'était pas payé trop cher. Celle-là aurait dû payer 30 livres. Et il avait une autre cliente le lendemain. Après, il se rendrait chez Dylan. Il avait besoin de sa présence, de sa bonté, de son intégrité. Quand il le mentionna à Nick, ce dernier fut surpris.

— Je pensais qu'on irait danser.

— Pas cette semaine. Il y a trois semaines qu'on n'est pas sortis ensemble Dylan et moi.

— Tu ne vas pas lui parler…

— Nick, tu sais que non! Mais Dylan et moi, même si on n'est plus ensemble, notre relation est profonde. C'est tout!

Nick ne l'avait jamais vu aussi résolu. Il n'insista pas, surtout qu'il commençait à lui rapporter gros.

Le samedi suivant, il se rendit chez Lola. Il se présenta avec le même sourire et la même désinvolture que la veille, mais s'arrêta net. Lola était un plaisir à regarder. La jeune cinquantaine, visage rieur, petit nez retroussé, les yeux soulignés de noir, les lèvres carminées, une coupe garçonne, serrée dans un pantalon de cuir noir moulant comme une gaine assorti d'un petit chandail extensible doré qui en montrait plus qu'il n'en cachait. Ses vêtements semblaient collés à sa peau. Ray faillit pouffer de rire en la regardant; il se dit qu'il y avait trop de viande dans le boyau, celui-ci pouvait éclater à tout moment.

La musique rock rebondissait sur les murs. Montée sur des chaussures à talons aiguilles, elle s'avança vers lui en dansant.

— Valentiiino, enfin! J'avais vraiment hâte de te voir.

— Moi de même, madame.

Il enleva son chapeau avec fantaisie. Clignant des yeux, elle l'observa.

— Tu es bien jeune, mais j'aime les jeunes, ils me rajeunissent. Comment me trouves-tu?

— *Wow!*

— *Wow!* J'aime ça. Tu sais danser? Viens!

Oh boy! Elle ne savait pas danser, ses mouvements n'étaient pas coordonnés, mais elle savait se tordre, se visser, se dévisser. Elle riait de plaisir et Ray... riait d'elle! C'était tout de même plus agréable qu'avec Sourpuss. Après dix minutes de déhanchements lascifs, elle s'étala sur une chaise longue.

— Valentiiino, verse-moi un scotch avec deux glaçons et ne sois pas chiche sur la portion. Tu peux prendre ce que tu veux.

— Il se versa un verre d'eau minérale et empocha les 10 livres.

Parfaitement à l'aise, elle lui fit signe de s'asseoir.

— Quel âge as-tu Ray?

— J'ai l'âge de raison.

— Que fais-tu dans la vie?

— Ministre sans portefeuille.

Il donnait les mêmes réponses à chacune, mais elles ne réagissaient pas toutes de la même façon.

Lola éclata de rire. Elle aimait son sens de l'humour, ses réparties.

— En plus de ton poste de ministre, que fais-tu pour te distraire, à part... ceci?

— Je chante, je danse, je sors.

— Tu danses?

Langoureusement, elle lui demanda:

— Voudrais-tu danser, pourrrr moi?

— Il faut de la musique, de la musique de danse irlandaise.

— J'en ai, attends un peu.

Cela lui allait parfaitement, il aurait moins de temps pour... la chose. Fièrement, elle mit le disque et le regarda. Lentement, il se mit en position: le corps bien droit, les bras collés le long du corps légèrement rejetés vers l'arrière, il prit une profonde inspiration, ferma les yeux, les rouvrit, regarda fixement devant lui et s'exécuta. Il était sur un nuage. La danse lui faisait oublier où il se trouvait, pourquoi il y était. Il se sentait libre et heureux.

Émerveillée, une onde de bonheur et de plaisir la consumait. Quand il s'arrêta, elle voulut qu'il continue mais il refusa.

— Ce n'est pas dans notre entente et le temps file.

— Est-ce qu'on peut l'ajouter à l'entente ?

— Si vous voulez, mais ce sera plus…

— D'accord, je te donne trois livres de plus si tu chantes une chanson et que tu danses pour moi.

Il se gratta la tête.

— Ça veut dire presque une demi-heure de plus. Je ne sais pas.

— Valentiiino, cinq livres. Tu me fais du bien.

Ils se mirent d'accord, mais elle ne devait jamais le mentionner à Nick, sinon l'entente serait nulle et il ne reviendrait plus. Elle acquiesça, mais il insista. Il était très sérieux. Il ne tenait pas à partager ces cinq livres avec Nick. Ils terminèrent le rendez-vous dans sa chambre. Il fit très attention. Lola était une cliente qu'il tenait à garder. Il se promit de répéter une chanson d'Elvis pour leur prochain rendez-vous. Cette rencontre lui avait donné une idée.

À son retour, Nick était absent. Il se lava. Nick arriva pendant qu'il mettait son linge au panier.

— Il sent la « guidoune ».

— Ne répète jamais ça devant nos clientes.

Ray lui remit trois livres. Nick voulut discuter, mais Ray était pressé.

— Je m'en vais chez Dylan.

— Tu reviens ce soir ?

— Je ne sais pas. Bonne soirée Nick.

Il n'était pas tellement enchanté. Il voulait l'avoir à l'œil, mais ne pouvait l'en empêcher. Ray l'aimait bien, mais il ne ferait pas ses quatre volontés. Et puis, du moment qu'il lui remettait sa part, deux autres années et il n'aurait plus besoin de lui.

38

Des rêves, comme au premier jour

Dylan lisait un manuel d'électricien quand il entendit frapper. Il alla ouvrir et ne vit personne. Il s'avança et Ray sauta devant lui.

— Coucou! C'est moi!

Fou de joie, Dylan le prit dans ses bras et le souleva de terre. Il le retint et le regarda.

— Tu as grandi et embelli. Ah! que je suis content de te voir.

Ray pénétra dans l'appartement, jeta un coup d'œil partout. Tout était en ordre. Ça sentait le propre. Tout lui semblait neuf.

— Dylan, tu ne me croiras peut-être pas, mais tu me manques.

— Ray, tu es ici chez toi. Viens quand tu veux.

— Je sais mais… Oublions ça. On va aller souper. Je t'invite en bas, au Cafe. On a du temps à rattraper. Allons.

Assis à une table en face de Dylan, Ray se sentait tout drôle. Quatre ans plus tôt, ils étaient avec Chris et Geoff. Tout cela lui semblait si loin. Il se sentait vieux.

— Dylan, parle-moi de toi, de Chris et Geoff, raconte. Je veux tout savoir.

— J'apprends tout en travaillant. J'étudie! Si tout va bien, dans moins d'un an je serai électricien.

— Je suis content pour toi, ça me fait plaisir.

— Chris et Geoff n'ont pas changé?

Non, ils étaient fidèles à eux-mêmes, des gens bien. Il les voyait souvent, ils étaient toujours aussi bons pour lui. Un beau couple, ils s'aiment. Le jour où il les avait rencontrés avait été son jour de chance. Ils parlaient souvent de Ray.

— Une autre fois, nous irons les voir.

Impossible d'y aller maintenant! Ray était certain qu'ils le démasqueraient. Ils parlèrent de leur arrivée à Brighton, brièvement de MK.

— Celui-là, j'aime mieux pas y penser.

— Toujours au marché?

— Oui, mais pas pour bien des années.

— Tu veux toujours être riche?

— Oui, et je fais de l'argent maintenant.

Dylan le regarda.

— Toujours au marché, mais je sers aussi dans des banquets. Je ne vole pas, je gagne mon argent et j'en ramasse. Oui, je veux être riche.

— Es-tu heureux, Ray? C'est ça qui compte.

— C'est drôle, Dylan. Je fais de l'argent, j'en ramasse, mais ça ne change pas grand-chose. L'argent est là, mais en dedans, je n'ai pas encore trouvé ce que je veux vraiment… Sauf que je ne veux pas être pauvre. Assez pour les grandes théories.

Le souper terminé, ils montèrent à l'étage. Ray alluma le téléviseur pendant que Dylan sortait des amuse-gueule, deux verres et une grosse bouteille de cola.

Dylan leva son verre.

— À mon plus cher ami, mon « frère de sang ».

Le cœur serré, Ray leva le sien et en but une gorgée. Se retrouver dans cet appartement, c'était retourner en arrière, à sa vie de jeune garçon savourant ses premiers jours de liberté. L'avenir s'ouvrait devant lui. Tout était possible, décent. Toute cette période si prometteuse semblait si loin. Maintenant, il commençait à faire de l'argent, il avait de beaux vêtements, il était propre, mais il se sentait souillé. Grâce à son ami Nick, il avait vieilli vite. Son ami? Il n'était plus certain que c'était de l'amitié. Dylan ressentit son malaise. Il aurait aimé pouvoir l'aider mais il ne savait que dire; il craignait de le blesser.

— À nous deux Ray. Il y a longtemps que je n'ai regardé *Popeye*.

Un bonheur tout simple; ils riaient comme des enfants.

— Dylan, on dirait que quand je suis ici, je suis comme dans un cocon, en sécurité.

— C'est normal. C'est beau, on a tout ce dont on a besoin, on est ensemble, tu es avec moi. Je suis un bon gars et tu sais que je t'aime comme si tu étais mon frère. Je te trouve beau, intelligent, drôle. Tu as beaucoup plus de talents que moi. Je suis content que tu sois venu, c'est un cadeau.

— Mais il me manque ta… sagesse. Je ne prends pas toujours les bonnes décisions.

— Ce n'est pas grave, ça viendra. J'ai confiance en toi. Un jour, tu seras… peut-être pas riche, mais tu seras heureux.

— Si jamais ça m'arrive, ça sera grâce à toi.

— Non, grâce à toi-même.

— Dylan, j'ai pensé à quelque chose aujourd'hui. J'en ai parlé à personne, mais je veux t'en parler. Ne ris pas de moi…

— *Shoot!*

Ray pensait s'acheter une guitare. Il voulait apprendre à jouer. Il regarda Dylan.

— Génial! Tu aimes chanter, tu as une assez belle voix. Tu n'es pas Elvis, mais avec ta bouille malicieuse, ton petit air séducteur, je suis certain que ça marcherait.

Ray se mit à pleurer. Dylan vint s'asseoir près de lui, le prit dans ses bras et le tint contre lui sans dire un seul mot.

— Mon cher ami. Dans quelques mois, je vais aller te voir chanter, mais mets-toi pas à pleurer. Me vois-tu monter sur la scène pour te prendre dans mes bras et être obligé de chanter à ta place?

Ray éclata de rire, Dylan aussi.

— Merci Dylan. Je vais m'acheter une guitare et pratiquer, répéter des chansons.

— Une minute! C'est moi ton *coach,* puis je vais être sévère.

En riant, Ray répondit:

— Je n'en doute pas une seule seconde, et c'est ben correct. T'es pas un grand connaisseur en chant, mais t'es pas un lèche-bottes. Tu me diras la vérité.

— *Right.* Et là, tu vas me chanter une chanson, et pense que tu es devant une centaine de jeunes filles qui attendent que ce rossignol irlandais les fasse vibrer.

— Une chanson d'Elvis. Lui, c'est le *King* du rock, et moi je suis le *P'tit Rock*.

Ray se leva, alla à la cuisine, prit la poêle à frire et se planta au milieu du salon. Il ferma les yeux. Ce n'était pas comme lorsqu'il se laissait aller à faire des folies. Il était figé. Dylan se leva, recula vers la cuisine et commença à taper des mains en scandant tout bas « Ray! Ray! Ray! », puis il leva le ton et scanda :

— Ray! Ray! Ray! Ray! Ray! Ray! Ray! Ray!

La « foule en délire » l'électrisa. Ses yeux la balayèrent, il faisait de l'œil à ses fans. Puis ses doigts touchèrent les cordes de la « guitare ». Une chanson d'Elvis. Il aimait beaucoup, *Don't Be Cruel*. D'une voix chaude, il s'envola : You know I can be found, Sitting home all alone...

La « foule » se mit à siffler. Ray se déhanchait au rythme de la musique. Quand il eut fini, il salua puis regarda Dylan.

— Eh bien?

Dylan prit tout son temps. Anxieux, Ray n'osait parler.

— Mon cher, tu chantes beaucoup mieux que l'an passé. Tu n'es pas mal du tout, même avec la poêle. Alors avec une vraie guitare et un peu de travail, je pense que tu vas faire un *hit*.

— Tu le penses vraiment... sinon tu ne le dirais pas. Merci. Une chance que tu as commencé à crier, « Ray, Ray, Ray », j'étais comme figé. Imagine devant une foule.

— Les premières fois, je serai là et je commencerai à crier Ray, Ray... Les autres suivront, tu verras. Mais là, t'as pas fini.

— Comment ça, tu ne veux pas que j'en chante une autre?

Dylan lui expliqua que pour devenir populaire, ce serait mieux s'il savait faire plusieurs choses.

— J'ai entendu dire que c'est avoir plus de cordes dans les arcs.

Dylan s'esclaffa.

— Tu veux dire avoir plus d'une corde à son arc.

J'ai entendu l'expression la semaine dernière.

— Quelque chose de même. *Get my drift?* Le spectacle continue.

Il marcha jusqu'au tourne-disque, y déposa un microsillon de gigues irlandaises. Aucun Irlandais digne de ce nom ne pouvait résister à cette musique, et encore moins Ray. Quand il eut fini, Dylan était convaincu que son ami pourrait réussir. D'abord, acheter une guitare, apprendre les accords pour quelques chansons ; deux ou trois chansons pour débuter, peut-être savoir quelques petites farces drôles, mais rien de vulgaire, mais, ou imiter un personnage connu.

— *Oh boy!* Tu vois grand. J'suis content de t'avoir confié mon projet. Tu as de la suite dans les idées. Tu es vraiment mon ami.

— Moi aussi j'ai une surprise. J'ai une blonde.

— Une blonde ? Comment elle s'appelle ? Qu'est-ce qu'elle fait ? Tu ne la vois pas en fin de semaine ?

— Tyna. Elle est infirmière auxiliaire à l'hôpital. Elle doit travailler un week-end sur deux. Je l'ai rencontrée au Cafe.

Incrédule, Ray le regardait. Le connaissant, Tyna n'allumerait pas un incendie.

— Eh bien ? Elle est jolie ? Bien faite ?

Des mains, il esquissa les courbes d'une femme.

— Tu as couché avec elle ?

— Je la trouve jolie, elle est gentille et je n'ai pas couché avec elle. Je la respecte.

— Tu l'aimes ?

— Je l'aime bien, on apprend à se connaître. On se promène.

— Tu ne vas pas la marier. Nick dit…

— Nick peut penser ce qu'il veut. Si tout va bien, quand j'aurai terminé mon cours d'électricien, on se mariera peut-être. Si elle le veut, si elle m'aime encore. Je veux une maison, des enfants, une vraie famille.

— Des enfants ? Des garçons ?

— Garçons ou filles.

— Tu sais comment t'y prendre pour avoir des garçons ?

— Non ! Ni toi !

— Ah oui ! On m'a déjà dit en Irlande que pour avoir un garçon, il faut une bière froide et une femme chaude.

— C'est bien des niaiseries. Puis comme je ne bois pas de bière, j'aurai juste des filles.

— C'est correct ! Je t'aurai prévenu.

Les mains dans les poches, Ray marchait de long en large. Il n'en revenait pas. Son ami avait une blonde, et pas une fille d'hôtel. Il l'enviait un peu.

— J'ai hâte de la rencontrer. Tu lui as parlé de moi ?

— Oui, elle sait que tu es mon ami et que tu es bon.

Ray se dit que c'est de cette façon qu'il devrait vivre. Dylan savait où il allait. Il était bien avec lui, mais ne reviendrait pas vivre là. Pas maintenant... Sa place était toujours là. Très rassurant. Pour le moment, il se promettait de venir plus souvent. Souriant, Dylan le regardait. Il ne savait pas ce que Ray faisait. Il n'était certainement pas servant de messe, mais ça ne devait pas être criminel. L'important ? Il ne coupait pas les ponts. Perdu dans ses pensées, il reçut un coussin sur la tête.

— Ah, mon sacripant, attends que je t'attrape !

S'ensuivit une bataille de coussins. Ray riait. Vite comme l'éclair, il frappait Dylan à chaque coup. Dylan l'attrapa, mais le petit diable se débattait. Ce qu'il lui manquait en force, il le compensait en agilité. Fourbus, morts de rire, ils se laissèrent tomber sur le tapis. À vingt-deux heures, ils étaient au lit. Le sommeil ne tarda pas. Le lendemain, ils déjeunèrent au Cafe. Ray partit quand Dylan se rendit à la messe. Il lui promit de revenir.

39

Fin stratège

Nick attendait Ray, il était d'humeur joyeuse. C'était vraiment dommage qu'il n'ait pas été avec lui la veille ; les filles avaient été déçues de ne pas le voir. Ray ne mordit pas à l'hameçon. Nick revint à la charge.

— Alors, ta soirée ?

— J'étais avec mon ami, c'était bien.

— Bien ? Bien ? Et quoi encore ?

— Nick, laisse tomber. Je ne parle pas de toi à Dylan et je ne parle pas de Dylan avec toi.

— Bon, si c'est de même que tu prends ça...

— Nick, je n'appartiens à personne. Pour le moment, tu m'aides, je te le rends... en partie. C'est entre nous et ce sera toujours entre nous. Quand je voudrai faire autre chose, ni promesse ni menace n'y changeront quoi que ce soit.

— Tu sais que...

— Oui, oui, t'es mon ami, mais tu pourrais... C'est la vie !

Nick se rendit compte qu'il était allé un peu loin ; Ray n'était pas aussi naïf qu'il l'avait cru et il ne serait pas son béni-oui-oui.

— Voyons, Ray ! Tu sais bien que tu es libre de faire ce que tu veux. Je ne te retiendrai jamais contre ton gré. Tu veux un thé ? Ma mère a fait des petits gâteaux.

— Je ne dis pas non aux petits gâteaux de ta mère.

La fin de la journée se termina dans la bonne humeur, mais Nick allait réviser sa stratégie, et Ray, la sienne.

La semaine se passa bien. Ray chantait, faisait des blagues avec les employés dans les hôtels, Nick était tout miel. Le jeudi, il annonça à Ray qu'il avait une nouvelle cliente pour le lendemain et une autre pour samedi.

— Non, Nick, pas deux par semaine ; je vais m'écœurer trop vite.

— Bien là ! Je pensais que tu voulais faire de l'argent, être riche.

— Oui, mais pas trop. J'ai peur que ça me monte à la tête.

Ray riait. Nick n'en croyait pas ses oreilles. Il n'était pas certain de savoir s'il était sérieux ou s'il blaguait.

— Je suis sérieux. Si tu veux que je continue, pas trop vite pour commencer. Ce n'est pas mon sport favori.

Le maquereau se montra bon perdant et se promit de bien choisir les femmes qu'il lui présenterait. La source ne devait pas tarir trop vite.

Le lendemain, Ray se rendit chez *Frosty*. Nick l'avait gratifiée de ce surnom parce qu'elle était maquillée comme une geisha ; le maquillage blanc sur son visage ressemblait à un *frosting*, un glaçage à gâteau, d'où le nom *Frosty*. Gentille, mais il ne fallait pas toucher son visage, jamais.

— Elle doit avoir peur qu'il fonde. Je serais tenté…

— Ray, pas de folies, je t'en supplie.

— Non, non, je vais apporter des pincettes.

— Ray !

— Du calme, du calme. Je m'amuse.

Le lendemain soir, quand la domestique le conduisit au salon de madame, surpris d'entendre des gens parler, il s'arrêta et demanda :

— Il y a combien de personnes au salon ?

— Trois dames.

— Trois, y compris madame ?

— Non monsieur. Quatre, y compris madame.

— Soyez gentille, dites à madame que je regrette, mais le travail à la chaîne ne m'intéresse pas.

Il tourna les talons, ouvrit la porte, entendit des pas précipités sur le carrelage et une voix l'interpeler :

— Monsieur Valentiiino, un instant. J'ai invité quelques amies.

— Alors, amusez-vous !

— Quel grossier !

Il était déjà parti.

Nick fut surpris de le voir revenir si tôt. Madame Harris était à la maison, alors Nick invita Ray à aller prendre l'air. Quand Ray lui raconta ce qui s'était passé, il ne fut pas tellement surpris. Elle était tellement emballée à l'idée de rencontrer Valentiiino, qu'il lui semblait qu'elle avait parlé d'avoir une ou deux amies.

— Quoi ? Tu le savais ! Je ne suis pas le taureau d'un troupeau.

— Mais c'était bien plus payant.

— *Damn you !* (Il le maudit.) Tu m'em… Nick. Tu fais ça encore et je boucle ma valise. Je ne ris pas.

— Ça va, ne panique pas. Je n'ai pas pensé que… Tu es encore jeune, tu manques d'expérience. Je pensais que tu aimerais ça.

— Mais tu ne comprends pas. Je suis jeune, mes hormones sont à fleur de peau. J'aime ça avec une jeune fille. Je ne ferai jamais ça avec deux clientes, jamais.

Sur ces mots, il tourna les talons et se dirigea vers la maison. Interdit, Nick le suivit sans rien dire. À peine rentré, le téléphone sonna. Insultée, blessée, Frosty fulminait. Comment ce Valentiiino avait-il pu être aussi grossier ? Oser lui dire que le travail à la chaîne ne l'intéressait pas parce qu'elle avait quelques amies. Cette remarque le fit sourire. Quel Ray ! Il avait osé lui claquer la porte au nez. Personne ne l'avait traitée ainsi devant ses amies. Nick la laissa décolérer. C'était un malentendu, il n'avait pas bien renseigné Valentiiino. Il s'attendait à la voir seule.

— Alors, c'est votre faute. Je veux qu'il vienne s'excuser.

— Madame, n'y pensez même pas. Il n'ira pas. Je doute qu'il veuille vous rencontrer seule.

— Mais j'exige qu'il vienne !

— Madame, inutile d'insister, je ne lui demanderai pas parce que je sais qu'il n'ira pas. Il ne suffit pas à la demande et choisit ses clientes, et je doute que vous soyez l'une d'elles.

— Alors je ne veux plus vous revoir.

— Comme il vous plaira. Bonsoir madame !

Le sourire aux lèvres, il raccrocha. Le tarif, pour les services de Valentiiino, venait d'augmenter. Il raconta tout à Ray, mais ce dernier n'écoutait plus. Il reviendrait à de meilleurs sentiments.

Le lendemain, Frosty rappela. Elle offrit 13 livres, puis monta à 15 livres. Nick fut inflexible. Trois jours plus tard, elle revint à la charge; il lui fallait ce Valentiiino. Elle augmenta la mise à 20 livres. Une fortune! Il lui promit d'essayer de le faire fléchir. Ce Ray! Sa conduite allait lui rapporter un bon boni. Le lendemain, Nick lui demanda s'il voulait aller chez Cutie, une femme très gentille, très portée sur la chose, peu exigeante et généreuse. Il accepta.

Cutie était très mince, presque anorexique. Quarante, cinquante ans tout au plus. Il ne pouvait deviner, sauf qu'elle n'avait pas dix-huit ans. Longs cheveux blonds raides, un petit visage souriant, des yeux étonnés, les lèvres bien dessinées, une taille de poupée Barbie et une poitrine volumineuse mise en évidence par un chemisier à décolleté plongeant. Les pensées les plus farfelues lui trottaient dans la tête. Si seulement Dylan avait pu le voir, ils se seraient marrés. En attendant, il avait un «travail» à faire. L'idée même d'être dans son plus simple appareil devant ce cure-dent ne l'enthousiasmait pas particulièrement. Elle avait le sourire facile, alors il lui raconta toutes sortes d'histoires frivoles. Aucune bouteille de vin sur la table, mais du Perrier dans un bac à glace. Elle s'en servit un verre, lui en versa un et lui raconta sa vie, ses voyages, lui montra des photos. Il se montra très attentif, la questionna, de sorte que l'heure passa et… il ne se passa rien. Elle le remercia chaleureusement, lui remit 10 livres en l'assurant qu'elle avait adoré leur rencontre. Lui de même.

Le jeudi suivant, pendant qu'ils faisaient la livraison, Nick avertit Ray qu'il devrait faire sa valise. Madame Wilson lui avait demandé si Ray pouvait venir passer le week-end avec elle, faire un tour en mer. Ray devait se rendre au *Palace Pier* le vendredi après son travail, ou quelques heures plus tôt, s'il le pouvait. Son yacht, le *Bliss,* serait amarré au quai. Il n'aurait qu'à monter à bord.

Tout ébaubi, un ombrage de jalousie autour du cœur, Nick avait hésité avant d'accepter. Elle ne lui avait jamais offert de l'emmener sur son yacht. Pourquoi Ray? Une interrogation dans la voix, elle attendait.

— D'accord, Valentiiino va être aux anges.

Ray ne sauta pas de joie, même si l'idée d'aller sur un yacht l'intriguait au plus haut point.

— Je n'ai pas de valise, ni petite, ni grosse. Et pour aller où?

— Je vais te prêter la mienne. Mets-y un beau pantalon et ton pantalon sport beige, une chemise, deux polos, des chaussettes, des souliers, du savon, une brosse et du dentifrice, ton chapeau coquin, une casquette, un bon chandail et un *jacket*.

Il retourna à sa chambre, fit sa valise, y ajouta un déodorant et se coucha. «Demain, l'aventure!» songea-t-il.

Le lendemain matin, contrairement à son habitude, Ray fut debout avant Nick. Espoir et anxiété alternaient dans son cerveau; un peu comme si l'afflux nerveux de sa dendrite s'était déréglé durant la nuit et tentait de se réajuster.

— Du calme, Ray! Tu vas vivre l'aventure de ta vie, tu t'en vas en mer. J'ai tout arrangé avec Monsieur Mears. Cet après-midi, vers quinze heures trente, tu reviens chez nous, tu te laves, pas besoin de prendre une autre douche, mais débarbouille-toi bien, mets ton pantalon sport, ton polo noir, ta chemise à manches courtes, ton veston sport. Tu peux même arborer ton chapeau. Il te donne un air d'artiste. Et n'oublie pas ton peigne. Prends ta valise et rends-toi au Palace Pier.

— Au Palace Pier! On tourne un film?

— Non! Tu pars avec Madame Wilson.

— Pour aller où? Pour faire quoi? Tu le sais?…

— Je ne sais pas où vous irez ou ce que vous ferez, mais elle t'emmène sur son yacht pour le week-end.

— Sur son yacht? En mer? Juste moi tout seul? Ce n'est pas dangereux? On va aller…

— Ne pars pas en peur. C'est ta chance et tu ne vas pas tout bousiller. Tu veux faire de l'argent? Tu vas avec une dame qui a de l'oseille, beaucoup d'oseille.

— Il a un nom son yacht?

— C'est le *Bliss*. Tu verras ce nom écrit en grosses lettres sur la coque. Tu ne pourras le manquer.

40

Les fruits du hasard

À seize heures trente-six, Ray se dirigeait vers le quai. De loin, il aperçut un beau bateau blanc. Le *Bliss* avait fière allure. Levant les yeux, il vit Madame Wilson qui le saluait. Il lui sourit. Le cœur battant, il posa un pied sur la passerelle et s'avança vers l'inconnu. Madame l'attendait avec le sourire.

— Bonjour Ray. Je suis très contente que tu aies accepté de venir. Allons à l'avant, nous serons plus à l'aise. Laisse ta valise, mon valet s'en chargera.

Il aurait voulu regarder la mer, mais il la suivit vers la proue. Une large cabine vitrée et meublée de fauteuils fleuris qui entouraient une table ronde mise pour deux. Madame Wilson s'installa dans un fauteuil et lui fit signe de s'asseoir. Le bateau frémit et se mit en marche. Ray enleva son chapeau avec circonspection et se passa la main dans les cheveux. D'un regard semi-circulaire il observa la mer. J'aime bien! Émerveillé, il poussa un profond soupir et regarda Madame Wilson.

— Madame, merci de m'avoir invité. Encore une fois, vous me gâtez. Un week-end sur votre yacht. Jamais je n'aurais imaginé qu'un jour, je serais même pour une heure avec une grande dame, sur un yacht, en Angleterre.

— Et moi, avec un jeune Irlandais.

Tous deux rirent. Tout comme dans sa maison, elle n'eut qu'à appuyer sur un bouton et presque aussitôt une jeune fille arriva avec des plateaux de hors-d'œuvre. Ray ouvrit grand les yeux, son estomac criait famine. Madame Wilson voyait qu'il salivait déjà.

— Vas-y, sers-toi.

— Il est un peu tôt, mais j'ai faim, j'ai toujours faim, encore plus quand je sens l'odeur de cette bonne nourriture.

— J'ai faim aussi, je t'attendais. On pourra toujours prendre une collation dans la soirée.

— C'est vraiment gentil.

— Si tu veux bien, nous mangerons sur le pont, le temps est idéal. Janet emporte tout sur le pont. Quand nous rentrerons, nous prendrons du fromage et un dessert. Tu veux bien ?

— Ah oui, madame ! Je ne suis jamais allé sur un yacht, j'aimerais beaucoup aller sur le pont.

Elle le précéda ; une table avec parasol les attendait.

Janet versa un verre de vin à Madame Wilson et se pencha pour en verser à Ray.

— Juste un demi-verre, je ne veux pas prendre l'habitude.

Janet disparut. Ils levèrent leur verre.

— À la santé de la belle magicienne qui m'a invité sur son yacht.

Ils mangèrent presque en silence. Le ciel était rougeoyant, la mer, calme, et le bateau fendait doucement l'onde. Une brise le caressait, noyait ses pensées. Ray se sentait dans cet ailleurs sans travail, sans fatigue, sans peine ou douleurs, un ailleurs qu'il aurait voulu éternel. Il se tourna vers Madame Wilson. Le regard au loin, elle souriait.

— Vous êtes ailleurs vous aussi.

— Je le pense. Et toi, quel est ton ailleurs ?

Il soupira.

— Vous allez rire ?

— Jamais ! Tu ne me connais pas, mais tu peux me croire.

— Je suis dans un ailleurs de liberté, sans grosses boîtes à soulever, sans fatigue, sans douleurs... comme un ailleurs d'éternité douillet. Ça doit être incroyable de vivre dans cet ailleurs. Et puis, je dis des bêtises.

— Mais non, au contraire, tu parles comme un poète.

Elle lui prit les mains. Ce n'était pas un geste sensuel, plutôt maternel.

Ray se leva, elle le suivit. Ils s'accoudèrent au parapet. Il regarda la mer, il faisait un peu sombre, la lune se levait.

— Je suis bien, je suis avec vous sur ce petit château flottant, je vis un conte de fées. C'est tellement inimaginable, ce bateau, les meubles, la nourriture ; il fait beau et mon cœur pense bonheur. J'ai envie de rire, de chanter, de danser. Il fit quelques pas de danse.

— Cher Ray, mon cœur est heureux aussi et tu es un ravissant jeune homme très agréable. Il faudra que tu danses, peut-être plus tard. Viens, on va rentrer, mon thé est froid.

Elle l'entoura de ses bras. Un autre coup de sonnette et Janet revint avec des fromages, des petits pains, des pâtisseries et du thé bien chaud.

— Comment va ton ami Dylan ? Tu le vois toujours ?

— Dylan ? Au début souvent, maintenant, de temps à autre. On est trop différents. Mais je l'aime quand même. On est toujours amis et on le restera. Avec Nick, mon travail et… je n'ai pas beaucoup de temps.

— En Irlande, vous alliez à l'école ensemble ?

Cette partie de sa vie, il pouvait lui en parler sans crainte et il ne se fit pas prier. Tout y passa, le début de leur amitié à l'école, leur cachette dans le bois, leurs confidences.

— On se comprenait. Moi ? Ça n'allait pas très bien avec mon oncle, il ne me comprenait pas.

Puis, avec un sourire :

— Je ne me comprenais pas moi-même. C'était tellement difficile. Dylan, sa mère avait été très bonne pour lui jusqu'à ce que le beau-père vienne vivre avec eux. Il l'insultait, lui disait des choses méchantes, l'humiliait, le battait. *Oh boy !* Des fois, il avait un œil au beurre noir et des marques sur le corps. Moi, quand mon oncle a voulu se débarrasser de moi et m'envoyer dans une maison de correction, on a décidé de se sauver.

— Comment avez-vous fait ?

Ray se leva, alla vers la fenêtre et regarda la mer. Pendue à ses lèvres, Madame Wilson attendait la suite. Sans rien omettre, il décrivit leurs trois mois de préparation, leur arrivée sur le traversier.

— Ah ! Les derniers jours avant de partir, on était nerveux, je pensais mourir. Ma tante était bonne, et surtout je quittais ma sœur Tara. On se voyait de temps à autre, mais ce n'était plus comme lorsqu'on vivait ensemble. Je ne pouvais pas lui dire que je partais. La vie est très difficile, vous savez. Vous ne pouvez pas savoir… Oups! Excusez-moi madame, ce n'est pas votre faute et c'est impoli de ma part.

— Ce n'est rien. Continue, je veux essayer de comprendre.

Il parla de leur rencontre avec MK. Ils ne savaient pas que c'était un gros bandit, il avait l'air d'être un homme bien et riche avec son chauffeur et sa limousine. Leur voyage de Holyhead à Londres, la maison de chambres, l'offre d'emploi de MK. Hypnotisée, Madame Wilson ne manquait pas un mot de ce récit invraisemblable.

— J'étais d'accord. Il nous offrait une vie de millionnaire, mais là, Dylan n'était pas d'accord, mais pas du tout. Il se méfiait. Dylan, je lui fais confiance et je lui ferai toujours confiance. Ça ne paraît pas tout le temps – il est calme –, mais il pense avec sa tête. On ne voulait pas se séparer. Notre ange gardien veillait sur nous. Parce qu'on a aussi rencontré Chris et Geoff.

— C'est un récit tellement incroyable, on dirait un roman.

— C'est pourtant la vérité, madame Wilson. On peut retourner sur le pont, marcher un peu? J'aimerais bien.

— Certainement, mais il fait un peu plus frais au large, on va mettre une veste.

La lune argentée dansait sur les flots. Hypnotisant! Les vagues partaient, revenaient, prenaient un élan pour s'en retourner.

— Madame, j'aime la mer, elle me ressemble. Oui, je le pense. Elle est comme moi, en dedans: calme et agitée.

— Je l'aime aussi. Quand mon mari est parti avec une autre femme, j'ai d'abord pensé vendre ce yacht. Quelques mois plus tard, je suis venue y passer quelques jours. Je me suis sentie plus calme, plus sereine et farouchement libre et indépendante, comme la mer… Elle impose le respect par son immensité, elle me fait du bien.

— Vous aussi avez souffert, alors vous comprenez tout. Vous dites des beaux mots; je me sens bien ici avec vous.

— Et vos anges gardiens, comment sont-ils apparus? Je sais que tu m'en as parlé, j'essaie simplement de comprendre le déroulement des événements de ton enfance à aujourd'hui.

Face à la mer, son récit glissait sur le velours de ses paroles. Son débit s'harmonisait au rythme des vagues. Les mots coulaient sans effort. Aussitôt dit, ils s'enfonçaient dans le cœur de Madame Wilson.

Lentement, Ray recommença au tout début.. Il relata leur premier repas au *Chris & Geoff's Cafe*, la rencontre avec Madame Chris, leur visite chez les Nelson, tout ce qu'ils avaient fait pour eux, le logement rénové, le travail au Brighton Market. Les tourments et angoisses lors du retour inopiné de MK, sa colère et le terrible accident. Il avait voulu garder sous silence cette journée tragique, mais quand il arriva à cette partie du récit, il était tellement absorbé qu'il en oublia la promesse qu'il s'était faite de n'en rien dire.

— Madame Wilson, j'ai eu tellement peur que, quand Dylan m'a dit qu'on devait filer au plus vite, j'étais sous le choc, comme gelé.

Il lui dit tout. Comment Dylan l'avait tiré par la main, porté à l'appartement, lavé à l'eau froide. Sa voix tremblait.

— Il m'a sauvé la vie.

— Mon cher Ray, si jeune et tant de malheurs. C'est presque incroyable que tu sois un jeune homme aussi bien, aussi vibrant d'énergie et débordant d'espoir. Je suis de plus en plus contente de te connaître. Maintenant, je vais entrer, mais tu peux rester ici si le cœur t'en dit. Viens me rejoindre au salon quand tu le voudras.

Il la remercia et resta debout à regarder le ciel, la lune sur la mer. Se jeter à la mer et se laisser aller tout doucement… Plus de marché, plus de combines, plus d'embêtements, plus de fatigue. Disparaître ! À qui manquerait-il ? Dylan ? Sûrement ! Nick ? Oui, il perdrait de l'argent ! Madame Wilson ? Peut-être, mais elle le connaissait si peu. Sa mère ? Où était-elle ? Il n'aurait pas dû en parler. Pourquoi remuer tout cela ? Décidément, être sur l'eau remuait ses souvenirs, c'était la première fois qu'ils le perturbaient autant. Soudain, le bateau ralentit, après une manœuvre en marche arrière, le capitaine jeta l'ancre et le yacht s'immobilisa. De douces vagues s'avançaient et se brisaient sur la proue.

Quand enfin il rentra, Madame Wilson avait revêtu une belle robe de satin ivoire. Assise, elle l'accueillit avec le sourire. Elle buvait une eau minérale. Il en prit un verre.

— Ta chambre est à gauche, la salle de bain est à côté, il y a un petit téléviseur. Tu dois être fatigué. Tu pourras te coucher quand tu voudras ou rester ici. Je vais y aller bientôt.

Surpris, il la regarda.

— Mais vous ne voulez pas…

— Non, merci.

— Jamais ? Est-ce que je vous aurais blessée ?

— Non, non, au contraire…

— Demain alors ?

— Non.

— *Manam !* (*Dear me !*) Nick va me tuer si je…

— Mais non, voyons. Il ne ferait jamais une chose pareille.

Ray se leva, il se frottait les mains, nerveux…

— Mais madame, vous ne comprenez pas. Je vais finir avec une pierre au cou au fond de l'océan… Oh mon Dieu !

Il sortit précipitamment.

Horrifiée, le cœur de madame s'emballa. Parlait-il bien du même Nick, celui qui lui apportait toujours un petit cadeau ? Elle se leva et sortit. Accoudé au bastingage, les yeux dans l'eau, Ray regardait au loin. Elle s'approcha de lui. Les fibres de son corps tremblaient. Ils restèrent ainsi silencieux pendant un long moment.

— Tu veux rentrer avec moi ? Il fait un peu froid pour moi.

— Excusez-moi, madame, j'ai trop parlé. Je suis comme ça, je parle toujours trop. Je ferais mieux de me jeter à la mer.

— Chut ! Ne dis jamais cela, je t'en supplie. Viens.

Elle le ramena près d'elle.

— Ray, je t'aime bien et ce qui t'arrive me fait de la peine, mais tu n'as absolument rien à craindre ici ou ailleurs, et tu n'as pas trop parlé. Tu ne peux garder cela pour toi seul. C'est trop lourd pour un cœur aussi jeune. Des types comme Nick, je peux les faire emprisonner juste en levant le petit doigt.

— Ah madame, ne faites pas ça. Il a des amis… méchants.

— On va se détendre un peu.

Petit à petit, Ray respira plus calmement.

— Maintenant, tu vas m'expliquer les combines de Nick.

— Madame, je ne peux pas. Il veut m'aider… je pense.

— Si, tu le peux. As-tu confiance en moi?

— Oui madame. En vous, Dylan, Chris et Geoff.

— Merci, je suis contente de faire partie de ce groupe restreint. Doux Jésus! Tu n'as que dix-sept ans. Et quel âge a Dylan?

— Lui, dix-neuf.

— Alors que fais-tu depuis que tu es avec Nick? Et dis-moi tout.

— Madame Wilson! C'est très difficile à dire. J'ai honte parce que c'est de ma faute. J'ai dit à Nick que je ne voulais pas vivre pauvre toute ma vie, je ne veux pas la vie de misère... Alors il m'a dit qu'on allait être riches, nous deux. Lui a déjà ramassé beaucoup d'argent, il a son business. Il veut m'aider. C'est ça qu'il disait... Mais là, je n'en suis pas si certain. Je ne peux pas vous dire tout ça, madame.

— Ray, crois-moi, tu le peux et je veux t'aider.

Il ferma les yeux, et d'une voix mal assurée, il se jeta à l'eau. Pourvu qu'un filet apparaisse. Les premiers jours avec Nick, ils avaient du plaisir, ils riaient, chantaient, il le présentait aux chefs dans les restaurants, ils allaient dans les *coffee bars* les samedis soirs avec des amies... des filles... les filles de Nick.

— Il a des filles? Je ne comprends pas.

Patiemment, Ray lui expliqua que ces filles travaillaient dans des hôtels chics... et faisaient ça... avec des clients. Pour du *cash*!

— Elles en donnent une partie à Nick.

— As-tu une petite amie?

— Non! Nick ne veut pas. Quand on sort avec une fille, elle s'imagine qu'on veut la marier. C'est un paquet de problèmes. Il faut changer souvent, c'est ça que Nick dit, mais il faut leur faire croire qu'on est sérieux, alors elles sont plus dociles. Je ne sais pas... Mais Dylan a une blonde, il ne fait pas ça; non, non, pas lui. Il dit qu'il la respecte. C'est bien... je pense.

— Qui t'a montré à faire...

— Les filles de Nick... Différentes filles. Il faut que je sois... performant. Il choisit les... clientes.

— Tu lui remets combien?

— Trois livres. Ce n'est pas beaucoup. Il dit qu'il devrait prendre cinq livres.

— Ça se passe bien?

— Pas toujours. La semaine dernière, la cliente avait invité trois autres dames. Je lui ai dit que le travail à la chaîne ne m'intéressait pas et j'ai claqué la porte. Nick le savait! Il ne me l'avait pas dit. C'était plus payant pour lui. Ah! le mau… l'écœurant.

Elle sentait sa colère. Il lui avait dit sa façon de penser et était allé passer la soirée chez Dylan. Nick n'était pas tellement d'accord, mais c'était *sa* vie.

— Je lui ai dit: «Je vais chez Dylan, menaces, punitions, fais ce que tu veux.» Dylan est heureux. Le logement est beau, propre, comme lui. Il a une blonde, une bonne fille. Pas de couchette. On a soupé ensemble, regardé *Popeye* à la télévision – on a ri. J'ai couché dans mon lit; un bon lit propre, ça fait du bien en dedans…, dit-il en se touchant le cœur. Dylan ne sait rien de ce que je vous ai raconté. Madame, avec tout ce que je vous ai dit, vous pouvez me faire tuer. Ce n'est pas une farce. Juste vous dire ce que Nick peut faire… Un type qui n'aimait pas les Irlandais m'avait battu, un soir que je revenais à la maison. Il s'est retrouvé à l'hôpital avec une épaule disloquée et une jambe cassée. Nick a des amis, même dans la police.

Cet homme était dangereux. Madame Wilson souffrait dans son cœur et dans son âme, révoltée que les petits plaisirs qu'elle se permettait à l'occasion venaient d'un homme qu'elle croyait gentil, qui profitait de la vulnérabilité des jeunes. Pire encore, estropier un jeune, menacer Ray de mort n'embarrassait pas sa conscience. Ray n'était pas un ami, à ses yeux, simplement un jeune qu'il exploitait pour son profit et dont il se débarrasserait comme d'une vieille pantoufle quand il ne lui serait plus profitable. Il y avait belle lurette que la voix de sa conscience s'était tue, s'il en avait déjà eu une. Elle se devait de sortir Ray du grappin de ce pervers. Mais comment faire sans mettre la vie de Ray en danger?

— Vous vouliez savoir, mais j'aurais dû me taire. Vous êtes une bonne personne, votre vie est organisée avec des personnes de votre monde. Le mien est si différent; des gens qui vivent dans la misère, qui tirent le diable par la queue. Je ne veux tellement pas de cette vie-là. Vous m'invitez sur votre bateau et je vous raconte des horreurs.

Les larmes aux yeux, il ajouta:

— Je ferais mieux de partir et de ne plus jamais revenir. Ce serait mieux pour vous.

— Au contraire, ce ne serait pas mieux pour moi. Crois-moi, je t'aime beaucoup… Pas pour… Non, non. J'aime ton courage, parce qu'il en a fallu, du courage, pour faire ce que tu as fait. Tu es un beau jeune homme, aimable, poli, rieur. Tu apportes de la jeunesse, de la spontanéité dans ma vie. Mes amies sont gentilles, intéressantes, calmes. Toi, tu es plein d'énergie. J'ai du plaisir en ta compagnie. Tu m'ouvres les yeux sur un monde que je ne connais pas de l'intérieur. Ne t'inquiète pas, je te jure que je garderai ton secret. Et je vais m'occuper de toi.

— Madame ! Vous allez être en danger.

Elle se mit à rire.

— Ce n'est pas drôle, je vous le dis.

— Ray, oublie tout cela pour ce soir. Toi et moi, on va bien s'entendre. Que dirais-tu si on écoutait de la musique ?

— Ah ! Ça me ferait du bien. J'adore la musique. Quand j'écoute de la musique, j'oublie tout le reste.

Elle se leva, se dirigea vers un grand meuble, appuya sur un bouton, et une musique irlandaise envahit la pièce. Un grand sourire illumina le visage du jeune homme, ses yeux s'allumèrent. Venu près d'elle, il se pencha et déposa un baiser sur son front. Il oublia tout, sa vie, Nick et ses combines… Seule la musique existait. Regardant cette belle dame, il se plaça au centre du salon. Fermant les yeux, il laissa la musique l'enflammer. Lentement, il fit quelques pas, se redressa et se mit à danser. Il y avait des années qu'elle n'avait pas vu de danseurs à claquettes irlandais *Irish tap dance,* et quand elle vit Ray, droit comme un i, les bras collés contre son corps, le torse légèrement penché vers l'arrière, les poings fermés, les yeux fixés sur le lointain, elle comprit qu'il avait appris cette danse et qu'il aimait la danser. Mieux encore, son être tout entier semblait en parfaite symbiose avec la musique. Toutes les horreurs vécues par ce jeune garçon, ses cauchemars, étaient momentanément anesthésiés.

Un profond soupir de plaisir traversa son corps. Quel paradoxe, cet enfant ! Elle le regarda tendrement. Elle l'aimait, pas comme un amant, mais comme une mère… Du moins, elle le pensait. La danse terminée, il fit la révérence et, tout sourire, la regarda.

— Ray, tu es magnifique. Tu m'as fait le plus beau des cadeaux. Tu as beaucoup de talent. J'espère que tu danseras encore pour moi. Fais-moi confiance, et surtout ne crains pas Nick. Tout va bien aller. On en reparle demain, tu veux? Une belle vie t'attend.

Elle se leva, le serra dans ses bras.

— Repose-toi bien, mon grand.

Il retourna sur le pont; des étoiles scintillaient à la surface de l'eau. Sa vie allait changer, il le savait. De quelle façon? Il l'ignorait. Curieusement, il n'avait plus peur. Madame Candice Wilson l'avait poussé à tout lui raconter, à se mettre à nu, il aurait dû avoir peur, mais de lui avoir ouvert son cœur avait eu l'effet d'une catharsis; il se sentait plus léger.

Perdu dans ses pensées, il ne vit pas l'homme qui venait vers lui. Le capitaine venait fumer sa pipe quand il l'aperçut. Il se présenta:

— Capitaine Ted Marlow.

Ray fit de même. Le capitaine ne lui posa aucune question.

— Vous aimez la mer, monsieur? demanda Ray.

— Oui, je suis vraiment heureux quand je suis sur un bateau.

— Je l'aime beaucoup aussi.

Le capitaine le regarda plus attentivement. Madame Wilson était une grande dame, il l'aimait bien, et il ne questionnait jamais ses invités. Elle appréciait sa discrétion.

— Si Madame Wilson est d'accord, venez visiter ma cabine de pilotage demain… Si vous le voulez.

— Certainement! Merci beaucoup capitaine.

Le capitaine se retira et Ray décida qu'il était temps de se coucher.

Son arrivée sur le bateau, l'appréhension de l'inconnu et le fait d'avoir raconté sa vie avaient drainé son énergie. Une douche rapide et il fut au lit. Sa nuit fut peuplée de cauchemars, il s'était réveillé en criant. Madame Wilson était accourue, lui avait essuyé le front et caressé le dos. Sa présence et la douceur de sa main l'avaient rassuré. Il s'était rendormi, mais elle était restée éveillée jusqu'à l'aube. Elle ne savait pas encore ce qu'elle allait décider, mais il y avait urgence.

Le lendemain, Ray se réveilla au son des clapotis de l'eau. Désorienté, dans une chambre étrangère, il ne savait où il était. Une bonne odeur de bacon lui titillait les narines. Il se leva, et les souvenirs de la veille lui revinrent à l'esprit. *Oh boy!* Ses secrets ne l'étaient plus. Il avait faim et ne voulait pas penser aux conséquences de ses révélations. Sa toilette terminée, il se dirigea vers le salon. Madame était déjà à table, il lui donna deux câlins.

— Bonjour Ray, comment vas-tu ce matin?

— Bien, et vous madame? Avez-vous réussi à dormir après que mes cauchemars vous eurent réveillée? Je m'en excuse; ça m'est déjà arrivé chez Dylan.

— Ce n'est rien, mange. Le capitaine veut te montrer la cabine de pilotage. Il ne te questionnera pas, sois sans crainte. C'est un très bon monsieur. Tu dois lui avoir fait bonne impression, il invite rarement des passagers dans son royaume.

Son déjeuner terminé, Ray s'était précipité vers la cabine. *Oh boy!* Il avait oublié de saluer Madame Wilson. Il revint à la course, lui donna deux gros bisous et repartit en chantant « *Just as long as I have you, my happiness…* »

Que Ray soit revenu sur ses pas pour lui donner ces bisous inoffensifs lui avait réjoui le cœur. Elle sortit et l'écouta chanter. Ce petit *leprechaun* (lutin irlandais), était plein de promesses. Elle se mit à chantonner aussi. Il y a longtemps qu'elle ne s'était pas sentie aussi vivante. Elle avait décidé de la marche à suivre. Ray serait désormais sous sa responsabilité.

Quand Ray se présenta devant le capitaine Marlow, ses yeux brillaient comme un enfant devant un nouveau jouet.

— Ça doit être difficile de piloter un bateau! Sur l'eau, il n'y a pas de routes…

— Non, mais on pilote avec des instruments pour nous guider, en plus de la lune, des étoiles et du vent.

Le capitaine Marlow était un vieux loup de mer.

— Regarde ces cadrans sur le tableau de bord. Il y en a des grands et une douzaine de petits.

Ray était tout oreilles, ce fut un plaisir de lui expliquer l'utilité de chaque cadran.

— Le *tachymètre (RPM)* indique la vitesse de révolution du moteur, le nombre de tours par minute, comme sur une voiture le *cadran de vitesse* indique la vitesse inscrite en milles à l'heure. Sur un bateau, il faut convertir la vitesse en nœuds. Un nœud correspond à un mille marin à l'heure, soit environ 1 852 m/h. Ici, tu as le *profondimètre.* Tu comprends ?

— Oui, capitaine. Celui-ci mesure la profondeur ?

— Oui. Il est basé sur la technologie du sonar. C'est un peu technique, mais l'important est qu'il peut détecter les obstacles qui pourraient endommager l'hélice et la coque du bateau. On a des cartes marines, mais ce cadran émet un son s'il détecte un obstacle.

Le capitaine continua ses explications.

— Le *radar* permet de «voir» à une distance de un kilomètre et plus. Il sert à éviter les collisions avec un autre bateau ou avec des rochers, la nuit ou quand il y a de la brume. Je pense que c'est assez pour ce matin. Si ça t'intéresse, tu pourras revenir.

— Oui! Oui! Merci beaucoup, je reviendrai. Je vais essayer de me rappeler des noms des cadrans, à quoi ils servent.

Il les regarda attentivement et répéta : le tachymètre, le cadran de vitesse, le profondimètre, le radar.

— Eh bien, bravo. Tu es un bon élève. Tu ferais un bon capitaine.

Ray partit le cœur léger.

Pendant que Ray était avec le capitaine, Nick, lui, sortait de prison avec une de ses filles, Lona. La veille, la demoiselle avait «désennuyé» un client de l'hôtel. Ayant bu une coupe de champagne de trop, elle s'était promenée nue dans le corridor. La sécurité appelée, la fille s'était enfuie par une porte de service en chantant à tue-tête. La police vint et l'embarqua. Pendant son interrogatoire, elle exigea de voir Nick. En la cuisinant un peu, ils apprirent que ce Nick était son souteneur, et en fouillant son sac, ils avaient trouvé son numéro de téléphone. Il avait payé la caution de la fille. La police n'avait aucune charge contre lui, mais il n'était pas blanc comme neige pour autant. Lona devait se présenter en cours le jeudi suivant.

Nick fulminait. Son business était très bien organisé, sécuritaire, et elle venait d'ouvrir une brèche dans son organisation. Revenu à l'appartement de Lona, il lui donna quelques bonnes gifles. Elle était dégrisée. Il n'y était pas allé avec le dos de la cuillère. La tête baissée, elle pleurnichait.

— Mais Nick, c'est la première fois que ça m'arrive.

Il la souleva par les cheveux. Elle hurla.

— Tais-toi ou je te tue. Tu viens de me mettre dans un bourbier incroyable. Tu vas appeler l'hôtel pour dire que tu n'iras pas travailler demain parce que tu es malade. Ensuite, tu ne t'approches plus d'aucun client. Reste tranquille, idiote! Je reviendrai lundi ou mardi.

— Merci, Nick. Je t'aime. T'as été mon premier amour.

Dégouté, il lui tourna le dos et partit rencontrer son contact dans la police. Ce dernier était absent jusqu'au mardi suivant. Une chance que Ray n'était pas dans les environs. Il était perspicace, l'Irlandais. Il ne devait pas découvrir le pot aux roses.

Une heure plus tard, Ray revint voir son «amie». Exalté, il lui raconta ce qu'il avait vu dans la cabine. C'était formidable.

— Il m'a tout expliqué, à quoi servent certains cadrans… Et il va me montrer les autres la prochaine fois. Vous ne me croirez pas, je me rappelle leurs noms: le tachymètre, Oui!, le cadran de vitesse, le radar et le profondimètre. C'est pas mal, hein?

Il la regardait, à l'affût de son approbation.

— Tu as une excellente mémoire. L'an prochain, tu pourras peut-être piloter ce bateau.

— Merci, mais j'ai encore beaucoup à apprendre, la fonction de tous les cadrans… Le capitaine Marlow est très constiencien, non… cons-cien-cieux. C'est ça?

— C'est le terme exact. Tu ne t'ennuies pas?

— M'ennuyer? Ici, avec vous? C'est un coin de paradis! Je veux profiter de chaque minute ici. Avec Nick, ce n'est pas très… C'est un peu comme vivre libre et… en prison. Ici, je suis bien. Vous êtes douce et forte, «sécurit…ante», je veux dire, je suis comme en sécurité. Je peux rire, chanter, danser, vivre, même faire des folies.

— Oui, tu peux faire tout ça.

Fille unique, mi-cinquantaine, Madame Wilson n'avait jamais eu d'enfants et en avait été fort aise. Ce gamin lui apportait un souffle de fraîcheur, un regain de jeunesse. Sa présence, sa faculté d'adaptation, sa résilience, son talent pour la danse la fascinaient. Elle n'allait pas le laisser tomber. Pendant que Ray était dans la cabine du capitaine, elle avait préparé une stratégie. Tout d'abord, elle devait être certaine de l'entière collaboration de Ray.

— C'est certainement une autre des plus belles journées de ma vie.

Amusée, elle l'écoutait.

— Toute à l'heure, quand tu es parti, quelle chanson chantais-tu ?

— Ah ! *My Happiness*. Je chante surtout des chansons d'Elvis comme *Don't Be Cruel* ou *It's All Right, Mama, My Happiness*. Celle-là est spéciale…

— Veux-tu la chanter pour moi ?

— C'est difficile, quand quelqu'un comme vous me regarde.

— Oublie-moi, regarde la mer. Tu veux bien ? Tu n'y es pas obligé.

Les yeux au large, il commença tout doucement : « *Evening shadows make me blue, when each weary day is through, how I long to be with you, my happiness…* »

« Avec une musique d'accompagnement et quelques leçons de chant, il pourrait percer », pensa-t-elle.

— Tu aimes chanter ?

— Oui, beaucoup. Je vais vous confier quelque chose. J'ai eu une idée, j'en ai parlé à Dylan… Vous allez peut-être rire de moi.

— Au contraire, je suis contente que tu partages tes idées avec moi. Vas-y, je t'écoute.

Un peu gauche au début, il lui confia qu'il voulait apprendre à jouer de la guitare ; il pensait avoir économisé assez d'argent pour s'en acheter une. Puis il lui raconta son premier « spectacle » devant Dylan.

— Dylan m'aime, mais il me dit toujours la vérité, même quand ce n'est pas réjouissant.

Il lui expliqua donc la façon dont s'était déroulé son premier «spectacle». La mise en scène avec la poêle à frire faillit la faire pouffer de rire, mais comme il était si intensément pris par son récit, elle s'était plutôt mordu la lèvre inférieure. Debout, il revivait la scène, et quand il arriva au moment où le trac l'avait figé sur place, elle fut renversée par l'initiative spontanée de Dylan. L'ingénuité de la jeunesse. Inventifs, ils improvisaient et leurs trucs fonctionnaient. La nécessité est la mère de l'invention. Ces jeunes l'avaient compris. Et ils lui ouvraient un horizon qu'elle ignorait.

— Quand j'ai eu fini de chanter, Dylan m'a regardé pendant trente secondes, puis il m'a dit: «Ce n'est pas mal du tout, tu as fait du progrès.» Il pense que si j'apprends à jouer de la guitare et que je répète quelques chansons, je pourrais réussir. Ensuite, il m'a dit qu'il fallait que je sois poly... polyvalent – chanter, danser, jouer de la guitare – et que je devrais apprendre une petite farce ou deux – mais rien qui ferait rougir les dames. Dylan dit que j'aurais plus de chances si je chantais et dansais. Il m'a promis d'être le meneur de claque à mes premiers spectacles. Vous êtes une grande dame, vous avez entendu de grands chanteurs, moi...

Il attendait sa réaction. Étonnée, touchée par ce garçon qui avait un certain talent et qui rêvait grand, elle savait qu'elle devait choisir ses mots.

— Mon cher Ray, tu as du talent, et tu as surtout la personnalité pour réussir. J'ai beaucoup réfléchi depuis ton arrivée...

41

Oh boy!

Maintenant, j'ai à te parler très sérieusement de ton avenir. Je peux t'aider et je veux t'aider, mais avant, j'ai besoin de savoir certaines choses.

— Mais je vous ai tout dit.

— Il ne s'agit pas de cela. J'aimerais que tu m'écoutes attentivement, et réfléchis sérieusement avant de répondre.

— Est-ce que tu aimes la vie que Nick a organisée pour toi ?

— Non !

— Est-ce que tu aimes faire ça avec toutes ces femmes ?

— Non !

— Est-ce que tu aimes faire ça ?

— Oui, je suis jeune et mes hormones... mais avec une fille que j'aime.

— Voilà qui est réglé. Maintenant, je sais que tu aimerais être riche, mais ça n'arrive pas instantanément. Qu'est-ce que tu aimerais faire comme travail ?

— Je sais que je ne serai pas riche demain, mais je voudrais un travail qui paie plus que le marché. J'aime bien travailler dans les banquets, pour les hôtels... Je ne connais pas grand-chose... Je ne suis pas instruit...

— Voici ce que j'ai à te proposer. Ne me réponds pas tout de suite, penses-y sérieusement, on s'en reparlera.

Ce qu'elle lui exposa faillit lui faire perdre connaissance. D'abord, il n'était pas un jeune homme pervers et cette vie de gigolo n'était pas pour lui. Nick Harris n'était pas son ami, et tôt ou tard, il se retrouverait de toute façon au fond de la mer ou en prison. Elle en était certaine. Elle allait d'ailleurs s'occuper de Nick.

Il sursauta.

— Du calme, je ne le tuerai pas. Seulement, tu ne feras plus partie de ses gars et de ses filles. Pour commencer, je vais te trouver un travail de serveur dans un grand hôtel.

— Mais je ne sais...

— Écoute, si je te dis que je vais te trouver un travail, c'est que je vais le faire. Le salaire n'est pas très élevé, pas plus qu'au marché, mais les pourboires sont excellents et tu auras un travail honnête. Ton métier de chanteur ? Tu as du talent, mais tu as besoin de travailler ta voix. Tu as de la présence, tu es beau garçon, plein de vie... Je pense que tu pourrais avoir du succès. La guitare, oui, c'est une excellente idée.

Mille mots attendaient au bout des lèvres de Ray. Que voulait-elle dire ?

— Je vais d'abord engager un professeur pour t'apprendre à jouer de la guitare et un autre pour travailler ta voix. Mais ne va pas acheter ta guitare tout de suite. Donne-moi quelques jours, j'ai des choses à régler.

Ray éclata en sanglots et se jeta aux pieds de Madame Wilson. Une digue s'était ouverte et les larmes coulaient à flots. Elle le laissa pleurer, se limitant à lui caresser les cheveux. Quand il put parler, il releva la tête et la regarda tendrement.

— Ma mère n'a pas voulu de moi. Je fais des choses... Je ne suis pas toujours sage... Puis je vous rencontre, une grande dame à l'aise, instruite, quelqu'un de bien, une parfaite étrangère. Et vous voulez m'aider. Je pense que vous n'avez pas assez réfléchi.

Elle se mit à rire. Son franc-parler, sa spontanéité, sa franchise lui plaisaient.

— Approche plus près de moi mon petit lutin. J'ai très bien réfléchi. J'ai l'impression que je ne m'ennuierai jamais avec toi, mais... je n'ai pas terminé.

Oh boy ! Il y avait sûrement un prix à payer. Oui, il devrait faire quelques changements. D'abord, il retournerait chez Nick mais ne dirait pas un traître mot de ce dont ils avaient parlé. Il pourrait dire qu'ils avaient joué aux échecs, regardé la télévision. Il avait chanté et dansé pour elle. Rien de plus. En quelques jours, quatre ou cinq, tout serait réglé et il devrait retourner chez Dylan.

— Mais il va…

— Chut! Je te ferai savoir quand Nick ne sera plus chez lui. Tu prendras toutes tes affaires et tu iras chez Dylan, ton vrai ami. Je sais que vous pensez parfois différemment, mais tu pourras faire ce sacrifice pour ton avenir. D'ici deux ou trois mois, si tu ne veux plus loger chez Dylan, je te trouverai un endroit où tu seras à ton aise. Maintenant, prends-toi un cola, va sur le pont et pense à tout ce que je t'ai dit. Je t'offre une nouvelle vie, mais ta vie t'appartient. Tu as le droit de refuser et je t'aimerai quand même. Va, je vais aller me reposer un peu.

Comme un automate, Ray se leva, se dirigea vers le pont et se laissa tomber sur une chaise. Entouré d'eau, le regard au loin, il se sentait perdu dans cette immensité. Serveur dans un grand restaurant, des cours de guitare, des leçons de chant; Madame Wilson lui offrait tout ce qu'il désirait. Pas la richesse, mais la possibilité de gagner sa vie s'il devenait un bon chanteur. Il serait heureux. Heureux? Cette question, Dylan la lui avait posée: «Ray, es-tu heureux?»

Nick? Il en avait peur. Pourvu que Madame Wilson sache dans quoi elle s'embarquait. Sinon, il était foutu. Demeurer avec Dylan? Il l'aimait beaucoup, mais il n'était pas toujours très drôle. Serveur? Servir les gens riches? *Oh boy!* En attendant, est-ce qu'il serait payé? S'il n'aimait pas ça, serait-il à la hauteur? Cette Madame Wilson, quelle femme! Debout, les mains dans les poches, il marchait de long en large.

Quand il rentra, la table était mise et elle l'attendait, vêtue d'une longue robe d'hôtesse vert tendre et or.

— Comme vous êtes belle madame. Permettez?

— Avec plaisir, monsieur.

Il tira sa chaise, l'aida à s'asseoir et alla s'installer en face d'elle. Un bon repas chaud. Il avait encore faim. Il lui passa les plats, elle se servit et il fit de même. Il lui versa un verre de vin, mais se servit un jus de pomme.

— Vous êtes-vous reposée madame?

— Oui, je me sens très bien.

— J'en suis très content, parce que… je ne suis pas toujours reposant.

— Bien vrai. Mais tu n'es jamais endormant.

Ils se mirent à rire. Ray babillait tout en faisant attention à bien se tenir. Madame le servit à deux reprises. Le steak était tendre, juteux, les petits pois et les pommes de terre dorées, juste à point. De sa vie, il n'avait jamais si bien mangé. Le dîner se passa dans la joie.

— Madame, je suis gâté. Vous me faites goûter à des choses que je ne pourrai jamais me permettre. Ce qu'on ne connaît pas ne nous manque pas, mais quand on y a goûté, on en veut encore.

— Où est le problème ? Ma porte te sera toujours ouverte. Viens, on va prendre le dessert au salon.

Quand ils eurent terminé, Madame Wilson l'interrogea du regard. Le cœur de Ray cognait. Il ne saurait jamais assez la remercier pour ce qu'elle voulait faire pour lui. Mais avant d'accepter, il devait lui faire comprendre qu'elle ne savait peut-être pas ce qui l'attendait.

— D'abord, j'ai très peur pour vous. Même si vous réglez mon problème avec Nick, vous pourriez en avoir d'autres avec moi. Je suis un enfant de… personne… Des fois, je ne suis bien nulle part, j'ai la bougeotte… Il faut que je chante, que je danse, que je rie, que je fasse des folies – rien de grave, juste des folies. Jamais je ne vous ferai de peine intentionnellement, mais je ne serai peut-être jamais assez bien pour vous. Vos amis, s'ils savent que je suis dans les environs…

— Ce que tu veux dire, c'est que tu vas mettre du piquant dans ma vie.

— Du piquant ?

Grand éclat de rire.

— Pas mal de piquant ! Un porc-épic tout rond.

— Alors que décides-tu ?

— Entre Nick et ses combines, le marché et votre offre, la décision n'est pas difficile à prendre, même si je ne sais pas trop comment tout ça va s'organiser. Je ne sais où je m'en vais, sauf pour le fait de retourner chez Dylan.

Madame Wilson comprenait son dilemme. Elle allait chambarder sa vie, l'adaptation ne serait certes pas facile. Elle voulait garder un contact étroit avec lui, quitte à ce qu'ils soupent ensemble une fois la semaine. Peut-être revenir sur son yacht à l'occasion. Pour ses amis, il serait le petit-fils d'une cousine éloignée.

— Je sais que je chambarde ta vie, je le fais parce que je pense que tu en vaux la peine. Je voudrais qu'on continue à se voir. Pas tous les jours, tu vas te faire des amis dans ton nouvel emploi, et tu aimes sortir les samedis soir, aller danser... Mais j'aimerais que tu viennes me voir, souper avec moi une fois la semaine, si tu le veux bien.

— Je viendrai avec plaisir quand vous voudrez, madame Wilson. À l'avenir, quand nous serons seuls, je vous appellerai Rose, parce que vous êtes belle, élégante et que vous sentez la rose.

— Comme tu es gentil. J'aime bien ce surnom, Rose. Que dirais-tu de faire une partie d'échecs?

Ayant déjà joué avec sa tante, il lança:

— Ah! Je vous préviens, je suis imbattable! Mais si ça ne vous dérange pas de perdre, alors...

Les commissures de ses lèvres ondulèrent. Elle feignit de n'avoir rien entendu. L'humilité n'était pas le point fort de Ray.

Après deux heures, Ray déclara forfait. Il aurait pu gagner; elle le savait. Intelligent, mais difficile à suivre, il la déconcentrait avec son babillage incessant, ses rires... Une vraie girouette. Quand elle lui disait de rester tranquille, il restait immobile comme une statue de pierre, pas un cil ne bougeait. Il était encore plus drôle et elle, moins appliquée. Gagner ou perdre, elle n'en avait cure, ils avaient du plaisir et c'est tout ce qu'elle souhaitait.

— Tu peux retourner voir le capitaine, si tu veux.

— *Yes! Yes! Yes!*

Un câlin et il avait disparu.

Le capitaine fumait sa pipe et buvait un café quand Ray arriva. Celui-ci s'apprêta à rebrousser chemin.

— Bonjour mon jeune matelot! Viens.

— Je ne veux pas vous déranger.

— Tu aimes la mer, tu aimes apprendre, tu écoutes. C'est un plaisir de te montrer les commandes de ce yacht. Tu te rappelles ce que je t'ai appris hier?

— Oui, monsieur! Il lui répéta le nom des cadrans. Je sais à quoi ils servent.

— *Well! Well!*

Il souriait, il devait être content.

— Alors, on continue. Tous les cadrans sont importants. Voici l'auto-pilote, il fonctionne avec le radar. Parfois, je peux laisser la barre...

— Il se conduit tout seul?

— Pas très longtemps. Il y a le *cadran du niveau du réservoir d'essence; celui de la pression d'huile*, important pour s'assurer que le moteur fonctionne bien, ainsi que le *cadran de température*. Il y a le *voltmètre*... Tu vois, l'aiguille reste au centre, entre 12 et 13 volts? Elle confirme que tout est normal. La *radio de télécommunication* VHF, elle est obligatoire. Il y a d'autres boutons, un pour les feux de navigation, obligatoires la nuit, et le *klaxon*.

— Je ne pourrai jamais me rappeler tous ces noms.

— Ce n'est pas grave. Quand tu reviendras avec Madame Wilson, si ça te tente vraiment, monte me voir.

— Ah oui, capitaine, je reviendrai. Merci beaucoup.

— Une dernière chose très importante. Avant de faire partir le moteur, tu dois toujours mettre le *ventilateur* en marche pendant une quinzaine de minutes. C'est pour éliminer les vapeurs d'essence qui s'accumulent dans le compartiment du moteur. *N'oublie jamais cette règle!*

— Je n'oublierai pas. Voulez-vous me répéter le nom des cadrans, s'il vous plaît?

— Avec plaisir!

Marlow s'exécuta.

— Merci encore, capitaine.

Quand il revint auprès de Madame Wilson, elle lisait sur le pont. Il resta debout et regarda la mer, le bateau voguait, les vagues effleuraient la coque, une écume blanche, savonneuse, tourbillonnait à la poupe.

Plus tard dans la soirée, il accepta de danser pour Madame Rose, puis se coucha tôt, tomba dans un profond sommeil. L'air de la mer, la bonne nourriture, la présence sécurisante de Madame Wilson lui avaient procuré une détente bien méritée. Le dimanche, après une journée de farniente, ils revinrent au Palace Pier à seize heures trente. Madame Wilson avait un coup de fil important à donner ; elle avait aussi insisté pour que Ray l'accompagne chez elle.

— Il est trop tôt pour retourner chez Nick. Tu vas souper avec moi et tu partiras vers vingt heures.

Ray ne demandait pas mieux. Le fait de retrouver Nick ne l'enchantait guère. Il tremblait à l'idée que son souteneur puisse deviner ce qu'il avait fait. Il était tellement transparent.

Quand la voiture pénétra dans l'allée de la maison, Ray fut surpris par la somptuosité de la résidence. À sa première visite, il était tellement nerveux qu'il n'avait rien vu.

— Cette maison est très grande.

— Oui, cinq chambres à coucher, deux salons, une salle à manger, une bibliothèque, quatre salles de bain, une grande cuisine et le quartier des domestiques. Beaucoup trop pour une femme seule.

Le chauffeur porta les valises. Madame Wilson avait à peine appuyé sur la sonnette que la bonne ouvrait la porte. Si elle reconnut Ray, elle ne le laissa pas voir.

— Madame, le dîner sera servi à dix-neuf heures.

— C'est bien ! Conduisez monsieur à la chambre d'amis ; ce sera sa chambre quand il viendra nous visiter. Puis, s'adressant à Ray :

— Tu viendras me rejoindre quand tu le voudras.

Il inclina la tête et suivit la bonne. Ce n'était pas une chambre, c'était presque une suite d'hôtel. Grand lit, commode, bureau, chaise longue, et même une salle de bain attenante. Assis sur le lit, il regarda autour de lui ; il ne devait pas s'habituer à cette richesse, elle ne pouvait durer.

Quand il entra dans le salon, Madame Wilson n'y était pas. Il l'embrassa d'un regard circulaire ; il ne se rappelait rien. La pièce était très grande ; une porte à deux battants s'ouvrait sur un deuxième salon, suivi d'une autre pièce avec des étagères et des étagères de livres. Madame Wilson avait-elle lu tous ces livres ? Elle devait être très savante.

— Tu as vu ta chambre ? Elle te plaît ?

Il sursauta :

— Madame, c'est une chambre pour un prince.

— Tu seras toujours chez toi ici. Ça me fera toujours plaisir de te revoir. Quoi que je fasse pour toi, ne te crois jamais obligé de venir.

— Vous êtes plus qu'une amie, vous êtes la maman que j'aurais aimé avoir. Pas parce que vous êtes fortunée, parce que vous êtes bonne.

— Merci! C'est le plus beau compliment que j'aie jamais reçu. À partir de maintenant, je vais dire à tous mes amis que tu es un parent éloigné, que je t'ai croisé dans un hôtel où tu faisais le service, et puis, je n'ai pas d'explications à donner.

— Madame, le souper est servi.

Le repas terminé, Madame Wilson appela James, son chauffeur. Le cœur gros, Ray se blottit dans ses bras.

— Ne t'inquiète pas. Je te jure qu'il ne t'arrivera rien. Je t'appelle dans un jour ou deux. J'oubliais, voici 20 livres pour Nick, il sera content. Et en voici un autre pour toi.

Il protesta, mais en vain.

Quand Ray arriva chez Nick, celui-ci était d'humeur massacrante. Il le regarda, lui remit 20 livres et alla déposer son bagage dans sa chambre. Quand il revint au salon, Nick s'était apaisé. L'argent avait cet effet apaisant chez lui. Il ne posa pas de questions, sauf:

— Tout s'est bien passé?

— Oui, il a fait beau, c'était bien sur le bateau, mais passer tout un week-end avec une dame… Ne te tracasse pas, j'ai été gentil. Je vais me coucher.

— C'est ça, va te reposer. J'ai des clientes pour toi, jeudi, vendredi et samedi. J'ai subi une perte…

Ray était content de s'en tirer… pour le moment.

42

Action concertée

Ray venait à peine de sortir que le téléphone sonnait chez les Nelson. Geoff prit l'appel.

— Oui bonsoir ?

— Monsieur Nelson, je suis Madame Wilson, Candice Wilson.

— Madame Wilson qui siège au conseil d'administration du Brighton Museum ? Que me vaut l'honneur ?

— Je vais aller droit au but. J'ai bien connu vos parents, alors je me permets de vous demander de me rencontrer afin de vous entretenir au sujet de Ray O'Brien.

— Vous connaissez Ray ? Il lui est arrivé quelque chose ?

— Non ! Non ! Pas encore ! J'ai une grande faveur à vous demander. J'aimerais vous voir le plus tôt possible. Êtes-vous libre demain matin ? J'apprécierais beaucoup.

— Je peux l'être. Voulez-vous que je me rende chez vous ?

— Ce serait très gentil de votre part. Voulez-vous déjeuner avec moi, disons à huit heures trente ou neuf heures ?

— J'y serai à huit heures trente. À demain madame.

— Merci ! Mes salutations à votre épouse.

Chris voulait savoir qui était cette dame et ce qu'elle voulait. Geoff l'avait déjà rencontrée à une exposition. Une dame très riche et distinguée qui connaissait Ray… Où avait-elle bien pu le rencontrer ? Avait-il fait un mauvais coup ? Il s'agissait assurément d'une chose sérieuse pour qu'elle demande ce rendez-vous. Ils se perdirent en conjectures.

Le lendemain, à huit heures trente, Geoff pénétrait chez Madame Wilson. C'était une belle femme racée. Cette maison valait une fortune.

— Merci beaucoup d'être venu, mais avant de discuter du sujet qui me tient à cœur, déjeunons. Je ne réfléchis pas bien l'estomac vide.

Geoff avait bon appétit et il ne manquait de rien sur la table. Il fit honneur au déjeuner. Elle mangea beaucoup moins.

Lui souriant :

— Je suis un jeune homme en pleine croissance.

— C'est bien, j'aime les gens qui apprécient la bonne nourriture.

Ils causèrent de tout et de rien, elle s'informa de sa carrière et fut surprise d'apprendre qu'il avait eu un grave accident. Où et quand avait-il rencontré Chris ? Il lui vanta les mérites de cette jeune femme qu'il adorait. À sa deuxième tasse de café, elle entra dans le vif du sujet. Ray avait passé le week-end sur son yacht. Geoff faillit s'étouffer.

— Vous parlez bien de Ray, le jeune Irlandais…

— … qui travaille au Brighton Market, celui-là même.

— Alors là, je ne comprends plus rien.

— Ce que je vais vous dire est très sérieux et doit rester entre nous. La vie de Ray pourrait en dépendre.

— Vous me faites peur !

Lentement, méthodiquement, elle commença le récit de la vie de Ray chez Nick Harris, de son arrivée chez lui jusqu'à ce jour. Elle divulgua ses rencontres avec Nick, et avec Ray. Elle ne s'en excusa pas, mais Geoff comprit que cet aveu lui coûtait. Geoff ne manquait pas un seul mot mais avait peine à croire ce qu'il entendait : des filles dans les hôtels, des «clientes», Nick avait entraîné Ray dans son sordide business. C'était pire que ce qu'il aurait pu imaginer.

— Ce Nick est un monstre. On doit sortir Ray de là.

— Oui, il a su y faire avec Ray. Ce petit s'est laissé embobiner. Nick était son ami, ils avaient du plaisir ensemble. Nick Harris ne doit jamais savoir que Ray m'a tout raconté, et encore moins que nous avons découvert le pot aux roses. Cette crapule a un grand ami dans la police. Ray a très peur, il est terrifié.

— Il se peut qu'il y ait un ou deux policiers malhonnêtes, mais ils sont en grande majorité des hommes très bien. J'ai été élevé ici, j'en connais plusieurs. J'ai un très bon ami parmi eux, l'inspecteur Thompson.

— Pouvez-vous le rencontrer et voir ce qu'il peut faire ? Il ne faut pas que le policier véreux sache qu'on enquête sur Nick. Il doit y avoir un moyen de l'arrêter sans que Ray soit impliqué. J'aime beaucoup ce garçon, j'aimerais le remettre sur la bonne voie.

— Il va peut-être vous causer des ennuis… à l'occasion.

— Il me l'a dit, mais c'est un enfant abandonné ; marqué pour la vie. Intelligent, débrouillard, il a la bougeotte. Parfois, il n'est bien nulle part.

— Assez bonne description !

— Mais il est aussi aimable, gentil, poli, drôle, vivant, vibrant et courageux. Il a une belle voix, danse la gigue irlandaise comme un professionnel et a tout un sens de l'humour. Je l'aime comme une mère, et je vais l'aider.

— Il a de la chance de vous avoir rencontrée.

— Monsieur Nelson, la chanceuse, c'est moi. J'ai passé un week-end formidable, malgré des moments pénibles où Ray pensait qu'il vaudrait mieux qu'il se jette à l'eau.

Pensait-il pouvoir l'aider à sortir Ray des griffes de Nick Harris sans qu'il s'en prenne à lui ? Aussitôt cette sordide affaire réglée, Ray retournerait vivre chez Dylan. Il pourrait aussi venir chez elle quand il le voudrait. Il avait sa chambre. Elle le ferait entrer comme serveur dans un grand restaurant. Évidemment, il aurait un entraînement. Il allait aussi prendre des cours de guitare et de chant.

— Eh bien, c'est la chance de sa vie et je me sens rassuré. J'ai mis ma réputation en jeu pour ces garçons ; Dylan, c'est un jeune homme bien. Il ira loin. Ray est comme un frère pour lui. Il a réussi à garder son emploi depuis son arrivée, quatre ans ou plus. C'est un exploit en soi. Je n'aurais jamais pensé qu'il puisse se trouver dans un tel pétrin.

— Il est très gentil, belle personnalité et pas méchant, mais il a eu affaire à un manipulateur, de la canaille.

— Madame, je m'en occupe aujourd'hui même.

— Monsieur Nelson, vous avez toute ma reconnaissance. Tenez-moi au courant, je vais être sur des charbons ardents jusqu'à ce que cette affaire soit réglée.

— J'ai doublement raison de vouloir réussir, ma femme adore aussi ces garçons. Je peux me servir de votre téléphone ?

— Certainement ! Allez dans la bibliothèque, à votre droite.

Geoff appela le poste de police et demanda à parler à l'inspecteur Samuel Thompson, de la part de Geoff Nelson.

— Geoff ! Qu'est-ce que tu deviens, vieille branche ?

— Bien, mais je dois être bref ; j'ai besoin de te voir, en privé.

— C'est sérieux ? Tu n'as tué personne au moins ?

— Non, pas encore, mais c'est très sérieux.

— Pour toi, mon ami, je vais me libérer. Où veux-tu qu'on se rencontre ?

— Tu connais mon Cafe ? Peux-tu y venir ?

— J'ai une chose à régler, j'y serai dans une demi-heure.

— Merci, Sam, merci beaucoup.

Quand Geoff arriva au Cafe, Chris l'attendait avec impatience, mais il lui faudrait prendre son mal en patience.

— C'est un peu compliqué, je te dirai tout plus tard. J'attends Sam Thompson. Tu as la clef du logement ? Nous irons là-haut. Ne t'inquiète pas, tout va bien aller. Prépare deux bons cafés et deux morceaux de tarte, je vais aller les porter en haut et revenir te voir.

À peine Geoff était-il redescendu que l'inspecteur arrivait. Geoff lui expliqua qu'ils seraient plus à l'aise à l'étage.

— Tu m'intrigues, mon ami. J'espère que tu n'as rien fait...

— Non, non, mais ça me touche de près. Entre.

— À qui ce bel appartement ?

— À nous, mais il est loué à un jeune homme.

— Il en prend soin.

— Assoyons-nous dans la cuisine, Chris nous a préparé du café et un dessert.

Grand éclat de rire.

— Essaierais-tu de me soudoyer ? Vide ton sac. J'ai une trentaine de minutes, pas plus.

Geoff prit une profonde inspiration et commença le récit qu'il avait entendu de Madame Wilson. L'inspecteur sortit un stylo et un calepin. De temps en temps, il prenait des notes et demandait des précisions. Quand Geoff eut terminé, l'inspecteur se frotta le menton de la main droite et dévisagea Geoff.

— Tu parles bien de Madame Wilson, la Madame Wilson, riche…

— Oui. C'est bien elle.

— Tu ne m'apprends rien que je ne connaisse déjà ; des maquereaux comme Nick, il y en a plus que tu ne le penses, et des jeunes comme Ray qui se font prendre aussi. Ils sont des cibles faciles. Tu es directement concerné, et si madame veut prendre Ray sous son aile, le remettre sur le droit chemin, je vais voir ce qu'on peut faire. C'est une dame que j'estime, et elle a bien le droit de prendre un peu de bon temps à l'occasion. Pour Nick Harris, c'est délicat, il pourrait se venger sur le jeune. Le policier complice m'intéresse. Je m'en occupe personnellement et je t'appelle.

— Merci Sam, tu me rends un grand service.

— Attends de voir le résultat, mais ça va commencer par te coûter quatre cafés puis une tarte. Mes trois copains du bureau apprécieront, et moi aussi. J'en prendrais bien un autre morceau.

— Avec plaisir. Viens !

Chris fut très contente de lui offrir deux tartes et des cafés.

— Nous allons travailler encore plus fort. Salut les amis !

L'inspecteur parti, Chris et Geoff montèrent chez Dylan. Geoff dut reprendre le récit de *A* à *Z*. Élevée dans une petite ville de l'Irlande, Chris avait de la difficulté à comprendre que des choses aussi sordides puissent se produire, et que Ray… Elle oscillait entre le dégoût, la colère, la pitié et la surprise. Madame Wilson était indirectement impliquée dans cette affaire. Elle voulait s'occuper de Ray. Tout de même, ce Ray devait apprendre à être conscient des conséquences de ses actions. Si leur ami Samuel réussissait à régler ce problème, ils lui demanderaient de dire deux mots à Ray.

43

Sur des charbons ardents

Aussitôt à son bureau, l'inspecteur distribua les cafés et ils se divisèrent les tartes. Puis il demanda à son adjoint, le sergent Brown, de rester pour discuter d'un projet qu'il avait en tête. Une fois la porte fermée, il lui demanda s'il connaissait un certain Nick Harris.

— C'est curieux que tu me le demandes. On a arrêté une jeune fille vendredi, elle se prostituait dans un hôtel. Ivre, elle insistait pour voir Nick Harris. Il est venu, a payé sa caution et elle est partie avec lui.

— Quand est-ce qu'elle passe devant le juge ?

— Je vais vérifier. Le constable Stone a insisté pour s'en occuper. Il dit être habitué à ce genre de délit.

— J'aimerais que tu vérifies si tu peux trouver quelque chose sur ce Nick Harris. Ceci doit rester entre nous deux, pour le moment. J'attends ton rapport... hier.

— À vos ordres, monsieur l'inspecteur.

Après avoir parlé à Chris, Geoff appela Madame Wilson. Il lui fit part de sa rencontre avec l'inspecteur Thompson.

— Merci de me tenir au courant. Je ne mens pas en vous disant que j'ai des inquiétudes au sujet de Ray.

— Nous aussi, mais l'inspecteur s'en occupe personnellement.

— Ça me rassure. Je vous fais perdre du temps, je m'en excuse.

— Chris et moi tenons beaucoup au bonheur de Ray et de Dylan. Dès que j'apprendrai quelque chose, je vous rappellerai.

Lundi matin, Ray s'était levé en ne sachant trop comment se comporter. Nick le connaissait bien, il savait sur quel bouton appuyer pour le désarçonner. Madame Wilson n'aurait pas dû insister pour tout savoir et il aurait dû se taire. Comme à son habitude, il sortit de sa chambre en chantonnant, dit bonjour à Nick, salua Madame Harris et mangea des céréales. Souvent, il mangeait un œuf, mais il ne voulait pas traîner à table. Il attendit Nick sur le perron.

— Tu as bien hâte d'aller travailler.

— Pas vraiment, mais j'aime rencontrer les gens dans les hôtels et les Cafes.

Nick parla peu, Ray ne demandait pas mieux. Dans la fourgonnette, fidèle à son habitude, il se mit à chanter.

— Parle-moi donc de ton week-end sur le yacht avec Madame Wilson.

— J'aime autant pas. Le yacht est beau, tout était parfait, la nourriture, le vin, mais j'aurais préféré être avec Audrey et vous autres.

— Mais elle est gentille et très généreuse.

— Oui, et mûre, mature. Et toi? Tu es allé danser?

— Non. J'ai fait de la fièvre, j'ai dormi et ça va mieux.

La journée se passa sans anicroche; le mardi aussi. Ray attendait anxieusement que Madame Wilson lui fasse signe. Il avait déjà mis tout ce qui lui appartenait bien en ordre dans sa commode et sa garde-robe; il en avait accumulé des choses. Et son argent! Il avait 58 livres. Dylan? Il devait aller le voir. Son ami ne refuserait pas qu'il revienne, mais il se devait de lui en parler… sans éventer la mèche. Il irait le soir même. Les dieux étaient de son côté. Nick l'avertit qu'il avait des courses à faire après le travail et Ray déclara qu'il irait voir Dylan.

— Il me semble que tu commences à le voir souvent.

— Je ne resterai pas longtemps. De toute façon, tu seras sorti. À dix-huit heures, je serai de retour.

La chanson *Love Me Do,* des Beatles, jouait à la radio. Il n'en fallut pas plus pour que Ray se mette à chanter et taper du pied. Nick se contenta de sourire. La journée terminée, ils prirent chacun leur chemin.

Dylan montait l'escalier quand il entendit des pas derrière lui.

— Ray! Mais qu'est-ce que tu fais ici?

— Tu parles d'une façon de recevoir son frère. Tu pourrais dire: «Content de te voir!»

— Tu sais que je suis content et… surpris. Viens !

Sitôt rentré, Dylan sortit sa boîte à lunch et porta son sac dans sa chambre. Ray resta debout. Il serait bientôt de retour ici. Pourvu que…

Dylan le regarda, il se passait quelque chose.

— Tu as soupé ? Tu veux qu'on aille au Cafe ?

— Oui, et c'est moi qui paye.

— Pas question Ray, tu as payé la dernière fois. On y va ?

Chris ne fut pas surprise de voir Ray mais fit semblant de l'être. Elle l'embrassa chaleureusement.

— Ça me fait plaisir de te voir. Comment vas-tu ?

Ému et heureux de son accueil, il lui fit la révérence.

— Très bien, madame. Et vous êtes toujours aussi belle.

— Flatteur, va ! Tu t'ennuies de ma cuisine.

— Souvent. Ce soir on mange ici.

Elle les installa à une table du fond, ils seraient plus à l'aise pour parler. Ray avait certainement des choses à confier à son ami. Le connaissant, elle savait qu'il ne lui dirait pas toute la vérité. Mais c'était préférable.

Aussitôt qu'ils furent attablés devant leur *fish and chips*, Dylan commença à manger. Ray grignotait. Quelque chose le tracassait.

— Tout va bien, Ray ? Il me semble que…

— Tu me connais trop, je me sens tout nu devant toi.

— Tu peux te sentir tout nu, mais ne te déshabille pas, s'il te plaît.

Ray se mit à rire. Dylan attendit.

— Dylan, je pense revenir habiter avec toi. Je me suis mis dans le pétrin, t'inquiète pas – pas de vol, pas de crime, c'est juste que Nick, ce n'est pas un bon ami pour moi. Je ne veux plus vivre chez lui ou être avec sa gang. Une grande dame m'aide. C'est un peu compliqué, mais tout va se régler d'ici quelques jours. C'est tout ce que je te dirai. Je regrette.

— Je suis peiné pour toi et je suis content pour moi. Tu peux arriver quand tu veux et repartir quand tu veux. En autant que tu n'oublies jamais que je suis ton ami. Je ne te ferai aucune remarque, quoi que tu fasses. J'aimerais juste que tu ramasses ton linge et ne fasse pas brûler l'eau chaude.

Ray lui prit les mains et les serra.

— Merci, Dylan. Il va m'arriver d'aller dormir chez cette dame, qui est très riche, et non, je ne serai pas riche, mais elle va me trouver un meilleur emploi. Sans elle… J'ai passé le week-end sur son yacht.

— *Good Lord!* Toi, c'est soit travailler au Brighton Market ou te balader sur l'eau avec une millionnaire. Elle est jeune?

Rigolant:

— Très jeune… mi-cinquantaine.

Dylan se mit à rire aussi. Ce Ray, sa vie ne serait jamais banale. Il fallait le prendre au jour le jour.

— Pas un mot à personne, Dylan. Tu le jures?

— Je le jure sur la tête de ma mère. Maintenant mange.

Chris ne savait pas ce que Ray avait révélé à Dylan, mais ils semblaient heureux. Elle prépara le thé, le dessert, et vint les rejoindre. Elle insista pour qu'ils viennent souper à la maison bientôt.

Ray promit qu'il irait avec Dylan. Il partit à dix-huit heures trente. Dylan le regarda s'éloigner. Il n'était pas assuré que leur cohabitation serait sans heurts ou que Ray lui rendrait la vie facile. Seul depuis presque quatre ans, il s'était habitué à son rythme de vie, appréciait son intimité, mais il ne tournerait jamais le dos à son ami. Il n'était pas ce genre de personne.

Madame Wilson tournait en rond. L'affaire de Ray n'était jamais bien loin de ses pensées. Le sommeil l'évitait. N'y tenant plus, elle appela Geoff. Aucune nouvelle. Elle gardait confiance. Elle lui demanda s'il pouvait faire installer le téléphone dans l'appartement que Ray partagerait avec Dylan et lui envoyer les factures mensuelles. Cette requête le surprit, mais en y pensant bien, il comprit qu'elle aurait besoin de rejoindre son protégé à l'occasion. Il s'en occupa aussitôt.

Ce matin-là, au moment ou Nick arrivait au travail avec Ray, une voiture de la police arriva au marché. Épouvanté, Ray faillit s'évanouir pendant qu'un des policiers passait les menottes à Nick avant d'amener le jeune à Cyril Mears. Geoff l'avait mis au courant des activités de Nick, mais pas de l'implication de Ray. Il voulait que le jeune retourne chez Dylan. Monsieur Mears parut très surpris… pour la forme.

— Qu'est-ce qui se passe, monsieur l'agent ?

— Nous emmenons Nick Harris au poste et ce jeune homme ne doit plus demeurer avec lui.

— Qu'est-ce que Nick a fait ?

— Vous le saurez plus tard, mais je ne pense pas qu'il revienne travailler ici.

— Vous me désorganisez pas mal, ce matin. Je m'occupe de celui-ci.

Ray tenait à peine sur ses jambes. Monsieur Mears le fit asseoir et appela Geoff.

— La police vient d'emmener Nick, Ray est ici. Envoie quelqu'un et ne tarde pas trop, il n'en mène pas large.

Ray aurait voulu disparaître. Moins de vingt minutes plus tard, Geoff arrivait. Ray refusa de le regarder. Geoff le prit par la main.

— Viens, une dame que je connais, Madame Wilson, m'a demandé de m'occuper de toi. Je ne sais pas comment tu l'as connue, mais j'ai dit oui. Je dois aller chercher tes vêtements et te conduire chez Dylan. J'ai parlé à la police. Tu n'es pas impliqué dans cette affaire. Il semble que Nick n'est pas un gars... correct, et tu ne dois plus loger chez lui.

Ray se mit à pleurer. Geoff eut pitié de lui.

— Ne t'inquiète pas mon grand, dans moins d'une heure tu seras chez Dylan, dans votre appartement. Tu appelleras Madame Wilson, elle attend ton appel. On a fait installer le téléphone. Tu es chanceux de l'avoir comme amie, c'est une très bonne personne.

— Oui, je sais. Et encore plus chanceux de vous avoir vous et Madame Chris. Je suis désolé, je ne suis pas...

— Laisse, veux-tu ? Chris et moi, on t'aime bien. Il faudra que tu viennes nous voir.

— J'irai, c'est vraiment... vrai. Merci !

Une heure plus tard, devant une Madame Harris qui ne comprenait rien à ce qui arrivait à son fils – le meilleur des fils... un fils que tout parent serait enchanté d'avoir –, Ray vidait sa chambre avec l'aide de Geoff. Désemparée, Madame Harris suppliait Ray :

— Ne pars pas, ce n'est qu'un malentendu, je vais au poste de police, on va le relâcher.

Geoff la regarda. Pauvre mère !

— Il ne peut rester ici, c'est un ordre de la cour.

Prête à faire face à «l'ennemi», elle était déjà sur le perron attendant un taxi.

44

Le filet se resserre

Le sergent Brown n'avait pas perdu de temps. Connaissant l'adresse de Lona, il s'y rendit et cogna à sa porte. Rébarbative, elle ne voulut pas lui parler.

— Le constable Stone m'a déjà parlé. Je n'ai rien à craindre.

— Mademoiselle, le constable Stone ne s'occupe plus de ce dossier. Je le remplace. Vous venez avec moi de votre plein gré ou je vous mets les menottes et vous passez la nuit en prison.

— Je vous suis, mais je ne comprends pas.

Le sergent Brown la fit entrer dans son bureau. Immédiatement, il se mit à la cuisiner. Un peu récalcitrante au début, elle finit par éclater en larmes. Habilement, en douceur, le sergent lui expliqua qu'elle n'était qu'une victime d'un homme sans scrupules.

— Mais il m'aime. Je le sais, il me l'a dit.

— Il aime aussi vos amies, puisqu'il couche à droite et à gauche. Et il ne vous épousera jamais. Vous et vos amies n'êtes qu'un plaisir, un soulagement payant. Il n'est qu'un vulgaire maquereau.

Les larmes reprirent de plus belle. Comment Nick avait-il pu être aussi cruel; elle se prostituait pour lui, pour qu'ils puissent avoir une maison, des enfants ensemble.

— Si vous ne voulez pas vous retrouver en prison pour un homme qui n'en vaut pas la peine, aidez-nous.

À travers les larmes, des reniflements qui refusaient de s'épuiser, des hoquets sporadiques, il finit par débrouiller les ramifications du business de Nick Harris. Elle signa sa déclaration et promit de revenir en cour le mardi suivant. Sa coopération lui vaudrait la clémence du juge. Entretemps, il serait préférable qu'elle parte pour quelques jours.

— Mais pour aller où ?

— Chez vos parents.

— Ils sont à cent kilomètres d'ici, et ils ne veulent pas me voir.

— Vous avez une sœur, un frère ?

— Ils ne valent pas mieux que moi.

— Vous valez quelque chose, mais vous êtes tombée sur un mauvais numéro qui a exploité votre naïveté. Alors cherchez-vous un autre emploi, pas dans un hôtel.

Elle faisait peine à voir. Il demanda à un constable de la raccompagner chez elle.

— Si jamais quelqu'un essayait de vous faire du mal, contactez-moi.

Elle le remercia et suivit le policier. Pauvre fille, elle avait vieilli de dix ans. Son calvaire n'était pas terminé pour autant. Le sergent devait rencontrer ses copines. Le dossier de Nick devait être bien étoffé.

Arrivé au poste de police, Nick demanda à parler au constable Stone. On avisa l'inspecteur, qui voulait voir cette crapule.

— Je suis l'inspecteur Thompson. Vous désirez voir le constable Stone, monsieur Harris ? Ce n'est pas votre jour de chance.

— Et pourquoi ?

— Figurez-vous qu'il ne s'occupera plus de votre dossier.

Il murmura entre ses dents : « Qui se ressemble s'assemble. »

Le constable Stone se présenta, voulut s'avancer vers Nick, mais l'inspecteur l'arrêta :

— Constable Stone, ce dossier ne vous appartient plus ! Venez dans mon bureau.

— Dans une minute, je dois parler à Monsieur Harris.

Haussant le ton, l'inspecteur cracha :

— Dans mon bureau ! Et tout de suite !

Puis, s'adressant au sergent Brown :

— Dès que vous en aurez terminé avec ce Monsieur Harris, conduisez-le en cellule.

Le visage en feu, le constable entra dans le bureau. L'inspecteur savait-il quelque chose ? Il n'allait pas se laisser impressionner. Il attaqua.

— Qu'est-ce qui se passe, on m'enlève un dossier ? Pourquoi ?

Nullement intimidé, l'inspecteur le regarda fixement.

— Constable Stone, depuis combien d'années êtes-vous au service des forces constabulaires ?

— Dix ans. Et je suis un bon policier, j'ai eu une recommandation en… 1957 et je…

— Vous avez été un bon policier, vous l'êtes beaucoup moins…

— Je ne vous permets pas…

— Vous ne me permettez pas ? Taisez-vous et écoutez-moi bien ! Vous protégez des personnes perverses qui abusent de la naïveté de jeunes filles, de jeunes garçons…

Le constable blêmit.

— Vous n'avez pas de preuves.

— Oh que si ! Aujourd'hui même, on annoncera l'arrestation de votre ami Nick Harris. Le dossier dont vous vous occupiez si consciencieusement vous est retiré. Et je sais que ce n'est pas votre seule implication dans le monde criminel. Vous déshonorez cet uniforme.

Atterré, furieux, le constable Stone fit un mouvement vers l'inspecteur.

— Je ne vous le conseille pas. Je vous jetterais en prison comme un vulgaire criminel. Je vous offre deux possibilités. Vous témoignez contre vos complices ou vous quittez le pays.

— Ils me tueront.

— Je peux vous dégager sur-le-champ, mais je ne le ferais que par compassion pour votre femme et vos deux enfants… Pour votre propre protection et celle de votre famille, il vaudrait mieux que vous quittiez le pays. Les racailles que vous protégiez ne sont pas des enfants de chœur. Vous avez quarante-huit heures pour partir.

— Mais je ne pourrai jamais… les papiers, les…

— Vous êtes un homme plein de ressources. Mais sachez que nous allons vous avoir à l'œil. Si j'entends le moindre murmure de votre part concernant qui que ce soit, votre nom sera en première page des journaux samedi matin.

— Je ne suis pas obligé d'obtempérer, je peux me défendre.

— Vous avez raison. Alors faites-le ! Je vous offre cette porte de sortie pour votre famille. En attendant, déposez votre arme et votre insigne sur mon bureau.

Si ses yeux avaient pu tuer, l'inspecteur Thompson serait mort sur le coup.

Le sergent Brown et son équipe avaient accumulé assez de preuves pour incarcérer Nick Harris.

L'inspecteur Thompson l'attendait.

— Dis donc, tu vieillis. Deux jours pour résoudre une petite enquête, tu me déçois.

Il le taquinait.

— Ce n'était pas simple, il a un réseau de prostitués, filles et garçons, très bien structuré. Il opère depuis quelques années. Ray O'Brien n'est pas son unique victime. Harris a perdu son ami le constable Stone, il a demandé un avocat. Il passe devant le juge demain. S'il plaide coupable, le juge lui imposera sa sentence sur-le-champ ; sinon il y aura procès. J'espère qu'il va en prendre pour un bon bout de temps. J'avais obtenu un mandat pour fouiller la maison. On a trouvé un calepin avec la liste de ses clientes, de ses « employés » et le montant de chaque transaction.

Geoff avait aidé Ray à sortir son bagage de l'auto, mais son aide s'arrêtait là, pour le moment. Un projet l'attendait à la maison, un client y serait à treize heures. Il avait « perdu » presque une journée cette semaine. À peine le temps d'avaler une bouchée et hop !

— Ray, fais attention à toi. Avec Dylan, ce ne sera peut-être pas la fête tous les jours, mais c'est un homme bon, honnête, et il t'aime.

— Merci beaucoup monsieur Geoff, je vais faire mon possible.

Il le serra dans ses bras, le tint quelques secondes, puis monta dans sa voiture. Ray resta debout à le regarder s'éloigner. Pourrait-il être à la hauteur de leurs attentes ? Si seulement il pouvait enlever ce qui fonctionnait tout de travers en lui.

— Tu restes là ou tu rentres ? Viens manger !

Souriante, les bras ouverts, Chris l'attendait à l'extérieur. Le cœur prêt à éclater, il secoua la tête et se retourna pour monter chez Dylan, mais elle le prit dans ses bras. De gros sanglots le secouèrent ; elle le laissa pleurer. Elle recula et le regarda.

— Ma mère disait que pleurer enlaidit, alors…

— Vous n'avez pas dû pleurer souvent.

Prise de fou rire, elle l'entraîna dans son bureau.

— Tu peux t'enlaidir, mais pas maigrir. Tu n'as pas dîné hein ?

Elle partit et revint quelques minutes plus tard avec deux assiettes de *kidney pie*. La serveuse suivait avec deux tasses de thé et un morceau de gâteau.

— Maintenant, *dig in !* (À l'attaque !) Et pas de larmes. Je ne veux pas de déluge dans mon bureau, et c'est très mauvais pour la croûte à tarte.

Ray aurait voulu lui dire combien il l'aimait, combien elle était merveilleuse, combien il souhaitait pouvoir se comporter comme Dylan afin qu'elle soit fière de lui. Il ne le pouvait sans craindre d'ouvrir à nouveau le robinet. De toute façon, elle le savait.

Aussitôt le repas terminé, il se hâta de ramasser ses vêtements et de monter. La garde-robe débordait ; il mit tout le linge dont il ne se servait qu'occasionnellement dans le placard de l'autre chambre.

En sortant de la chambre, il aperçut le téléphone sur la table du salon. Madame Wilson ! Il devait l'appeler. Geoff lui avait remis son numéro. Pourvu que... Il était au fond de sa poche gauche. Prenant une profonde inspiration, il composa le numéro. La bonne passa l'appel à sa patronne.

— Bonjour ! C'est bien toi ?

— Le lutin irlandais, madame.

Il la voyait sourire.

— Comment vas-tu ? Où es-tu ?

— Je suis chez Dylan, dans notre appartement. Je vais bien.

— Ça n'a pas été trop difficile ?

— Ah ! madame Wilson. Quand la police est arrivée pour arrêter Nick, j'ai failli mourir. Mon cœur battait : bedoum, bedoum... bedoum, bedoum... bedoum, bedoum... ; une chance que Monsieur Cyril était là. Il m'a pris par le bras et a appelé Monsieur Geoff. Il m'a dit que vous lui aviez demandé de venir me chercher. Ah ! Merci beaucoup.

En l'écoutant, elle le voyait revivre intensément un événement et elle ressentait l'angoisse qu'il avait vécue.

— Mon cher ami, je suis bien contente que tout soit fini. Tu n'as plus rien à craindre.

— Mais vous oubliez Nick. Il va se venger.

— N'y pense même plus. Il est en prison, et ton ami Geoff pense qu'il va y rester quelques années. Ce que nous saurons demain. Nick ne sait rien et n'a aucun soupçon à ton sujet. On tourne la page, une nouvelle vie commence pour toi.

— Merci, vous m'avez sauvé. Vous devez être très puissante à Brighton.

Elle se mit à rire.

— Non, non, Ray. J'ai de bons amis. Et toi aussi tu as de bons amis, Monsieur et Madame Nelson. J'ai bien connu les parents de Monsieur Geoff.

— Oui, ils sont nos anges gardiens à Dylan et à moi, et vous aussi.

— J'en suis très heureuse, Ray. Quand tu pourras, viens me voir. Il nous faut te trouver un travail et aller faire quelques courses pour toi.

— Quand vous voudrez.

— J'ai une réunion demain après-midi, mais tu veux bien venir déjeuner chez moi.

— Merci beaucoup, j'irai. Maintenant, je vais essayer de préparer le souper pour quand Dylan arrivera.

Il se mit à rire :

— Je sais à peine faire cuire un œuf, mais…

Comme il était drôle !

— Est-ce que Dylan a planifié quelque chose ?

— Attendez, je vais aller voir.

— Je ne vois qu'une côtelette de porc. Il n'ira pas loin avec ça.

Les deux riaient.

— Écoute, commande deux repas au Cafe ; je te rembourserai demain. Ajoute deux desserts.

— J'ai de l'argent. Vous m'avez donné 20 livres, je vais payer. Tout de même, je suis parti depuis presque quatre ans. On s'aime encore beaucoup, mais je dérange un peu sa vie.

— Il est certainement heureux de t'avoir près de lui, et n'oublie pas, ta chambre t'attend ici aussi. Tu peux passer quelques jours avec Dylan et quelques jours ici. À ta guise !

— Merci encore. À demain ! Un gros bisou madame Rose.

— À toi de même. Bonsoir Ray.

Ray descendit au Cafe et demanda à quelle heure Dylan revenait. Il avait le temps. Il remonta, regarda la télévision, tourna en rond, revint à la télévision ; il n'avait pas été seul depuis longtemps. Le Brighton Market lui manquait. Il avait aimé travailler à la livraison avec Nick, mais celui-ci était en prison. Il allait peut-être tout perdre. I-ni-ma-gi-na-ble ! Il devait être fou furieux. Ray prit conscience qu'il l'avait échappé belle. Kate, Audrey et les autres ? Il ne les verrait plus. Il ne s'était jamais senti aussi désemparé. Est-ce qu'elles savaient ce qui lui était arrivé ? *I hope not!*

Aucun reproche de la part de Dylan, Chris ou Geoff. Difficile à comprendre ! Malgré ses écarts, ils l'aimaient... Ils finiraient bien par le laisser tomber. Madame Wilson disait qu'il valait quelque chose, mais elle était âgée et elle l'aimait bien... Il était jeune, plein de vie et beau. Il se relèverait. Un rire le gagna.

— Es-tu tombé sur la tête ? Tu ris tout seul !

— Ah ! Dylan ! Tu es arrivé. Je suis content de te voir. Attends une minute. Sans ajouter un mot, il disparut comme un courant d'air et revint avec un sac qu'il déposa sur la table.

— Qu'est-ce que... ?

— Allez, va laver ton « petit cochon » et viens manger.

— Qu'est-ce que... Un téléphone ? Qui ?

— Qu'est-ce ? Qui ? Va te laver et viens me rejoindre... On parlera après.

Il se mit à chanter.

Une douche expédiée en vitesse et ils se retrouvèrent assis face à face dans leur cuisine. Dylan laissa à Ray le choix de lui dire ce qu'il voudrait bien.

Avalant sa honte, tout en mangeant, Ray commença par lui dire que Nick était en prison pour... ? Il le saurait demain. Beau parleur, il lui avait fait miroiter la fortune et la gloire. Et lui, stupide, il avait tout gobé.

— Tu n'es pas stupide !

— Pas trop de jugement en tout cas... Et laisse-moi parler. J'ai embarqué dans une de ses combines. Je faisais de l'argent mais je me dégoûtais. Par un heureux hasard, j'ai rencontré une femme, cette dame dont je t'ai parlé. Pour une raison que j'ignore ou plutôt je pense qu'elle est tombée sur la tête, elle m'aime beaucoup.

Elle voulait tout savoir de moi et, tu me connais, je ne peux pas me taire. Elle insistait, alors je lui ai tout dit, tout… J'en avais assez de tout ça. J'avais envie de me jeter à l'eau… La pure vérité.

— *Jaysus*, fais jamais une chose pareille! N'arrive jamais ici noyé, je ne te parlerai plus jamais.

Ray rit de bon cœur.

— Madame Wilson veut m'aider. Je lui ai dit qu'elle ne savait pas dans quoi elle s'embarquait, mais je pense qu'elle aime vivre dangereusement. Ce matin même, la police est venue arrêter Nick. J'ai failli mourir de peur. Heureusement que Madame Wilson avait demandé à Geoff de venir me chercher.

— Geoff la connaît? Il est au courant pour toi?

— Oui, il l'a connaît. Pour le reste, je ne sais pas.

— Et Monsieur Cyril?

— Il a été correct. J'ai donné ma démission.

— Qu'est-ce que tu vas faire?

Une longue pause suivit.

Il allait essayer de recommencer à neuf, faire de son mieux, mais…

— Je ne serai jamais aussi parfait que toi.

Quelque chose était brisé dans son cœur, son corps… Madame Wilson allait lui trouver un emploi dans un grand restaurant, il allait prendre des cours de guitare et de chant.

— Je ne sais pas comment tout ça va aller. Je vais faire mon possible et… Je sais que je dérange ta vie.

— Ray, je suis tellement content pour toi, dérange-moi autant que tu le voudras.

— Merci, Dylan. Mais tu sais, j'ai aussi une chambre chez Madame Wilson. Je vais dormir chez elle deux ou trois soirs par semaine. Ce sera mieux pour toi et moi. Ah oui! Le téléphone, c'est elle. Il est à son nom, elle veut pouvoir me joindre… Et je pourrai aussi t'appeler quand je déciderai d'aller dormir là-bas… Et toi aussi, tu pourras m'appeler. La facture est à son nom.

Heureux que son ami ait pu quitter le bateau avant qu'il ne sombre, Dylan était consterné par toutes ses péripéties, toutes ses aventures.

— Je serais mort de peur à ta place. Je pense que tu es pas mal solide en dedans. Tu affrontes le vide… Tu rebondis! T'es pas fait en Jell-O certain! Mais ce qui me fait beaucoup de peine, c'est que tu ne seras pas toujours là pour préparer le souper et faire la vaisselle.

Une explosion de rires les secoua.

— Ça, ça ne me manquera pas, c'est sûr! Madame Wilson a une servante, une femme de ménage, une cuisinière, un chauffeur, etc. Et les repas! Dylan, je n'ai jamais vu autant de nourriture. Et des plateaux de pâtisseries. J'ai hâte que tu viennes avec moi la rencontrer.

— Ouaa! Je n'irai pas là! Une millionnaire… Je serais trop gêné.

Ray se leva. Les mains sur les hanches, il regarda Dylan :

— Écoute, je lui ai beaucoup parlé de toi. Je lui ai dit que tu es mon frère, et elle a très hâte de te rencontrer.

Il le suppliait des yeux.

— Ah toi! J'irai une fois. Tu m'entends? Une fois. Tu n'as plus besoin de moi. Tu vas réussir, tu vas jouer de la guitare, chanter, travailler et j'irai t'applaudir. Ça me suffit. Mais t'as besoin de toujours me garder deux billets pour tes spectacles.

Ray lui sauta dans les bras, se mit à rire, à danser pour finalement s'affaler sur une causeuse.

— Je suis mort. Je pense que je suis mort de peur ce matin, et là, je suis mort de fatigue. Demain matin, je déjeune avec Madame Wilson; elle veut parler de mon futur emploi et faire des courses.

— Repose-toi mon ami. Tout va bien aller.

Dylan alla à la chambre, défit le lit de Ray, retourna au salon, le prit dans ses bras, le souleva…

— Qu'est-ce que tu fais là?

— Arrête de gigoter, sinon je te donne une fessée.

Il le déposa sur le lit, enleva ses chaussures, et avant que Ray ait pu réagir, il l'avait déculotté.

— Enlève ta chemise, je vais te chanter une berceuse.

— Tu vas me chanter une chanson? Une berceuse?

D'un air sérieux, Dylan se mit à chanter : « *Too-ra-loo-ra-loo-ral Too-ra-loo-ra-li Too-ra-loo-ra-loo-ral Hush now… go to sleep.* »

Il n'avait pas de voix, chantait tout faux, ne connaissait pas tous les mots, emplissait les vides par des lalala. Ray se tordait de rire. Imperturbable, Dylan continuait. Ray bondit vers la salle de bain, toujours mort de rire, puis il revint dans son lit.

— Veux-tu que je t'en chante une autre ?

— *Good God, no !* Au moins, tu ne me feras jamais compétition comme chanteur. Je pense que je vais dormir. Merci, mon frère.

— Dors, je veille sur toi.

Une longue accolade, puis Ray ferma les yeux.

Le cœur gros, Dylan retourna au salon. Pauvre Ray ! Pourvu que Madame Wilson puisse l'aider à réaliser ses rêves. Le sien ? Il était à le réaliser.

Dylan repassa la journée dans sa tête. Le métier d'électricien le passionnait toujours. Au début, Andy, son maître électricien, l'avait accueilli plutôt froidement. Avoir cet Irlandais à ses côtés chaque jour ne lui plaisait guère. Il ne l'avait pas ménagé : il voulait devenir électricien, il allait commencer au bas de l'échelle. Il portait les gros rouleaux de fil, le matériel lourd. Andy lui expliquait ce qu'il faisait, Dylan ne perdait pas un mot. Parfois, il demandait une explication ; Andy s'impatientait, mais l'apprenti ne semblait pas s'en apercevoir ou s'y arrêter. Il voulait apprendre et il apprenait.

Toujours ponctuel, propre, poli, il ne se plaignait jamais. Après quelques mois, Andy commença à apprécier cette tête dure d'Irlandais. Il pouvait même faire de l'esprit à l'occasion. Dans quelques mois, il passerait l'examen. Il serait électricien.

Perdu dans ses pensées, un hurlement le fit sursauter. Il regarda autour de lui. Ray ! Ray se battait contre ses fantômes. Il se précipita, le prit dans ses bras :

— Ray, c'est moi, Dylan. Ce n'est qu'un mauvais rêve.

— J'ai fait un cauchemar ! On me poursuivait…

— Tu rêvais, n'y pense plus. Dors, je vais rester près de toi.

— Merci ! Merci.

Rassuré, il ferma les yeux et se rendormit.

Il n'était que vingt heures. Ray avait besoin de repos. Dylan sortit une feuille de papier et écrivit en grosses lettres. « Ray, tu as besoin de quelques jours de repos. Dis-le à Madame Wilson, je t'en prie. Ton frère, Dylan. » Il prit un bout de ruban adhésif et collia la note sur la porte d'entrée de l'appartement. Dylan partait à six heures trente. Ray la verrait quand il se réveillerait. S'il ne se réveillait pas ? Madame Wilson s'inquiéterait. Il devait la prévenir, mais détestait la pensée de devoir l'appeler. Finalement, son amour pour Ray surpassa son appréhension, et il se décida. Le papier où était noté le numéro de la dame était sur la table. Il alla fermer la porte de la chambre et composa le numéro.

— Madame Wilson, s'il vous plaît.

— De la part de qui ?

— Dylan Quinn !

Des pas et la voix.

— Oui, Dylan, c'est Madame Wilson. Est-ce que Ray…

— Il a eu une journée difficile, madame. Il dort déjà, mais il a fait un cauchemar tout à l'heure. Je pars tôt le matin pour aller travailler ; il se peut que Ray soit en retard demain, parce que je pensais le laisser dormir.

— C'est très bien, je comprends. Tu es un bon ami pour Ray. Je te remercie beaucoup de m'avoir appelée. Je l'apprécie beaucoup.

— Bonsoir madame.

— Bonsoir Dylan.

Elle avait une voix qui en disait long ; elle semblait très gentille. Songeur, il décida de se coucher tôt aussi.

Allongé tout près de Ray, c'était presque comme avant. Si seulement ! Ray pouvait-il s'amender ? Y avait-il quelque chose qui n'allait pas dans son cerveau ? Comment le réparer ? Il connaissait une solution. « Ray, je vais prier très fort pour que tu t'en sortes. »

45

Le glaive de la justice n'a pas de fourreau

Le lendemain, le jeudi, à onze heures trente, Ray dînait avec Madame Wilson. Même s'il n'oublierait pas les affres des derniers jours, il se sentait plus détendu, presque euphorique. Geoff venait d'appeler, La cause de Nick avait été entendue. Le juge l'avait condamné à vingt mois de prison. Il avait aussi confisqué son argent, l'argent de la prostitution.

— Tu n'as pas à t'inquiéter de Nick. Il est à la prison de Lewes, ce n'est pas le *Grand Hotel*, crois-moi.

Ray ne la quittait pas des yeux. D'un air solennel, il lui dit :

— Vous êtes la meilleure femme du monde, vous m'avez sauvé la vie. Je vais faire mon possible pour être bon et honnête. Parfois, il vous faudra de la patience. Mais est-ce que Geoff vous a raconté ce qui s'était passé en cour ?

Posément, Madame Wilson lui fit le récit de ce qu'il lui avait appris.

Le matin même, Nick tremblait devant le juge Clarke. Son avocat, maître Lester Jones, avait étudié son dossier. Il lui expliqua ce qui l'attendait. C'était préférable qu'il plaide coupable ; n'en étant qu'à sa première offense, le juge prendrait cela en considération.

— Mais j'ai de l'argent pour me défendre.

— C'est l'argent du crime, ils vont le confisquer.

— Êtes-vous malade ? C'est mon argent !

— Pas aux yeux de la justice. Qu'est-ce que vous décidez ?

— Je ne veux pas voir mon visage dans tous les journaux ; je vais plaider coupable et vous expliquerez au juge que c'est ma première offense. Je ne veux pas moisir une nuit de plus ici. Vous êtes mon avocat, vous saurez quoi dire.

Le juge Clark n'était pas homme à badiner avec la morale, surtout quand il s'agissait de cas impliquant des jeunes. De son côté, confiant, Nick attendait son tour. Quand on l'appela, il se présenta à la barre avec son avocat. Le sergent Brown représentait la justice. Le juge demanda à l'avocat :

— Est-ce que votre client plaide coupable ou non coupable ?

— Coupable, votre honneur. Mais mon client implore la clémence de la cour, il n'a jamais eu maille à partir avec la justice avant aujourd'hui.

Le sergent Brown demanda la parole :

— Permettez votre honneur ? Monsieur Harris employait de jeunes garçons et de jeunes filles à titre de prostitués. Il abusait de leur naïveté pour s'enrichir. Votre honneur, si ce n'est que sa première présence devant la justice, c'est qu'il a été chanceux. Il s'adonne à cette activité depuis quelques années.

— Vous avez des preuves sergent ?

— Oui, votre honneur. La liste de ses « clients » et de ses « protégés », des sommes reçues pour chaque « contrat » et un compte bancaire bien garni.

— Monsieur Harris, vos activités impliquant des jeunes sont perverses et répugnantes. Vous êtes un déshonneur pour la société. Je vous condamne à vingt mois à la prison de Lewes. Après, si vous récidivez, vous en prendrez pour votre rhume. Sergent, gelez ce compte bancaire, c'est l'argent du crime. Garde, emmenez le prisonnier.

La prison de Lewes, construite en 1853, n'était pas un centre de villégiature ! Elle avait abrité des prisonniers de tous genres et avait fait les manchettes à quelques reprises en incarcérant des prisonniers politiques irlandais, dont le célèbre Eamon de Valera, qui fut premier ministre et président de la République d'Irlande de 1959 à 1973.

À la mention du nom de Lewes, Nick Harris s'était effondré. Les gardiens le traînèrent *ipso facto* et *manu malitari*. Adieu, argent, maison de rêve… Une cellule l'attendait et elle ne serait pas en velours capitonné.

46

Comme un conte de fées

Ray était rassuré, un nouveau chapitre de sa vie commençait. Il eut peine à la croire quand Madame Wilson lui apprit que Dylan l'avait appelée.

— À cause de sa gêne, Dylan préférerait ne pas vous rencontrer ou vous parler, mais il fera tout pour me protéger... de moi-même.

— J'espère que tu réalises qu'il est un jeune homme remarquable.

— Si seulement je pouvais faire quelque chose pour lui.

— Tu le peux! Fais de ton mieux, c'est tout ce que quiconque peut te demander. Maintenant, nous avons à parler de ton avenir. Je suis prête à t'aider, mais porte bien attention à mes paroles.

Ils iraient ensemble acheter une guitare, elle lui trouverait un professeur de musique et de chant, pas nécessairement pour devenir un professionnel, mais pour qu'il puisse s'accompagner en chantant. Ce ne serait pas facile au début, il lui faudrait pratiquer et pratiquer encore. Pas quand ça lui tenterait, mais à des heures régulières. Pour le chant, il lui faudrait aussi quelques semaines de leçons, et s'astreindre à une discipline rigoureuse.

— Pour réussir dans la vie, il faut avoir un but, savoir exactement ce que l'on veut. On dit bien *Begin with the end in sight!* Il faut te voir où tu voudrais être et ne jamais dévier de ce but: chanter, guitare à la main, sur une scène devant un public en délire. C'est bien ce que tu veux? Il faudra de la sueur et du sang. Au début, quand les cordes de guitare te couperont presque le bout des doigts, quand tu répéteras les accords, pense toujours à ce qui t'attend – une foule surexcitée – et tu réussiras. Alors, mon cher ami, es-tu prêt à faire ces sacrifices pour réussir? Pense à ce que je t'ai dit. Pendant ce temps, j'ai quelques appels à faire.

Ray se leva. Debout devant la fenêtre, il réfléchit. Madame Wilson lui offrait la chance d'apprendre à jouer de la guitare et à chanter, ce dont il avait souvent rêvé. Monter sur une scène, chanter devant une foule en délire serait accéder à un bonheur sans nuage. Lui, l'enfant de personne... Si jamais sa mère devait voir son visage sur un gigantesque panneau d'affichage, elle regretterait de l'avoir abandonné. Il serait trop tard, jamais il ne lui pardonnerait cela. Mais il aimerait la revoir... juste la regarder de loin. Perdu dans ses projections de gloire, il sursauta quand sa bienfaitrice lui mit la main sur l'épaule.

— Eh bien, mon cher Ray, tu as bien réfléchi?

Un grand éclat de rire.

— J'ai surtout rêvé, rêvé en couleurs.

— Et de quoi rêvais-tu?

Un profond soupir, et il la regarda, cette belle dame qui ne voulait que son bonheur. Jamais il ne la décevrait. Une émotion intense se lisait dans ses yeux. Il se blottit dans ses bras. Plutôt se tailler les poignets que la décevoir.

— Je vais réussir! Je vais travailler. Vous allez dépenser...

— Stop! Je te crois, j'ai confiance en toi et je n'ai pas oublié ton emploi. Le fait de pouvoir t'aider me procure une grande satisfaction. D'abord, nous devons aller faire des courses.

Une heure plus tard, ils étaient au *Ivor Mairants Musicentre*, au cœur du London's West End. C'était la boutique du grand guitariste de renommée internationale. Madame Wilson le connaissait bien. Ray n'avait pas assez d'yeux pour tout voir, pendant que le gérant, presque agenouillé devant Madame Wilson, lui expliquait les avantages d'une guitare «chère, mais le son, madame...».

— Monsieur, arrêtez de tourner autour de moi, nous savons ce que nous voulons.

— Mes excuses, madame.

— Je veux une guitare pour mon petit-fils. Il veut apprendre à jouer. Un son agréable, mais à un prix raisonnable. Et j'ai aussi besoin d'un professeur de musique et de chant.

— J'ai ce qu'il vous faut!

Il leur montra deux modèles de guitare.

— Les cordes de celle-ci sont en nylon de première qualité ; elles sont plus souples et donnent une sonorité plus chaude. Une bonne tête solide, les clefs pour régler la tension…

— Qu'en penses-tu Ray ?

— Attendez, venez vous asseoir sur ce tabouret et jouez un peu avec les cordes.

Avec une guitare Zenith sur son genou gauche, il fit quelques tentatives, puis fit glisser les doigts de sa main gauche pendant que la droite grattait les cordes. Il était au septième ciel.

— Monsieur apprendra vite ! Je constate qu'il pince bien.

— Alors, on l'achète ?

— Elle coûte trop cher !

Souriante, elle murmura :

— Tu me le rendras quand tu seras célèbre.

— Vous pourriez attendre longtemps.

— Non, parce que tu vas apprendre rapidement. Maintenant, il te faut un étui pour remiser ce bel instrument.

Ray jubilait ; c'était un peu comme si un génie lui était apparu et que, d'un coup de baguette magique, son rêve se concrétisait. Le gérant leur demanda de le suivre dans son bureau.

— Vous êtes de Brighton ? Je connais un excellent professeur de guitare, Tom Daley.

— Mon petit-fils ne saurait prétendre atteindre le niveau de perfection de Monsieur Mairants, mais il aime le chant, la musique, la danse. Pas de guitare classique, des cours simples, faciles, afin qu'il puisse s'accompagner quand il chante… Pour le moment. Et pas de cours qui n'en finissent plus. Quelques mois de cours devraient suffire.

— Pour le chant, il y a Madame Gladys Weatherspoon, qui est assez bien connue chez vous. Je vous la recommande hautement. Quand on aime la musique, l'apprentissage est un plaisir. Jeune homme, je vous souhaite beaucoup de succès.

Impressionné, Ray osait à peine respirer ; il murmura : « Merci monsieur. »

Sortant avec son étui à guitare au logo de Zenith, il regarda autour de lui. Peut-être certaines personnes penseraient-elles qu'il était un grand musicien, lui, le petit-fils d'une femme riche… Son imagination était en cavale.

Madame Wilson devinait ses pensées.

— Est-ce que tu préfères retourner chez Dylan?

— J'ai hâte de la lui montrer. Mais j'aime être avec vous. Je pourrais retourner avec vous et demain j'irai voir Dylan.

— J'ai une meilleure idée. Tu retournes chez Dylan pour le week-end, et lundi tu reviens chez moi. Dès que j'arrive chez moi, j'appelle le professeur de guitare. Si tout va selon mes plans, tu commenceras tes cours lundi. L'avant-midi les cours, et l'après-midi les répétitions. Les lundis et mercredis, les cours de guitare, les mardis et jeudis, le chant.

— Mais les professeurs ne seront peut-être pas disponibles.

— Crois-moi, ils le seront, à moins de circonstances vraiment incontrôlables.

— Ça va coûter une fortune, et je ne travaille pas…

— Je fais un investissement, dit-elle en le regardant, un placement. Je mise sur l'avenir d'un jeune homme. À partir de maintenant, tu auras une allocation de 10 livres chaque semaine.

— Dix livres pour m'amuser à jouer de la guitare et chanter?

— Crois-moi, tu ne t'amuseras pas toujours. Tu vas gagner cet argent. Dans quelques semaines, tu apprendras le métier de serveur, ou peut-être quelque chose de mieux. Chaque chose en son temps.

Il s'arrêta.

— Quoi? Tu n'es pas d'accord?

— Madame, la plus gentille femme du monde, je ne sais pas comment vous dire comme mon cœur goûte au bonheur. Vous, une étrangère, me dites que je vais réussir. Et je vous crois. Je ne pourrai jamais vous rendre ce que vous faites pour moi, mais je peux vous promettre une chose.

Ils se dirigeaient vers la voiture.

— Tu n'as pas à me promettre quoi que ce soit.

— Vous devez m'écouter. Je vous promets de faire mon possible pour apprendre, mais avant, ce que je veux dire, c'est que si jamais vous tombez malade, ce que je ne veux pas, mais si… un jour, vous êtes même juste un petit peu malade, je resterai à vos côtés jour et nuit.

— Si jamais cela arrive, tu seras peut-être en tournée…

— Vous ne m'avez pas bien compris. Au travail, dans un hôtel, ou en tournée, je laisserai tout tomber et je viendrai vous soigner.

Elle était remuée jusqu'au plus profond de son âme, la gorge serrée. Ce jeune homme parfois flottant mais si authentique, ce Ray marqué par la vie avait de ces élans de générosité sincère qui l'émouvaient profondément.

— Cher Ray, personne ne m'a jamais montré plus grande marque d'appréciation. Je suis déjà payée au centuple.

Le chauffeur les attendait. Assis à l'arrière dans la voiture, ils se regardaient en souriant. Ray devait se retenir pour ne pas chanter, taper du pied.

— Je me sens prêt à exploser, tellement je suis heureux.

— Moi aussi! Pour la première fois de ma vie, je suis aussi prête… à exploser. Tu es contagieux!

Rires joyeux de l'un comme de l'autre. Puis la voiture s'arrêta, ils s'apprêtèrent à descendre.

47

L'étiquette

Ray hésitait à descendre de l'auto.

— Mais, madame Wilson, c'est *The Grand Hotel*! Je ne peux pas entrer là.

— Oui, tu le peux. Nous allons prendre le thé. On fête! Viens!

Perplexe, Ray pensa qu'il mangerait bien quelque chose, en plus de prendre un thé. Dans son monde, prendre le thé se limitait à boire une tasse de thé. Pour Madame Wilson, prendre le thé était une gâterie, un rituel réservé aux gens de la haute société. Comme prendre le thé chez *Harrod's* à Londres. Une expérience inoubliable.

Madame Wilson avait à peine franchi la porte que le maître d'hôtel se précipitait pour l'accueillir. Il baissa les yeux sur Ray.

— Bonjour Henry! Je vous présente Ray O'Brien, le petit-fils d'une cousine. Il m'est très cher.

— Monsieur O'Brien, bienvenue au *Grand Hotel*.

D'un signe de tête, Ray le salua.

— Nous aimerions prendre le thé.

— Certainement madame. Suivez-moi.

Inclinant la tête vers Ray :

— Monsieur.

Serviette rouge pliée sur le bras, un serveur arriva tout en courbettes.

— Madame désire?

— Ray, c'est jour de fête. Deux coupes de champagne s'il vous plaît.

— Bien, madame.

Raide comme une barre, il s'éclipsa. Ray avait le fou rire. S'il avait su qui il était vraiment. Madame Wilson souriait. Pour la première fois, elle comprenait un peu comment les gens ordinaires pouvaient être mal à l'aise dans cet environnement. Des poissons hors de l'eau.

— Ray, regarde bien le garçon, observe ses gestes. C'est dans un hôtel comme celui-ci que tu vas travailler.

Ray faillit s'étouffer.

— Vous n'êtes pas sérieuse? Il n'est pas en chair et en os; c'est une marionnette! Il est empesé.

Il lui fallut un effort surhumain pour ne pas éclater de rire. Madame Wilson secoua la tête lentement de droite à gauche.

— S'il te plaît Ray, ne continue pas, je pourrais m'esclaffer et ça ne se fait pas ici.

Cet *afternoon tea* fut une première sortie, pour Ray, dans le monde de Madame Wilson. Elle en profita pour lui apprendre quelques leçons de bienséance. S'il voulait être accepté dans la haute société, il ne devait jamais élever la voix, rire aux éclats ou fixer les gens. Pour satisfaire une certaine curiosité, de temps à autre, il pouvait jeter un coup d'œil nonchalant, comme s'il ne s'intéressait pas aux gens, quand, au contraire, tout le monde veut savoir qui est qui et avec qui il est.

— Depuis notre entrée, plusieurs chuchotent à ton sujet et se meurent de savoir qui est ce beau jeune homme qui m'accompagne. Si on t'interroge, donne le moins d'information possible et souris. Maintenant, levons notre verre à ton avenir. Ce temps nous appartient. *Enjoy it!*

Une demi-heure plus tard, le serveur revint avec le thé, des scones, divers sandwichs miniatures, des tartelettes, des macarons et autres délices frais du jour. Tout se déroulait à merveille.

— Bonjour ma chère Candice! Comment vas-tu?

— Mais très bien. Et toi?

— Bien!

— Je te présente mon neveu, Ray. Ray, voici une amie, Madame Lisa Howard.

Ray lui adressa son sourire le plus charmant:

— Mes hommages, madame.

— Mais dis donc, il est charmant ce jeune homme. Il est ici depuis longtemps? Il demeure chez toi?

— Depuis quelque temps. Parfois il est chez des amis et souvent chez moi. Il met du soleil dans la maison. Tu m'excuseras, mais je ne peux m'attarder, nous avons un rendez-vous dans moins d'une heure.

— D'accord, on se revoit bientôt. Et toi aussi.

Ray se leva.

— Très aimable à vous! Au revoir, madame.

L'esquisse d'un sourire se dessina sur le visage de Madame Wilson.

— Ray, tu as été parfait!

— Merci. Je vais toujours faire mon possible pour vous faire honneur. Nous y allons?

— Oui, parce que ta venue et ton nom circulent déjà sur toutes les lèvres. Tu éveilles la curiosité.

Saluant des amis, des connaissances, Madame Wilson se leva, Ray lui emboîta le pas. Elle voulait magasiner, si Ray voulait bien l'accompagner. Magasiner ne l'enchantait guère, mais si elle voulait s'acheter quelque chose, il irait avec plaisir. C'est plutôt l'inverse qui se produisit. Malgré ses protestations, elle l'emmena dans une boutique de vêtements pour homme.

Maintenant qu'elle l'avait présenté comme un parent, il faisait partie de sa famille. Il se préparait à paraître en public, à fréquenter des endroits huppés. Sa garde-robe devait refléter son statut social. N'était-ce pas à cela qu'il avait rêvé? Fréquenter des gens qui «sentent le fric»?

— Je ne fais que répondre à ton désir, réaliser ton rêve.

— Madame Wilson, c'est vrai que je rêvais d'avoir de l'argent… Et oui, je me suis laissé entraîner.

— Avec moi, tout est honnête.

48

L'habit ne fait pas le moine, mais…

Madame Wilson comprenait Ray et pouvait se permettre de le gâter, de lui offrir des petits cadeaux.

— Des petits cadeaux?

— Il te faut une garde-robe complète.

Il n'était pas certain de saisir ce qu'elle voulait dire par une garde-robe complète et n'osait pas croire qu'elle voulait l'habiller de pied en cap.

— Il te faut des habits de scène, toujours dans la même teinte. Ce sera ton signe distinctif, comme certains grands chanteurs portent toujours les mêmes couleurs.

— Comme les Beatles avec leur habit et leur coupe de cheveux?

— Exactement! Alors, comment aimerais-tu être habillé?

— En noir! Pantalon noir, chemise noire, peut-être un tee-shirt rouge sous la chemise…

— … avec un petit mouchoir en soie rouge dans la poche de chemise. Je pense que ça t'irait à merveille. Un beau veston en cuir noir pour quand il fera froid. Il faut capter l'attention. Quand on verra un jeune homme tout vêtu de noir, avec un peu de rouge, on dira: «Regardez! C'est lui, c'est…» Je ne sais pas… Il te faut un nom de scène. On va trouver.

N'allait-elle pas un peu trop vite? Il avait la guitare, mais ne savait pas jouer une seule note. Elle balaya ses objections du revers de la main. Il allait apprendre, elle le savait. Le vendeur courait en tous sens, l'aidant à s'habiller. Un peu plus et il remontait la braguette de son pantalon. Ray s'apprêtait à fermer la cabine d'essayage. Il le toisa:

— On se calme! On se calme!

— Oui monsieur. Certainement monsieur. Comme monsieur désire.

Ray pensa à Dylan. Il serait mort de rire s'il était présent. Il essaya pantalons, chemises, polos, vestons dernier cri, vestes, un complet trois pièces. L'ensemble noir faisait ressortir son teint roux d'Irlandais.

Le vendeur s'approcha avec un mouchoir en soie rouge. Madame Wilson se leva, le prit, le plia et le glissa dans la poche de la chemise. Ray se regarda dans le miroir. L'effet était saisissant!

— Il te va à merveille ce costume de scène! Tu aimes?

Inclinant la tête, il prit la pose d'un guitariste et sourit.

— Oui, c'est assez… visible. Je ne passerai pas inaperçu.

— C'est exactement ce qu'il ne faut pas. Quand on te verra, on ne t'oubliera jamais.

À sa demande, il continua à parader devant elle jusqu'à ce qu'il demande grâce.

— C'est assez, je n'en peu plus.

— D'accord! Monsieur, portez le tout à mon compte. Il est possible de livrer ces achats aujourd'hui?

— Certainement, madame.

Elle prit le bras de Ray, puis ils sortirent. Elle se mit à fredonner *Only the lonely, know how I feel tonight*. Surpris, Ray s'arrêta. Elle chantait! Le chauffeur avança la voiture.

— Vous chantez? Cachotière! On pourrait faire un duo?

— Je ne pense pas.

— Quelle est cette chanson?

— *Only the Lonely*… de Roy Orbison. J'ai le disque chez moi.

— Je pourrais l'écouter?

— Certainement!

— Je sais si peu de chose de vous. Vous êtes… extraordinaire.

— Tu sais, je n'ai pas ton âge. Tout de même, j'ai un bagage de connaissances, des années d'expérience. Autrefois, je chantais assez bien. Depuis que tu es entré dans ma vie, j'ai du plaisir à chanter. Tu vois, tu m'inspires!

— Eh bien! Ça me fait plaisir!

— Veux-tu t'arrêter un moment? Le temps de ranger tes vêtements neufs et mon chauffeur te raccompagnera chez Dylan ce soir.

— C'est vrai ! Dylan travaille. Si ça ne vous dérange pas. Vous avez perdu pas mal de temps avec moi cette semaine.

— Je n'ai pas perdu une seule seconde. Nous avons fait des choses importantes. Tu es maintenant un jeune homme libre, prêt à commencer une nouvelle vie. Reste ce soir, tous les soirs que tu voudras. Samedi, je sors avec un ami. Nous nous connaissons depuis toujours ; parfois nous allons souper ensemble. C'est agréable.

Ray ne souhaitait pas accaparer sa vie, il voulait qu'elle reprenne ses activités, celles d'avant son arrivée. Pour l'instant, elle allait s'occuper de sa carrière, de sa réussite, de son avenir. Il allait devoir suivre ses conseils et il le ferait. Il était minuit moins une. Ray en était conscient, il avait vieilli d'une année en une semaine.

Il eut une folle envie d'aller dans un café, comme il le faisait avec Nick, d'écouter de la musique, de danser... Audrey ? Il ne la reverrait probablement plus. Les filles de Nick avaient certainement reçu la visite de la police. Un besoin impérieux de s'évader, d'oublier tout ça l'espace d'un soir, le turlupinait.

Il n'eut pas le temps de finir sa rêverie que les vêtements arrivèrent. Il les regarda, les palpa, flaira leur odeur... l'odeur de l'argent. Il assortit les pantalons avec les chemises et les polos, mit son habit de côté. Ce serait pour les grandes sorties. Lesquelles ? Il ne savait. Il avait tous ces beaux vêtements, mais il n'avait plus d'amis. Assis sur le bord du lit, perdu dans ses pensées, il n'entendit pas Madame Wilson entrer.

— Alors, mon ami, les beaux vêtements ne réparent pas le cœur.

Il ne répondit pas. Elle s'assit à ses côtés, le prit dans ses bras.

— Tu veux en parler.

Durant presque quatre années, il avait travaillé avec Nick dans la fourgonnette. Il écoutait de la musique, chantait, riait. Dans les hôtels et les cafés, il rencontrait des gens. Nick l'avait trahi, il s'était déshonoré. Dylan, lui, avait une blonde.

— Vous êtes là. Vous avez déjà tellement fait pour moi. Mais vous avez votre vie à vivre.

— Tu dois te sentir bien seul. Je comprends, mais ça ne durera pas. Les lundis et mercredis, tes cours de guitare, les mardis et jeudis, ceux de chant, puis il te faudra pratiquer. Ce sera très intense et difficile, disons… le premier mois. Il te faudra une bonne dose de détermination, mais tu penseras à ce que je t'ai dit. La chose la plus importante à ne jamais oublier si l'on veut réussir : *Begin with the end in sight !*

— Je dois toujours, toujours penser à mon objectif – jouer de la guitare, chanter devant une foule en délire.

Il se pâma de rire.

— Je vise haut !

— Quand on vise haut, on va loin. N'en doute jamais !

Elle avait réponse à tout et ses réponses lui faisaient croire qu'il pouvait réussir.

Ils se turent, chacun se laissant aller à ses pensées. Dans une semaine, il pourrait commencer son entraînement comme serveur ou peut-être comme hôte. Elle allait s'en occuper dès le lundi suivant. Elle serait fixée dans quelques jours. Rien ne serait décidé sans son accord. Ce travail devait lui être agréable, sinon elle chercherait autre chose. En attendant, les week-ends seraient peut-être un peu longs, mais elle trouverait bien quelque chose d'intéressant à faire. Dylan avait une petite amie. Qui sait, cette fille avait peut-être une amie qui aimerait connaître un beau jeune homme plein de vie, charmant, drôle. Si elle se fiait à ce qu'elle avait entendu au sujet de Dylan, il n'avait certainement pas choisi une traînée. Il pourrait en être ainsi pour Ray.

— Plus tard, quand tu chanteras en public, les filles se traîneront à tes pieds. Il te faudra un garde du corps.

— Madame Wilson, vous y allez un peu fort. Continuez et ma tête ne passera plus dans les cadres de porte.

— Alors, jeune homme, pendant que je m'occupe de mes affaires, tu peux écouter Roy Orbison. Et la musique irlandaise… Tu peux danser, te dégourdir les jambes. Tu pourras retourner chez Dylan quand tu voudras ou souper ici.

— Je préfère souper ici. C'est tellement meilleur !

— À plus tard, mon lutin.

Ray écouta les chansons. Les mots de *Uptown* vinrent le chercher : « *It won't be long, just wait and see, I'll have a big car, fine clothes and I'll be Uptown.* »

Quand Madame Wilson revint, Ray était assis sur le tapis face au tourne-disque, il chantonnait les mots de cette chanson symbolisant ses rêves. La musique l'envahissait et sa vie semblait tout en douceur.

— Tu aimes?

— Beaucoup. Vous aussi?

— Je préfère le classique, mais une amie d'enfance m'a envoyé ce disque et j'ai commencé à l'écouter. Les paroles disent quelque chose, alors parfois je l'écoute.

— J'aime bien *Uptown*.

— Oui, je comprends. Tu pourrais l'avoir composée. Avant de partir, j'aimerais bien que tu danses pour moi.

— Avec grand plaisir, chère madame Rose! Je vais mettre le disque.

En position, il laissa la musique inspirer son corps. Assise, elle le regardait; c'était une danse très différente de celle qu'il avait exécutée devant elle auparavant. Parfois les mains sur les hanches, parfois une main pointant vers l'horizon, il glissait, tournoyait, sautait puis revenait. Concentré, son cœur, ses émotions vibraient à la cadence de ses pieds. Il s'éclata! Il devait aussi perfectionner sa danse; elle se promit d'y voir. Dylan avait raison. Chanter, quelques petites farces et danser, des atouts supplémentaires. Le souper terminé, elle sonna la bonne; celle-ci arriva avec une grande boîte qu'elle remit à Ray.

— Qu'est-ce que c'est?

— Des petites friandises pour votre week-end.

— Merci bien madame, mais je ne peux accepter, Dylan ne serait pas fier de moi. Il ne faut pas.

— Pour cette fois seulement, je te le promets. Va chercher ta guitare. Apporte aussi les vêtements que tu veux, mon chauffeur va te conduire.

— Oh non! Je vais prendre l'autobus.

— Avec ta belle guitare neuve? Tu veux qu'on te la vole?

— Je vous en prie, plus rien. Je sais que vous le faites pour me faire plaisir, mais c'est trop; ce n'est pas bon pour moi. La guitare, les vêtements, les cours; je vais essayer de les mériter.

— Tu as raison. Merci de me le rappeler. Tu reviens dimanche soir? Lundi matin, j'irai avec toi pour ton premier cours – après, tu iras seul; même chose pour les cours de chant.

Une accolade, un coup d'œil affectueux et il s'éloigna, revint sur ses pas, lui donna un bisou sur le bout du nez.

Stupéfaite, riant, elle le regarda se déhancher vers la porte. Personne n'aurait jamais osé l'embrasser sur le nez. Ray? Un geste spontané sans arrière-pensée. Quel numéro ce petit lutin!

49

Week-end à trois

Dylan entra en sifflotant. Le téléphone sonnait. Tyna était en congé. Ils ne s'étaient pas vus de la semaine, mais s'étaient parlé. Le téléphone avait ses avantages. Ray serait avec eux quand elle viendrait. Tyna était contente de rencontrer cet ami.

— S'il est aussi fin et gentil que toi, je pourrais peut-être lui trouver une amie. Parfois, nous pourrions sortir entre couples.

— Il est très gentil, mais très différent de moi. Je t'en ai déjà parlé. Une amie ? On verra ! Et puis, j'aime bien être seul avec toi.

— Moi aussi. Tu m'as beaucoup manqué.

Il fut convenu qu'elle viendrait le lendemain le rejoindre afin de rencontrer son ami. Ensuite, ils aviseraient. Ray arriva sur ces entrefaites.

Dylan ne fut pas emballé par la boîte de nourriture de Madame Wilson ; il ne voulait pas de charité.

— Dylan, Madame Wilson a voulu nous faire plaisir, mais ça ne se reproduira plus. Je le lui ai dit. On ne va pas jeter ça.

Il ouvrit la boîte... et le ventre de Dylan changea d'idée.

— *Sweet Jaysus !* Tu en manges souvent de même ?

— Oui, régulièrement ! On les partage ?

Ils mangèrent jusqu'à la dernière miette. Dylan ne critiqua pas la très généreuse portion qui lui fut offerte.

Il ne voulait rien devoir à Madame Wilson. Qu'elle gâte Ray, c'était son affaire. Si elle réussissait à en faire un artiste, lui trouvait un emploi honnête, rien ne lui ferait plus plaisir. Qu'il dorme chez elle quelques soirs par semaine atténuait les inconvénients de son retour – il n'aimait ni le bruit ni les imprévus, il s'était habitué à sa vie de célibataire heureux.

Ray sortit sa guitare. Dylan s'exclama :

— *Wow!* C'est toute une guitare! Madame Wilson te l'a achetée?

— Oui! J'ai des cours les lundis et mercredis; les mardis et jeudis, j'ai des cours de chant.

— Elle n'y va pas avec le dos de la cuillère. La chance te sourit, ne la laisse pas passer.

— Je vais faire mon possible pour réussir. Elle m'a aussi acheté des vêtements pour les dix prochaines années. Selon elle, je vais les gagner, parce qu'il paraît que les répétitions seront ardues.

Il prit une chaise et s'installa avec sa guitare; il passa une heure à chercher— *sa* position, *sa* façon de tenir la guitare, de jouer, de regarder le public avec une mimique qui exprimerait la chaleur, l'intensité, les bonnes vibrations. Essayer de faire sortir des sons cohérents de son instrument fut pénible et embarrassant. Dylan se tordait de rire.

— Tu la martyrises! Oui, tu as besoin de leçons!

— Je le pense aussi. Je n'irai pas jouer en public la semaine prochaine. Mais j'y arriverai.

Ils regardèrent la télévision et se couchèrent. Ray ne se sentait pas à l'aise, il n'était plus chez lui. Au fond, il n'avait pas de chez-soi. Tout enfant doit avoir un chez-soi, des parents, la maison familiale, un cocon enveloppant où il fait bon revenir. Il n'en avait pas. Cette prise de conscience lui fit mal; il avait besoin d'un point d'ancrage, un sentiment d'appartenance essentiel à son épanouissement. Où allait-il travailler? Chez qui allait-il habiter? Où se sentirait-il chez lui? Il ne pouvait vivre seul et il ne se voyait pas arriver dans un logement vide. Sa chambre chez Madame Wilson, c'était bien à l'occasion, mais pas tous les jours. Aller de chez elle à chez Dylan, il ne voulait même pas y penser. Il finit par s'endormir.

Le lendemain, il fit la grasse matinée. En début d'après-midi, il appela Madame Wilson. Elle voulut savoir ce qu'il faisait. Ils causaient toujours quand Tyna frappa à la porte. Il s'excusa et promit de la rappeler. Curiosité féminine, Tyna avait hâte de rencontrer Ray. Pendant que Dylan lui donnait l'accolade, Ray la détailla. Pas mal du tout! Assez grande, bien proportionnée, cheveux châtains ondulés encadrant un visage rond, yeux doux mais vifs ; un joli minois. Ray s'avança, son plus beau sourire le précédant.

— Mademoiselle Tyna, c'est un plaisir de rencontrer l'amie de mon frère, et comme toujours, il a de la chance.

— Merci, Ray. Je suis contente aussi, et tu peux m'appeler Tyna. C'est ta guitare ? Tu sais jouer ?

— Pas encore, mais je vais apprendre... J'espère.

Ils causèrent pendant une vingtaine de minutes, puis ils voulurent aller au cinéma. Ils insistèrent pour que Ray les accompagne, mais il refusa. Il voulait s'amuser avec sa guitare. La vérité était qu'il aurait aimé aller avec eux, mais... une autre fois. Dylan était soulagé ; il avait envie d'être seul avec sa blonde.

Ray regarda la télévision, tourna en rond, descendit au café, mangea un morceau de tarte et regarda le temps passer. Quand il remonta à l'appartement, le téléphone sonnait. Madame Wilson voulait savoir ce qu'il avait prévu de faire le soir même.

— Rien du tout, Dylan est sorti avec son amie.

— Nous allons au théâtre, tu aimerais nous accompagner ?

— Voir un film ?

— Non, non, voir un spectacle.

— Merci, vous êtes gentille. Je pense que je vais rester ici, je reviendrai demain soir.

— Bonsoir Ray, je t'aime beaucoup.

— Je vous aime aussi, madame Rose.

Deux heures et demie plus tard, Dylan et Tyna étaient de retour. Ray était content. Ils causèrent, Ray fit le clown, Dylan l'imita, Tyna riait. Ray se dit que Dylan avait gagné le gros lot. Si seulement il pouvait trouver une fille comme Tyna. Ce n'était pas le genre d'Audrey, moins *hot,* mais plus vraie.

50

Cent fois sur le métier…

Lundi, dix heures, Madame Wilson et Ray pénétraient dans le studio du professeur de guitare Tom Daley. Grand, sec, cheveux grisonnants, moustache en forme de guidon, yeux noirs perçants, il les accueillit chaleureusement. Madame Wilson lui expliqua succinctement ce qu'elle attendait de lui : que Ray puisse apprendre à s'accompagner quand il avait envie de quelques chansons. Des accords simples… Pour le reste, elle lui faisait confiance.

— Je reviendrai dans une heure et quart.

— Ça me va. Un cours de soixante-quinze minutes est suffisant.

— Je comprends ! Bonne chance Ray.

— Merci, madame Wilson.

Tom – il ne voulait pas de « Monsieur Daley » – commença par examiner la guitare, puis l'accorda, joua quelques accords et la posa sur une table.

— C'est une bonne guitare. Commençons.

D'abord, il voulait savoir s'il aimait la musique, ce qu'il aimait, pourquoi il voulait apprendre à jouer, ce qu'il savait faire.

— La musique me rend heureux. Elle me transporte dans un autre monde, un monde où j'oublie tout. J'aime chanter, j'aime danser.

— Quelle danse ?

— La danse à claquettes et des danses irlandaises.

— Montre-moi ce que tu sais faire.

— Il me faut de la musique.

Tom prit la guitare de Ray et commença à jouer. Ray se mit en position, laissa la musique le pénétrer, oublia où il était et se mit à danser. Tom comprit. Ce jeune avait la musique dans la peau. Il arrêta de jouer, se pencha vers Ray :

— Tu vas apprendre, je le sens, mais tu dois faire ce que je te dis sans discuter, tu comprends ?

— Oui, monsieur !

Tom commença par dessiner une guitare sur un grand tableau suspendu au mur. Il dessina les cordes, les frettes, lui expliqua qu'il devait d'abord apprendre le solfège, les notes : *do, ré, mi…* Il prit la guitare et joua chaque note.

— C'est la première chose que tu vas apprendre et je veux que tu les saches le plus tôt possible. Je veux que tu les saches dans l'ordre et dans le désordre. Après, tu apprendras les accords, le *mi* majeur, le *sol* majeur, le *la,* le *do,* toute la gamme majeure. Quand tu auras appris ces notes, je t'apprendrai les barrés. Les barrés, c'est l'accord du *fa.* Un peu plus difficile, mais il va t'ouvrir une multitude de possibilités… Tu pourras jouer. Tu comprends ?

— Oui monsieur, mais ça n'a pas l'air facile.

— Maintenant, je vais te montrer deux accords. Avant, je veux que tu saches comment tenir ta guitare. La plupart du temps, tu chanteras debout, alors apprends tout de suite à bien te tenir ; un chanteur penché, tout croche, non, non… Quand tu répéteras tes accords, tes doigts doivent toujours être tout près du fret. Une autre chose importante, au début, les cordes te feront mal aux doigts. Mets de la résine avant de commencer ; je vais t'en donner un morceau.

Ainsi commença la première leçon de Ray ; avec l'aide de Tom, il répéta deux accords, le *la* et le *sol* majeurs, ensuite il apprit comment s'accompagner avec la main droite. Ça semblait facile… mais Ray n'y arrivait pas.

— Il faut de la patience, et de la pratique, et tout d'un coup, tu prends ta guitare et hop là !

Une centaine de minutes plus tard, il montait dans la voiture de Madame Wilson.

— Tu as survécu ?

— Oui. La montagne est haute, mais je n'ai pas peur des hauteurs.

— Je sais que tu vas réussir. Même la montagne la plus abrupte a un côté que l'on peut escalader. *No pain, no gain !* Tu viens à la maison ?

— Oui, je viendrai du lundi au jeudi, si ça ne vous dérange pas. J'irai à mes cours et je répéterai. Je dois faire des exercices de solfège ; ensuite répéter deux accords.

— J'ai appris le solfège avant d'apprendre le piano.

— C'est vrai ? Vous jouez du piano ? J'ai hâte de vous entendre. Quand j'aurai appris à jouer et à chanter, vous m'accompagnerez.

— Je suis pas mal rouillée, mais je vais m'y remettre. De la musique, dans une maison, ça crée une ambiance où il fait si bon vivre.

Une collation, une courte pause et Ray étudia le solfège. Étudier, répéter, répéter, étudier. Pas doué pour la patience, il aimait que tout se fasse vite. Il se fit un horaire : dix minutes d'étude, quinze pour la pratique de ses accords. Les accords n'étaient pas trop difficiles, mais l'accompagnement avec la main droite… Oh là, là ! Il avait beau se fermer les yeux, remonter la main et la laisser redescendre, recommencer en suivant le même rythme, le résultat n'était pas prometteur. Pourtant, Tom jouait sans même regarder ses doigts. Il abandonna sa guitare et s'allongea sur son lit.

Quelques semaines ? Autant dire une éternité ! Ne jamais oublier son objectif… Plus facile à dire qu'à faire. Une demi-heure plus tard, il se remettait au boulot ; le solfège, les accords. Il s'appliqua durant un autre trente minutes, puis alla au salon. Madame Wilson était sortie, il écouta les chansons de Roy Orbison, surtout *Uptown,* qu'il fit jouer à trois reprises. Certains mots venaient le chercher : « … *One of these days, I'm gonna have money, a big car, fine clothes, then I'll be Uptown…* » La bonne passa, le regarda en souriant :

— Monsieur aime cette chanson !

Oui, monsieur l'avait dans la peau.

Madame Wilson revint. Après souper, il répéta encore, regarda la télévision, prit une douche et se coucha.

Chanter ? Registre, accent, intensité, ampleur. Oh là là !

Le lendemain, il se retrouva devant sa professeure de chant, Madame Weatherspoon. *Sweet Jaysus,* Madame Wilson ressemblait à une adolescente comparée à elle. Grandeur moyenne, maigre, cheveux noirs longs, raides, yeux noirs perçants, longs doigts maigres alourdis de diamants, elle fut tout miel avec Madame Wilson, scruta le visage de Ray, sembla apprécier ce qu'elle voyait. Il s'inclina et la salua.

— Bonjour madame, c'est un honneur de vous rencontrer.

Elle se redressa et sourit.

— Un jeune homme bien élevé. Madame Wilson, je sais ce que vous attendez de moi, je vais me surpasser pour ce jeune homme.

— Merci madame. Je reviendrai dans une heure trente.

Ce fut un quatre-vingt-dix minutes qu'il n'oublierait jamais. Cette dame lui fit répéter le solfège, chanter la gamme ascendante et descendante pour exercer sa voix, faire des *ö*, des *ä*, des *ï* roulés, des *la, la, la, li, li, li, lo, lo, lo,* monter, descendre, des gammes lentes, des vites, passant de l'aigu au plus grave. Elle le corrigeait, le faisait recommencer. Il pensa que sa folie l'entraînait trop loin, mais ne releva jamais la moindre observation. Les yeux rivés sur elle, il essayait de répéter ce qu'elle lui demandait. L'heure et demie passa, et il n'avait pas chanté une seule chanson. *Unreal!* Quand Madame Wilson revint, la professeure suggéra à Ray de répéter ce qu'il avait appris. Il l'assura qu'il suivrait ses instructions à la lettre, la remercia, la salua et sortit. Quand Madame Wilson lui demanda comment s'était déroulé le cours de chant, il exerça sa voix, faisant des *ö*, des *ä*, des *ï* roulés ; des *la, la, la, li, li, li, lo, lo, lo.* Un grand éclat de rire du chauffeur, suivi d'un rire de bon cœur de Madame Wilson. Il leva les mains en signe d'impuissance.

— C'est un peu ça !

— C'est un bon début et ça donnera de bons résultats.

— Je vous crois sur parole.

Il se mit à taper du pied et à chanter « *Uptown, it won't be long, just wait and see...* »

Le petit lutin l'avait déjà appris par cœur.

51

Relever le *challenge*

Relever le *challenge* d'apprendre à jouer de la guitare et à chanter fut quasi insurmontable. Toute la gamme des émotions y passa : anxiété, espoir, abattement, enthousiasme, découragement, joie, colère ; à quelques reprises, Ray vint à deux doigts de tout abandonner. Huit jours plus tard, un jeudi soir, il enfonça son chapeau sur sa tête, sortit s'acheter une bouteille de vin et se rendit chez Dylan. Ce dernier travaillait tard.

— *So what! I think I need a drink!*

Il se servit un premier verre qu'il but un peu rapidement, la tête lui tourna. Il en but aussitôt un deuxième. Une chaleur le parcourut ; il se sentit mieux. Les cours ? Sortis de sa mémoire. Il alluma la télé, déposa son verre. C'était insensé ! En buvant, toutes sortes d'idées claires, précises et disparates se côtoyaient. Des images refirent surface ; son père entrant dans leur maison en titubant, la barbe hirsute, la bouche molle. Non ! Tout, sauf devenir un ivrogne. Les mots de Madame Wilson le rappelaient à l'ordre : «*Begin with the end in sight !*» Saisissant la bouteille, il se dirigea vers l'évier. Dylan entra pendant qu'il en vidait le contenu. Il comprit. Pas un mot. Il se contenta de serrer son ami dans ses bras pendant que ce dernier lui confiait ses pensées.

— Je fais des progrès et peux m'accompagner couci-couça quand je chante.

Sa première chanson ? *It's All Right Mama*. À son corps défendant, Madame Weatherspoon avait accepté de la lui faire répéter.

— Elle m'a dit : «Même si vous n'êtes pas prêt. »

Il lui avait donné deux gros bisous. Elle l'avait repoussé d'un air taquin, mais cette marque de reconnaissance lui avait fait un petit velours.

— Je dois préparer une liste de mes dix chansons préférées. Mon cœur a bondi, tellement j'étais content. C'est ardu, compliqué, des fois...

— N'abandonne surtout pas. Tu dois continuer. Ray, un jour tu seras célèbre et tu l'auras mérité. Donne-toi du temps.

— Merci Dylan! J'avais besoin de ton encouragement.

Le week-end fut tranquille. Le samedi, Ray fit une pause de musique. Une bonne marche avec Dylan, sans but précis.

— Regarde Ray, le Cafe où nous sommes allés la première semaine de notre arrivée. Entrons voir Lily.

— Elle est peut-être partie, ou mariée.

— Non, non, Ray, elle t'attend.

C'est en riant qu'ils pénétrèrent dans le Cafe. Lily y était.

— Elle a vieilli... Elle doit être mariée.

— Voyons, le mariage ne fait pas vieillir.

— Des fois, oui. Dylan, je te vois dans cinq ans, des poils dans le nez et les oreilles, une chaussette blanche, une noire, les pieds traînants...

Pris d'un fou rire, Dylan l'écoutait débiter ses inepties.

— Si Geoff t'entendait...

— Il y a des exceptions. Mais... pas toi.

— Bonjour messieurs. Que puis-je faire pour vous?

— Êtes-vous mariée mademoiselle?

— Oui, puis un homme c'est assez, même trop.

— Ça me surprend, une belle fille comme vous.

Lily esquissa un sourire, Dylan se mordait les lèvres.

— Je veux un café et des frites. Toi, Ray?

— T'es bien pressé, je causais avec la demoiselle.

— Ray! Veux-tu quelque chose?

— Ah oui! La... chose!

— Mademoiselle Lily, apportez la même chose pour mon... ex-ami.

Ce fut une heure de rires. Chaque remarque de Ray était plus drôle que la précédente. Mort de rire, Dylan paya l'addition.

— *Chhugainn amaideach!* (Viens, idiot!) Bonne journée mademoiselle Lily. Sortir avec toi est une vraie thérapie.

— Dylan, j'avais besoin de me défouler. Trop de «sériosité», c'est mauvais pour la prostate.

— Trop de quoi? La quoi? As-tu perdu la boule?

— Trop de «sériosité», ça me donne un «motton» dans l'estomac.

— Ray, c'est pas avec Madame Wilson que tu as appris ces mots-là. Puis c'est quoi, ton affaire de prostate?

— Aucune idée! À l'hôtel, j'ai entendu un vieux qui se plaignait de sa prostate. C'est probablement au cerveau.

— Ray, la prostate, c'est près de la vessie!

C'est ce que je disais, pas loin du cerveau.

Ils rirent.

— Ray, laisse faire la guitare et deviens comédien.

— Un peu des deux peut-être. Je dois y aller, je dois répéter, mais cette journée m'a fait du bien. J'avais vraiment besoin de lâcher mon fou...

— À moi aussi. Je t'aime mon frère.

Réconforté, Ray était retourné chez Madame Wilson. L'alcool n'était pas la solution. Il lui faisait oublier ses problèmes, mais en apportait d'autres. Il avait une peur bleue de devenir alcoolique comme son père. Plutôt mourir! Madame l'avait vu se battre avec ses démons, elle l'encourageait sans insister. Souvent, après une répétition particulièrement difficile, elle l'emmenait prendre le thé. Entretemps, il avait commencé son apprentissage comme serveur au *Grand Hotel*. Il était temps, il ne tenait plus en place. Après consultation avec Monsieur White, le propriétaire, Monsieur Pierre, le maître d'hôtel, l'avait engagé par respect pour Madame Wilson. Il avait beaucoup d'estime pour elle. Et même un peu plus que de l'estime, il avait un faible pour cette belle dame. Sa distinction, sa grâce naturelle, sa beauté classique l'attiraient. Ils se rencontraient souvent lors d'événements culturels. Qui sait? Ce jeune Ray O'Brien serait peut-être un bon prétexte pour l'inviter à son hôtel, créer un lien plus intime entre eux. Monsieur Pierre se promit de traiter le jeune homme avec considération, à lui apprendre le métier, à en faire un excellent serveur. Sans lui faire des faveurs, il s'assurerait que les autres serveurs soient gentils avec lui.

Deux semaines plus tard, Ray revint passer le week-end chez Dylan, avec sa guitare. En route, il rencontra Tyna. Elle était accompagnée d'une amie qu'elle s'empressa de lui présenter.

— Ray, voici mon amie Layla.

Ray était tellement content de rencontrer une fille qu'il lui fit une courbette, la salua à la manière des chevaliers, en disant :

— Bonjour jolie demoiselle, où vous cachiez-vous ?

— J'étais sous un champignon ! Et vous monsieur ?

— Je cueillais des champignons.

Son éclat de rire fendit l'air. Pas très grande, des cheveux roux bouclés, un visage blond, des yeux malicieux, rieurs, elle était jolie.

— Vous êtes irlandaise ?

— Irlandaise par ma mère, anglaise par mon père.

— Je préfère le côté irlandais.

— J'aime mieux que mon père ne vous entende pas.

— Je vous promets de ne pas le lui dire. Où alliez-vous ?

— Chez Dylan.

— C'est le jour J. Allons-y !

Il dut expliquer la signification de l'expression « jour J ».

En montant l'escalier, Dylan entendit des voix et des rires, et fut très heureux de revoir Tyna. Ils se voyaient trop peu souvent, mais ils se reprenaient les fins de semaine lorsqu'elle n'était pas de service.

— Alors, Tyna, tu as emmené une amie pour Ray ?

— Une amie pour Ray ? Je ne sais pas.

Elle rougit.

— Je ne demande pas mieux, si Layla veut…

— Être ton amie ? D'accord, mais on ne se marie pas demain.

— J'avais pensé le mois prochain.

Infirmière auxiliaire aussi, elle n'était pas du genre de Tyna, et certainement pas de celui d'Audrey non plus.

L'atmosphère était détendue ; Dylan savait que les dernières semaines n'avaient pas été faciles pour son ami. Layla saurait peut-être le rendre heureux. La conversation était animée ; Ray dut expliquer le déroulement de ses leçons de guitare et de chant. Le chant ? Il apprenait le solfège et faisait ses gammes.

— Qu'est-ce que ça veut dire?

Avec le plus grand sérieux, il commença en chantant des *ö,* des *ä,* des *ï* roulés, des gammes lentes, passant de l'aigu au plus grave. Six yeux écarquillés ne le quittaient pas. Quand il eut fini, les trois éclatèrent de rire; ils essayèrent de se contenir, mais peine perdue. Au début, Ray tenta de garder son sérieux, mais le fou rire le gagna; même Dylan ne parvenait pas à reprendre son sérieux. Un rire dans la voix, Layla regarda Ray:

— Très intéressant! Apprends-tu autre chose que tu aimerais partager avec nous?

— Oui, mademoiselle, avec plaisir.

Il sortit sa guitare, la positionna comme Monsieur Tom le lui avait montré, jeta un regard malicieux à ses trois spectateurs et commença à chanter: «*You ain't nothing but a hound dog...*» Dylan écoutait attentivement. Ray avait encore du chemin à faire, mais avait fait du progrès. Il était fier de lui; les filles étaient sous le charme. Quand il eut terminé, Dylan s'approcha et l'embrassa.

— Tu as fait du progrès mon ami, tu vas réussir... Je le savais.

— Ce n'est pas une partie de plaisir; j'en sue un coup, et je n'ai pas fini. Si Madame Wilson et toi n'étiez pas là, je ne sais pas si je continuerais. J'ai encore quatre cours par semaine, plus les répétitions, en plus d'apprendre le métier de serveur au *Grand Hotel*.

— C'est ça, devenir célèbre.

— Je ne pense pas vraiment que je deviendrai célèbre. Tout ce que je sais maintenant, c'est que les vedettes ont travaillé dur pour arriver au succès. Assez! On tourne la page. Vous avez ri de moi, ri avec moi, et là j'ai faim. On sort souper? C'est ma tournée, mais il faudra attendre que je sois reconnu pour la prochaine.

Les filles étaient d'accord, mais Dylan insista pour partager. Ray se laissa convaincre. Une euphorie l'enveloppait: ses cours évoluaient, il avait un nouveau travail, il rencontrait Layla, une nouvelle amie... peut-être plus. Il devrait calmer ses instincts primaires.

Les hormones de Ray étaient à fleur de peau. Nick avait éveillé sa sexualité, lui avait transmis sa conception tordue de l'amour, des relations de couple alors qu'il avait à peine quinze ans. Cela avait laissé des traces. Dans son for intérieur, il savait que Nick s'était servi de lui, que tout ce qu'il lui avait répété n'avait été que faussetés ; mais il les avait crues. Il est souvent difficile de séparer le bon grain de l'ivraie. Il n'était plus pubère. Plus il regardait Layla, plus il la désirait.

Une atmosphère festive planait sur le week-end. Un souper qui s'éternisa dans un Cafe choisi par les filles ; une musique d'ambiance, Dylan était collé contre Tyna. Ray voyait l'amour dans leurs yeux. Il se rapprocha de Layla, glissa sa main sur un de ses genoux. Elle l'enleva prestement en murmurant :

— Ray, je te trouve gentil, je pourrais peut-être sortir avec toi, mais je ne suis pas une fille facile. Si tu veux plus, tu es mal tombé.

Avec son sourire canaille :

— Je m'excuse. J'ai rencontré quelques filles faciles, c'est vrai, mais elles ne m'intéressent plus. Si tu veux bien être ma blonde, je te promets de te respecter, mais... tu es très jolie, alors je ne te promets pas de ne pas te désirer. On ira à ton rythme.

— On peut sortir ensemble, mais j'ai le même horaire que Tyna ; alors on ne se verra qu'une fois la semaine, parfois deux, et un week-end sur deux. Ça te va ?

— À merveille ! Un peu plus et je monterais sur la table, je danserais une gigue irlandaise.

— Parce que tu sais danser ?

— Oui, mademoiselle.

— Eh bien, Ray O'Brien, on va apprendre à se connaître ; je ne pense pas m'ennuyer avec toi.

— Tout pour vous faire plaisir, même cueillir des champignons.

Dylan les regardait. Il souhaitait que Ray s'entende avec Layla ; ils semblaient bien partis. À vingt-deux heures, ils raccompagnèrent leurs petites amies. Ray serra la main de Layla, lui donna un petit baisé sur la joue. Le dimanche, Dylan allait à la messe avec Tyna et Layla. Ray s'habilla à la hâte et les rejoignit.

— Dylan, je ne sens pas l'appel de la prêtrise, mais le fait d'être assis collé contre Layla me donne envie de prier. Je pourrais passer la messe agenouillé si... elle voulait coucher avec moi.

Dylan secoua la tête.

— Tu ne penses qu'à ça !

Ray se mit à rire.

— Non! Non! Non! À ça et à prier... pour qu'elle veuille faire... ça.

Ce Ray, quel spécimen! Tyna lui avait parlé de Layla. Ray allait devoir prendre son mal en patience, elle ne couchait pas avec les garçons. Son charme n'y changerait rien. Dylan alla se promener avec Tyna, et Ray resta à l'appartement avec Layla. Elle lui parla de sa vie, de sa famille, de ses ambitions; il fit de même en omettant le départ de ses parents et ses aventures avec Nick. Il parla de ses cours, de son travail, de Madame Wilson, sans mentionner qu'elle payait ses cours ou qu'elle l'aidait. Malgré son désir d'en savoir plus, elle se buta à son mutisme.

Le dimanche soir, il retourna chez sa bienfaitrice. Il lui avait parlé à deux reprises au cours du week-end. Assis au salon, ils se racontèrent leur fin de semaine. Volubile, Ray parla de Layla; c'était une bonne fille, un peu autoritaire. Ils iraient lentement.

— En revenant ici, tout en marchant, je pensais à vous.

— C'est très gentil à toi.

— Tout ce qui m'arrive de bien, de beau et de convenable, c'est grâce à vous. Je vous dois ma vie et... je vous aime beaucoup.

— Cher Ray, viens t'asseoir près de moi.

Il se plaça près d'elle, mit sa tête sur son épaule. Si elle avait été sa mère...

— Ray, essayer de te rendre heureux est un plaisir. Il y a très longtemps que je n'ai pas fréquenté de jeunes. Tu es entré dans ma vie comme un courant d'air, presque une tempête, avec ces problèmes quasi insurmontables. Ma vie bien rangée, prévisible, a été chambardée par un jeune homme débordant d'une rage de vivre et qui va et vient dans ma maison, partage mes repas, chante, danse pour moi. Je suis tellement contente de t'avoir rencontré. J'aime bien ta franchise. Et je suis heureuse que tu aies une petite amie. Sois bon pour elle et elle t'aimera.

— J'aime vous écouter. Vos paroles ne sont pas des mots-marteaux, mais des mots-raison, des mots-tendresse. Quand je vous écoute parler, ça me fait tout drôle, comme si j'étais sur un nuage. Maintenant, je flotte encore plus haut. Avec vous, Dylan, Tyna, les Nelson et Layla, je sens que je vais réussir.

Ils restèrent longtemps silencieux. Parfois, les mots sont superflus.

52

Une hurluberlue ?

Une blonde était un progrès perceptible, le bonheur souriait à Ray et Madame Wilson l'aimait de plus en plus. Elle était fière de ses projets, ne se gênait pas pour l'emmener avec elle. Poli, il savait bien se tenir, et charmeur, il plaisait aux gens. Il lui témoignait du respect tout en étant à l'aise avec elle. Il lui confiait ses pensées, ses joies, ses peines. Au fil des semaines et des mois, elle lui devenait de plus en plus chère. Elle était sa « mère », il lui vouait un amour filial, avait une confiance absolue en son jugement.

Le vendredi suivant, quand Dylan revint du travail, Ray l'attendait. Ils sortaient !

— Pour aller où ?

— Chez Madame Wilson ?

— Une minute, toi. Tu nages dans ce monde-là comme un poisson dans l'eau. Moi, je ne me sens pas à l'aise.

— Dylan, tu m'as promis.

— Promis ? Promis ? Est-ce que j'avais bu ?

— Dylan, tu vas passer un pantalon sport et tu viens avec moi. S'il te plaît, Dylan, tu es mon frère. Sans toi... S'il te plaît.

Ray l'implorait. Dylan n'avait aucune raison de se défiler.

— OK ! Donne-moi quinze minutes...

— Tout le temps que tu voudras.

Arrivé sur le trottoir, Dylan écarquilla les yeux.

— Qu'est-ce que cette... ? Ray ?

Le chauffeur de Madame Wilson les attendait.

— Écoute Dylan, je n'ai pas encore ma propre limousine, mais c'est mieux qu'à pied. C'est comme ça. Allez ! Monte !

Roulant les yeux, Dylan monta dans la voiture, suivi de Ray.

— Bonjour monsieur O'Brien. Monsieur Quinn.

— Bonjour monsieur James. Vous allez bien?

— Bien merci, monsieur O'Brien.

Le plus naturellement du monde, Ray commença à parler à Dylan, lui demanda s'il avait eu des nouvelles de Monsieur Murphy.

— Monsieur Murphy?

— Tu sais, celui à qui tu as laissé un beau portefeuille neuf tout parfumé.

Dylan faillit s'étouffer pendant que Ray éclatait de rire. Son « frère »... Il l'aurait battu, mais... à quoi bon? Il mettait du piquant dans son existence et il l'aimait. Tout de même, là, il ne savait pas à quoi s'attendre. Cette grande dame... Tout ce qu'elle faisait pour Ray. Était-elle une... hurluberlue? À la vue de la maison de Madame Wilson, il murmura: « *Obh! Obh!*» (*Oh dear! Oh dear!*)

— T'en fais pas, c'est juste une maison. Je ne la vois plus.

— Tu fais déjà partie de ce monde ou tu es aveugle?

— Je t'en prie, ce qui compte ici, c'est Madame Wilson. Viens!

La porte s'ouvrit et le sourire aux lèvres, Madame Wilson les accueillit. Ray s'approcha:

— Bonjour, belle dame!

Elle le serra dans ses bras.

— Tu amènes ton frère! Merci!

Son doux regard rencontra celui de Dylan. Elle ressentit son malaise, son hésitation. Elle lui prit les deux mains:

— Dylan, sois le bienvenu chez moi. Je sais que tu préférerais être ailleurs, mais je suis tellement heureuse de connaître le grand frère de Ray.

Dylan sourit. Une aura particulière se dégageait de cette dame; elle était... belle.

— Merci d'être venu. Tu verras, je ne te torturerai pas trop.

Il esquissa un sourire.

— Merci madame!

Une aura de mystère, de force et de tendresse flottait autour d'elle. Il se détendit. Heureux, Ray les regardait.

— Alors, madame Wilson, il est bien mon frère?

— Un très bel homme ! Est-ce que ça fait partie de l'héritage irlandais ? Venez, je vous en prie.

Ils la suivirent au salon. C'était au-delà de ce que Dylan avait imaginé. Il vit que Ray s'y sentait tout à fait à l'aise, comme chez lui. Madame Wilson lui demanda de servir un vin en l'honneur de son frère.

— C'est un grand jour Dylan. Ray m'a tellement parlé de vous, je mourais d'envie de vous rencontrer.

— Madame, Ray exagère parfois.

— Parce qu'il dit du bien de vous, qu'il vous aime et vous admire ? Je pense qu'il a raison.

— Ah ! Pour dire ce qu'il pense, ça, il le fait.

Ray servit le vin, et ils se mirent à rire ensemble. La bonne apporta un plateau de hors-d'œuvre. Ray fit le service. Malgré les protestations de Dylan, Madame Wilson insista pour qu'il mange quelque chose avant le souper. Il avait travaillé toute la semaine, il avait besoin de se sustenter.

Fine diplomate, elle demanda à Dylan en quoi consistait son cours, ce qu'il apprenait. Il s'anima, lui expliqua la théorie, la pratique. Surpris et honteux, Ray l'écoutait. Il ne savait rien de tout cela… Il ne le lui avait jamais demandé. Madame ne manquait pas un mot. Dylan s'arrêta.

— Je parle… je parle trop.

— Tu es mon frère !

— Vous êtes très différents, mais tous deux très authentiques. Ray, je t'aime beaucoup, mais je vais aimer aussi ton frère… s'il ne me trouve pas trop difficile à supporter.

— Madame, Ray chante vos louanges, et il a raison. Vous êtes…

— Elle est merveilleuse.

— Oui, je le pense. Je suis content d'être venu.

Ray mangeait des hors-d'œuvre du bout des lèvres pendant que Dylan, affamé, faisait des efforts pour ne pas tout avaler.

— Ray, ton frère a travaillé fort toute la journée, nous ne souperons que dans une heure. En attendant, donne-lui quelque chose à manger.

— Mon frère n'a pas vraiment d'appétit.

— Ray, ne fais pas ton petit comique, sinon…

— Tu n'oserais jamais me disputer devant cette belle dame.

Madame Wilson les regardait. Elle observait le lien solide qui les unissait. Ce Dylan était plus réservé, moins volubile, mais tout aussi attachant. Tellement différents, mais soudés l'un à l'autre.

Cette première rencontre avait été une révélation pour Dylan. La fortune de Madame Wilson fut vite oubliée grâce à sa délicatesse, à l'intérêt qu'elle lui porta et à son ouverture d'esprit. Elle parla de leur départ de l'Irlande, où ils avaient laissé une partie de leur cœur, malgré toutes les peines qu'ils avaient vécues. Et ils s'en étaient sortis. Touché par ses paroles, Dylan déclara :

— C'est grâce à des gens comme vous madame, ainsi que nos anges gardiens, Monsieur et Madame Nelson, et Monsieur Mears, qui nous a donné notre premier emploi.

— Oui, vous avez été chanceux. Mais les gens vous ont aidé pour ce que vous êtes : deux jeunes hommes bien. On attire ceux qui nous ressemblent.

Janet vint au salon :

— Le souper est servi, madame.

— Merci. Venez. C'est un plaisir de vous avoir tous les deux à ma table.

Au début, le repas intimida Dylan, surtout lorsqu'il vit Ray tirer la chaise de Madame Wilson et attendre qu'elle soit assise avant de s'attabler. Ray avait été plutôt silencieux, les laissant converser. Dylan le regarda passer les plats à madame d'abord, ensuite à lui, pour enfin se servir. Comme Madame Wilson, Ray n'avait pas rempli son assiette ; il mangeait lentement, ne parlait pas la bouche pleine. Dylan découvrait une facette de son ami qui lui était inconnue. Il avait du vernis.

Les plats étaient appétissants, il avait une faim de loup. La conversation fut légère, Ray les fit rire. Avoir son frère avec lui chez sa bienfaitrice le comblait de bonheur. Il le taquina, imita Madame Weatherspoon et Monsieur Pierre. Madame Wilson se mit de la partie. Dylan se détendit, oublia où il était et raconta quelques-unes de leurs frasques. Soulagée, Madame Wilson resservit Dylan. Elle insista.

— Un jeune homme de votre stature qui travaille fort a besoin de bien manger. Et toi aussi Ray.

— Inutile de protester Dylan, sacrifie-toi, sinon elle va sortir le fouet.

Les pâtisseries firent rougir Dylan d'anticipation. Ray lui lança un sourire en coin. Madame Wilson pressentit leur pensée. Intérieurement, elle sourit de leur complicité.

Le souper terminé, Dylan fut invité à visiter la chambre de Ray. Ce dernier brûlait d'impatience de la lui montrer. Bouche bée, Dylan l'admira : un lit double, douillet…

— Comment fais-tu pour arriver à dormir dans ton lit à l'appartement ?

— J'y dors très bien. C'est chez nous, tu es à côté de moi, c'est apaisant en dedans, c'est doux… Tu comprends ? Maintenant, regarde ma garde-robe !

— Ray, j'espère que tu apprécies ta chance. Cette dame, c'est une dame… Pour une femme riche, elle a quelque chose de particulier. On se sent à l'aise avec elle et elle t'aime bien, c'est sûr.

Songeur, il le regarda avec bienveillance. Ray comprit.

— Je sais, c'est la chance de ma vie. Pourvu que mes démons soient occupés ailleurs.

À vingt et une heures, le chauffeur les déposait chez eux. Avant de partir, Madame Wilson s'était approchée tout près de Dylan, le touchant presque, l'avait assuré que sa porte lui serait toujours ouverte et l'avait invité à revenir durant les fêtes. Son regard attendait une réponse. Il l'avait remerciée de son accueil, pour le bon souper et avait promis de revenir. Elle lui fit la bise, de même qu'à Ray.

— Toi, mon lutin, on se voit dimanche soir ou lundi matin ?

— Oui, chère belle dame de mon cœur.

Ray exécuta quelques pas de danse, puis ils partirent. Ray avait hâte d'entendre les commentaires de Dylan.

— Elle est gentille ? Elle est fine ? Pas gênante ? Tu l'aimes bien ?

— *Sea ! Is dòcha !* (Ouaaa ! Peut-être !)

Choqué, il apostropha Dylan.

— Peut-être ? T'es pas sérieux ! Elle est extraordinaire, elle est…

Tordu de rire, Dylan posa sa main sur l'épaule de son ami.

— On se calme ! On se calme ! Oui, elle est très aimable, très gentille et elle n'est pas misérable.

— Fortuné ne veut pas dire détestable, égoïste et méchant. Ça ne l'empêche pas d'être un amour de femme.

— Vrai! Sa maison! Le souper! Tu es fou de manger chez nous. Si elle avait vingt ans de moins, je…

Ray riait de plaisir. Madame Wilson avait rencontré Dylan, elle l'aimait bien et il pourrait retourner chez elle avec lui. Mieux encore, Dylan ne le catéchisait plus, il ne se sentait plus coupable avec lui. Ils étaient égaux, chacun avec leurs qualités et leurs défauts. Égaux? Pas tout à fait. Dylan était toujours un homme exceptionnel, mais Ray avait une longueur d'avance. Parfois, l'argent procure une légère avance.

53

Choix et action

Ray était comblé. Layla l'aimait bien, c'était un bon début. La rencontre de Dylan et de Madame Wilson avait été agréable. Il se sentait capable de soulever l'Univers. Ses cours devenaient plus intéressants. Il prêtait une oreille plus qu'attentive à ses professeurs, répétait régulièrement et consciencieusement, y mettait tout son cœur, «le nez dans le guidon». Un beau matin, surprise! Il put jouer quelques accords, et chanter en s'accompagnant.

Monsieur Daley était satisfait de son élève. Il avait de l'oreille, il pouvait écouter une chanson et la chanter en s'accompagnant, mais il allait continuer à lui enseigner.

— Déjà plus de trois mois de répétitions ardues. Maintenant, il te faut les jouer et les jouer encore. Tu vas revenir, mais seulement une fois la semaine. Choisis une chanson que tu aimes, joue-la en entier au moins dix fois. Je verrai tes progrès, et si tu la joues bien, nous passerons à la suivante.

— Quand je serai rendu à la dixième…

— Comment vont tes cours de chant?

— J'ai dépassé le stade des *öööö* et des *aaaa,* Madame Weatherspoon est contente de moi.

Tom Daley sourit. Il connaissait cette dame; si elle était contente de Ray, il pouvait entrevoir qu'il réussirait. Il ne serait peut-être pas un grand artiste, mais avec un bon agent, qui sait? Madame Wilson saurait tirer les ficelles pour son protégé.

— Quand tu auras maîtrisé ta dixième chanson, tu pourras chanter en public. D'abord devant quelques spectateurs. Si tout va bien, tu donneras un vrai spectacle solo.

— J'ai fait une liste de douze chansons, j'ai mélangé les genres. Du rock, du rock classique, des balades, du reggae, du blues, puis des slows, des *smoochees*. Vous savez, les danses «collées»… J'aimerais bien que vous y jetiez un coup d'œil pour me dire ce que vous en pensez.

— Avec plaisir!

Lentement, il lut et relut les choix de Ray. *Love Me Do* des Beatles; *That Will Be the Day* de Buddy Holly; *It's All Right, Mama* et *You Ain't Nothing But A Hound Dog*, d'Elvis Presley; *Dream Lover* par Bobby Darin; *What Do You Want*, d'Adam Faith; *Traveling Light* de Cliff Richards, *Uptown* de Roy Orbison, et finalement les *smoochees Are You Lonesome Tonight?* et *It's Now or Never* d'Elvis Presley. Les dernières, *Only the Lonely*, de Roy Orbison, et *My Happiness*, de Connie Francis.

— Excellent, un bon choix. Toutes ces chansons sont populaires, on les entend jouer à la radio, sur les juke-box, mais on va s'en tenir à dix. Lesquelles veux-tu enlever? Tu pourras les chanter plus tard.

— Peut-être *You Ain't Nothing But A Hound Dog* et *Are You Lonesome Tonight?*

— Alors, tu commences par *Love Me Do.*

— Je vais pratiquer, j'vais pratiquer jusqu'à ce que je les joue les yeux fermés. J'en pratique aussi trois ou quatre autres que j'aime bien, comme *Danny Boy…* dans ce genre.

— Bien! Je comprends. Tu es un bon élève.

Ray se retint, il lui aurait sauté au cou.

À la fin d'août, Chris et Geoff les invitèrent pour un dîner champêtre. Quand ils arrivèrent, ils furent surpris d'y rencontrer deux couples d'amis de Chris et Geoff que Dylan connaissait. Ray se rembrunit. Est-ce que ces gens étaient au courant de ses aventures? Est-ce que Geoff avait parlé? Il eut l'impression qu'ils voyaient à l'intérieur de lui.

— Ah, Dylan! Je veux m'en aller, je n'aime pas être ici, on…

Il n'eut pas le temps de terminer sa phrase que Geoff le serrait dans ses bras.

— Ray, quelle belle surprise! Merci d'être venu. Dylan, content de te voir. Les amis, une minute de silence. Vous connaissez tous Dylan et voici son meilleur ami et le nôtre, Ray O'Brien.

— Bonjour Ray, content de te connaître, mais tiens-toi tranquille sinon…

Ray mit le genou droit à terre :

— Monsieur, je serai muet comme une carpe et sage comme une image.

Un grand rire général éclata.

— Il a la langue bien pendue ! Un vrai Irlandais. Viens fêter mon ami !

L'atmosphère était à la fête. Chris sortit des plateaux de hors-d'œuvre, elle embrassa Dylan et fut particulièrement chaleureuse avec Ray. Détendu, il se sentit plus à l'aise. Dylan ne le quittait pas des yeux. Peu après, il parlait avec un ami de Geoff. Le dîner fut délicieux. Les amis étaient des gens sociables, tous parlèrent avec Dylan et Ray. L'après-midi se passa comme par enchantement.

Ray parlait avec Chris quand Geoff arriva avec sa guitare.

— Où avez-vous… ? Dylan ?

— Non, un magicien nous l'a livrée. Il paraît que tu joues et que tu chantes ?

— Ah, non, non, non. Je ne joue pas assez bien encore.

— Tu joues assez bien pour nous. Vas-y, fais-nous plaisir.

Les battements de son cœur s'accélérèrent, il ne pourrait jamais. Dylan se plaça à côté de lui :

— Vas-y mon frère, on est juste nous deux.

Ray prit une profonde inspiration. Chris vint se placer tout près et murmura :

— Vas-y Ray, fais honneur à notre belle Irlande.

Il se redressa et joua quelques accords, puis commença à chanter « *Oh Danny boy…* » Il débuta timidement, puis sa voix prit de l'assurance.

On l'applaudit, Dylan siffla, on en redemanda… Il regarda Geoff et Chris, et se mit à chanter « *Well I think I'm going out of my head* » et termina avec « *Well, That's All Right, Mama* ». En la chantant, c'était comme s'il s'affranchissait de son passé. La mémoire lui revenait par la voix et les doigts. Remettant la guitare dans son étui, il expliqua qu'il avait encore besoin de nombreuses leçons.

Pendant qu'on le félicitait, Chris entra dans la maison, ouvrit une fenêtre, mit un microsillon de musique irlandaise sur le tourne-disque, augmenta le volume, sortit et demanda le silence :

— C'est connu, les Irlandais aiment fêter et danser, alors on va fêter et… danser.

Dès les premières notes, Ray se leva. Le visage rayonnant, il se mit à giguer, suivi de Chris et Dylan. Geoff tapait des mains. En voyant Dylan danser, il fut tellement surpris qu'il en resta les mains ouvertes. Ces garçons étaient débrouillards, courageux, blessés dans leur cœur mais bourrés de talent.

Au début, il était arrivé à Geoff de presque regretter d'avoir recommandé Ray à Cyril Mears. Puis survenait un incident et il accourait le secourir. En d'autres moments, comme aujourd'hui, où il voyait le Ray aimable, attachant, qui savait toucher les gens par sa jeunesse, son charme, son talent, qui savait se faire aimer, alors il était heureux d'avoir persévéré. Madame Wilson avait vu juste. Si Ray continuait à étudier la musique, il irait loin. Pourvu que… Et puis, non… On ne peut pas trop espérer des enfants blessés intérieurement. Ils ont de ces moments où le ciel est beau et lisse à leur portée ; d'autres fois, les nuages sont si bas qu'ils cachent l'horizon. Ces jeunes sentent le besoin d'une échappatoire. Ils peuvent se jeter tête baissée sur tout ce qui fait miroiter un arc-en-ciel.

Ray savourait cette journée. Chris et Geoff étaient comme au premier jour, personne ne semblait le juger. Près de lui, Dylan le regardait. Il s'approcha, lui serra la main.

— La vie est belle, on a des amis, tu chantes beaucoup mieux. J'ai hâte à ton premier spectacle.

— Si tout va bien, ce sera avant Noël. Je dois aussi polir mon métier de serveur, et crois-moi, ce n'est pas si simple.

— Il me semble que ce n'est pas si compliqué, prendre une commande et apporter les plats… On fait ça ici !

— Dylan, c'est aussi différent que le jour et la nuit. D'abord, apprendre à desservir les tables quand les clients partent, nettoyer et changer les nappes et les préparer. N'oublie pas, il faut de quatre à cinq assiettes par personne pour un seul repas.

— Pourquoi ? Ils ne peuvent pas manger dans une seule assiette ?

— Jamais ! En premier, il faut que j'apprenne le menu par cœur. Par exemple, si une cliente demande une soupe, il y en a trois ou quatre différentes sortes, et je dois savoir ce qu'il y a dans chaque soupe. Du *roast beef*? Il faut que je lui demande quelle cuisson elle préfère: *rare, medium rare, medium* ou *well done; baked* or *mashed potatoes*?

— Sainte Barbe! Ils se compliquent la vie!

— Plus que tu ne le penses! Je m'entraîne deux heures chaque jour, trois jours par semaine. J'ai hâte d'être serveur. Je sais que je vais aimer ça comme un fou. Rencontrer des gens, des gens riches et d'autres un peu moins. La grande majorité est très gentille et aimable, mais quelques-uns sont snobs, empesés, la bouche serrée en cul de poule. Ils me regardent comme si j'étais...

— *Chicken shit?*

— Oui, en plein ça! Je dois sourire en disant: «*Yes, Madam, Of course, Madam. Definitely, Sir.*» Parfois, j'ai envie de leur dire: «*Gag yourself with a spoon!*» (Étouffe-toi avec une cuillère!)

— Laisse, ils ne le feront pas! On en trouve du même genre partout, pas besoin d'être riche pour être bête.

— La majorité ne m'invitera pas chez elle. Ce n'est pas grave, j'ai Madame Wilson.

— Elle, c'est une vraie lady et elle a du cœur. Oh! Oh! Les amis de Chris et Geoff partent. Je pense qu'on va y aller aussi.

Salutations, embrassades, remerciements, ils prirent congé de leurs hôtes. Chris et Geoff insistèrent pour que Ray revienne.

— Et sois assuré que nous serons à ton premier spectacle.

Le chauffeur de Madame Wilson attendait Ray. Elle avait des billets pour le théâtre. Il devait se hâter. Aussitôt arrivé, il se doucha et mis son complet.

— Alors, chère madame Rose, nous sortons ensemble ce soir?

— Oui, monsieur O'Brien. Et je suis fière de sortir accompagnée d'un si beau jeune homme.

— C'est un honneur, madame, et vous êtes très jolie, très élégante. Si je n'étais pas si jeune, je vous demanderais de m'épouser.

— Et j'accepterais volontiers. Allons!

En route, Ray lui résuma sa journée. Elle était rassurée de le savoir ami avec Chris et Geoff, leurs amis et Dylan. Elle se promit de les recevoir durant les fêtes.

54

Jeune philosophe

Ray n'avait aucune idée de l'endroit où ils allaient. Rien ne l'avait préparé à cette entrée au Royal Albert Hall de Londres. La salle de spectacle de ce théâtre circulaire était considérée comme l'une des plus belles du monde. En pénétrant dans le grand hall d'entrée, Ray en eut le souffle coupé. Que faisait-il ici? Il se rapprocha de Madame Wilson. On la saluait tout en lorgnant du côté de Ray.

— Tends-moi ton bras, tiens-toi droit et souris, mais à peine.

— Le sourire d'une personne qui peut se permettre d'être ici?

— Excellent, monsieur O'Brien. Tu as le droit d'être ici autant que quiconque. J'ai une loge, un endroit réservé où personne ne nous dérangera. Regarde bien, lui dit-elle en souriant discrètement, parce que j'aime beaucoup venir ici.

Une once de gêne, un tressaillement de plaisir, il se voyait au bras de cette grande dame, un conte de fées. Assis confortablement dans la loge, il avait une vue panoramique, en plongée, de cette immense salle circulaire, un «amphithéâtre romain» pouvant asseoir plus de cinq mille personnes. Ray se sentait tout petit. Il devait faire erreur. Comment le fils de Molly pouvait-il se trouver là? Il ferma les yeux, les rouvrit. Amusée, Madame Wilson lisait dans ses pensées. C'était un peu comme si elle y venait pour la première fois, elle ressentait son émerveillement. Elle lui pressa la main.

— Merci, madame Rose.

— On servit du champagne, du vin et de l'eau.

— Ray, profitons de la vie. Prenons une coupe de champagne. Ce soir, nous allons entendre une chanteuse exceptionnelle. Pas une chanteuse classique, mais populaire. Elle a une feuille de route étonnante. Durant la Deuxième Guerre mondiale, dès l'âge de neuf ans, elle avait déjà chanté dans plus de deux cents spectacles devant des milliers de soldats.

Petula Clark, une voix aussi douce que les cloches d'une chapelle, était une célébrité non seulement en Angleterre, mais aussi en Europe, aux États-Unis, elle avait participé à des comédies musicales.

— Elle a ses émissions à la télévision, a enregistré plus d'un millier de chansons. L'an dernier, elle a chanté au *Ceasar's Palace* à Las Vegas... Je pourrais continuer. Elle fait fureur partout où elle chante.

Le rideau se leva et un petit bout de femme, une apparition scintillante, s'avança jusqu'au centre de la scène et commença à chanter. Jolie, souriante, elle dégageait assez d'énergie pour illuminer toute la ville de Londres. Souriant de plaisir, Ray, subjugué, tenait à peine sur le bout de son siège. De *I'm in Love Again, I Know a Place* et *Colour my World* à *Going Out of my Head*, en passant par *Jumble Sale, Je me sens bien auprès de toi,* elle y mettait tout son cœur. La scène lui appartenait, elle avait plaisir à chanter, elle était née pour chanter et la foule l'adorait.

Hypnotisé, Ray ne manquait pas un mot. Elle dégageait une sensation de chaleur, de gentillesse et d'énergie. Madame Wilson lorgnait du côté de Ray : intérieurement, elle souriait. À l'entracte elle lui demanda :

— Elle n'est pas mal du tout, n'est-ce pas ?

— *Oh boy!* Elle est incroyable ! C'est une boule d'énergie. Elle chante aussi en français ?

— Oui ! Elle a épousé le Français Claude Wolff, l'attaché de presse de sa maison de disques en France. Je t'ai emmené parce que je savais que tu aimerais ses chansons.

— Ah ! Oui ! Elles sont vivantes. J'aime l'entendre chanter et... la regarder.

Quand Petula Clark entonna sa dernière chanson, sa chanson fétiche, *Downtown,* la foule lui réserva une ovation debout. Ray ne bougea pas.

— Alors ! Tu viens ? C'est terminé. Elle est partie. Je pense que tu as aimé ta soirée, non ?

— Ah oui ! C'était comme une apparition chantante, mais bien en chair et... en os.

— J'ai bien aimé la voir et l'entendre. J'aime venir au théâtre, parfois je viens entendre des chanteurs ou des chanteuses, mais le plus souvent ce sont des pièces de théâtre, disons un spectacle. Nous reviendrons, si tu le veux bien.

En route, Ray commentait et riait.

— Je ne lui demanderai pas de chanter avec moi…

— On ne sait jamais. Un jour peut-être. Elle a vendu des millions de disques.

— C'est une diva. Diva, ça vient de divan?

Madame Wilson fut prise d'un fou rire.

— Ray, tu es unique.

— Je prends ça pour un compliment?

— C'en est un!

— Merci, madame. Vous êtes unique aussi et beaucoup plus.

— Monsieur devient un jeune homme flatteur.

— Non! Monsieur dit la vérité.

De retour à la maison, Madame Wilson et Ray prirent un thé, et lui se servit une pâtisserie. Ils parlèrent de leur soirée, du phénomène Petula Clark, de tout et de rien.

— Vous savez ce que je trouve? On dirait que les gens à l'aise financièrement n'ont pas beaucoup de sentiments.

— Que veux-tu dire?

— *Well!* Quand quelque chose est drôle, ils rient peut-être, mais ça doit être par en dedans parce que ça ne paraît pas. Même chose pour la peine ou la colère. Ils sont en mode *Control*, tout le temps. Ce soir, je jetais un coup d'œil… discret… de temps à autre. Des visages figés! Mais vous, vous n'éclatez pas de rire, mais on voit quand vous êtes heureuse ou que vous avez envie de rire, vos yeux pétillent. Si vous avez de la peine, je le vois aussi, même que vous avez déjà versé des larmes devant moi. Vous êtes différente, et j'aime mieux ça.

— Dis donc, tu me surprends toujours. Tu as une bonne perspicacité; dommage que tu aies abandonné tes études, tu aurais fait un excellent psychiatre.

— Vous êtes gentille, mais c'est moi qui en aurais besoin, d'un psychiatre. Merci de m'avoir emmené au théâtre. Vous me faites découvrir des choses que je n'aurais jamais pensé voir. Je ne savais pas que le théâtre existait. Je m'aperçois que je suis très ignorant et… Je n'aurai pas toujours la chance de fréquenter le théâtre ou de manger dans les grands restaurants.

— Pourquoi donc?

— Parce que vous aviez une vie avant moi, et un jour, je devrai organiser la mienne, vous laissez vivre tranquille.

— Qui te dit que je veux revenir à mon ancienne vie? Celle-ci me plaît bien et je n'ai pas l'intention de la changer. Tant que tu le voudras, tu en feras partie. Je serais très triste de ne plus te voir. J'ai parlé à tes professeurs de musique et de chant. Je pense qu'à Noël, tu laisseras tomber les cours au moins pour quelques semaines, peut-être plus. Tu as fait des progrès indéniables.

— J'ai tellement hâte que j'en rêve. Ça a été diablement compliqué. Je n'ai jamais autant travaillé, sauf quelques mois au marché. Des fois, j'avais envie de tout lâcher, alors je pensais à vous. *Begin with the end in sight!* Une chance que vous étiez là.

— Je savais que ce serait pénible, mais tu as persévéré. Et un petit soleil est apparu – Layla –, une raison de plus pour réussir.

— Layla, je l'aime bien. Elle est gentille, aime rire, mais c'est «pas touche». C'est frustrant. Ça pourrait aller, mais elle est un peu «*bossy*» et jalouse.

— Alors ne te laisse pas mener par le bout du nez. Les femmes aiment les hommes doux et aimables, mais pas les paillassons. Elle a de belles qualités. À toi de te tenir debout.

— C'est vrai, elle a de belles qualités. On verra. Côté musique, Monsieur Daley m'a dit que je devrai avoir un gérant, quelqu'un qui me fera connaître et qui s'occupera de mes finances. «Mes finances…»

Il gloussa:

— Il a parlé de requins.

— Je m'en occupe. Pas des requins…

Elle riait aussi.

— Je vais te trouver un gérant, il va s'occuper de tout, mais il devra me rendre des comptes, justifiera les dépenses. Mon avocat se chargera de l'audit.

— Mon nom de chanteur, j'y pense.

— Quel nom as-tu choisi?

— J'aime bien Lucky, mais c'est un nom de chien.

— Non, il te faut un nom qui a du panache. King… Prince… Duke… ? Non! Je sais! Earl, Earl Ray!

— Earl, oui. Mais pas Ray. Red, comme mon petit mouchoir. Earl Red, c'est plus…

— C'est parfait. C'est unique! Earl Red.

Ray sautait de joie.

55

Né pour la scène

Tellement de choses à régler : les cours, le style vestimentaire, les répétitions, maintenant un agent... Pour Ray, tout cela était bien compliqué. Aucun bon sens ! Il ne voulait que chanter et jouer de la guitare, pas donner un surcroît de travail à sa Rose.

— Ray, tu es comme mon fils. C'est normal pour une mère d'aider son fils, de vouloir qu'il réussisse, qu'il soit heureux. Je ne connais rien au monde des chanteurs, mais je vais trouver quelqu'un qui s'y connaît. Continue tes cours et ne te tracasse pas pour le reste. Maintenant, verse-moi un verre de vin ; tu peux t'en servir un aussi. On célèbre ta future carrière.

— Je préfère ne pas célébrer trop vite...

— Côté carrière musicale, tout va bien. Côté service aux tables aussi. Ta vie va dans la bonne direction. Monsieur Pierre est content de toi. Même si tu ne travailles pas encore régulièrement, il m'a dit que tu sais y faire avec les clients. Avant les fêtes, tu auras quelques tables.

— Je l'espère. Plus de trois mois que vous me faites vivre.

— Ray, veux-tu être gentil ? Je fais une bonne action, j'aide un jeune à réaliser son rêve. Je t'aime bien, alors ne gâche pas mon plaisir. Le bonheur, je le trouve dans ton sourire, ta présence, ta vivacité.

— *Beautiful kind lady,* merci, merci. Je vais adorer chanter, de même qu'être serveur. Mais... c'est exigeant ! Tout doit être exactement au bon endroit, les serviettes pliées de telle manière ; il y a beaucoup trop d'assiettes et d'ustensiles pour un même repas. *Sweet Jaysus,* ces gens-là ne savent pas qu'on peut manger avec une assiette, un couteau et une fourchette. Et le contenu des assiettes !

Par exemple, le mets principal : une belle décoration, des légumes minuscules, des petits morceaux de viande effilochées, empilés, cachés sous des épices. Il faut presque une loupe pour voir le contenu. Parfois, la viande, je ne sais pas laquelle, baigne dans une sauce. Je me demande si le chef essaye de faire un chef-d'œuvre ou de montrer à l'animal mort comment nager.

Ray avait une facilité à décrire les scènes avec réalisme et d'une façon unique, originale. C'était un pur ravissement. Madame Wilson se pâmait de joie. Elle ne verrait plus jamais un mets de la même manière. Elle avait visualisé la description de Ray et ne pouvait s'arrêter de rire. Surprise de la voir rire de si bon cœur, Ray exultait.

— Je ne me pensais pas aussi drôle.

— Tu l'es, tu devrais peut-être devenir comédien.

— Non ! Non ! Musique et bouffe, ça suffit, Vous ? Vous êtes du bonbon ! Si je vous perdais, je pense que je mourrais…

— Je n'ai aucune envie de faire ma valise, plutôt une folle envie de vivre. Mets le microsillon de musique irlandaise et danse une gigue, si tu veux bien.

— Tout ce que vous voudrez madame.

Sautillant, il mit le disque, régla le son, se pencha vers elle, lui donna un bisou. Dès que les premières notes pénétrèrent son cerveau, il se laissa aller. La danse provoquait en lui la même effervescence qu'une bûche enflammée. Madame Wilson ressentait son plaisir. La vie la gratifiait d'un grand bonheur.

56

Rallumer les étoiles... malgré tout

Perpétuellement en mouvement, Ray n'avait pas vu le temps passer. Près de cinq ans et demi s'étaient écoulés depuis qu'il s'était enfui de l'Irlande. Sa tante? Il lui arrivait d'y penser, une brève pensée, un éclair qui disparaissait plus vite qu'il n'arrivait. Son oncle? Effacé de sa mémoire! Tara? Il en parlait rarement, mais elle était dans son cœur durant les moments difficiles, et encore plus maintenant qu'il allait devenir quelqu'un. Ah! la voir apparaître, son beau visage encadré de longues boucles rousses, leur petite maison... Elle devrait être à ses côtés. Il ne pouvait s'en prendre qu'à lui-même; il n'avait jamais essayé de lui donner signe de vie. Et puis? Est-ce qu'elle l'avait recherché? Elle ou sa mère? Elles étaient peut-être contentes d'en être débarrassé. Il se refusait d'y croire. Au début, il avait eu peur qu'elles ne le retrouvent. Plus elles tardaient à le chercher, plus le mur dressé entre eux devenait infranchissable. Il se frappa la poitrine. Il avait tout, mais il n'avait rien puisqu'il lui manquait l'essentiel. Et puis, non! Sa vie était en mode succès!

Les fêtes approchaient, les acheteurs se bousculaient dans les magasins, les restaurants et les cafés. Tous faisaient des affaires d'or. Monsieur Pierre assigna trois tables à Ray, choisit des clients qu'il estimait. Gentiment, il leur avait demandé d'être indulgents avec ce jeune débutant prometteur «qui a toutes les aptitudes pour devenir un excellent serveur».

Malgré quelques incidents mineurs vite oubliés grâce à son sourire, à sa gentillesse, les clients l'adoptèrent avec bienveillance. Pantalon noir, chemise blanche, cheveux pommadés, teint irlandais, c'était un jeune homme attrayant. En le regardant, certains hommes revoyaient leur jeunesse pendant que certaines femmes retrouvaient la leur. Discrètement, Monsieur Pierre jetait parfois un coup d'œil du côté de son protégé. Il fut vite rassuré en entendant des rires venir d'une des tables de Ray. Pourvu qu'il ne fasse pas le clown ; ce n'était pas l'endroit. Un peu plus tard, il passa près de la première table de son débutant s'enquérir de la qualité du service.

« Monsieur Pierre, il est charmant, ce jeune homme. Il est très poli, ses manières sont impeccables, et il est rafraîchissant. Vous avez l'œil. » Commentaires similaires des gens des deux autres tables. Madame Wilson allait être ravie… Lui l'était déjà.

Son quart de travail terminé, Ray appréhendait l'évaluation de Monsieur Pierre ; elle ne tarda pas.

— Tu t'es bien tiré d'affaire pour une première fois. Tu pourras le dire à Madame Wilson, elle appréciera. Continue ainsi et je t'assignerai deux autres tables.

— Merci beaucoup monsieur Pierre. Je vais faire très attention.

En se changeant, il compta ses pourboires ; six livres pour une seule soirée et un travail qu'il aimait. Son premier concert lui rapporterait quelques livres. *Wow !* Son pot de confiture allait vite déborder. Deux autres serveurs, Alex et Alvin, le regardèrent en souriant.

— C'est le meilleur moment de la journée. Un de ces soirs, tu viendras fêter avec nous ?

— Avec plaisir.

Magasiner n'était pas le passe-temps favori de Ray. Depuis que Madame Wilson l'avait sorti des griffes de Nick, il s'était ouvert un compte bancaire, et les rares fois où il ouvrait son portefeuille c'était quand il sortait le samedi soir ou lorsqu'il invitait Dylan à souper. Son livret indiquait plus de 330 livres. Une semaine avant Noël, il partit faire ses emplettes des fêtes. Dylan était en tête de liste. Il lui dénicha un excellent couteau d'électricien à deux lames. Pour Tyna, une crème pour les mains ; « la meilleure », selon la vendeuse. Layla aimait tout, voulait tout. Il avait choisi un emballage de trois articles de parfumerie : savon parfumé, eau de toilette et crème hydratante. Restait un dernier cadeau, celui de sa bienfaitrice : il savait ce qu'il allait lui offrir, il était prêt à y mettre le prix. Ce ne fut qu'à la troisième bijouterie qu'il trouva ce qu'il cherchait. Le bijoutier avait hésité à sortir le bijou du présentoir vitré. Ce jeune homme pouvait-il se le permettre ?

— Monsieur… ce bijou coûte 35 livres.

— Je le prends.

— Vous êtes… ?

— Monsieur, il est bien à vendre ?

— Oui, oui, certainement.

— Il sortit son portefeuille et en retira 35 livres.

— Merci ! Monsieur a du goût, mademoiselle va être choyée.

— Madame ! Une dame pour qui j'ai le plus grand respect.

Il avait d'abord ignoré ce jeune homme qui ne faisait pas partie de sa clientèle habituelle, mais il se ravisa.

— Je vais vous faire un bel emballage et j'ajoute une petite carte… pour y écrire…

Sa volte-face n'échappa pas à Ray. Content de la considération que lui témoignait le bijoutier, mais aussi choqué de sa désinvolture à son arrivée, il se promit de ne plus revenir dans cette bijouterie.

57

Un brin de folie

Ray avait terminé ses courses. Il s'arrêta dans un Cafe. Il repensait à ses années avec Nick. Il voulait bien rester sur le droit chemin, mais les années passées avec cet expert en corruption avaient laissé des traces. Il lui arrivait de penser aux journées où ils faisaient la livraison avec la fourgonnette. Il était heureux, sans aucun souci, sauf lorsqu'il avait été introduit dans le monde de la prostitution. Chaque journée de travail avait été agrémentée de blagues, de rires, de chansons. Faire le service dans les hôtels : une occasion de se faire valoir, de se mêler aux gens de la haute société. Ses sorties avec Kate et Audrey… Elles et d'autres « professionnelles » avaient éveillé ses sens, l'avaient initié aux plaisirs charnels. Son corps réagissait quand il pensait à ces nuits. Les « clientes » lui manquaient, même les « mûres, matures ». Ces intrigues clandestines l'excitaient. Être admiré et désiré, le pouvoir et le contrôle qu'il avait sur ces femmes, il se croyait un homme, un homme puissant. La concupiscence de cette jouissance interdite et ces élans de virilité rendaient parfois son abstinence quasi insupportable.

Heureusement, il y avait Madame Wilson… « sa mère. » Et sa vie actuelle avec Dylan, Chris, Geoff, Tyna, Layla, Andy, des gens merveilleux qu'il aimait… mais trop sages. Il avait un besoin irrationnel de se laisser aller, de faire des folies.

Pendant qu'il ressassait ses pensées, il eut une idée farfelue, ce qu'il appela « un trait de génie ». Il commença à chantonner tout bas : « *Fun! Fun! Fun!* » Comme la routine tue, il décida de mettre son projet à exécution. Les derniers mois avaient été exigeants. Il avait besoin d'un brin de folie, une folie de Noël. C'était le 20 décembre. Réfléchir longtemps n'était pas dans ses habitudes.

De la spontanéité? Oui! Il se leva d'un bon et se rendit dans un magasin 5-10-15. Il chercha partout.

Yes! Yes! Il dépensa cinq livres et ressortit avec deux gros sacs. Quand il rentra, Madame Wilson était sortie. Parfait! Quelques minutes plus tard, elle arriva, jeta un coup d'œil dans sa chambre. Allongé sur son lit, Ray faisait semblant de dormir. Puis il y eut des tires et des...

— *Oh my God!* Ray! Ray! *Come here!*

Il se leva, s'avança vers la chambre, entra en se frottant les yeux. Une vingtaine de petits pères Noël en peluche trônaient sur la commode, la coiffeuse, les tables de chevet et sur son lit. Elle lui passa les bras autour du cou. Ses yeux dansaient d'un plaisir enfantin.

— *They are so cute!* Une autre de tes folies. Je l'aime! dit-elle en souriant tendrement. Je me sens comme une petite fille. Où as-tu pris cette idée?

Il se toucha la tête et le cœur.

— Je n'ai pu résister.

— Merci! Le père Noël existe! Il s'appelle Ray! Cher petit lutin irlandais. Avec toi, on ne s'ennuie pas. Tu es très... énergisant, stimulant. Ils vont rester dans ma chambre jusqu'en janvier. Après je vais les ranger. Je les veux dans ma chambre à chaque Noël.

Je suis heureux!

Il se mit à chanter « *Pretty Woman...* »

Pourvu qu'il ne disparaisse jamais de sa vie. Non! Pourvu qu'il soit heureux. Elle voulait savourer chaque instant de sa présence.

Le lendemain, Ray était de service à l'hôtel. Quand il revint, la maison de Madame Wilson resplendissait d'une ambiance festive. Des guirlandes paraient le hall d'entrée; au salon, l'arbre de Noël scintillait; dans la salle à manger, le chandelier de cristal irradiait, ses rayons illuminaient le centre de la table où trônait une superbe gerbe de poinsettias en tissu vaporeux débordant de roses rouges entourées de petites branches de sapin dans un vase en cristal de Bohême qui rehaussait la beauté du bouquet. Ray en eut le souffle coupé.

Comment avait-il pu arriver jusque-là? Jamais il ne pourrait rendre à Madame Wilson ce qu'elle avait fait et continuait de faire pour lui. Une mère ! Voilà ce qu'elle était devenue pour lui. Elle l'aimait comme une mère aime son fils. Il savait que si un jour, par malheur, il déviait du droit chemin, elle ne le renierait pas. Cette réflexion lui fit monter les larmes aux yeux. Sa mère ? Où était-elle ? Avait-elle une pensée pour lui durant ce temps des fêtes ?

— C'est toi Ray ? Viens me rejoindre.

Comme chaque fois qu'il revenait, il alla s'asseoir près d'elle. Il lui fit la bise, posa sa tête sur son épaule et lui raconta sa journée. C'était un moment privilégié qu'elle chérissait. Quand il lui transmit les paroles de Monsieur Pierre, elle sourit. Ses sentiments ne lui étaient pas inconnus.

— Je suis fière de toi. Tu es serveur, c'est un métier honorable. C'était ton rêve… serveur et riche.

— Ah, madame Rose, je sais que ça n'arrivera pas, mais grâce à vous, je suis heureux, je suis déjà riche dans mon cœur. « *Topadh leat !* »

La journée avait été excitante, mais il travaillait le lendemain et devait se lever tôt pour répéter ses chansons. Il ne pouvait laisser passer une seule journée sans répétition. Son jour J approchait.

58

Laisser filtrer l'espérance

Les yeux grands ouverts, Ray fixait le plafond. Sa nuit avait été agitée. Des ombres habitaient ses pensées. Les jours se bouscu-laient, tout allait trop vite. Monsieur Pierre l'appréciait, l'avait fait travailler presque tous les jours. Il aimait bien être serveur, mais il lui fallait aussi répéter avec Monsieur Daley, et Madame Weatherspoon insistait pour l'accompagner au piano pendant qu'il chantait. Jouer de la guitare, chanter et se mettre au diapa-son avec Madame Weatherspoon s'était avéré difficile. D'abord, il avait refusé, puis elle lui avait expliqué qu'il allait parfois devoir jouer accompagné d'un pianiste ou d'un batteur. «Vous allez être connu, peut-être célèbre, j'ai de l'estime pour vous, autant en profiter», lui avait-elle dit. Impossible de se dérober. Pauvre Ray, il ne voulait qu'apprendre à jouer de la guitare, s'amuser, danser.

Ce soir-là, il jouerait devant Madame Wilson et ses amis Chris Geoff, Dylan, Tyna et Layla.

Dans un bruissement de satin, Madame Wilson apparut devant sa porte. Elle s'approcha, s'assit à ses côtés et le serra dans ses bras.

— C'est ce soir! J'ai peur, mamie. Oups! Excusez-moi, madame Wilson.

— Ne crains rien, je suis là. Je t'ai entendu te tourner et te retourner. Je sais que tu es nerveux. C'est normal, ça s'appelle le trac. Tous les grands artistes ont le trac avant de se présenter en public.

— Je ne suis pas un grand artiste. Je suis à peine passable.

— Ne sois pas si sévère envers toi. Tu es beaucoup mieux que passable, tu joues bien, tu as une belle présence, sois toi-même. Si tu fais une erreur, recommence comme si de rien n'était. Ce soir, tu vas les épater. Redis-moi les chansons que tu vas interpréter.

— *Love Me Do. Dream Lover, What Do You Want, Uptown*, et comme nous sommes le 22 décembre, *Jingle Bells, The Little Drummer Boy* et *Silver Bells.*

— C'est un bon choix ! Je vais t'accompagner au piano pour la dernière, si tu le veux bien.

— Si je le veux ? C'est grâce à vous si cette soirée est possible.

— Grâce à toi ! J'ai fourni les professeurs, tu as fait le reste. Je suis très heureuse que les Nelson aient accepté de venir.

— Dylan est plus qu'un frère pour moi, il sera là aussi.

— Enfin, je vais rencontrer sa petite amie Tyna, et la tienne, Layla. J'ai aussi invité quelques amis, trois que tu connais déjà. J'aurais aimé qu'on fête la veille ou le jour de Noël, mais les Nelson vont célébrer chez les parents de Chris. Comme à mon habitude, je souperai avec des amis la veille de Noël, et le jour de Noël, je me rendrai à l'église.

— Et moi ? Je suis exclu ?

— Toi, tu as Dylan, Tyna, Layla… Vous êtes jeunes, vous allez fêter ensemble. Je ferai ce que je fais depuis des années et je ne suis pas malheureuse, crois-moi.

Dépité, Ray se promenait de long en large. S'arrêtant devant Madame Wilson, il l'observa. Mal à l'aise, elle fuyait son regard.

— Vous allez faire ce que vous avez toujours fait. Pas très électrisant. Voici ce que je vous propose. La veille de Noël, vous et moi échangerons nos cadeaux. Ensuite, nous sortons ensemble ; nous irons souper et danser, et nous reviendrons ici.

— Tu n'y penses pas ! Et Layla ?

— Layla ? Je soupe chez elle le jour de Noël. Alors, vous et moi ?

Il était impossible… Mais la perspective de laisser tomber toutes les convenances et d'avoir du plaisir sans regarder par-dessus son épaule… Un chatouillement agréable lui traversa le corps.

— *Dè do bheachd ?* (Alors, qu'en pensez-vous ?)

— Nous irons souper à Londres. C'est de la folie, mais je vais nous trouver un bon restaurant. Je pense que je vais aller danser avec un beau jeune homme que j'aime bien.

Lui tendant la main, il l'aida à se relever et, tout en chantonnant, il la fit valser lentement.

— Je suis meilleur en danse à claquettes, en gigue irlandaise, mais ça ira!

— Très bien! Ce sera une soirée de Noël mémorable. Mais tu n'as pas à faire...

— Je ne fais pas un sacrifice et je ne fais pas pénitence. Je me fais plaisir et mon cœur fait...

Badinant, à voix basse, elle chuchota:

— Bedoum, bedoum; bedoum, bedoum...

Comme il simplifiait tout. Il n'analysait pas chacune de ses paroles; il était tout simplement lui-même. Son bonheur n'avait pas besoin d'artifices.

59

Whatever will be... Que sera, sera!

Ray ne tenait plus en place. Il fallut tout l'amour et la persuasion de Madame Wilson pour le calmer :

— Ray, tu dois faire abstraction de tout ce qui ne concerne pas ta prestation. Ne t'énerve pas ! C'est un grand soir. Regarde autour de toi, tout est prêt, tu es prêt. Savoure chaque seconde de cette soirée. Je suis là, je veille ! Tu vas réussir !

— Merci, madame Rose. Je vais chanter pour vous.

La soirée se déroulait dans la gaieté et la bonne humeur. Le chauffeur, accompagné de Ray, était allé chercher Dylan, Tyna et Layla. Dylan avait protesté, ils pouvaient prendre un taxi, mais les filles furent ravies d'avoir un chauffeur. Dylan avait expliqué à Tyna que Madame Wilson était une dame très à l'aise. Layla l'avait su de son amie, mais rien ne les préparait à ce qui les attendait. Quand elles virent la maison, elles se regardèrent, chiffrèrent leurs vêtements. Dylan pressa la main de Tyna pendant que Ray se tournait vers Layla. Il lui fit un clin d'œil, mais ce n'était rien pour la rassurer. La bonne leur ouvrit, prit leurs manteaux pendant que Madame Wilson venait à leur rencontre.

Dylan lui sourit, elle lui serra la main.

— Bonsoir Dylan, merci d'être venu. Et qui est cette jolie demoiselle ?

— Madame, voici mon amie Tyna.

— Bienvenue chez moi Tyna, je suis contente de faire votre connaissance.

— Merci de nous avoir invités madame.

Ray s'avança, lui donna l'accolade.

— Et toi, mon cher Ray, tu me présentes cette jeune fille ?

— Voici Layla. J'avais bien hâte de vous la présenter.

— Et moi de la connaître. Ray a une place de choix dans mon cœur, alors je suis très heureuse de vous recevoir.

Figée, le regard froid, elle murmura :

— Merci, madame !

Surpris et peiné, Ray la regarda. Madame Wilson n'était pas dupe, déjà cette jeune fille ne la portait pas dans son cœur.

On sonna à la porte.

— Ray, tu conduis tes amis au salon ?

Chris et Geoff arrivaient, suivis de Monsieur et Madame Taylor et enfin, de Monsieur Pierre. Pendant que Madame Wilson faisait les présentations, Layla ne la quittait pas des yeux. Ray se pencha.

— Qu'est-ce qui se passe ? C'est quoi cette attitude ?

La voix teintée de mépris :

— C'est elle, cette vieille dame, ta madame ?

— Tu ajoutes une seule remarque négative et tout est fini entre nous deux. Souris, sois gentille ou j'envoie le chauffeur te reconduire.

— Quoi ? Tu me…

Il se leva pour embrasser Chris, salua Geoff, qui le serra dans ses bras. Dylan en fit autant ainsi que Tyna. Il prit la main de Layla, la serra. Verte de colère, s'imposant une pénible obligation, elle se força à sourire. Les Taylor se présentèrent.

— Quelle bonne idée, ma chère Candice, d'avoir invité ces jeunes personnes.

Monsieur Pierre rayonnait.

— Comme c'est gentil à vous de m'avoir invité. Et je retrouve des connaissances : Monsieur et Madame Taylor. La soirée n'en sera que plus agréable.

Les présentations terminées, on déboucha le champagne, deux serveuses passèrent parmi les invités. Ray, Dylan et Tyna ne prirent qu'un demi-verre. Layla fit remplir le sien. Madame Wilson prit la parole.

— Je veux vous remercier toutes et tous d'avoir accepté mon invitation. En cette période de Noël, il est bon d'être entouré de gens qu'on estime. Je souhaite que cette soirée vous soit agréable. Je vous réserve une surprise, je suis certaine que vous ne serez pas déçus. Amusez-vous bien !

Tous levèrent leur verre.

Femme du monde, Madame Wilson voyait au bien-être de ses invités. Chris admirait la maison, les meubles. L'atmosphère était festive. Geoff connaissait les invités. Tous n'étaient pas des amis intimes, mais il les avait rencontrés à l'occasion. L'amabilité de Madame Wilson l'avait touché. Quelle belle dame! Belle et bonne, puisqu'elle avait sorti Ray de son enfer et le prenait sous son aile. Madame Wilson se sentait proche de Chris, l'ange gardien des garçons. Elle la questionna sur sa famille, son Cafe.

— Vous savez, c'est tout simple, je pourrais rester à la maison, mais j'ai toujours voulu être une femme autonome.

— Je suis d'accord avec vous. J'aime les femmes qui se tiennent debout. Un de ces jours, j'irai à votre Cafe.

— J'en serais très honorée.

Cette Irlandaise n'était pas du même milieu que Dylan et Ray, mais elle avait la même joie de vivre que Ray. Dommage que son lutin soit avec cette Layla; sa lippe boudeuse détonait parmi ses invités. Peinée pour Ray, elle espérait que rien ne gâcherait son premier «concert». Cette soirée serait un succès, son succès. Il le méritait.

— Monsieur Nelson, votre présence et celle de votre épouse me font grand plaisir. Merci d'être venus, merci pour tout.

— Cette soirée me plaît déjà.

Les serveuses passaient les amuse-gueule, du champagne, des boissons douces pour les jeunes qui le désiraient.

Diplomate, Madame Wilson s'attarda devant chaque invité. Dylan et Tyna formaient un beau couple. Elle s'informa du travail de Tyna. Se tournant vers Ray :

— Et toi, mon grand, c'est ta petite amie?

— Oui, c'est ma Layla.

— Vous travaillez avec Tyna? Vous aimez être auprès des malades?

— C'est un travail.

Elle avait répliqué un peu sèchement. Rougissant, elle se reprit :

— Oui, j'aime mon travail.

Ray soupira, Madame Wilson le regarda tendrement.

— Ça va aller mon ami.

— Merci !

Les conversations allaient bon train. Monsieur et Madame Taylor vinrent causer un peu avec les jeunes. Taquin, Monsieur Taylor les fit rire. Ray n'était pas en reste. Madame Taylor parla de ses enfants pendant que Monsieur Pierre se faisait tout charme pour Madame Wilson. On passa à table.

Éblouie, Chris frôla la main de Geoff. Impressionné, Monsieur Pierre admirait le décor. Il pourrait facilement se plaire dans cette maison, mais Madame Wilson n'était pas de son monde. Les Taylor, eux, l'étaient. Ray était maintenant habitué à ce luxe. Mais ce qui comptait vraiment dans ce château, c'était la châtelaine : fortunée, racée, femme du monde et femme de cœur.

Dylan était déjà venu, mais ce soir était différent. Pour Tyna, comme pour Ray et Dylan, Madame Wilson était pleine de gentillesse.

Sans savoir pourquoi, dès que Layla avait aperçu cette dame, elle l'avait détestée. En fait, elle le savait. Ray l'aimait. Il n'était pas amoureux de cette « vieille », mais en parlait avec révérence. De quel droit se permettait-elle de s'occuper de sa carrière ? Il était assez vieux pour se débrouiller seul. Il écoutait ses conseils, vantait son amabilité. Facile d'être gentille quand on est multi-millionnaire. La jalousie s'était glissée dans son cœur et, malgré l'avertissement de Ray, elle ne pouvait cacher son déplaisir. À la fin de la soirée, elle lui servirait un ultimatum : il devrait choisir entre cette Wilson et elle. Rassurée, sans le moindre doute sur l'issue de sa démarche, elle redressa la tête. Autant profiter des largesses de la vieille bique.

Le souper se déroula dans la bonne humeur. Chris leur annonça qu'elle était enceinte. Cette venue les berçait d'espérance. Madame Taylor l'avait devinée ; Chris rayonnait comme seule une femme enceinte le peut. Dylan et Ray étaient fous de joie. Ray proposa un toast à son ange gardien, Dylan approuva.

— Vous serez la plus merveilleuse des mamans.

Madame Taylor voulut savoir comment ils s'étaient rencontrés. Quand Geoff leur raconta l'apparition de son fantôme, c'était tellement romantique que tous en furent émus. Ray ne put résister.

— Un fantôme irlandais! Pas un seul homme n'aurait pu résister à une si belle apparition!

— Bien dit, Ray! Je n'ai même pas essayé et j'en remercie le ciel.

Un peu avant la fin du repas, Ray s'excusa et s'éclipsa. Il essayait d'apaiser les tumultes de son cœur. Il avait l'impression de toucher l'impossible. Layla voulut le suivre, mais il lui murmura: «Non! Reste ici!» Insultée, elle se tourna vers Tyna. Mine de rien, cette dernière lui chuchota: «Souris, tu vas exploser!»

Quand les invités furent de retour au salon, Madame Wilson demanda quelques instants de silence.

— Chers amis, je suis très heureuse que vous soyez venus ce soir. Pour vous remercier, je vous ai préparé une surprise. Un de nos invités, un jeune homme talentueux que j'estime beaucoup et que vous connaissez, fait ses débuts ce soir. Mesdames, messieurs, accueillons... Earl Red!

Vêtu de son costume de scène, pantalon et chemise noirs, un petit mouchoir rouge dans la poche gauche de sa chemise, Ray s'avança dans le coin droit du salon, près du piano. Les applaudissements fusèrent. Dylan, lui, le salua. Ray se redressa bien droit et les regarda.

— Mesdames, messieurs, chers amis, bonsoir. Avant de commencer, j'aimerais dire quelques mots. D'abord, j'aimerais remercier mon frère Dylan. Ce n'est pas mon frère de sang, mais je le considère comme mon frère de cœur. Il est un homme droit, il a toujours été là pour moi, il est ma conscience. Il est serviable, calme, un peu différent de moi...

Il se passa la main dans les cheveux.

Tout de go, Dylan répliqua:

— Et plus humble!

Les invités rigolèrent.

— Merci, mon frère.

Il se sentit mieux.

— Je veux aussi remercier mes anges gardiens, Madame Chris et Monsieur Geoff, ils ont été les premiers à nous ouvrir leur cœur et leur porte à notre arrivée et à se porter garants pour nous. Avec moi, ils prenaient un gros risque... J'espère qu'ils ne le regrettent pas et qu'ils n'auront jamais à le regretter. Enfin, la dernière, mais non la moindre, notre hôtesse, Madame Wilson. Chère madame, sans vous, je ne serais pas ici ce soir. Vous m'avez accueilli comme un fils, vous m'avez accordé votre confiance, vous m'avez encouragé à me dépasser et je pourrais continuer l'énumération. Vous êtes une grande dame que j'aime beaucoup, et je vais essayer de vous faire honneur. Monsieur Pierre, merci pour votre patience, votre amabilité. À vous tous, je vais essayer... Ouf! Je ne suis pas habitué à parler... en public.

Dylan se leva.

— Oui, puis ton frère te dit d'arrêter de parler. Chante-nous quelque chose.

Un grand éclat de rire général se fit entendre. Souriant, Ray fit quelques pas de danse, ajusta sa guitare et s'exécuta : *Love Me Do...* Un peu nerveux au début, sa voix prit de l'assurance. On l'applaudit chaleureusement, et il enfila avec *Dream Lover*. Il n'était pas encore un grand chanteur, mais il avait une belle voix, un sourire engageant et un plaisir évident à chanter. Tous, à commencer par Dylan, Tyna et les Nelson, avaient grand plaisir à l'écouter. Il enchaîna avec *What do you want?*, *Uptown* et *Jingle Bells*. Le visage de Madame Wilson rayonnait de bonheur.

Surprise du talent de son ami, Layla le regardait et promenait son regard sur les autres ; ils semblaient sous le charme. Son Ray avait remercié Dylan, les Nelson, Monsieur Pierre et « la vieille ». Penser à Madame Wilson en ces termes lui procurait un certain plaisir mesquin. Pas un mot, pas une petite mention pour elle. Une bonne mise au point s'imposait. Perdue dans ses pensées, elle n'écouta pas la chanson suivante. Quand elle se ressaisit, ce fut pour voir Ray faire signe à Madame Wilson. Que lui voulait-il ?

Madame Wilson s'installa au piano, et Ray entonna *The Little Drummer Boy* et *Only the Lonely*.

La guitare et le piano ajoutaient à sa prestation. Aussitôt la dernière chanson terminée, il prit la parole.

— Je souhaite terminer avec *Silver Bells*. Madame la pianiste, on y va.

— À vos ordres ! dit-elle en souriant.

Émus, la fierté dans les yeux, Chris et Geoff le regardaient. Quelle transformation ! Il termina sa chanson, salua la « foule » et déposa sa guitare près d'une chaise. Les applaudissements fusèrent. Touché, heureux, il aurait voulu crier, sauter, mais se retint. Madame Wilson l'embrassa.

— Tu vas aller loin. Je suis fière de toi.

— Merci! Merci! Merci!

Layla se précipita vers lui, mais quand elle vit la Wilson l'embrasser, elle figea. Puis Dylan, les larmes aux yeux, l'encercla de ses bras.

— Ray, c'est ton jour J. Tu chantes bien, comme un vrai chanteur. Je suis heureux pour toi mon frère.

— Merci. Sans toi, je ne serais pas ici.

Ce fut à Tyna, Chris et Geoff, les Taylor et Monsieur Pierre de venir le féliciter. Layla se tenait debout derrière, seule. Elle attendait... Quand Ray finit par se libérer, tout souriant, il vint vers elle.

— Alors, tu as aimé mon mini spectacle?

— Oui...

Blessé, il la regarda comme s'il la voyait pour la première fois.

— C'est tout ce que tu trouves à dire? Qu'est-ce qui se passe?

— Je voudrais qu'on parte. Cette vieille...

Serrant les poings, il eut une folle envie de la frapper. Son regard glacial la fit reculer.

— Attends une minute!

Il alla dire quelques mots à Madame Wilson et revint vers elle.

— Viens!

Elle le suivit.

— Voici tes vêtements. Le chauffeur t'attend devant la porte.

— Et toi? Tu restes ici? Tu vas me payer ça!

D'un geste rageur, elle prit son manteau. Il lui ouvrit la porte.

— Bonsoir Layla. Toi et moi, c'est ter-mi-né! Passe de belles fêtes!

Quand il revint au salon, les autres le regardèrent.

— Layla ne se sentait pas bien, elle s'excuse, elle a dû partir. Pour une fois, je prendrais bien un verre de quelque chose. Je suis tellement content d'avoir fait mes premiers pas avec vous; j'ai envie de fêter, de danser...

Madame Taylor s'approcha de lui.

— Tu sais aussi danser ?

Il se prit la tête à deux mains, puis fit mine de se couper la langue.

— Il y a bien longtemps que je n'ai pas vu un vrai Irlandais danser. Tu veux bien… pour me faire plaisir ?

Pris à son propre piège mais souriant :

— Pour vous madame, c'est un honneur.

Madame Wilson soupira de fierté, mit le microsillon, on fit un cercle et Ray commença. La joie qu'il ressentait parcourait son corps ; son être tout entier exultait de plaisir. Fascinés, on le regardait comme si on ne l'avait jamais vu, ce qui n'était vrai que pour trois des invités. La musique s'arrêta, les applaudissements fusèrent, enthousiastes, chaleureux. Il salua, s'essuya le front. Incrédule, émue, Madame Taylor le contempla.

— Merci. Tu es beau, jeune, talentueux. Tu danses magistralement. Ce fut un délice ! J'espère que tu danseras encore pour moi… à une autre occasion.

— Merci madame. Ce sera toujours un privilège et une joie.

S'avançant, Monsieur Taylor s'adressa à Madame Wilson.

— Chère amie, non seulement nous avons reçu un accueil chaleureux, mangé comme des princes, rencontré des gens intéressants, des jeunes bien éduqués, mais aussi vous nous aviez promis une surprise et nous avons été choyés. Votre jeune protégé mérite bien votre générosité ; il est unique.

S'approchant de Ray, il lui serra la main.

— Vous avez tout ce qu'il faut pour réussir. Maintenant, l'avenir et le succès ne dépendent que de vous. J'espère avoir le plaisir de vous entendre à nouveau.

Dylan était presque aussi heureux que Ray, son frère imprévisible, un tantinet instable, qui avait l'art de se mettre les pieds dans le plat pour rebondir chaque fois et reprendre le gouvernail comme s'il sautait d'un galet à l'autre. Il glissait sans se blesser ; il venait de loin. Tyna comprenait, car Dylan lui confiait ses joies, ses craintes et son attachement inconditionnel pour Ray. Ce dernier faisait partie de leur vie. Elle aimait son impétuosité, sa vivacité. Contrairement à Layla, elle ne le jalousait pas mais se réjouissait de sa bonne fortune.

— Comment va ma future belle-sœur ? Aime-t-elle cette soirée ?

— Elle l'adore et t'aime beaucoup.

— Minute, tu ne peux pas nous aimer tous les deux, dit Dylan.

— Oui, je le peux, mais différemment. Toi, t'es mon amour. Lui, il est… spécial. Je regrette, pour Layla.

— Ne t'en fais pas, elle n'est pas vraiment mon genre. Mais si tu as une sœur jumelle, ou si Dylan…

— Oublie ça ! Tyna, c'est ma promise.

Les invités s'apprêtaient à partir. Même si Madame Wilson avait implicitement averti ses invités de ne rien apporter, chacun lui avait offert un petit quelque chose, et chaque invité repartait avec un souvenir qu'il ne devait ouvrir que le jour de Noël.

Dylan passerait la veillée de Noël chez Tyna. Elle travaillait le jour de Noël.

— Je travaille aussi, mais à vingt et une heures, j'irai te rejoindre, si tu veux bien, offrit Ray à Dylan.

— Comment peux-tu en douter ? Tu es mon passé, mon présent, et tu as un avenir prometteur. Je t'attendrai.

En mêlant leur sang, dans leur cachette d'adolescents, ils n'avaient jamais réalisé la profondeur de leur geste. Leur fuite, leurs craintes, leurs espoirs et les événements parfois heureux, tantôt quasi tragiques, avaient soudé cette alliance. Seuls en Angleterre, chacun était l'unique famille de l'autre.

60

Introspection

Les invités partis, Ray se retrouva seul au salon avec Madame Wilson. Silencieuse, elle savourait le succès de son jeune protégé. Lui revivait ce premier « spectacle ». Il en avait rêvé sans imaginer le trac fou qui s'insinuerait dans chaque fibre de son corps. Ce trac avait disparu comme par magie dès qu'il avait commencé à chanter devant ses spectateurs. À cet instant précis, il avait su que c'était sa destinée, jouer de la guitare et chanter devant un auditoire. Seul devant un auditoire, être le point de mire, apprécié, adulé... Une sensation euphorique.

— Alors, mon grand... Merci pour cette magnifique soirée.

— Vous me remerciez ? Avez-vous pris quelques verres en cachette ?

Un large sourire inonda son visage. Comme elle lui était attachée. Elle, si calme, si réservée, qui pondérait chaque décision, avait donné la préséance à son cœur. Elle en ressentait un bonheur, presque un ravissement.

— Non, je n'ai pas pris un verre de trop, mais sans toi, je n'aurais jamais eu le plaisir de connaître Chris et Geoff, Dylan, Tyna et... Layla. Comme je suis désolée. Je ne sais pas ce que j'ai pu lui faire.

— Chère amie, vous n'y êtes pour rien. Il ne s'agit pas de vous, mais pas du tout. Quand j'ai commencé à sortir avec Layla, j'étais seul, j'avais besoin d'affection. Tyna est tellement fine, aimable, généreuse, j'ai pensé que son amie le serait aussi. Au début, elle était la gentillesse même, elle aimait rire, mais je me suis vite aperçu qu'elle pouvait être contrôlante, mesquine, jalouse. Ce soir, elle a dépassé les bornes. Je lui ai dit que tout était fini entre nous. Je n'ai pas de peine, alors je vous en prie, n'y pensez plus.

Parlons de choses agréables, de cette soirée. Je devrais vous baiser les pieds de l'avoir organisée, de m'avoir permis d'apprendre la guitare, le chant, de m'avoir accompagné au piano. Je ne sais pas quels mots choisir pour vous dire comme je suis heureux.

— Tu me le rends au centuple. Un vent de folie est entré dans cette maison en la personne de mon lutin irlandais, alors… Si on se remémorait cette soirée ?

Ray ne demandait pas mieux.

Comme tout artiste qui se prépare à sa première prestation, il marche sur des charbons ardents dans l'attente du grand jour, et quand enfin l'adrénaline le propulse sur la scène, il vit intensément chaque seconde. Quand tout est terminé et que l'auditoire a quitté les lieux, s'il a réussi, il est en état d'euphorie. Il ne peut se retrouver seul. Il veut décortiquer, savourer chaque instant vécu, il veut en parler, partager son bonheur, et Ray ne faisait pas exception. Hésitant, un peu gêné, les émotions à fleur de peau, il confia son état d'âme à sa chère amie, le plaisir qu'il avait ressenti à chanter. Sagace, elle le laissa s'épancher. C'était son soir !

Il était intarissable. Son entrée avait-elle été… ? Sa première chanson… ? Peut-être aurait-il dû commencer par la deuxième… Laquelle avait-elle préférée ? Est-ce qu'elle pensait qu'il avait du talent ?

Les questions sortaient en rafales et à la vitesse du son. Elle avait peine à en croire ses oreilles. Elle serrait les lèvres pour ne rire. Quand il arrêta pour reprendre son souffle, ses yeux, deux étincelles, l'implorèrent.

— Ah ! Je suis fou… je pense.

— Non ! Non ! Juste un peu survolté. J'ai aimé toutes tes chansons. Tu as offert une bonne performance. Tu es étonnant ! Je ne te dis pas cela parce que je t'aime, mais parce que c'est vrai. Tu es sur la voie du succès.

Il serait toujours temps de lui faire quelques suggestions plus tard. D'ailleurs, son gérant y verrait. Celui-ci lui avait déjà trouvé deux Cafes prêts à lui donner une première chance. Ils devaient d'ailleurs se rencontrer le lendemain à dix heures. Incrédule, il resta sans voix. Se produire en public, devant des étrangers? On allait le tourner en ridicule.

— Déjà? Mais je ne suis pas…

— Que si, tu es prêt! C'est le temps des fêtes et donc le meilleur moment pour débuter. Les gens veulent fêter. N'oublie pas de chanter quelques chansons de Noël ou du temps des fêtes.

— Pas difficile. Je sais *The Little Drummer Boy, Rudolph the Red Nose Reindeer, Have Yourself a Merry Little Christmas, Santa Claus is Coming to Town, I'll be Home for Christmas* et *Silver Bells*.

— Parfait. Andy sera ici à dix heures.

— J'ai la frousse. Ici, vous étiez avec moi, Dylan aussi, Chris et Geoff, c'était moins énervant.

— Je serai présente pour tes premiers spectacles officiels.

D'un bond, il fut près d'elle et l'embrassa.

— Qu'est-ce que je deviendrais sans vous?

— Très bientôt, tu te débrouilleras très bien.

— Il faudrait un miracle.

— Dieu joue parfois à l'homme et accomplit des miracles.

— Je souhaite qu'Il vous entende.

Le sommeil tardait, Ray évoquait sa soirée. Quelle sensation! Même s'il devenait célèbre, il n'oublierait jamais ce premier spectacle. Il resterait à jamais gravé au plus profond de sa mémoire. Ce n'était qu'un début. Maintenant, il devrait jouer et chanter devant des étrangers. Une anticipation fiévreuse l'habitait, une hâte de se lancer publiquement. Du même pas, une peur terrible le tenaillait. À pas de souris, il se dirigea vers la cuisine, alla au réfrigérateur et se versa un verre de lait. Assis seul dans la grande cuisine, les yeux rêveurs, il n'entendit pas Madame Wilson approcher.

— Tu m'en verses un verre?

Il sursauta. Assis face à face, ils s'observaient comme des acteurs. Ray fut pris d'un fou rire, Madame Wilson aussi.

— Je ne sais pas pourquoi tu ris, mais continue, ça me fait du bien.

— À moi aussi, même si j'ai une frousse terrible de jouer en public.

— Tu touches au but. Tu as bien travaillé, qu'est-ce qui pourrait t'arriver? Que ton premier spectacle ne soit pas un aussi grand succès que tu l'espères? Ce ne serait pas grave. Tu en feras un deuxième, puis un troisième. Après le dixième, si ça ne va pas, on trouvera autre chose. Pilote d'avion peut-être? Ou pompier? Ou propriétaire d'un grand hôtel?

Mort de rire, Ray l'écoutait. Elle disait n'importe quoi, mais quel baume pour son cœur.

— Pilote d'avion? Pourquoi pas médecin?

— Excellente idée! Je n'y avais pas pensé. À tout bien considérer, qu'as-tu perdu? Tu as une belle guitare, tu as appris à en jouer, à chanter; si un public ne t'aime pas, il manquera quelque chose, parce que tu as du talent. Alors, on se calme.

Il répéta:

— On se calme.

— C'est ça, et on va dormir.

Bras dessus bras dessous, ils se séparèrent devant la porte de la chambre de Ray. Il lui souffla: « *Go raibh maith agat!* »(« Merci! »)

61

Donner quitus à son gérant

Madame Wilson était sortie. Andy Miller discutait avec Ray, ou plutôt le questionnait. Quel âge avait-il ? D'où venait-il ? Comment avait-il rencontré Madame Wilson ?

— Pardon monsieur, je pense que je n'ajouterai rien à ce que madame vous a déjà dit.

— Oui, d'accord, mais les gens sont curieux.

— Je n'ai pas l'intention de les changer. Un peu de mystère ne nuit pas.

— Bon ! Je suis engagé par Madame Wilson pour être votre agent ; elle m'a expliqué ce qu'elle attendait de moi. Je pense que nous allons bien nous entendre.

— Je l'espère aussi. Vous êtes le gérant, vous connaissez votre métier. Je veux réussir, je vais travailler pour y arriver, je vais tâcher de suivre vos conseils, mais je ne serai pas un béni-oui-oui.

— C'est bien ! J'aime les choses claires. D'abord, vous m'appelez Andy...

— Et moi, Earl Red.

— Earl Red ? Un nom accrocheur. Excellent ! Maintenant, le côté financier. Je m'occupe de ta carrière, tu me payes. Madame Wilson t'expliquera tout, puisque je me rapporte à elle et à son avocat. J'aimerais quand même que tu saches que je garde vingt pour cent de tout ce que tu vas gagner sur scène. Pour les produits dérivés, ce sera quinze pour cent et je m'occupe de tout.

— C'est quoi ça, les produits... ?

— Tu deviens populaire, je fais faire des tee-shirts et y fais mettre ta photo, ou je fais faire des affiches, des macarons et bien d'autres choses. Ça peut être très payant. Je dois aussi te faire connaître: ta photo dans le journal local d'abord, entrevues à la radio, à la télévision, ensuite on va plus loin.

— Si les gens aiment m'entendre.

— Fais en sorte qu'ils en redemandent. Il faut commencer fort, mettre le paquet. D'abord, tu devrais avoir un répertoire d'une vingtaine de chansons au moins. Il faut que tu les saches par cœur. Tu peux lire les notes de musique?

— Oui, et je peux aussi chanter à l'oreille.

— Montre-moi la liste de tes chansons… Oui, c'est un bon début, mais tu dois y ajouter des chansons de Noël. J'aimerais que tu me chantes quelque chose.

Ray alla chercher sa guitare.

— Belle guitare.

Il gratta quelques notes.

— Un bon son. Vas-y!

Angoissé, il commença à jouer *Uptown*..

Le début n'était pas très prometteur, mais au deuxième couplet, ce n'était pas mal du tout. Quand il eut terminé, Andy lui fit signe de continuer. Il enchaîna avec *My Happiness* et *Silver Bells*.

— Pas très bon début, mais tu t'es repris, tu as du potentiel. Maintenant, écoute attentivement. Que ce soit pour une pièce de théâtre ou un spectacle, l'entrée en scène, le premier mot est crucial. La première phrase, la première réplique, le début donnent le coup d'envoi. Le plus important, c'est le début. Tu manques le début, tu fais une fausse note, et c'est difficile de te reprendre. Et même si tu le fais, quand tu commences mal, il en reste toujours une mauvaise impression! Alors, tu dois entrer en scène avec confiance, avec assurance, comme si la scène t'appartenait. Tu peux trembler en dedans, mais en dehors, tu dois paraître en contrôle, maître de toi. Tu ne penses qu'à une seule chose: chanter! Commence toujours par une chanson enlevante, pour accrocher ton public. Peut-être même deux. On te présente, tu entres en scène, tu salues bien bas ou comme tu veux. Pratique ton entrée et ne la change jamais. Ça va être TA façon d'entrer en scène. Est-ce que tu comprends?

— Oui, je vais faire mon possible.

— As-tu un habit de scène?

— Oui.

— Apporte ta guitare et va te préparer. Quand je t'appellerai, entre, salue et place-toi là, au centre du salon, tu feras face à la porte, et commence à chanter. *Get my drift?* (Tu vois où je veux en venir?)

Ray acquiesça.

Devenir un chanteur connu était aussi difficile que transporter des sacs de navets au marché… mais combien plus agréable. Une sensation électrisante! Il allait réussir! Il n'avait pas fait toutes ces répétitions pour rien. *Begin with the end in sight!* Oui, Madame Wilson! Il était à la ligne de départ. Il ne manquerait pas l'arrivée. Quand il fut prêt, il s'avança et attendit.

— Mesdames, messieurs, on applaudit une future vedette… Earl Red!

Ray s'avança au pas de course, fit deux pas de danse, salua en s'inclinant bien bas, releva la tête et lança: «*Enjoy yourself!*» Il attaqua le morceau à la guitare, joua quelques notes et se mit à chanter: «*Love, love me do…*»

À l'instant même où Andy présentait Ray, Madame Wilson entrait sur la pointe des pieds et se glissait dans la salle à manger. Quand elle vit Ray faire son entrée, elle fut prise d'un fou rire mais se mordit les lèvres. Quel culot! Quel aplomb! Il irait loin. Il termina sa chanson, remercia d'un geste de la main sur son cœur et Andy le rejoignit, suivi de Madame Wilson. Inquiet, Ray les regardait d'un air anxieux.

— Eh bien, tu comprends vite. C'était beaucoup mieux. J'aime ton entrée, c'est original, c'est spécial et c'est du Earl Red. Il faut que tu pratiques cette entrée et n'en change pas une seule virgule.

— Maintenant… si tu travailles aujourd'hui, tu devras terminer plus tôt.

— Impossible!

— C'est moi ton gérant, j'organise ton horaire, alors ce soir tu termines à vingt heures et tu chantes cinq chansons au *Grand Hotel*.

— Là où je travaille? Mais ce sont des gens de la haute société qui…

— Exactement! Ce sont les gens à qui je veux te faire connaître.

— Mais ils n'ont jamais eu de chanteur là.

— Cette fois, ils en auront un : Earl Red.

Le jour de Noël, à dix-neuf heures, tu chantes au *Royal Albion*. Ensuite, j'aurai d'autres endroits, des Cafes, des salles de spectacle. Il faut battre le fer quand il est chaud. Une bonne publicité dans les médias et d'ici quelques mois ton nom sera connu et on s'arrachera les billets pour t'entendre. Je dois y aller. On se voit ce soir.

Abasourdi, Ray se prit la tête entre les mains et se laissa tomber sur une chaise. Surprise, Madame Wilson le regarda d'un air interrogateur.

— Tu n'es pas heureux ? Ce n'est pas ce que tu voulais, chanter devant un public enthousiaste.

— C'est ce que je pensais, mais je me suis habitué à ma vie avec vous, les cours, une vie calme. Là, j'ai l'impression d'entrer dans un tourbillon dont je ne pourrai jamais m'échapper.

— Viens t'asseoir près de moi.

Il mit sa tête sur son épaule ; il ne voulait pas perdre ces moments de tendresse. Ils restèrent ainsi pendant de longues minutes.

Doucement, sa bonne « maman » lui parla. Comme elle le lui avait promis, elle serait toujours là pour lui. Quand il sentirait que sa vie lui échappe, il irait passer quelques jours avec elle.

— Mon gérant ?

— Tu ne lui appartiens pas. Plus tu auras du succès, plus tu feras d'argent, plus ton gérant en fera. S'il pousse trop, dis-le-lui. Cependant, tu commences une nouvelle vie, celle dont tu rêvais. Je pense que tu vas vivre une aventure exceptionnelle. Donne-toi six mois. Si, après six mois, tu n'es pas heureux, tu reviendras et reprendras ton travail de serveur. Je veux que tu sois heureux.

— Ah ! Merci ! Je me sens mieux. Ici, je suis sur du solide, pas à cause de votre argent. C'est très beau ici, j'aime bien sortir au théâtre et tout le reste, mais si demain vous n'en aviez plus, je me sentirais toujours en sécurité avec vous. Je sais que vous m'aimez comme un fils. C'est la plus belle chose au monde et cela me suffit.

— Tu es le meilleur des fils. Alors, tu te sens mieux ?

— Oui. Je vais monter préparer mon petit spectacle de ce soir. Vous y serez ?

— Fais-moi confiance !

Ce qu'il ignorait, c'était que dès qu'elle avait parlé à Andy Miller, elle lui avait suggéré de le faire débuter au *Grand Hotel*. Par égard pour elle, Monsieur Pierre n'avait pu refuser, même s'il avait été un peu rébarbatif au début. Andy lui avait fait valoir l'excellente opportunité que serait pour lui le fait de présenter un chanteur… à l'occasion. Si ses clients étaient séduits et en redemandaient, il pourrait répéter l'expérience. Madame Wilson lui en serait certainement reconnaissante.

Aussitôt la réponse positive reçue, elle avait réservé une table pour sept personnes : les professeurs de chant et de guitare, les Taylor, son vieil ami Monsieur Willam Rutherford et Dylan. Ce dernier n'avait pas été facile à convaincre, mais elle avait su trouver les mots.

— Tu sais Dylan, ce sera sa première prestation en public ; s'il sait que son frère est là, il se sentira rassuré. Et tu le lui as promis.

— Je n'ai jamais mangé dans un grand hôtel, je serai mal à l'aise.

— Alors il faut que tu le fasses. Ray va probablement devenir très connu, parfois il voudra vous avoir près de lui, Tyna et toi.

— Tyna travaille ce soir.

— Je sais. Ce sera pour la prochaine fois. J'irai te prendre à dix-huit heures. Ce sera un honneur pour moi d'avoir un si beau jeune homme à mes côtés.

— Si on me questionne…

— Tu diras que ton père était irlandais et ta mère anglaise, une petite cousine de Geoff Nelson. C'est la réponse de Ray.

En riant, il lui dit :

— Il ment mieux que moi, mais je serai prêt. Ah ! ce que vous me faites faire madame Wilson !

— Je comprends et je ne t'en apprécie que davantage.

Ray avait répété son entrée et ses chansons à moult reprises. Il en avait assez. Son estomac criait famine, mais il mangea peu.

— Tu n'as pas faim ? Pourtant, tu vas être entre amis ce soir.

Il leva des yeux interrogateurs.

— Oui, les Taylor, Madame Weatherspoon, Monsieur Daley, Monsieur Rutherford, Dylan et moi serons là.

— Dylan va être là ? Je ne sais pas ce que vous lui avez dit pour qu'il accepte, mais pour Dylan et vous, je vais chanter comme un pinson.

Il se leva, fit quelques pas de danse, se mit à fredonner et alla préparer ses vêtements de scène. Il mit sa guitare près de la porte, alla se laver, puis s'allongea sur son lit et ferma les yeux un moment. Si Tara… Sa mère… Les mères sont toujours présentes dans les grandes joies et les grandes peines. La sienne ? Et sa sœur ? Pourquoi venaient-elles le hanter aujourd'hui ? Il devait chasser ses vieux démons. « C'est un grand jour, je suis entouré de gens qui m'apprécient, qui m'aiment. C'est un beau jour, mon jour J. »

62

Applaudissements distingués et chaleureux

La salle à manger était bondée. Heureux d'être invités par Madame Wilson, Monsieur Daley et Madame Weatherspoon parlaient de Ray, des progrès qu'il avait accomplis. Madame Wilson s'entretenait aussi avec les Taylor et Dylan. Autant celui-ci avait été impressionné et figé en entrant dans l'hôtel, autant Madame Wilson avait su le mettre à l'aise. Quand était venu le temps de choisir son repas, il avait attendu que les dames et les autres placent leur commande. Mine de rien, Madame Wilson lui avait suggéré d'essayer le rôti de bœuf au jus. Pour la suite, il regarda les autres et fit comme eux. Madame Wilson lui porta une attention particulière et lui murmura : « *You're doing great, enjoy yourself.* » Il lui en sut gré, se détendit et lui sourit.

À vingt heures, Ray était dans une petite pièce derrière la salle à manger, Andy à ses côtés.

— Tu ne peux entrer en courant ici, mais fais tout le reste, on t'a réservé un endroit au centre.

— J'ai le trac, je ne sais pas…

— *Chin up!* (Allez, un peu de cran!) C'est ta chance. Fonce!

Monsieur Pierre prit le micro.

— Mesdames, messieurs, excusez-moi de vous interrompre, mais c'est la période des fêtes, et en cette soirée festive, j'aimerais vous présenter un jeune chanteur, un jeune homme plein de promesses. Veuillez accueillir Monsieur… Earl Red!

— *Go get them!*

D'un pas décidé, Ray s'avança, fit quelques pas de danse, salua bien bas, et de son plus beau sourire, il lança : « *Enjoy yourself!* » Quelques accords bien sentis et il entonna *The Little Drummer*

Boy. Amusés, souriants, les clients le regardaient. Beau jeune homme, bien habillé, il n'était pas mal du tout. Il termina sur des applaudissements discrets mais chaleureux, mit une main sur son cœur, puis entama *Love Me Do,* puis *My Happiness, Only the Lonely, Silver Bells.* Il termina avec *Have Yourself a Merry Little Christmas.*

Il salua bien bas, releva la tête : « *Thank you, thank you so much. Have a Merry Christmas!* » Après des applaudissements nourris, il disparut.

Les commentaires allaient bon train. Les larmes aux yeux, Dylan se tourna vers Madame Wilson. Son frère était lancé, il se retint pour ne pas pleurer de bonheur.

— Il va réussir, notre jeune. Monsieur Daley et madame Weatherspoon, vous avez été de bons professeurs.

— On avait un bon élève.

Les Taylor étaient tout aussi ravis.

— Quelle belle soirée avant Noël ! Ce jeune homme ira loin.

Dylan posa sa main sur celle de Madame Wilson.

— Merci, madame. Merci.

Tout en sueur, Ray sirotait un cola. Il avait peine à se rappeler ce qu'il avait chanté, mais il y avait mis tout son cœur.

— Eh bien, Earl Red, je pense qu'on va former une bonne équipe. Tu as l'étoffe d'un bon chanteur. Ta seule présence enflamme la « scène ». On t'a applaudi chaleureusement. Tu es l'idole du jour. Quelle sensation as-tu ressentie ?

— Quand ils ont applaudi, c'était… J'aurais sauté en l'air. Ça fait tout un *thrill* en dedans.

— Ce n'est qu'un début. Tu restes ici ?

— Je n'irai pas m'asseoir avec Madame Wilson et mon frère, je les verrai à la maison.

Pendant ce temps, Monsieur Pierre se promenait entre les tables et recevait les commentaires positifs des clients. Ils avaient tous apprécié sa surprise. Le jeune homme était bien mis, agréable et avait une voix magnifique. Plusieurs désiraient le revoir.

— Monsieur Pierre, c'est une première, mais il faudra l'inviter à nouveau. C'était un intermède très agréable, pas trop long, une belle ambiance.

On voulait en savoir plus sur le jeune chanteur, mais il en savait très peu. Il s'arrêta à la table de Madame Wilson.

— Monsieur Pierre, merci. Vous avez fait un pari.

— Les clients l'ont apprécié, on veut qu'il revienne. Une attraction supplémentaire pour notre hôtel. Les autres hôtels vont l'inviter, vous verrez.

— C'est très généreux de votre part, et très apprécié.

— J'en suis enchanté. Bonne soirée.

Ray marchait de long en large dans la maison, il avait besoin de parler de sa première expérience en public. À peine Madame Wilson avait-elle mis les pieds dans la maison qu'il l'interrogeait.

— Est-ce que j'ai bien chanté? Est-ce que c'était…?

— Pas mal, tu n'es pas trop mal.

— Juste pas mal? Je pensais…

— Mon cher lutin, Earl Red a été très bien.

— Ce n'était pas un public en délire…

— Mais beaucoup mieux, et plusieurs veulent te revoir.

— Vrai? Vous ne dites pas ça pour me faire plaisir?

— Non, et si tu me laisses le temps…

— Excusez-moi, je suis tellement surexcité, je m'emballe.

La bonne l'appela. Monsieur Dylan voulait lui parler. Il courut à l'appareil.

— Alors, comment va la vedette? Pas besoin de poêle à frire ce soir. J'ai failli crier «Ray! Ray! Ray!», mais Ray n'était même pas là, c'était un certain Earl… Earl Red. Connais pas ce gars-là.

Ray riait de plaisir.

— Merci d'être venu, tu m'as donné du courage.

— Le courage, il te sortait par les oreilles. Je suis content pour toi. On va fêter ça le soir de Noël. Bravo! Tu as été formidable!

Ray ne touchait plus à terre, il riait, sifflait, c'était presque trop beau.

Pendant une dizaine de minutes, Madame Wilson écouta son babillage de grand adolescent.

— Je sais, je suis fou, mais faut que je me «sérieurise».

— Te quoi?

— Me «sérieuriser», que je devienne sérieux…

Elle ne put se retenir, elle se mit à rire, rire aux larmes.

— Ce n'est peut-être pas le bon mot et j'ai assez parlé. Je mangerais bien quelque chose. Les petites choses sur la table, je peux ? Je meurs de faim.

— Vas-y ! Je vais me changer. Demain soir, *I have a date* avec une vedette.

— Ce sera une soirée magique ! Oui. Reposez-vous bien.

Fatigué, rassasié, il se laissa tomber sur son lit. S'il avait été certain que Madame Wilson fût endormie, il serait sorti fêter. Il brûlait d'envie de prendre un verre, de danser, de rencontrer une fille. Son corps brûlait de désir. Mais il ne pouvait décevoir cette femme à qui il devait tout. Partie remise… À un court délai. Une douche froide calma ses ardeurs, pour le moment. Soulagé, il dormit d'un sommeil de plomb. Madame Wilson en fit autant.

Le jeudi 24 décembre, à dix-neuf heures, tiré à quatre épingles, Ray attendait sa partenaire au salon. Il avait un sincère respect pour elle, il ferait tout pour rendre sa soirée agréable. Elle lui était dédiée. Digne, dans une robe fourreau dorée, une coiffure un peu bouffante, Madame Wilson resplendissait. Et de pied en cap, Ray avait fière allure.

— *We are going out in style !* Est-ce que cette belle dame me ferait l'honneur de m'accompagner ce soir ?

— Sortir en compagnie d'un si beau jeune homme ? Avec grand plaisir. Allons célébrer !

Durant le trajet, ils parlèrent de tout et de rien. En arrivant à Londres, ils passèrent devant Big Ben, le London Tower Bridge et le Buckingham Palace.

— Je ne pense pas chanter ici.

— Qui sait ? Peut-être un jour.

Le chauffeur les déposa au *Reubens at the Palace* au 39, Buckingham Palace Road. Le Reubens donnait sur les Écuries royales.

— Venez nous chercher à une heure. Ce sera Noël.

En pénétrant à l'intérieur, Ray eut le souffle coupé par les lustres qui miroitaient, la pureté des verres de cristal, éclatante, l'argenterie qui étincelait sur les nappes blanches. Le portier prit leurs manteaux et demanda leurs noms. Le maître d'hôtel s'avança :

— Madame Wilson, monsieur O'Brien, soyez les bienvenues au Reubens.

Il les escorta vers une table avec une vue sur l'orchestre. Les musiciens jouaient et Ray dut faire un effort pour les quitter des yeux.

— Ça te va, mon ami ?

— Très bien, madame.

— Je vous envoie un garçon, dit le maître d'hôtel.

— Madame Wilson, ça doit coûter une fortune. C'est une pure folie, je ne pourrai jamais...

— Ce soir, c'est moi qui m'occupe de l'addition. Mais ce n'est que partie remise. D'ici six mois, c'est toi qui m'inviteras ici.

— Si je ne le peux pas ?

— Tu n'es pas un perdant, tu es un gagnant. Ne pense jamais autrement. Alors à la fin juin, tu m'inviteras ici.

— Bonsoir madame, monsieur, voici la carte des vins.

Madame Wilson prit l'initiative.

— Ce soir, j'invite mon petit-fils, un magnifique jeune homme qui me fait honneur. Il chante, il danse comme un dieu.

— Vous exagérez beaucoup mamie.

— Pas du tout, et nous allons commencer cette soirée par une bouteille de champagne... Un Dom Pérignon.

— Très bien madame. Avec plaisir.

— Ray, c'est notre soirée. Détends-toi, je te sens crispé. Tu m'as dédié cette soirée ?

Un sourire courtois aux lèvres, Ray s'abandonna.

— Oui, belle dame, et je ne vais pas la gâcher. Mais admettez que toutes ces chandelles au plafond, ces verres que j'ai peur de toucher, c'est un peu différent de notre verrerie, à Dylan et moi. Et nous deux, on réserve le Dom Pérignon pour les fins de semaine. Alors...

Leurs yeux souriaient !

Le sommelier arriva avec la bouteille, il la montra à Ray, à Madame Wilson, en versa une gorgée à madame. Elle regarda le champagne pétiller puis le goûta.

— C'est parfait, un délice des dieux.

Il remplit leurs flûtes, déposa la bouteille de champagne dans un seau à glace en argent.

— Je vous envoie votre serveur.

Ce dernier se présenta.

— Bonsoir madame, bonsoir monsieur ; je suis Charles, votre serveur. Puis-je vous suggérer... ?

— Monsieur Charles, nous voulons apprécier cette soirée, alors quelques bouchées de votre choix, pour débuter, seraient parfaites.

— Certainement madame.

— Je ne veux pas l'avoir à rôder autour de nous toute la soirée. Maintenant, à ta santé, à ton succès.

— À la vôtre, belle dame de mon cœur. Je me sens comme un prince avec sa princesse.

Ils levèrent leur verre et en burent un peu. Le champagne pétillait, Ray faillit s'étouffer.

— Le secret est de ne pas aspirer d'air en buvant.

L'orchestre jouait des airs de Noël.

— Ce restaurant, tout le clinquant, la musique... il me semble que je suis au paradis. C'est certainement vrai puisqu'un ange est devant moi.

Il plaisantait et elle souriait.

— À mon âge, un rendez-vous galant avec un jeune débutant, c'est en effet le paradis.

Le garçon revint avec un plateau garni de bouchées miniatures, des brioches aux truffes, saumon fumé, foie gras...

Il faudrait au moins dix de ces plateaux pour rassasier Dylan. Petits, mais excellents.

— Je te regarde et je pense à notre première vraie rencontre, sur le bateau. Jamais je n'aurais pu imaginer que l'on serait ici ensemble ce soir ou même ailleurs.

— Ce fut un début tellement inattendu pour moi, le yacht, la nourriture et vous. Vous êtes venue dans mon cœur, ma pauvre âme angoissée et vous m'avez sauvé la vie.

— Parlons d'autre chose ! De Dylan et toi, de ton premier spectacle avec lui. La poêle à frire comme guitare. Je n'en reviens toujours pas de voir combien vous êtes débrouillards.

Ils badinaient, s'amusaient, quelques couples dansaient. Ray aurait voulu danser, mais elle lui demanda d'attendre un peu. Une heure plus tard, le serveur prenait leur commande.

— Est-ce que tu préfères de la viande ou du poisson ?

Il regarda le menu.

— Comme entrée, le cocktail aux crevettes, ensuite l'agneau, il me semble délicieux.

— Il l'est monsieur.

— Je vais me fier à toi, Ray. Ton choix me plaît.

Deux heures et demie plus tard, ils avaient vidé la bouteille de champagne, Ray en avait moins bu que Madame Wilson, mais se sentait dangereusement bien. « Une bouteille de champagne en trois heures, c'est juste assez pour se sentir bien », songea-t-il.

L'orchestre jouait *My Happiness*.

— J'aimerais bien danser, mon ami.

— Avec plaisir madame.

Au contact de sa robe de satin, il se sentit tout drôle. Elle dansait bien, il parvint à accorder ses pas aux siens.

— Je dois faire des jaloux, vous êtes de loin la plus belle dame ici ce soir.

— Et certaines d'entre elles seraient enchantées d'être à ma place.

— *Too bad !* Je ne voudrais pas changer de compagnie. C'est un endroit splendide, le champagne était divin, le repas, délicieux ; c'est la veille de Noël, la plus merveilleuse des veilles de Noël que j'aie jamais eue. Je vis un rêve et je suis pourtant bien éveillé. Je suis heureux. Alors, on danse.

À onze heures, le serveur apporta les desserts, une symphonie de couleurs, de parfums et de formes à faire damner un ascète.

— Pensez-vous que je puisse en mettre quelques morceaux dans mes poches ?

Elle riait bien malgré elle.

— Tu peux manger tout ce qu'il y a dans le plateau.

— Je ne ferais jamais une chose pareille devant une dame. De plus, j'ai déjà très bien mangé.

Ils burent un café cognac tout en se délectant de quelques pâtisseries et valsèrent encore un peu. Un crooner chantait des chants de Noël mélodieux. Ray l'enviait, il aurait voulu… Un jour peut-être.

À minuit, tous se levèrent et entonnèrent *We Wish You a Merry Christmas*. Ray donna l'accolade à Madame Wilson. Émue, elle le serra dans ses bras. Aussitôt assis, il sortit de sa poche un petit boîtier enveloppé de papier doré.

— Joyeux Noël ma très chère Rose.

— J'ai quelque chose pour toi à la maison. Tu veux que je l'ouvre maintenant ou que l'on fasse l'échange à la maison ?

— C'est notre soirée, je préfère maintenant.

Hésitante, elle défit le ruban, retira le papier et ouvrit le coffret ciselé.

Elle en sortit un bijou, une broche en forme de rose. Elle s'y connaissait assez en bijoux pour savoir qu'il l'avait payée cher. Peut-être 50 livres. Les larmes aux yeux, elle l'admira.

— Une rose ! Tu as fait une folie, c'est trop !

— Shhhh ! Je vous ai déjà dit que vous étiez belle comme une rose et que vous sentez aussi bon. J'ai cherché un présent qui vous ressemblait et je l'ai trouvé. C'est bien peu, comparé à ce que j'aimerais pouvoir vous offrir. Elle vous plaît ?

— Oui, mon lutin. J'aimerais te serrer fort dans mes bras. Je le ferai à la maison.

— Ne bougez pas. Il se leva, alla vers elle, se pencha et l'enlaça dans ses bras.

— Vous pourrez vous reprendre à la maison.

Quelle délicatesse ! Elle avait reçu bien des cadeaux dans sa vie, de beaux bijoux, mais celui-ci, d'un jeune homme pauvre, abandonné, pas très instruit, qui avait dû chercher pour dénicher cette rose, la touchait au plus profond de son être.

— Ray, tu es unique ! Je porterai toujours ce bijou. Ce soir est un des plus beaux de ma vie. Que tu veuilles célébrer cette veille de Noël avec moi, que tu m'offres cette rose, j'ai envie…

— De chanter ? De danser ?

— Oui ! À la maison. Nous partons, il est près d'une heure. Le restaurant fermera dans quelques minutes.

— À vos ordres, madame LA Rose.

Elle glissa le petit boîtier dans son sac. Discrètement, elle régla l'addition; ils mirent leurs manteaux et sortirent. James était fidèle au poste.

— Joyeux Noël James. Je vous ai arraché à votre famille?

— Oui, mais j'y retournerai.

— Voici quelque chose pour vous.

— Merci bien, madame.

— Joyeux Noël, James.

— Merci monsieur Ray. Et merci pour le cadeau. C'est très gentil.

Surprise, Madame Wilson le regarda. Il feignit de ne pas la voir.

À leur arrivée, Madame Wilson sortit deux petits verres et servit un digestif.

— Maintenant, tes cadeaux.

— Vous trichez. Un cadeau!

— Je n'ai jamais parlé du nombre. Après celui que tu viens de m'offrir, tu ne peux rouspéter.

Elle ouvrit le coffret et en sortit la rose.

— Je vais l'épingler sur mon tailleur préféré, tous pourront l'admirer.

Elle lui tendit un premier cadeau. Un portefeuille en cuir avec son nom gravé à l'intérieur; puis deux autres chemises noires et deux mouchoirs rouges.

— Tu auras besoin de te changer.

— C'est vrai. Souvent quand je sors de scène, je pue comme un putois.

Le dernier cadeau, une montre, pas très grosse, avec aiguille des secondes, boîtier et bracelet en argent lui fit dire:

— C'est beaucoup trop.

— Mais non. Tu dois avoir un bon portefeuille et une montre qui reflète ta personnalité. Tu dois donner l'impression que tu as déjà réussi. La pauvreté, c'est beau dans les romans, mais ça ne te paie pas le loyer ou l'épicerie.

— C'est de l'extravagance.

Il la serra contre son cœur.

— Tu dois te coucher maintenant. Tu chantes ce soir et ensuite tu vas retrouver Dylan. Emmet, le cuisinier, va vous préparer une boîte de petites bouchées. Ne te fâche pas. C'est Noël, et à Noël, on ne mange pas de *fish and chips*.

— Vous nous gâtez trop.

— Dylan va adorer ce que je vous ai fait préparer.

— Vous serez avec votre ami Monsieur Rutherford?

— Oui, nous souperons tranquillement au coin du feu. Je sais qu'il m'aime et voudrait m'épouser, mais je suis habituée à ma vie de célibataire. Je l'aime bien, mais je crains que nous risquions de perdre notre belle amitié. Nous aimons nous revoir à l'occasion et c'est bien ainsi.

Noël 1966. Andy attendait Ray au *Royal Dance Hall*. Les clients étaient un peu bruyants, certains jeunes, plutôt éméchés, parlaient haut, des filles riaient fort.

— Ne t'en fais pas si certains ne t'écoutent pas. Ça va t'arriver souvent. Vas-y à fond et fais comme s'ils étaient tous suspendus à tes lèvres.

— Ça va me déconcentrer…

— Il ne faut pas. Ne regarde pas partout, fixe un point au fond de la salle et chante comme si tu étais seul. C'est une nouvelle expérience et tu en auras d'autres. Ça va?

— Oui! Ils ne m'écouteront peut-être pas, mais ils vont m'entendre!

Quand le maître d'hôtel prit le micro, à dix-neuf heures, il demanda un moment de silence… sans succès. Il resta debout, sans ajouter un seul mot, pendant près de deux minutes. Les voix se turent enfin, et il annonça qu'il leur offrait un cadeau de Noël, un jeune chanteur prometteur:

— Mesdames, messieurs, applaudissons bien fort Earl Red!

Assis au fond de la salle, Dylan tremblait pour son frère.

Ray fit son entrée, les salua:

— *Ladies and gentlemen, Merry Christmas!*

Il ne leur laissa pas une seconde pour réagir et commença avec *Love Me Do*. Il fut applaudi chaleureusement, sifflé aussi… Des filles se levèrent, certaines déjà folles de lui étaient presque hystériques. L'une d'elles enleva son soutien-gorge et le lui lança…

Les yeux exorbités, Dylan se leva, prêt à s'élancer sur la scène pour secourir son ami quand il vit Ray attraper le soutien-gorge, l'accrocher à sa guitare et se mettre à improviser : «*Love, love me do*, Ramasse tes bijoux, Tu m'distrais beaucoup, Tu déranges la foule, *So plea…se*, cache tes boules.»

Un rire généralisé éclata quand il lui relança le soutien-gorge. La jeune fille rougit et le mit dans son sac.

Avec un aplomb imperturbable, il enchaîna ses quatre autres chansons, puis salua :

— *Thank you, thank you so much! Enjoy yourself!*

Les bravos fusèrent. Il adressa son plus beau sourire au public, lui envoya un baiser de la main et disparut.

Interloqué, Dylan resta figé sur place. Andy riait de toutes ses dents. Il sentait l'argent qui ne tarderait pas à emplir ses poches.

— *You've got spunk! You dit it, Red! You did great!* Tu as du cran ! Tu les as tous eus !)

Ray flottait. Chanter était facile, mais affronter des spectateurs bruyants présentait un défi, une expérience nouvelle. Ce soir-là, une partie de la foule, provocatrice, électrisante, avait réveillé l'enfant terrible toujours latent en lui, elle l'avait galvanisé. Sa réaction avait été instinctive et… hilarante. Il avait tourné la situation à son avantage. Il n'était plus Ray, le gamin de Dundalk, il était un chanteur avec sa guitare, il était Earl Red, et la sensation était indéfinissable, comme une drogue dont il ne voulait pas se passer. Il délirait. Cet incident l'avait stimulé. Dylan l'attendait à l'extérieur.

— Ray tu es impayable. Ça devenait pas mal olé, olé. J'ai eu peur pour toi. Tu as profité du soutien-gorge, inventé un refrain et tu en es sorti vainqueur. Tu es tout un spécimen !

— Viens Dylan, le chauffeur de Madame Wilson nous attend.

— Tu lui as demandé de venir nous chercher ?

— Non ! Tu sais bien que c'est ma bonne dame.

— Elle est tellement spéciale ; difficile de lui refuser quelque chose.

Quand ils arrivèrent chez Dylan, James ouvrit le coffre arrière et leur remit une grande boîte.

— De la part de Madame Wilson. Joyeux Noël messieurs.

— Merci monsieur James. Joyeux Noël à vous et votre famille.

— Qu'est-ce que c'est que cette boîte ? On ne peut pas accepter tous ses cadeaux.

— Ah! Dylan! La ferme, vieille souche! Ce n'est que la deuxième fois qu'elle en envoie. C'est Noël! Va falloir se sacrifier.

À peine entrée dans l'appartement, Madame Wilson appelait.

— Joyeux Noël Dylan. Comment Ray s'en est-il tiré ?

— Très bien, il a été… magistral. Merci pour le festin.

— C'est un plaisir, mon cher Dylan. Tu me passes ton frère ?

Comme à son habitude, Ray lui relata tout, enfin presque tout. Un récit entremêlé de rires. Il termina en la remerciant et lui envoyant un gros bisou.

Souriant, Dylan l'écoutait. Son frère était… incroyable.

— Ray, qu'est-ce qui t'a pris d'attraper le soutien-gorge ?

— J'voulais pas qu'il tombe par terre… trop malpropre… Tu comprends ?

— Non! La chanson…

— Elle était bonne hein ?

Il sortit une bouteille de vin du réfrigérateur ; Ray sortit une boîte de son étui à guitare.

— Joyeux Noël, Dylan. Je t'aime !

Gêné, celui-ci alla chercher un cadeau dans une armoire. Riant, ils se regardèrent et déchirèrent les papiers d'emballage. Ébahi, Ray regardait son cadeau, une figurine d'un cow-boy et sa guitare.

Pouffant de rire, il lui demanda :

— Où as-tu déniché ça ? C'est parfait! Tu as pensé… Je l'adore, je vais la mettre sur mon bureau. Merci !

Dylan contemplait son cadeau, un foulard de laine tissé de différentes teintes de vert. Les larmes coulaient. Un cadeau de Ray, ce paradoxe incorrigible. Il lui avait certainement coûté quelques livres.

— Tu pleures ? Je ne l'ai pas acheté pour te faire pleurer! Je vais le retourner si tu ne l'aimes pas.

Dylan l'enlaça.

— Tu sais bien que je l'aime. C'est trop…

— Rien ne sera jamais assez pour toi. On a l'âge de fêter et j'ai le cœur à la fête, le corps aussi… Alors, verse le vin et fêtons !

Le plateau sur la table du salon, assis sur le plancher, chacun un verre à la main, ils commencèrent à manger.

— Ray, j'aime bien Madame Wilson. Je n'aime pas qu'elle nous donne des cadeaux, mais quand je mange ces bons mets-là, mes principes s'envolent. Ah! Je deviens gourmand. C'est bien simple, je jouis.

— J'vais essayer de jouir aussi... Quoique... on jouit comme on peut.

Du vin, du rire, de la nourriture exquise, de la musique irlandaise, ils se remémorèrent leur départ, le traversier, MK et son chauffeur.

— Dylan, me semble qu'il paraissait mieux la dernière fois qu'on l'a vu, tu sais... étampé contre la bétonnière. Tu ne trouves pas qu'il ressemblait à Wile E. Coyote dans *Road Runner*?

— Ah! Son jumeau! Mais le coyote est moins jasant. J'ai toujours eu un faible pour ce type. Dommage!

Morts de rire, ils se regardaient avec un plaisir évident.

Comme les Noëls précédents, Ray coucha chez Dylan.

63

Le passé, l'avenir…

Le lendemain de Noël, avant le départ de Ray, Dylan voulut lui parler.

— Je pensais qu'on se parlait, hier soir. Qu'est-ce qui se passe? Tu as besoin de ma sagesse?

— Je ne sais trop comment te le dire…

— Me dire quoi?

— Je… je vais me marier.

— Te marier? *Wow!* Je suis heureux pour vous deux. J'aime bien Tyna, c'est une chic fille.

— Tu as raison.

Mal à l'aise, il ne savait comment dire.

— Je pense souvent à ma mère.

— Moi, j'essaie d'oublier la mienne, elle est morte pour moi. Mais appelle la tienne.

— J'y pense. Je voudrais entendre sa voix.

— Et si c'est Murphy qui répond?

— Je raccroche. Déjà cinq ans et demi qu'on est parti, et si elle est encore avec ce salaud, alors je fais mon deuil.

— Je comprends. Ta mère t'aimait avant qu'elle tombe amoureuse de ce type. Fais ce que tu veux.

— Merci, Ray, merci. Je ne voudrais pas te faire de peine.

— Au contraire. Si ça te rend heureux, je le suis aussi. S'il te plaît, une seule condition. Tu ne mentionnes pas mon nom. On s'est séparés dès notre arrivée et tu ne m'as jamais revu.

— Promis!

— Pas un seul mot, tu me le jures?

— Je te le jure.

Soulagé, Dylan lui donna l'accolade.

— On se revoit chez Tyna.

La demande de Dylan avait bouleversé Ray plus qu'il ne l'avait laissé paraître. Non, il se devait de laisser ses souvenirs enfouis dans le coin de son cœur, où ils s'entêtaient à ressurgir à l'occasion. Pendant ce temps, le cœur dans un étau, Dylan appelait sa mère.

— Bonjour. Puis-je parler à Monsieur Murphy, Monsieur Thomas Murphy?

— Thomas? Il ne reste plus ici.

— Depuis longtemps?

— Deux ans, que lui voulez-vous?

— Maman, c'est Dylan!

— Dylan? Big Finn?

— Je ne suis plus Big Finn maman. Mon nom est Dylan, le nom que tu m'as donné.

— Ah! Dylan! Je te demande pardon. Je pense souvent à toi. Je ne t'ai pas protégé, j'avais perdu la tête. Comment vas-tu?

Pendant dix minutes, ils se parlèrent, elle voulait tout savoir de lui. Quand il lui apprit qu'il avait son diplôme d'électricien et qu'il se mariait l'année suivante, elle se mit à pleurer.

— Tu as toujours été un bon fils. Je suis fière de toi, Big... Dylan.

Le visage inondé de larmes, il demanda comment allait sa petite sœur, Alayna. Elle allait bien. Était-il avec Ray? Sa tante avait été très malade lorsqu'il s'était enfui. Il ne vendit pas la mèche. Ils se dirent au revoir et promirent de s'écrire.

— Je t'aime, Dylan.

— Moi aussi maman.

Quand il raccrocha, il pleura de joie. Sa mère l'aimait toujours. La vie était belle. Une future épouse, un métier, sa mère, sa sœur et quelques livres en banque.

Entre Noël et le jour de l'An, Ray ne chôma pas. Le samedi 26, il chanta au *Regent Dance Hall*. Les deux jours suivants, il travailla à l'hôtel. Monsieur Pierre le félicita. Certains clients le reconnurent, on lui demanda de chanter, mais il n'avait pas sa guitare. Plusieurs furent déçus. Monsieur Pierre lui demanda de l'apporter les samedis qu'il serait en service.

— Je vous paierai. Vous allez me porter chance. Le propriétaire veut vous entendre.

Les mercredis et jeudis, il chanta à vingt et une heures. La veille du jour de l'An il se rendit chez les parents de Tyna. Dylan et Tyna annoncèrent officiellement leurs fiançailles. Ils avaient insisté pour que Ray y soit.

Tyna avait de belles qualités, mais Ray ne savait pas s'il pourrait passer sa vie avec ce genre de fille. Pas assez ardente! Une agréable surprise l'attendait. Mary, la cousine de Tyna, était présente. Vingt et un ans, assez jolie, svelte, caissière dans une épicerie, elle n'était pas mal du tout. Ray la trouva attirante.

Peu de temps après le repas, on lui demanda de chanter. Sa guitare était dans la chambre de Tyna, il avait aussi apporté son costume de scène. Quand il revint au salon, treize personnes assises en demi-cercle, trois jeunes enfants à leurs pieds, l'attendaient. On lui avait réservé une place au centre. C'était assez intimidant d'être si près d'eux. Dylan le présenta :

— Mesdames, messieurs, il me fait plaisir de vous présenter mon frère, un chanteur talentueux – il tient ça de moi évidemment –, Earl Red!

Ray fit son entrée en riant.

— Monsieur et madame Stewart, merci de m'avoir invité chez vous ce soir. Je connais Tyna, elle est exceptionnelle. Pour le talent de son futur? Hum! Mais pour le reste, il est le meilleur. Sans lui, je ne serais pas ici.

— Earl Red, arrête de parler et chante!

Sous les rires et les applaudissements, il se jeta à l'eau. Sitôt la première note envoyée, le silence se fit. On ne le quitta pas des yeux. Il n'était plus Ray mais Earl Red. Son costume de scène, sa guitare qu'il maîtrisait plutôt bien, sa voix chaleureuse; il dégageait un magnétisme attachant. On l'applaudit à tout rompre après chaque chanson, et quand il s'arrêta après la cinquième, on en redemanda. La main sur le cœur :

— *Thank you, thank you, you are most kind.*

— *We're not just kind! Yes, we're kind and you're good.*

Dylan le taquinait, il était tellement content de le voir sur la bonne voie.

— *I'll do two more.*

Il commença avec *Only the Lonely* pour terminer avec *Silver Bells*. Monsieur Stewart vint lui serrer la main.

— Merci d'avoir accepté de chanter pour nous, c'est généreux de votre part. Si je puis ajouter… Ne refusez jamais de chanter. Chaque personne qui vous entend en est une qui parlera de vous et vous fera connaître. Chaque voix compte. Vous avez un bel avenir devant vous.

— Merci beaucoup, monsieur. Je n'oublierai pas votre conseil.

Ensuite, ce fut madame, puis Dylan qui le tapèrent dans le dos amicalement. Tyna et tous les autres le félicitèrent. Mary fut la dernière.

— Surprenant, impressionnant, Earl Red. J'aime votre nom de scène et j'ai aimé vous écouter.

— Merci, jolie demoiselle.

Sur ces mots, il retourna se changer et remiser sa guitare dans son étui. Quand il revint, on voulu le questionner, mais Dylan prit les choses en main.

— Pour ce soir, je suis son agent. Vous savez qu'il est mon frère, qu'il a mon charme, alors pas de questions, s'il vous plaît.

Monsieur Stewart acquiesça.

— Il est notre invité, il a consenti à chanter pour nous, nous n'avons pas à en savoir plus.

— Merci, Dylan. Merci monsieur Stewart.

— Mais tu pourrais danser pour eux.

— Dylan, je vais te tuer!

La famille riait.

— Parce qu'il danse aussi. Alors…

— Pas ce soir, pas sans musique.

— J'ai apporté le microsillon.

— Dylan! Si je danse, tu danses aussi.

— Tu commences et je t'accompagne.

Au son de la musique, il se leva et fit signe à Dylan. Celui-ci leva le doigt: une minute. Ray se mit en position, ferma les yeux, se concentra et commença. Il n'était plus avec eux, il ne dansait pas pour eux. Fascinés, ils le regardaient, puis Monsieur Stewart fit signe à Dylan. Souriant, il se plaça à côté de Ray et se laissa aller. Il dansait bien, avec une certaine aisance, mais il n'avait pas la magie de Ray. Pour Tyna, il dansait comme un dieu. Quand la musique s'arrêta, ils se laissèrent choir sur un divan.

— Ne me demandez plus rien.

— Parce que tu sais danser le ballet, Ray ?

— Même pas le balai de cuisine. Mais j'ai déjà vu Dylan en tutu rose, il se débrouille bien.

Monsieur Stewart vint porter une bière à Ray et une à Dylan.

— Merci, mais j'en bois rarement.

— Vous ne buvez pas ? Ni l'un ni l'autre ?

— Un verre de vin à l'occasion. À Noël ou…

On commença à taquiner Tyna.

— Il faudra mettre la nappe en dentelle et les verres en cristal.

Sur les douze coups de minuit, tous se levèrent, Madame Stewart avait servi un verre de vin à chacun. Ils trinquèrent à la nouvelle année. Les uns se serrèrent la main, les autres se donnèrent l'accolade et Dylan en profita pour embrasser Tyna. Mary fixa Ray, lui fit l'accolade et lui souhaita la célébrité. Un petit frisson le parcourut.

— Merci mademoiselle. Si vous venez m'écouter, je pourrai peut-être atteindre la célébrité.

Tous deux partirent à rire.

— C'est mieux, vous semblez moins star.

— Et vous moins caissière.

L'heure de partir était arrivée. Le chauffeur attendait Ray ; Mary partait avec une de ses tantes. Stupéfaite, elle regarda le chauffeur lui ouvrir la portière à Ray. Eh bien ! il n'était peut-être pas encore célèbre, mais il se déplaçait en première classe. Il retournait chez lui. Dylan souperait avec Tyna, qui, le lendemain, était de service.

64

Faire autrement

Le jour de l'An, Ray dormit tard. Andy aurait voulu qu'il chante, mais il avait refusé. De mauvaise grâce, Andy s'était incliné en lui disant :

— Je te préparerai un horaire après le jour de l'An. On se rencontre lundi ou mardi.

— Lundi, au plus tard. Je dois voir comment je pourrai organiser mon travail et… chanter.

— Chanter, c'est un travail Ray. Un travail exigeant.

— Je sais. Je vais le faire, ne t'inquiète pas.

— D'accord. Lundi à neuf heures trente.

Madame Wilson aussi avait fait la grasse matinée. Assise dans la salle à manger, elle sirotait un café. Toujours en peignoir, elle n'avait prévu aucune sortie. On l'avait invitée, mais elle avait refusé. Ils échangèrent leurs vœux.

— Chère madame Rose, je vous souhaite la santé, je veux vous savoir heureuse et vous voir reprendre votre vie là où vous l'avez quittée quand j'y suis entré.

— Mais je n'ai pas abandonné mes activités ! J'ai ralenti un peu, je vais en laisser tomber quelques-unes, sortir un peu, voir mes amis, mais certainement pas comme avant ton arrivée. Je sais que tu seras plus souvent absent à cause de ta carrière et de ton travail. Tu n'auras plus besoin de moi, mais je ne veux plus de ma vie d'avant. J'espère que ton port d'attache sera ici, qu'on se rencontrera de temps en temps et que tu continueras à te confier à moi comme tu le fais maintenant. Je veux ton bonheur et je te souhaite le succès. On déjeune ?

— Une nouvelle année commence et je voulais justement vous demander votre avis. Andy voulait que je me produise ce soir et demain soir, mais j'ai refusé. J'ai besoin de prendre les bonnes décisions. Je lui ai dit qu'on se verrait lundi matin.

— Comment aimerais-tu organiser ta vie d'artiste? Veux-tu continuer à travailler comme serveur?

— Voici, ce que j'ai pensé.

Lentement, il lui expliqua ce qu'il souhaitait. Jouer de la guitare et chanter était son rêve, il adorait être sur scène. Il avait du succès. Il voulait y travailler, réussir.

— Mais je ne suis qu'une heure sur scène, ensuite, soit je vais prendre un verre avec mon gérant, s'il boit, ou avec des admirateurs ou des admiratrices. C'est une pratique qui peut devenir dangereuse. Si j'avais une amie, ce serait différent. Elle pourrait m'accompagner, nous pourrions aller prendre un café ensemble, se parler.

Madame Wilson l'écoutait religieusement.

— Ton travail comme serveur?

— C'est là mon dilemme. J'aime bien être serveur, être avec les gens. Je ne gagne pas un gros salaire, mais il y a les pourboires. J'en ai plus qu'assez pour vivre, et avec l'argent que je vais gagner sur scène, je pourrais commencer à vous remettre ce que vous avez dépensé pour moi.

— Mais je…

— Excusez-moi, chère Rose, mais je n'ai pas terminé. À l'hôtel, il y a deux ou trois copains qui m'ont invité à sortir avec eux. J'aimerais y aller de temps en temps, me faire quelques amis. Je n'en ai pas… et Dylan va se marier. Je ne pense pas que ce soit dans le milieu artistique que je devrais chercher des amis. Alors voici ce que j'ai pensé. Je suis prêt à chanter deux ou trois fois la semaine, trois semaines par mois. Andy va m'apporter des chansons. Je devrai continuer à répéter. Si Monsieur Pierre accepte, j'aimerais travailler deux jours la semaine et une fin de semaine par mois.

Elle n'avait pas manqué un seul mot et était surprise par la justesse de son raisonnement. Autant il pouvait aimer rire, danser, faire des folies, autant il pouvait être réfléchi.

— Qu'en pensez-vous? Est-ce possible?

— Tu as vraiment bien analysé ta situation. Côté spectacle, tu as entièrement raison. Ce n'est pas chez tes admirateurs ou admiratrices que tu devrais te faire des amis. Ils te feront mille compliments, flatteront ton ego, mais voudront profiter de toi. Tu fais ton numéro et tu pars. Cela ajoutera un côté mystérieux à ton personnage. Si tu t'en tiens à cette façon de faire, tu iras loin et tu dureras longtemps. Et deux ou trois jours semaine, c'est suffisant.

— Andy ne sera pas content.

— C'est toi qui décides de la fréquence de tes spectacles, il n'a qu'à te réserver de bonnes salles. Je pense que Monsieur Pierre sera content de t'avoir s'il sait quelles journées tu es disponible. Tu as aussi raison de vouloir te faire un cercle d'amis. Avec eux, ne chante pas. Sors et amuse-toi.

Il lui répéta ce que Monsieur Stewart lui avait dit: ne jamais refuser de chanter.

— Il a raison tu sais, si vous êtes deux ou trois amis, ça va. Mais pas un groupe de connaissances qui viennent pour un spectacle gratuit, ne te laisse pas exploiter.

Il lui raconta qu'il avait rencontré une jeune fille chez les Stewart, qu'elle semblait gentille, qu'elle était jolie et assez… bien tournée. Une caissière.

— Elle a vingt et un ans, mais je suis vieux pour mon âge, dit-il en riant. Je ne sais pas si elle a un ami. Si elle est seule, voudra-t-elle sortir avec moi? Je m'assurerai que ce n'est pas une autre Layla.

Il ne resterait pas seul bien longtemps.

— Ce n'est pas toujours facile à détecter. Au début, c'est tout nouveau tout beau.

— C'est la cousine de Tyna, elle la connaît bien. Elle est franche, elle me dira la vérité.

— Une dernière chose. Si vous le voulez toujours, je vais loger ici… la plupart du temps. J'arrive, je vous raconte ce que je fais, on peut souper ensemble quand vous le voudrez. Si je dors à l'extérieur, je vous appelle. Si ça ne vous incommode pas trop, bien sûr.

— Cet arrangement me comble. Ta présence est un souffle de fraîcheur dans ma vie. Si quelque chose ne va pas ou si tu as des problèmes, je serai toujours là pour toi.

Pour la première fois depuis son arrivée chez Madame Wilson, il se mit à pleurer, de gros sanglots le secouaient. Sans mot dire, elle alla vers lui, le prit dans ses bras, lui caressa les cheveux et attendit que l'orage s'apaise.

— Vous êtes tout pour moi, vous êtes ma mère, mon amie, la personne qui m'aimez comme je suis, qui a fait de moi tout ce que je suis. Je ne serai jamais parfait, je sais bien qu'il m'arrivera de chuter, mais vous aurez toujours mon amour filial et mon respect.

C'était à son tour de pleurer.

— Ah Ray! le jour où tu es entré dans ma vie est un jour béni.

Ils essuyèrent leurs larmes.

— C'est le jour de l'An, on ne va pas pleurer toute la journée! On devrait sortir, aller souper au *Chris & Geoff's Cafe*, manger quelque chose, des *fish and chips* tiens! Dylan est seul, il pourrait nous y rejoindre.

Ray la regarda d'un air dubitatif.

— Et puis, non! Non! Ce n'est pas pour vous.

— Des *fish and chips* le jour de l'An? Pourquoi pas? Appelle Dylan! Dis-lui de nous rejoindre à dix-sept heures trente.

Puis, le visage taquin:

— C'est un ordre!

Sitôt dit, sitôt fait.

— Il pense que je suis fou. Non, il le sait déjà, mais il dit que je vous ai contaminée.

— J'aime cette contamination. J'appelle James.

Quand James conduisit Madame Wilson et Ray au *Chris & Geoff's Cafe*, il ne put s'empêcher de lui demander si c'était bien là qu'elle désirait s'arrêter pour souper.

— Oui James. Il paraît qu'ils font d'excellents *fish and chips*.

— Les meilleurs, madame, ajouta Ray.

— Ça me semble un souper digne d'un jour de l'An.

— Si vous le dites madame.

Il la regarda dans son rétroviseur. Elle s'aperçut qu'il souriait.

— Ne vous en faites pas James, je suis encore saine d'esprit.

— Pardon madame, je n'en doute pas une seule seconde.

Ray se pinçait pour ne pas rire.

Leur arrivée ne passa pas inaperçue. Dylan les attendait et leur avait réservé une table en retrait. Il se sentait gêné. C'était certainement l'idée de Ray. Il n'y pensait pas! Quand elle vit l'intérieur du café, Madame Wilson ne tiqua pas. C'était propre, mais pour un souper du jour de l'An...

— Ce n'est vraiment pas un endroit très... chic.

— C'est très bien, Dylan. Je suis en excellente compagnie.

Le sourire aux lèvres, Grace s'empressa de leur apporter le menu.

— C'est votre première fois madame?

— Oui, la toute première, mademoiselle.

— Ce n'est pas de la grande cuisine, mais c'est très *comfort food*.

— J'aime bien cette expression. Ray et Dylan, nous prenons du *comfort food*?

— Ici, notre mets préféré, c'est le *fish and chips*.

— Mademoiselle, ce sera un *fish and chips* pour moi aussi, mais pas trop de *chips* et un bon café. Toi, Ray?

— Un cola.

— Et toi, Dylan?

— La même chose, et je prends l'addition.

— Vous n'avez pas...?

— C'est un plaisir madame.

Grace enleva les napperons de papier, mit les plus beaux de Chris, choisit ses meilleurs couverts, sortit de belles serviettes. Ray et Dylan se regardèrent, Madame Wilson comprit et apprécia la délicatesse de Grace. Ray faisait des efforts pour ne pas rire, Dylan n'en menait pas large.

— Madame Wilson, ici, on peut se regarder dans les yeux et rire autant qu'on veut.

Quand les assiettes arrivèrent, les *fish and chips* étaient croustillants et dégageaient un arôme exquis, dit Madame Wilson à Grace.

— Ça me semble excellent et j'ai faim.

— Merci, madame.

Ray murmura:

— Tout dans une seule assiette!

Madame Wilson rit de bon cœur, Dylan pouffa et Ray les regarda d'un air découragé.

— Voyons les enfants, c'est le temps de manger…

Dylan ajouta :

— … vous ne savez pas quand et d'où viendra votre prochain repas. C'est une expression des familles pauvres. Bon appétit !

Le repas se passa dans la folie et la bonne humeur. Ray raconta quelques anecdotes, il se surpassa ; Dylan oublia sa réserve habituelle et se mit de la partie. Madame Wilson n'avait jamais autant ri durant un repas. Comme toujours, Ray et Dylan vidèrent leurs assiettes, Madame Wilson, non.

— On a tout mangé madame. On ne sera pas punis ! On a droit à un dessert ? Oui, oui, madame ?

— J'y pense, je vais demander à la serveuse.

Grace les avait observés discrètement.

— Vous avez aimé, madame ?

— C'était excellent, mademoiselle. Ces jeunes aimeraient un dessert, est-ce que je devrais céder ?

— Le sucre leur monte à la tête, mais…

Et, d'un air de conspiratrice, elle murmura tout bas :

— J'ai la meilleure tarte aux pommes de tout Brighton.

Ray et Dylan s'étaient rapprochés.

— *Please, please, double please, triple please !*

Haussant les d'épaules, Madame Wilson dit :

— D'accord, mais plus un mot. Un petit morceau pour chacun et un gros pour moi.

Dylan tourna les yeux vers Ray.

— J'ai un excellent vin chez moi pour nous deux.

— C'est du chantage, jeune homme. Mademoiselle, faites l'inverse. Un petit morceau de tarte pour moi et deux gros pour ces jeunes délinquants.

— Vous avez vraiment une bouteille de vin ? Vous m'invitez ?

— Non. Excusez mon sans gêne. Mais je serais honoré de vous recevoir… même sans vin.

—Ce fut un repas du jour de l'An des plus agréables.

—J'ai rarement eu autant de plaisir à manger. Merci Ray d'avoir accepté de m'inviter ici.

Elle monta à leur appartement. C'était vraiment au-dessous de ce qu'elle avait pu imaginer. Au fond, elle n'avait jamais pensé à leur appartement. Elle vivait loin des gens ordinaires. Ray était chez lui dans cet environnement. Il le trouvait beau, s'y sentait bien. Elle fut surprise par la simplicité des meubles, ce n'était pas riche mais tout était propre et ordonné. Elle en fut impressionnée. Elle félicita Dylan.

— Tu iras loin. Ordonné dans ton logis, ordonné dans ton quotidien, ordonné dans ta tête.

— Merci, madame, j'apprécie le compliment.

À vingt heures trente, elle retournait chez elle avec Ray. Elle le félicita. Cette soirée lui avait ouvert les yeux sur la vie quotidienne de ces gens. Ils appréciaient la vie, riaient de choses toutes simples, se satisfaisaient de peu. Ray se dit qu'il n'aurait peut-être pas dû l'emmener manger dans ce café.

— Je ne réfléchis pas toujours à ce que je vous demande. Ce n'est pas votre milieu, même si, pour bien des gens, nous vivons très bien.

— Au contraire, je suis contente d'y être allée, j'ai apprécié ce souper et je te comprendrai mieux dorénavant.

65

Nouvelle tranche de vie

Le lundi matin, Andy n'était pas d'humeur à rigoler. Ray lui avait donné ses disponibilités et il n'était pas d'accord avec les limites qu'elles lui imposaient. Il voulait le faire connaître, en faire une vedette, faire de l'argent sans trop attendre, et ce novice se permettait de décider de la fréquence de ses apparitions en public.

— Veux-tu vraiment devenir célèbre ou juste chanter quand ça te tente? J'ai besoin de savoir.

— On se calme! Chanter deux ou trois fois par semaine est déjà beaucoup. Vous m'avez apporté une cinquantaine de chansons; je dois répéter chaque jour et je tiens à garder mon emploi. Pour combien de temps? Je verrai. J'adore chanter, mais je veux avoir du plaisir à le faire. Pas courir d'une salle de spectacle à l'autre. De plus, dès que j'ai fini de chanter, je pars. Pas de *drinks* avec des spectateurs; et je ne répondrai à aucune question. Madame Wilson est entièrement d'accord avec ma planification. Si vous n'êtes pas d'accord et que vous pensez ne pas pouvoir vous occuper de moi à ces conditions, dites-le-lui. C'est votre droit.

Andy déglutit. Il ne voulait pas mordre la main qui le nourrissait. Madame Wilson était charmante, mais ne tolérerait pas qu'il soit désagréable avec Ray. Ce jeune avait du talent et une protectrice qui veillait sur lui. Il valait mieux accepter ses conditions, pour le moment. Faisant volte-face, il sourit.

— Tu as bien pensé à ton avenir. Ce n'est pas tout à fait la façon dont j'envisageais de promouvoir ta carrière, mais ça va aller. Je vais te faire connaître et je m'y mets aujourd'hui même, de manière plus spécifique. Moins de spectacles, mais de meilleures salles.

— J'aimerais peut-être chanter pour de petits groupes, dans des soirées privées, chez des gens… très à l'aise.

— Excellente idée! Sous peu, tu auras la liste des endroits où tu vas chanter. On commence par Brighton, puis on ira dans les autres villes.

— Comment va-t-on y aller?

— J'ai ma voiture, je serai à tes côtés à chaque spectacle.

Soulagé, Ray lui serra la main.

— J'essayerai de ne pas vous décevoir. À demain.

Ce que Ray n'avait pas dit, c'est qu'il avait parlé avec Monsieur Pierre. Il était d'accord pour faire travailler Ray les jours de la semaine, mais les samedis, il devait d'abord les offrir à ses serveurs réguliers.

— Pourrais-tu chanter quelques chansons de temps à autre? Je te paierai.

— Avec plaisir.

Un samedi de libre chaque mois, il se gardait du temps pour vivre.

La carrière artistique de Ray démarra donc officiellement en janvier 1967. Il avait déjà chanté dans de grands hôtels et des cafés.

Quelques jours plus tard, Andy arrivait avec un photographe professionnel pour immortaliser Ray en habit de scène avec sa guitare. Andy réussit à faire paraître la photo dans le *Brighton & Hove Gazette* accompagnée d'un court texte: «Earl Red, future vedette des scènes de Brighton et des environs. En cette nouvelle année 1967, ce jeune chanteur talentueux et prometteur fait ses débuts. »

Le lendemain, Ray reçut des appels de Dylan, Tyna, Chris, Geoff, les Mears, les Stewart, les Taylor, Monsieur Pierre et même Mary.

— Vous êtes bien la découverte de l'année!

— Ça reste à voir! Je suis photogénique, n'est-ce pas?

— Et modeste?

— La modestie n'a pas sa place sur la scène, mais en privé, je suis modeste, humble, doux, un vrai gentleman.

— Bon succès, Ray.

— Au plaisir de vous revoir mademoiselle Mary.

Sautillant, riant, il jubilait. Madame Wilson encore plus.

— Tu sais, pour chaque personne qui a vu ta photo, au moins dix autres entendront parler de toi. À partir d'aujourd'hui, tu n'es plus une personne anonyme. On va scruter ta vie, chacun de tes faits et gestes.

— Je ne répondrai qu'aux questions qui concernent ma carrière. Je refuse de risquer de faire le moindre accroc à votre réputation.

Malgré les meilleures intentions de Ray, le nom de Madame Wilson et le sien seraient liés, mais on n'oserait la nommer. Elle n'en avait cure.

La vie d'artiste de Ray était lancée; il se sentait léger, joyeux, sans souci. Ses hormones le tiraillaient, il avait envie d'aller danser, de faire l'amour à une fille. Sa conduite d'enfant de chœur lui pesait.

En attendant, il s'appliqua à jouer de la guitare et à répéter et répéter encore les chansons qu'Andy lui avait remises. Il les savait déjà presque toutes par cœur; il écoutait beaucoup la radio depuis son arrivée à Brighton. Il se concentra sur celles que les jeunes aimaient écouter en dansant, les plus rock et quelques-unes plus lentes, plus langoureuses, les *smoochees*.

Les deux premiers mois, Ray s'en tint à son programme, chanter et quitter la scène aussitôt sa prestation terminée. C'était d'autant plus facile qu'il sortait avec Mary quand elle était libre. Écossaise, aînée d'une famille de six enfants, elle avait quitté la maison à seize ans, à l'invitation d'une tante célibataire. Elle voulait tenter sa chance à Brighton. Son rêve? Devenir une secrétaire juridique. Très contente de l'avoir auprès d'elle, sa tante l'hébergeait gratuitement. Reconnaissante, Mary lui offrait souvent de petits cadeaux. De temps à autre, elle l'emmenait manger au restaurant. Mary économisait chaque penny. Dès septembre, elle pourrait commencer son cours.

Ray l'avait revue. Ils s'entendaient bien, avaient du plaisir ensemble. Il lui parlait de Dylan, de son premier emploi au marché, mais n'en disait pas plus. Quant à la famille, le sujet était tabou, elle n'insistait pas. Ray avait mentionné Madame Wilson. Elle le questionna sur sa relation avec cette dame. Une parente?

— C'est mon ange gardien, elle m'a sauvé la vie, c'est la mère que je n'ai pas eue. Ne m'en demande pas plus. Mais je l'aime de tout mon cœur.

Après un spectacle, Ray l'avait invitée chez Madame Wilson. James était venu les chercher. La somptueuse maison l'avait décontenancée, mais pas autant que la dame du logis. Quelle classe! Comme à son habitude, Ray lui avait donné l'accolade.

— Comment va ma belle dame? J'ai pensé vous présenter une amie, Mary McFadden.

— Bienvenue, mademoiselle. C'est un plaisir de vous rencontrer.

Elles s'étaient entendues au premier contact. Cette fille bien savait ce qu'elle voulait. Pendant que Ray était allé à sa chambre, Mary avait parlé à Madame Wilson de son travail, de ce qu'elle voulait faire.

— D'ores et déjà, je sais que vous réussirez. Accepteriez-vous de prendre le thé avec nous?

Difficile de décliner l'invitation. Madame sonna et Janet arriva avec du thé et des petites bouchées. Ray revint, servit Madame Wilson d'abord, ensuite Mary, puis se servit. Mary sentit leur complicité. La rencontre dura une trentaine de minutes. Quand ils s'apprêtèrent à partir, Madame Wilson invita Mary à revenir.

— Les amis de Ray sont les bienvenus chez moi.

James les reconduisit.

Une fois la porte refermée, Madame Wilson demeura songeuse. Mary était-elle la compagne idéale pour Ray? Possible, mais l'inverse était peut-être moins certain.

Ray demanda à Mary:

— On se revoit bientôt?

— Oui, on s'appelle.

Cette rencontre avec Madame Wilson l'avait bouleversée. Une femme du monde… du grand monde! Mary n'avait aucun doute sur le fait que cette dame aimait beaucoup Ray. Ce dernier avait souffert, il avait un passé… qu'il ne voulait partager.

Deux jours durant, Ray attendit l'appel de Mary. Il ne pouvait vivre ainsi indéfiniment. Quant à Mary, des sentiments contradictoires la tenaillaient. Ray l'attirait, elle l'avait aimé dès qu'elle l'avait vu chanter, et encore plus quand elle l'avait vu danser chez Tyna. Mais elle craignait de s'attacher à lui.

Aux yeux de Ray, Mary était parfaite. Quand enfin elle l'appela, ils fixèrent un rendez-vous pour le soir même après son spectacle. Il lui réserva un siège devant la scène. Elle le désirait, sauf qu'elle n'avait pas l'intention de compromettre son avenir pour une partie de jambes en l'air. C'est en ces termes qu'elle lui avait répondu quand il lui avait dit qu'il la désirait.

— Je n'ai pas l'intention de me retrouver avec un bébé sur les bras, pas avant plusieurs années.

— Nous sommes faits pour nous entendre. Je n'ai aucune envie d'être père, ni maintenant ni jamais.

— Jamais! C'est une décision grave.

— Grave, je ne sais pas. Mais elle est réfléchie et définitive. Sujet clos! Je peux facilement avoir des filles dans mon lit, mais je n'ai pas l'intention de coucher à droite et à gauche.

— Juste avec moi?

— Avec toi, c'est différent. Tu es une fille bien, intelligente, et j'ai un faible pour toi. Ne me fais pas marcher! Quand tu le voudras vraiment, dis-le-moi… On va danser?

La soirée avait été des plus agréables, les deux se désiraient, mais Ray ne ferait pas les premiers pas, même s'il en mourait d'envie. Si elle ne se décidait pas bientôt, il irait ailleurs. Les filles ne manquaient pas. Elles lui faisaient les yeux doux, flirtaient avec lui, certaines avec des gestes assez explicites. Il s'était concentré sur ses chansons, essayant de les ignorer, mais il n'en aurait pas refusé une dans son lit. Quand Mary était libre, elle l'accompagnait. Lors d'un spectacle, elle avait été estomaquée par le sans-gêne et la frénésie des filles. Si elles avaient pu, elles lui auraient arraché les yeux.

Ce soir-là, quand Ray quitta la salle avec son agent, elle le regarda. Le visage fermé, il lui avait demandé de les déposer à l'hôtel.

— Tu veux bien, Mary? Ils nous trouveront une table.

Une table près d'une fenêtre, un peu en retrait, était libre. Ils s'y installèrent. Il la mangeait du regard.

— Est-ce que je devrais m'acheter une armure?

— A gra… (*Darling*)

Rieuse, elle joignit les mains. Il pouffa.

— Je pense qu'on devrait manger. Tu veux un verre de vin ? Un soupçon, une larme ?

Monsieur Pierre se présenta à leur table.

— Tiens, mais c'est Ray, notre vedette ! Content de te voir. Ça va toujours pour la semaine prochaine ?

— Oui, mon ami.

— Que puis-je vous servir ?

— Un verre de vin pour moi et un soupçon pour la plus belle fille de Brighton. Et on a faim.

— Pour vous monsieur et votre jolie, je suis à votre service.

Mary en perdit son latin. Ray chantait, il demeurait dans un château et il travaillait. Quand elle lui en fit la remarque, il répliqua que c'était tout à fait normal. Chanter, c'était sa passion. Il devait répéter ses chansons, en apprendre d'autres ; c'était un travail solitaire. Il ne s'en plaignait pas, il en était ainsi. Sur scène, il personnifiait Earl Red, il vivait un rêve. Il était ailleurs, totalement heureux, mais ça ne durait qu'une heure, un peu plus, un peu moins. Seul dans une multitude, seul mais heureux.

— Après, je peux me faire payer un, deux, dix verres et m'envoyer en l'air avec autant de filles que je veux… Ce carrousel me tente parfois, mais je préfère ne pas céder. Trop facile et trop dangereux. Pas pour moi. Travailler comme serveur deux ou trois jours par semaine me garde les pieds sur terre. J'adore cet emploi, j'ai des amis, Madame Wilson. Le château ? Ce n'est pas le mien. Madame Wilson aurait de la peine si je partais, et moi aussi. Comme je ne veux jamais lui faire de peine, je reste là, et parfois je vais dormir dans mon ancien appartement avec mon frère, Dylan. Maintenant, jeune fille, sujet clos.

Ces révélations lui dévoilaient une facette de Ray, ce jeune homme au passé difficile qui, tout en vivant chez une femme riche, se bâtissait une carrière et tentait de garder une certaine stabilité dans sa vie. Ses folies, ces moments où il se perdait dans la danse, l'aidaient à oublier, à se libérer de ses démons. Il remonta dans l'estime et dans le cœur de Mary. Son côté maternel — une folle envie de le prendre dans ses bras et de le bercer contre son cœur – la submergea. « Ce serait une erreur », pensa-t-elle. Il n'avait pas besoin de sa pitié.

— Eh bien Ray ! Tu es un être surprenant. Merci d'avoir levé un petit coin du voile de ta vie. Je n'ai pas à en savoir plus. Ta vie, tes secrets t'appartiennent. J'ai bien aimé Madame Wilson. Même richissime, elle est humaine et chaleureuse.

— Merci, tu me fais un grand plaisir.

Le vin arriva, ils commandèrent à souper ; Ray se sentait bien et il le lui dit.

— Bien et les sens en éveil.

Elle faillit s'étouffer de rire. Il ne pensait qu'à ça.

— Pas nécessairement, mais le corps a des besoins... C'est normal, à moins d'être mort.

— Et tu n'es pas mort.

— En pleine santé !

Ray reprit un peu de vin, Mary un deuxième soupçon, ils rirent de tout et de rien.

À vingt-deux heures trente, Mary l'invita chez elle. Une offre qu'il ne pouvait refuser. Il appela Madame Wilson et la prévint qu'il rentrerait tard.

— Tu dois toujours... ?

— Non, je ne dois rien du tout. Ce n'est pas une nécessité. Je veux le faire par courtoisie, et elle apprécie ce geste. Elle et Dylan sont importants pour moi ; ils donneraient leur vie pour moi et je ferais de même pour eux.

— Il y en a d'autres, des gens que tu aimes autant ?

— Presque autant : Chris et Geoff, nos anges gardiens à Dylan et moi. Je chéris mes amitiés, et je souhaite faire la même chose en amour. Et toi, tu as le don de me faire parler. N'abuse pas de cet avantage.

La tante de Mary était en voyage ; elle ne revenait que le jeudi suivant. Ray jubilait. Assis sur le divan, il la déshabillait des yeux. Lentement, il commença par lui caresser les cheveux, la prit doucement dans ses bras, lui bécota le cou, prit son visage dans ses mains, l'embrassa du bout des lèvres. Ses yeux francs, candides, étaient d'un vert profond. Il lui souriait tendrement, ne voulant surtout pas la brusquer. Ses baisers se faisant de plus en plus intenses, elle se cambra. Il la souleva dans ses bras, elle lui indiqua sa chambre. Tendrement, avec douceur, il lui fit l'amour. Elle-même était folle de désir, il brûlait de passion, il prit le temps de mettre un préservatif. Rassurée, elle se donna corps et âme. Longtemps après, il la tenait toujours dans ses bras. Ils étaient heureux.

— Tu es un amant très doux, très passionné et expérimenté.

— Tu as un corps splendide et tu es… spéciale. Tu as aimé ?

— Trop. Ce sentiment d'un si grand plaisir va me hanter ; j'ai peur de ne pouvoir te refuser à l'avenir.

— Ne t'oblige surtout pas ! Je suis prêt à recommencer quand tu voudras. Pas de harcèlement de ma part, mais j'aime être avec toi et j'aime faire l'amour avec toi.

— Les préservatifs…

— Une précaution pour nous deux.

— Parce que tu étais certain que j'accepterais ?

— Oh non ! Je le souhaitais, je le désirais, voilà tout.

— Je veux continuer à te voir, mais je n'aimerais pas que chaque rencontre se termine au lit. On peut sortir ensemble sans coucher.

— Difficilement ! Je suis prêt à me conformer à tes désirs, mais je n'attendrai pas six mois avant de caresser ce corps à nouveau.

Il la serra contre lui. Mary tenta de se ressaisir, mais son corps en redemandait. Les jambes entortillées autour de son corps, elle laissa libre cours à sa passion. Ray n'avait jamais fait l'amour avec une telle jouissance.

— Merci, Mary, et pas seulement pour cet immense plaisir. Merci de m'accepter comme ami et… amant.

Elle n'avait jamais entendu dire qu'un homme remerciait une femme après lui avoir fait l'amour. Touchée, elle se dit qu'il serait difficile de lui résister. Ils se levèrent ; il la prit dans ses bras et la fit danser en chantonnant « *Just as long as I have you, my happiness…* »

— Maintenant, tu dois partir. Si jamais ma tante revenait, je ne veux pas…

— Femme sans cœur, tu me chasses… On pourra se revoir ?

— Oui, mais pas demain.

— Je te donnerai mon horaire. Tu viens m'écouter chanter quand tu veux ou quand tu peux, et tu décides des rendez-vous. Quand tu voudras me revoir, appelle-moi, j'accourrai.

Il appela James.

Vingt minutes plus tard, il était dans sa chambre. Il ne s'était pas senti aussi heureux depuis fort longtemps. Il aimait Mary, ce n'était pas seulement une question de sexe. Intelligente, sensée, il avait l'impression qu'elle le connaissait plus qu'il ne le souhaitait. Elle le devinait. Quelques petites questions anodines et il lui révélait par bribes des choses qu'il aurait préféré garder dans son cœur. En faisant l'amour avec elle, il avait pensé apaiser ses désirs... Au contraire, il la désirait plus que jamais.

Nick l'avait éveillé trop tôt aux plaisirs de la chair, lui ayant appris à se servir d'une femme pour l'argent et le plaisir. Il était conscient que c'était une abomination. Même s'il ne voulait pas se marier plus tard, il voulait une amie qui avait des valeurs, comme ce que Dylan avait trouvé en Tyna, mais un peu plus vivante... comme Mary l'était.

66

Évolution inéluctable

L'année 1967 avait été riche en rebondissements pour les deux frères. En avril, Dylan avait obtenu son permis d'électricien. Chris et Geoff l'avaient fêté. Ils avaient invité Tyna et ses parents, Madame Wilson, et Mary accompagnait Ray. Chris avait fait encadrer le permis de Dylan. Quand il l'avait regardé, il en avait presque pleuré. On avait porté un toast à son succès, chacun avait tenu à le féliciter personnellement. Chris et Geoff étaient très fiers de Dylan. Les sept dernières années n'avaient pas été de tout repos. Il avait un but, avait travaillé fort et persévéré. Plus mince, bien dans sa peau, il avait pris de l'assurance. C'était un jeune homme fort bien. Économe, dans un an, deux tout au plus, il aurait la somme initiale pour acheter une maison. Ray était lui aussi ému. Il revoyait le Big Finn de Dundalk et le Dylan d'aujourd'hui. Il avait tenu à lui rendre hommage.

Tous ceux qui l'avaient côtoyé à Dundalk ne le reconnaîtraient pas. Il en allait de même pour lui. Dylan était tellement ému qu'il avait peine à articuler un mot.

— Vas-y Dylan, je ne te demande pas de danser le ballet ou de te présenter au poste de maire de Brighton, même si avec toi, on ne sait jamais.

Dylan se mit à rire.

— Merci, Ray. Je n'aurais jamais pu avoir meilleur frère. Oui, tu es ce qu'un frère est souvent: tannant, malcommode, joueur de tours, chanteur de pomme... Mais tu as un cœur d'or et je suis fier de toi. Toi et moi, c'est pour la vie... Chris, tu as été une mère pour nous, tu es un ange, notre ange gardien. Geoff, vous m'avez fait confiance. Vous avez risqué gros et je vous en serai éternellement reconnaissant. Vous avez été et vous êtes toujours mon mentor. Madame Wilson, merci pour mon frère, merci pour votre bonté, votre générosité. Tyna, mon amour, tu es le soleil de ma vie. À vous tous, merci de m'avoir accepté parmi vous.

Avant de partir, Madame Wilson lui remit une carte. À l'intérieur, un chèque de 50 livres. Abasourdi, il l'avait regardée. Leurs yeux s'étaient compris. Un murmure, «Merci», un léger signe de tête. Il ne devait pas refuser. Il la serra contre son cœur.

C'était la première fois que Mary rencontrait Geoff et Chris. C'étaient donc eux les anges gardiens de Ray et Dylan. Un beau couple, des gens généreux. Chris était enceinte, elle rayonnait. Geoff la regardait avec adoration. Ray lui avait dit qu'il était dessinateur-ingénieur et qu'elle tenait un café. Elle n'y allait presque plus, Grace s'occupant de tout. Elle ne faisait que superviser à distance. Leur maison était éclairée, invitante, décorée avec goût. Dylan et Ray étaient chers à leur cœur. Un peu plus tard, Cyril et Michelle Mears vinrent offrir leurs félicitations à Dylan. Tous deux s'entendirent sur le fait qu'il avait été un employé modèle. Son seul défaut, il travaillait deux fois plus que les autres employés.

— Et toi Ray. Te voilà une vedette et tu as un autre emploi. Tu nous surprends tous. Bravo!

Mary le regardait… Il était très différent de Dylan, mais un lien solide les unissait. Et ils avaient acquis l'estime de tous ces gens. Peut-être qu'un jour Ray se confierait à elle… Peut-être.

Dylan était électricien. On fêtait ses efforts. Tous ces gens étaient venus pour célébrer sa réussite. Mais son plus beau cadeau avait été un appel de sa mère.

— Cher Dylan, je suis si fière de toi. Enfant, tu étais bon, gentil, serviable. Comment ai-je pu laisser…

— Maman, n'en parle plus. Tu es toujours ma mère et je t'aime.

— Ta petite sœur veut te parler.

— Bonjour Alayna.

— Bonjour Dylan. J'ai presque sept ans tu sais. J'ai hâte de te voir.

Il était au bord des larmes.

— Moi aussi, ma puce.

— On va aller à ton mariage. T'es content?

— Ah oui! Et j'ai tellement hâte de te voir.

Un bel éclat de rire cristallin.

— Maman! Parle à Dylan.

— C'est bien vrai? Vous viendrez à mon mariage?

— Oui Dylan, nous y serons. Les billets sont déjà achetés pour le voyage.

Il attendit trois jours avant d'en parler à Ray. Quand il le fit, sa voix se brisa. Ray comprit.

— Mon frère, je suis content pour toi. Ta mère t'aime, ta sœur aussi. Je serais bien méchant de t'en vouloir.

— Merci, Ray. Si tu savais comme tu me fais plaisir.

67

Plusieurs facettes

À chaque 20 avril, l'anniversaire de naissance de Madame Wilson, Ray l'invitait à souper. C'était bien trop... prévisible. Sa vie était trop ordonnée, sans aucune place pour la spontanéité. Un sentiment de bougeotte le hantait. Il en reconnaissait les symptômes. Il alla magasiner. Pendant que madame prenait un bain, une fleuriste livrait cinq douzaines de roses roses et dix douzaines de ballons roses. Les ballons étaient attachés en bouquets. Vingt bouquets de six ballons, chacun retenu par un long ruban rose. Ray en attacha cinq dans la chambre de sa Rose, et James, cinq à une lampe suspendue dans le salon et cinq autres dans le passage. Un dernier bouquet fut placé dans la salle à manger. Les domestiques disposèrent les roses dans cinq vases. Un dans la chambre de Madame Wilson, trois au salon et deux dans la salle à manger. Vingt minutes plus tard, madame sortait de la salle de bain et passait dans sa chambre.

Émerveillée par les trente ballons roses qui se balançaient, émue par le bouquet de roses, elle sortit dans le passage. Des ballons roses, encore des ballons roses. Ray! Ce ne pouvait être que Ray. Elle avança prudemment, puis elle le vit ainsi que James et les domestiques.

— *Happy birthday to you!*

À tour de rôle, ils lui souhaitèrent un bon anniversaire et s'éclipsèrent, sauf Ray. Son cœur battait la chamade. Ses yeux l'observaient tendrement.

— C'est de toi tout cela, ces ballons roses, ces roses? *My son!*

Des larmes perlaient au bout de ses cils.

— Bon anniversaire, ma bonne maman. Il ne faut pas pleurer, sinon je fais éclater tous les ballons.

Elle pouffa de rire.

— Non! Non! Je les adore! Et je t'adore aussi.

— Maintenant, allez vous habiller, je vous attends pour déjeuner.

Quand elle sortit de sa chambre, tout était silencieux. Pas un son. Elle hésita. Avec Ray, elle ne savait jamais ce qu'il concoctait. Il l'attendait dans la salle à manger en compagnie de Dylan, Tyna, Chris, Geoff, Monsieur Pierre, les Taylor et Monsieur Rutherford.

On l'embrassa et la félicita à tour de rôle. Émue, elle regardait Ray et leurs amis. Ray prit la parole.

— Chers invités, merci d'être venus déjeuner avec ma chère dame le jour de son anniversaire... C'est une journée mémorable et...

— Ray, mon frère, tu parles trop. Laisse Madame Wilson parler.

Grand éclat de rire.

— C'est le jour où Ray est entré dans ma vie qui a été un jour mémorable. Je l'aime comme mon fils, il a un cœur d'or, malgré toutes ses folies et les tours qu'il me joue, comme ce matin. Il ensoleille ma vie. Grâce à lui, j'ai connu certains d'entre vous. Merci d'être là! Alors Ray, tu nous sers à manger?

— À vos ordres, chère dame.

Ray fit un signe, et trois serveurs, pantalons noirs, chemises blanches, entrèrent. Ils servirent d'abord un verre de mimosa à chaque convive. Ray proposa un toast à Madame Wilson. Le temps de boire ce nectar des dieux, quatre serveurs entraient avec des plateaux fumants; œufs, bacon, côtelettes, jambon, patates, rôties, rien ne manquait. Ray veillait au bon déroulement du déjeuner. On parlait, on riait... Madame Wilson était sur un nuage. Le gâteau venait d'être déposé sur la table lorsqu'on sonna à la porte.

— Excusez-moi!

Ray courut ouvrir.

Un jeune homme en costume d'apparat entra dans la salle à manger, suivi de Ray.

— *Mrs Wilson, here's a singing telegram, sent by Her Majesty the Queen herself.*

— Qu'est-ce que… ?

Le type déroula un parchemin et lut :

— Sa Majesté la reine Elizabeth II vous envoie ce télégramme chantant.

Sur ce, il entonna : «*Happy birthday to you, happy birthday to you, Mrs Wilson, Happy birthday to youuuuu…*»

Quelle voix atroce, il chantait tout faux. Madame Wilson faillit s'étouffer et les autres faisaient des efforts surhumains pour ne pas rire. Il termina sur un crescendo, remit le parchemin à Madame Wilson, s'inclina et repartit. Il y eut un grand éclat de rire général, Madame Wilson était estomaquée. Le rire est contagieux, elle se laissa aller. Secouant la tête, elle regarda Ray :

— Où as-tu déniché ce… ?

— Ce chanteur ? On m'a assuré que c'était le meilleur.

Le déjeuner se termina dans le rire et la gaieté. Madame Wilson remercia chaleureusement tout le monde. C'était sa plus belle fête d'anniversaire. Quand ils furent partis, elle prit le bras de Ray, et ils allèrent dans sa chambre. Elle regarda les ballons, admira les roses et s'apprêtait à sortir quand elle remarqua un petit boîtier doré sur son oreiller.

— Ray ! Pas un cadeau après cette surprise avec nos amis.

— Chut ! Rien que vous ne méritiez pas.

Elle enleva le papier. À l'intérieur, déposées sur du velours blanc, deux boucles d'oreilles en forme de rose. Elle les toucha délicatement et le serra dans ses bras.

— Je n'oublierai jamais cette journée. Ray, tu mets du bonheur dans ma vie.

— Merci. Et vous êtes la meilleure des mères. Maintenant, voulez-vous vous reposer ou aller au salon écouter de la musique ?

— Je vais me reposer un peu. C'est beaucoup d'émotions, je veux prendre le temps de revivre toutes les secondes de ce matin magique.

— D'accord, vous savez que nous allons souper ce soir. Juste nous deux.

— Parfait.

Ray sortit. Il marchait d'un pas léger, comme s'il flottait. Cette fête avait exigé une planification en cachette. Il aimait la sensation que ses folies lui procuraient, une joie enfantine. Elles lui permettaient de délaisser le monde des adultes avec leur rigidité et de retourner à l'enfance. Son but était de faire une surprise à sa Rose ; il ne réalisait pas que chaque folie était une catharsis qui lui permettait d'éloigner ses démons. Il marcha longtemps et revint heureux. Sa dame avait été surprise et enchantée, elle rayonnait. Il jouissait.

La carrière de Ray progressait. Andy savait être convaincant, il avait réussi à le faire embaucher comme chanteur à plus d'une reprise dans presque tous les hôtels de Brighton et des environs – *The Grand Hotel, The Brighton Metropole, The Queens, The Royal Albion* – ainsi que dans les salles de danse *The Regent, The Starlight...* et dans des résidences cossues.

La première fois qu'il avait chanté dans une résidence privée, il avait été surpris par l'opulence et le luxe inouïs. Incroyable, comme certaines personnes avaient d'argent. Comment s'y prenaient-elles ? Elles devaient avoir un secret qu'elles se partageaient entre elles. Un secret de riches ! Et les femmes ? Elles rivalisaient pour savoir laquelle porterait la robe la plus classique ou la plus osée. Le champagne coulait à flots, et les nombreux serveurs n'attendaient pas que les coupes se vident pour resservir.

On l'accueillit comme un divertissement agréable, rien de plus. Andy mit la musique et Ray se mit à danser. Un grand silence se fit, tous et toutes constatèrent son talent. On l'applaudit chaudement. Les femmes s'avancèrent pour le féliciter et l'admirer de très près. Ray n'avait pas particulièrement aimé l'expérience, sauf pour le cachet. Sur l'insistance d'Andy, il avait répété l'expérience cinq ou six fois. L'accueil et l'atmosphère avaient été semblables. Ray ne sortait pas de ces résidences avec un sentiment d'enthousiasme et de satisfaction. Il décida de ne plus continuer. L'Angleterre était vaste, il préférait le grand public.

La majorité des villes de l'ouest s'enorgueillissaient de compter de belles grandes salles de danse. Le cachet était appréciable et Ray se faisait connaître.

Dans une ville comme Brighton, il était évident que Ray avait aperçu Nick Harris. Les deux avaient changé de direction. Pour Ray, du haut de ses treize ans, Nick avait été un grand homme, un homme puissant, presque un géant; maintenant, il n'était plus qu'un type effacé et maigrichon. Plus tard, il sut qu'il avait déménagé son business ailleurs.

Un soir, au *Grand Hotel*, il vit *Sourpuss* et *Frosty* assises à une de ses tables. Il demanda à son collègue John de s'en occuper. Elles s'en aperçurent et lui firent signe. *Sourpuss* partit le bal.

— Nous nous connaissons!

— Non, madame, je ne vous connais pas.

— Mais si.

— Une dame de votre rang, distinguée, honnête, et moi, un simple serveur? Impossible! Veuillez m'excuser!

Sourpuss lui aurait arraché les yeux. Mais elle se ravisa car il était bien capable de lui faire perdre la face.

Plus discrète, *Frosty* s'était arrangée pour lui parler en se rendant au petit coin. Mais il lui avait cloué le bec. «Un mot de vous et je dis tout haut que vous êtes une… vous savez quoi. Je n'ai rien à perdre! Vous, si. Alors, la ferme! On ne se connaît pas.» Rouge de colère, elle était retournée à sa place.

Certains hôtels le redemandaient. Son répertoire était plus varié. De plus, il avait cultivé son talent d'imitateur. Il imitait son oncle Stanley, son professeur de Dundalk, Sir Winston Churchill, Mao Tse-Tung, des ministres, des personnalités connues… Il avait un succès fou.

Quand il imitait Churchill, il sortait un gros cigare, mettait son chapeau, baissait la tête, gonflait les joues, prenait une voix d'acier, basse, grave, cuivrée, il fronçait les sourcils: «Mesdames, messieurs, je vous promets que je vais chanter sur terre, sur l'eau et dans les airs, je vais chanter jusqu'au bout de mon souffle, je ne vous laisserai jamais tomber.» Réentendre la grosse voix bourrue de Churchill, quand il haranguait les foules durant la guerre, imitée par ce jeune homme, était encore plus marrant. Les spectateurs en redemandaient. Il avait autant de plaisir qu'eux.

Il continuait son travail de serveur. Plusieurs clients le reconnaissaient, les pourboires se faisaient alors plus généreux. Avec ses cachets de chanteur et son salaire de serveur, il gagnait de 20 à 25 livres par semaine, une fortune à l'époque.

Un soir par semaine, il sortait avec Dave Parks et John Page, ses deux amis serveurs à l'hôtel. Ils se réunissaient toujours chez John. Ses parents avaient une grande salle aménagée à l'arrière de la maison. Deux vieux divans confortables, quelques chaises disparates, une table et un tourne-disque. John avait deux sœurs cadettes, elles avaient des amis. Dave avait un frère et une copine. Ils étaient toujours au moins une dizaine de personnes chaque samedi soir. Ceux qui en avaient l'âge prenaient une ou deux bières, les autres du cola. Les parents fournissaient les amuse-gueule. Ils préféraient voir leurs enfants s'amuser chez eux. On riait, on écoutait de la musique, on dansait. L'atmosphère était détendue et parfois Ray lâchait son fou. Mary était venue un soir, mais c'était trop jeune pour elle. Quand on le lui demandait, Ray apportait sa guitare. Alors là, c'était l'euphorie. On tapait des mains, on l'applaudissait, lui lançait des fleurs – en plastique – ou d'autres objets hétéroclites. Parfois, il riait tellement qu'il devait reprendre la même chanson trois-quatre fois, jusqu'à ce que le père de John exige le silence.

— On a un grand chanteur, on veut l'entendre.

Ray lui demandait alors ses préférences. C'était inévitablement du Roy Orbison, Cliff Richards ou Elvis Presley. Ray y mettait tout son cœur. Après, Monsieur Page venait lui serrer la main et sa femme l'embrassait. Il était payé !

Il avait parlé de ces soirées avec Madame Wilson ; d'ailleurs, il lui disait toujours tout.

— C'est merveilleux. Vous êtes un groupe de jeunes, les parents sont là, vous vous amusez. C'est de votre âge.

Une fois la semaine, il prenait un verre avec son gérant après son tour de chant. Parfois, un deuxième. Jamais plus.

68

L'opéra

— Tu es libre samedi soir prochain? J'aimerais aller au Royal Albert Hall.

— Écouter une chanteuse? *Yes!*

— Non. Nous allons écouter un opéra de Verdi, *La Traviata*.

— Un opéra? C'est quoi?

Madame tenta de vulgariser ce qu'était l'opéra et *La Traviata*.

— *La Traviata* est un opéra dramatique, une forme de théâtre musical, chanté sur scène par des interprètes.

— Des chanteurs anglais?

— Que non! Tout est chanté en italien et accompagné d'un grand orchestre! Ce sont de grands chanteurs classiques.

— On ne comprendra pas un mot de ce qu'ils chanteront.

— *La Traviata* est une histoire écrite par Guiseppe Verdi, un très grand compositeur né en Italie en 1813.

— Il a la vie dure celui-là!

— Il est décédé, mais ses œuvres sont célèbres. Ray, aller à l'opéra est une expérience unique. Certaines personnes n'aiment pas, mais...

— Vous aimez l'opéra?

— Oui! Je connais l'histoire d'amour qui sera chantée, je te la raconterai. Les costumes sont magnifiques... Tu veux venir?

— Avec grand plaisir.

L'opéra fut une expérience particulière pour Ray. Les costumes? Les perruques? Les décors somptueux? Stupéfiants! Madame Wilson vit toutes les émotions alterner sur son visage. Étonnement. Stupéfaction. Ravissement. Quand le premier chanteur ouvrit la bouche et lança les premiers mots, ses yeux faillirent sortirent de leurs orbites. Il se tourna discrètement vers sa bien-faitrice, elle regardait la scène et écoutait. Fermant les yeux, il se cala dans son siège, tentant de bien écouter. Incroyable! Quels chanteurs! Les notes aiguës lui vrillaient les oreilles. Il rouvrit les yeux et s'appliqua à suivre l'histoire du mieux qu'il le pouvait. Il comprenait certains passages, mais soudainement, un personnage forçait une note, Ray était certain que quelqu'un venait de le marquer au fer rouge. Le fou rire le gagna. *Oh my God!* Il ne devait pas rire, il serra les mains, se mordit une lèvre, se pinça. Madame Wilson se pencha vers lui. En voyant son visage en grimaces, elle faillit éclater de rire. Doux Jésus! Il ne serait pas un adepte de l'opéra. Elle lui passa un verre d'eau. Péniblement, il réussit à en avaler une gorgée.

À l'entracte, il s'excusa et disparut en direction des toilettes. Riant à en pleurer, il actionna la chasse d'eau à trois reprises avant de sortir, droit comme un i, pour aller rejoindre Madame Wilson.

— Est-ce que ça va?

— Très bien madame.

— Tu voudrais partir?

— Et manquer la seconde partie de cet opéra? Jamais madame! Je dois surveiller, si jamais l'un des chanteurs perd la voix, j'irai le remplacer. J'ai appris tout ça de Madame Weatherspoon.

— Je n'étais pas au courant.

— Ce n'est rien! Je vous donnerai un aperçu à la sortie du Hall.

— *Dear Lord!* Tu pourras attendre que l'on soit à la maison.

— Je vous préviens, les domestiques doivent dormir, mais il sera fait selon votre désir.

Elle trouva préférable de ne rien ajouter. Qui sait? Il survécut à la deuxième partie, sortit tout en causant avec madame. Elle lui sut gré de son savoir-vivre même si elle savait qu'il lui en coûtait. Sitôt qu'ils furent installés dans l'auto, il éclata de rire, il riait tellement qu'il en pleurait. Madame Wilson essaya de garder son sérieux, peine perdue.

— Cher Ray, l'opéra et toi…

— Ah, madame! Ces voix! C'est assez pour réveiller un régi-ment. Parfois, ils poussent des cris terribles, comme si on les brûlait ou on les piquait… Comme dans le *Sempre libera,* quand

Violetta fait ses « *up and down* » avec les AH AH AAAAAAAAH! Là, je n'en pouvais plus. Désolé, je ne pourrai plus vous accompagner à l'opéra.

— Je comprends. Tu veux prendre un thé?

— Oui, je pense que ça me ferait du bien, mais à la maison. Je ne veux pas vous faire honte.

Les jours suivants, en prenant sa douche, il chantait ou faisait semblant de chanter des airs de *La Traviata*. Le résultat était horrible, Madame Wilson riait en l'entendant.

69

Des regrets ?

À la mi-mai, le temps fut superbe, et Madame Wilson décida de passer deux jours sur son yacht. Plus de six mois qu'elle et Ray n'y étaient pas allés, elle avait hâte à ces deux journées sur le *Bliss,* et Ray tout autant. Ils se refusaient à penser aux jours avec Nick, à son arrestation… Ray avait vécu mille morts. Depuis, le yacht était devenu leur havre de paix.

Depuis son arrivée chez Madame Wilson, son adaptation, les cours, les répétitions, les spectacles faisaient en sorte qu'il avait besoin de changer d'air, de s'éclater. Il fourmillait d'idées! Une petite «folie» s'imposait. Il se rendit dans une librairie, trouva la photo qu'il cherchait et alla dans une imprimerie. Ensuite, il s'entretint avec James. Il lui fallut le supplier, le cajoler, pour le convaincre de l'aider.

— Madame Wilson n'en saura rien, je vous le jure.

— Monsieur O'Brien, vous êtes tombé sur la tête. Je dois être cinglé pour m'associer à vous.

— James, vous ne le regretterez pas.

À dix heures, ils montaient sur le bateau.

— Comme je suis contente! Ces deux jours, c'est une bénédiction pour nous deux.

— Oui. Même si j'ai apporté ma guitare, je vais me détendre, me laisser vivre… et vous battre aux échecs.

Souriante:

— C'est ce que nous verrons. On se retrouve sur le pont dans quelques minutes.

— Avec grand plaisir, chère madame.

Il se hâta vers sa chambre. Presque instantanément, il entendit un grand cri suivi d'éclats de rire. Il se hâta vers Madame Wilson. Pliée en deux, elle riait de tout son cœur. Elle l'aperçut !

— C'est toi…

Elle riait trop pour parler, mais pointait la grande affiche appuyée sur son lit. C'était la photo d'une sirène. Et cette sirène avait un visage… le sien !

— Ray… tu peux entrer ! Comment as-tu fait ? Elle regardait l'image et recommençait à rire.

— Ray, mon petit lutin, tu es fou. Mais je t'en supplie, ne change surtout pas.

Quand enfin elle pu se ressaisir, elle s'approcha de lui.

— Tu imagines ce que penseraient mes amis ou les gens qui me connaissent s'ils voyaient cette affiche… Je serais mise à l'écart, sinon à l'index.

— Oh ! je suis désolé, je m'excuse, je voulais juste… vous faire rire.

— Et tu as réussi ! Je n'ai jamais tant ri de ma vie. Tu sais que je ne pourrai la garder, mais je n'oublierai jamais ce moment. Tu es incroyable, tu es précieux ! Qu'on « me » cache dans le placard. Je veux me regarder pendant nos deux jours ici.

Elle le serra dans ses bras.

— Allons célébrer !

Assis sur le pont face à la mer, en savourant du vin et, des canapés, ils se regardaient. Elle essayait de converser avec lui, mais à plusieurs reprises, le fou rire la gagnait. Ray était fier de lui.

— Vous savez, un peu de folie est très bon pour la santé. Ça prévient un dommage permanent au cerveau.

— Je le crois. Les folies sont les seules choses qu'on ne regrette jamais. Si tu restes avec moi, ce que je souhaite de tout cœur, je vais vivre jusqu'à cent ans.

— Je l'espère, je ne veux jamais vous perdre.

— Merci ! Maintenant, va saluer le capitaine.

Il partit au pas de course.

Face à la mer, elle revivait le moment où, entrant dans sa chambre, elle avait vu la grande affiche d'une sirène avec sa photo. Jamais personne n'aurait osé faire une telle folie, personne…

sauf Ray. Comment avait-il fait ? Elle ne le questionnerait pas. Inutile d'essayer de le savoir, personne ne parlerait. Ce n'était pas une chose acceptable dans «son» monde, mais c'était un geste sans un gramme de méchanceté. Il lui avait dit qu'il allait «mettre du piquant» dans sa vie. C'était réussi. Même durant le souper, elle ne put garder son sérieux.

Ray avait craint la réaction de sa bienfaitrice, mais le frisson de plaisir qu'il ressentait en préparant son tour et la joie de la voir rire aux éclats l'incitèrent à récidiver. Tout de même, il allait devoir faire très attention. Madame Wilson était une grande dame.

Mary se faisait absente. Une trop longue abstinence. Un soir, pendant que Madame Wilson était à une collecte de fonds, Ray marcha vers le centre-ville, entra dans un café. Ses yeux firent le tour des clientes et s'arrêtèrent sur celui d'une jeune femme un peu rondelette, au beau visage de madone, aux cheveux légèrement ondulés et au regard franc. Elle lui sourit gentiment. Elle n'était certainement pas du genre des filles de Nick, mais elle avait un petit quelque chose d'indéfinissable qui le toucha. Il prit son café et alla s'asseoir à sa table. Elle ne s'en offusqua pas. De plus près, elle était encore plus jolie, ses yeux plus brillants. Ils causèrent.

Dana, vingt-deux ans, native de Liverpool, venue à Londres comme jeune femme au pair, s'était laissé séduire par le fils de la maison. Quand il sut qu'elle était enceinte, le père l'avait mise à la porte. Elle avait accouché d'un petit garçon trisomique maintenant âgé de trois ans.

— Tu n'as pas pensé à le placer... dans un...

— Jamais! Plutôt mourir. C'est mon fils. Il n'a pas demandé à venir au monde.

Cette affirmation l'avait profondément bouleversé. Quelle différence entre sa mère et cette jeune femme! Dana sortait peu. De temps à autre, une amie venait la remplacer pendant qu'elle allait faire l'épicerie ou prendre un café. Il s'était invité chez elle. Le petit Tom dormait. Beau comme un cœur, il l'avait aimé sur-le-champ. Pour la toute première fois, Ray s'était confié à une fille. Il lui avait parlé de sa mère, de son enfance.

Seule, elle s'occupait de son fils handicapé. Son petit logement était propre, son lit sentait la lavande. Il la désirait, ils avaient fait l'amour. Douce, aimante, elle lui fit du bien. Ce ne fut pas une rencontre du genre *Frosty* ou *Cold Spot*, plutôt un acte doux, réconfortant. Comme il n'arrivait jamais les mains vides, il apportait quelque chose pour elle et pour son petit. Attachant, Tom aimait se coller contre lui.

Elle ne lui posait aucune question, lui servait toujours un bon plat. Il lui laissait trois ou quatre livres. Au début, elle avait refusé puis, avait insisté pour seulement deux livres. Maintenant, elle ne disait rien. Elle en profitait pour s'acheter une jupe, une blouse, rien de très coûteux. Elle faisait attention à sa ligne, perdait du poids. Il l'admirait. Il n'arrivait jamais à la même heure et se faufilait subrepticement. Quand ses sens subjuguaient sa raison, il allait la voir.

Madame Wilson n'était pas dupe. Elle le comprenait. Il était jeune, en pleine santé. Elle n'avait rien à lui reprocher. C'était sa vie.

Ray se disait qu'il avait des comptes à régler. Madame Wilson avait beaucoup dépensé pour lui, il voulut commencer par lui remettre un peu d'argent.

— Ray, tu ne me dois rien ! Je t'ai rendu service.

— Ça n'a pas de sens ! En plus de ce que je vous dois, vous refusez que je paie une pension. Vous me nourrissez, vous me logez, vous n'êtes pas raisonnable. Je vais devenir un égoïste, un profiteur...

— Il t'arrivera peut-être de faire encore quelques bêtises, mais tu ne seras jamais un profiteur. Tu as trop de cœur. Tu m'as soignée comme un bébé quand je me suis tordu la cheville l'an dernier.

— Tordu la cheville ? Vous aviez un os fêlé !

— Tu as annulé un spectacle, Andy a failli faire une crise d'apoplexie. Je l'entendais hurler au bout du fil.

— Il pourra hurler tant qu'il voudra, vous passez avant les spectacles.

— Tu vois Ray... je n'ai ni frère ni sœur. Je vais vieillir seule.

— Madame Wilson seule ? Jamais !

— Si jamais tu te maries...

Il bondit de sa chaise et s'accroupit devant elle. Ses yeux arrondis la fixaient. Elle aurait ri s'il n'avait pas été aussi sérieux.

— Vous resterez avec moi. Je ne pourrai pas avoir une aussi belle maison que celle-ci, vous le savez, mais vous aurez une belle grande chambre avec un salon. C'est sans doute le mieux que je pourrai faire… et vous aimer toujours.

— Maintenant, et pour la dernière fois, ce que tu fais pour moi n'a pas de prix. J'ai appris que la richesse n'est rien sans l'amour, l'estime et l'amitié. Je suis une femme qui a le sens des affaires et je pense être une femme de cœur. Tu ne le réalises pas, mais je connais bien des gens qui donneraient une fortune pour ce que tu m'offres. Alors le peu de ce que j'ai dépensé est une goutte d'eau comparé à l'ampleur de ta reconnaissance, de ton amitié sans détour. L'argent peut acheter bien des choses, mais pas l'amour, ni l'affection. Et je serai très chanceuse d'avoir une chambre et un petit salon chez toi. Est-ce que tu comprends, Ray?

— Ouiii, même si je pense que je gagne au change.

— Oh non! Alors, ne revenons plus sur le sujet. Si tu es libre mardi prochain, nous irons au théâtre.

— Avec grand plaisir.

Trois jours plus tard, Madame Wilson rencontrait son avocat, et malgré les admonitions de ce dernier, elle changea les dispositions de son testament. Ray ne manquerait jamais de rien.

— Mais ce jeune homme abuse de votre bonté.

— Maître Pickford, je suis libre de disposer de ma fortune à ma guise, mais puisque nous sommes amis depuis longtemps, je vais vous expliquer les raisons de ma décision.

Elle ne lui raconta pas leur première rencontre, mais lui confia qui il était et ce qu'il représentait pour elle.

— Eh bien! Ce jeune homme semble sincère. Il vous offre une chambre et un salon chez lui. C'est touchant. Il n'est pas au courant de cette démarche?

— Il ne le saura qu'à ma mort. J'y pensais depuis plus d'un an, mais depuis hier, ma décision est arrêtée, et elle est irrévocable.

70

Incident de parcours

Un soir, une bagarre éclata dans une salle de danse où Ray chantait. On commença à lancer des objets sur la scène. Ray esquiva une bouteille, mais une deuxième l'atteignit à une joue. Il chancela. Andy le tira brusquement en coulisses, puis l'aida à sortir à l'extérieur.

— Peux-tu marcher ? Ma voiture est juste à côté.

— Oui, mais je saigne et j'ai mal. Mon veston ?

— Au diable le veston, on file à l'hôpital.

— Ma guitare ?

— Tu l'as dans le cou.

Ils sautèrent dans la voiture et Andy partit sur les chapeaux de roues. La police arrivait, les agents lui firent signe de s'arrêter.

Andy expliqua que le chanteur Earl Red avait été blessé et on les laissa filer. Une fois arrivés à l'hôpital, Andy insista pour que l'on s'occupe d'urgence du chanteur Earl Red.

— C'est vous, je vous ai entendu chanter. J'adore vous écouter.

Les gens qui attendaient le regardaient. Une femme cria :

— C'est le chanteur Earl Red. Soignez-le bien, il chantera pour nous.

Heureusement pour Ray, la bouteille l'avait frappé de biais. L'os de la joue n'était pas cassé et la coupure ne nécessita que quatre points de suture.

— Vous n'aurez qu'une petite marque, dans six mois elle paraîtra à peine. Vous pourrez enlever ce bandage demain. Ce sera douloureux ce soir et peut-être demain. Je vous remets quelques comprimés contre la douleur. Monsieur Red, mes deux filles vous adorent.

Quand Andy et son protégé arrivèrent chez Madame Wilson, elle eut un choc en voyant le pansement sur la joue de Ray.

— Qu'est-il arrivé mon grand? Tu t'es blessé?

— Ce n'est pas grave. Une bagarre. Le médecin m'a donné des pilules contre la douleur. Je vais aller m'allonger.

— Pauvre ami, viens, je vais t'aider. Vous, attendez-moi au salon.

Ce dernier ne tenait pas la forme.

Tendrement, elle enleva les souliers de Ray, son pantalon, retira le couvre-lit et il se glissa sous les draps. Elle le borda et lui baisa le front en lui disant: «Je reviens.»

— Maintenant, expliquez-moi ce qui s'est passé.

Minimisant et banalisant l'incident le plus possible, Andy lui expliqua qu'une bagarre avait commencé, et que malheureusement quelqu'un avait lancé une bouteille et…

— Il l'a reçue sur la joue. J'ai filé à l'hôpital.

— Il a reçu une bouteille en plein visage? C'est ça, sa blessure?

— Pas de fracture, la bouteille a dévié un peu…

— Une coupure?

— Juste quatre points de suture.

— Juste quatre! Vous ne trouvez pas que c'est suffisant? Il va avoir une cicatrice.

— Très petite, et le médecin a affirmé que dans six mois on ne la verrait presque plus.

— Presque plus? Dites-moi, il y a déjà eu d'autres incidents de ce genre à cet endroit?

— Très rarement!

— C'était quand, la dernière fois?

— Je ne me rappelle pas…

Les yeux de Madame Wilson ne le quittaient pas. Elle parlait calmement… mais froidement. Elle attendait.

— L'an dernier, je pense.

— Et vous faites chanter Ray dans un endroit où il y a déjà eu des bagarres? Êtes-vous inconscient? Avez-vous tellement besoin d'argent que vous êtes prêt à mettre sa vie en danger? Vous me décevez. Je vous pensais plus professionnel.

— J'ai fait une erreur de jugement, madame, j'en conviens, mais j'aime Ray et j'ai aussitôt sauté sur la scène pour le tirer de là. Je suis un professionnel, madame. J'ai fait une erreur. Ça ne se reproduira plus jamais. Si c'est ce que vous voulez, je vous remets ma démission.

— Nous avons un contrat. Je vais faire venir mon médecin et parler avec Ray. On se reparle demain.

Elle retourna à la chambre de Ray. Il dormait. Elle s'assit à ses côtés et pleura. Il aurait pu être tué. Elle resta longtemps à le regarder. Qu'est-ce qu'elle ferait sans lui? Plus jamais il n'irait chanter dans un endroit non sécuritaire.

Le lendemain matin, quand Ray se réveilla, Madame Wilson était assise à ses côtés. Un demi-sourire dans les yeux, il la regarda.

— Un ange à mes côtés? Est-ce que je rêve? Suis-je déjà au ciel? Lequel êtes-vous?

Elle se pencha, lui donna un baiser sur le front.

— Je suis l'ange qui veille sur toi. Comment te sens-tu?

— La joue un peu douloureuse, mais ce n'est pas grave, ça va passer. J'ai eu peur. Une chance qu'Andy m'a attrapé et soutenu jusqu'à l'auto, il a filé comme un bolide vers l'hôpital. Les policiers l'ont arrêté. Il leur a dit que le chanteur Earl Red était blessé. Même à l'hôpital, on me connaissait. Le médecin... Je n'avais jamais pensé que...

— Andy a été très imprudent de te faire chanter là, je ne suis pas contente.

— Je vous en prie, il a eu assez peur, il m'a sauvé. On le garde.

— Mon médecin va venir enlever ton pansement tout à l'heure. Je veux être certaine que tu n'auras pas de cicatrice. Tu peux venir déjeuner ou je t'apporte un plateau au lit?

— Je descends. Je ne suis pas malade.

Il mangea peu, ouvrir la bouche lui faisait mal. Andy appela, il voulait savoir si Ray allait mieux.

— Je ne vais pas mal. La joue est un peu amochée, mais ça va passer. Le médecin arrive bientôt.

— Tu fais la une du *Argus,* ta photo... Tu défrayes la chronique.

— Vrai? Qu'est-ce qu'on dit?

— Tu connais les journalistes. *Gruesome attack on singer Earl Red.* (Le chanteur Earl Red sauvagement attaqué.) On dramatise ! Selon eux, tu es à moitié mort.

— Tu vas rectifier. Je suis bien vivant. Mais quelle publicité !

— Oui... Mais j'aurais préféré qu'on n'ébruite pas ce qui t'est arrivé hier soir. Repose-toi, je rappelle plus tard.

Inquiets, Chris, Mary, Monsieur Pierre, John, Dave et les autres appelèrent. Madame Wilson les rassura, mais... il aurait pu y passer.

Le médecin arriva avant le dîner. Le pansement enlevé, il examina la coupure.

— Tu l'as échappé belle, ça va bien guérir. Il ne restera qu'une petite balafre. Cela te donnera une allure de pirate sympathique.

Madame Wilson ne le trouvait pas drôle.

— Je préfère son beau visage sans balafre. On peut enlever cette cicatrice ?

— Oui, par une chirurgie esthétique, mais c'est onéreux.

— Vous me donnerez le nom du médecin.

Le soir même, Dylan vint le voir. Il s'excusa auprès de Madame Wilson de n'avoir pas appelé, mais il était inquiet.

— Tu as bien fait. Tu peux venir ici quand tu veux. Ray est dans sa chambre, je pense qu'il dort. Va voir.

Dylan entra sur la pointe des pieds. Ray sommeillait, mais ouvrit les yeux et sourit.

— Mon infirmier arrive.

— Ça va mon frère ?

— Oui, Dylan. Ce n'est pas si grave, quatre points de suture.

— Tu sais pourtant que tu ne dois pas te battre quand je ne suis pas là pour te défendre.

— Je sais, mais je ne me suis pas battu.

Il se leva.

— Viens, on sera mieux au salon.

D'une seule traite, il lui raconta ce qui s'était passé.

— Tu voulais de la publicité, tu en as ! Ça ne fait pas trop mal ?

— Juste un peu. J'ai pris une pilule hier soir et une ce matin. Là, ça va mieux. Je n'ai pas envie de passer trois jours au lit, je n'ai pas mal aux jambes. Tu as soupé ?

— …

— Tu soupes ici !

— Non, non, je m'en vais. Je voulais m'assurer que tu n'étais pas mourant.

Mais Madame Wilson insista, il devait souper avec eux.

— Mais je ne me suis pas changé.

— Tu es très bien ainsi. Reste, Ray sera si content.

Impossible de dire non à cette femme. Il ne le regretta pas. Il se servit une portion, elle en ajouta une deuxième.

— Tu travailles fort, tu dois manger.

Ray mangea lentement. Il était heureux d'avoir Dylan avec lui. Quand ce dernier partit, Madame Wilson lui donna l'accolade.

— Tu n'as pas à attendre que Ray se blesse à nouveau pour revenir. On va te revoir très bientôt ?

Soulagé de savoir que Ray n'était pas grièvement blessé, puis repu, il s'en retourna en sifflotant.

71

L'amour, l'amour...

Le 27 mai, Chris donna naissance à un garçon, Daniel, le nom du père de Geoff. Elle rayonnait de bonheur, et Geoff était en extase devant leur bébé, «le plus beau bébé du monde».

Ray et Madame Wilson s'étaient rendus à l'hôpital. Madame avait apporté une superbe liseuse à Chris et un bon de 25 livres pour le bébé. Ray avait apporté un bel ourson et 10 livres. Quand ils étaient arrivés, Geoff tenait le bébé dans ses bras.

Il s'avança et le déposa dans les bras de Ray.

— Ne crains rien, il est petit, mais il est solide.

— Il ressemble à un ange. Il est chanceux, il va avoir une bonne maman et un bon papa.

Ray se mit à pleurer. Il remit le bébé à Geoff et se rua vers la sortie. Assis sur un banc, près d'un massif de fleurs, plié en deux, il pleura toutes les larmes de son corps. Geoff l'avait suivi. Il le laissa pleurer, puis il vint s'asseoir à ses côtés et le serra contre lui.

— Cher Ray. Je pense comprendre ta souffrance et je ne peux te l'enlever. J'ai perdu mes deux parents dans un accident quand j'avais dix-huit ans et ils me manquent toujours.

— Au moins, ils ne vous ont pas abandonné.

Quelques instants plus tard, Madame Wilson arriva. Son cœur avait mal pour Ray.

— Est-ce qu'on y va mon grand?

— Oui. Merci, monsieur Nelson.

— Ray, viens nous voir. Daniel va avoir besoin d'un oncle pour jouer avec lui, le guider, peut-être lui montrer à jouer de la guitare... plus tard. Je n'ai ni frère ni sœur. J'aimerais que tu sois cet oncle.

— *Oh boy!* Merci, merci. Ce sera un honneur pour moi.

Madame Wilson salua Geoff, le félicita encore pour son adorable poupon et prit le bras de Ray.

— Viens mon grand. Veux-tu que l'on marche un peu?

Il fit signe que oui. Ils déambulèrent en silence pendant une vingtaine de minutes puis revinrent à la voiture.

— On va prendre un thé à l'hôtel? Je n'ai pas envie de rentrer.

— Moi non plus et je chante ce soir.

— Je vais aller t'écouter, si tu veux bien.

— J'aimerais beaucoup.

Tout en sirotant son thé, Madame Wilson était songeuse.

— Vous allez bien? Quelque chose vous tracasse?

— Je me disais que c'est dommage que je sois une vieille dame.

— Vous n'êtes pas vieille.

— Si j'étais plus jeune, je t'adopterais légalement.

— Vous voulez dire que je serais vraiment votre fils? C'est la plus belle marque d'amour que j'aie jamais entendue. Votre fils! Vous seriez ma mère? Votre âge n'a pas d'importance, mais ce ne serait pas possible, parce que ma mère est peut-être vivante; elle n'avait que dix-huit ans quand je suis né. Pour moi, vous êtes ma mère, je serai toujours avec vous et vous avec moi. Merci de vouloir faire de moi votre fils. Jusqu'à ma mort, dans mon cœur, vous serez ma mère.

Quand Geoff revint dans la chambre, Chris et lui parlèrent de Ray, de ce boulet qu'il traînait.

— Tu sais, mon amour, lorsque nous sommes allés en Irlande à Noël, j'ai essayé de retrouver Tara.

— Petite cachotière.

— Je ne l'ai pas trouvée. Ce que j'ai su, c'est qu'elle a quitté l'Irlande et est au Canada. Sa mère? J'ai cru comprendre qu'elle vit ici, en Angleterre. Elle n'a jamais donné signe de vie.

— Quelle mère dénaturée! Inutile de rechercher sa sœur, on ne la trouvera pas. On va inviter Ray plus souvent.

Une semaine plus tard, Dylan épousait Tyna. La mère de Dylan et sa petite sœur étaient arrivées la veille. Une semaine plus tôt, elle avait annoncé leur arrivée. Alayna se mourait d'impatience de rencontrer son grand frère. Surexcité, Dylan avait appelé Tyna et

Ray. Ces derniers étaient accourus. Il fallut tout l'amour de Tyna et la persuasion de Ray pour le calmer.

— Si tu ne te calmes pas, ta mère et ta sœur vont retourner en Irlande en te voyant et Tyna va te dire non devant l'autel.

Tyna acquiesça.

— Tu vois Dylan, tu es chanceux, ta mère et ta sœur viennent, tu vas épouser Tyna… Tu ne la mérites pas. C'est moi qu'elle devrait épouser, mais… comme toujours, je suis bon perdant et je me sacrifie pour toi.

— Merci Ray, tu m'as remis les pieds sur terre.

Ce fut un mariage religieux simple, une trentaine d'invités. Alayna était bouquetière, elle regardait son frère avec adoration. Ray était son garçon d'honneur. Mary l'accompagnait. Ray avait réservé une petite salle à l'hôtel et engagé un traiteur. Décorée de ballons et de rubans blancs, elle faisait très intime et très festive. Dylan avait protesté inutilement. Ray lui avait répondu qu'il n'avait qu'un frère, que c'était son cadeau. Un magnifique gâteau trônait au centre de la table d'honneur, gracieuseté de Monsieur et Madame Stewart.

Ray était maître de cérémonie. Quand Dylan et Tyna entrèrent dans la salle, Ray se mit à chanter *My Happiness*. Ensuite, Monsieur Stewart porta un toast à sa fille et à son gendre. En quelques mots, Madame Finnian exprima son grand bonheur d'être présente. Alayna se leva et dit : «*Me too!*»

On servit le repas. Puis au dessert, Ray parla de son frère.

— C'est un homme bon, intelligent, on se ressemble beaucoup… Il m'a aidé à débuter comme chanteur.

Quand il raconta l'anecdote de la poêle à frire, sa nervosité à faire semblant qu'il chantait devant un public en délire et comment Dylan avait commencé à frapper des mains en criant «Ray! Ray! Ray! Ray!», ce fut une explosion de rires.

— C'est là que j'ai commencé à chanter. Depuis, à chaque Noël on boit une bouteille de vin, on danse et on rit comme des fous. Dylan, mon frère, je t'aime. Et toi, Tyna, ma belle-sœur, je t'aime aussi. Maintenant, Dylan, c'est à ton tour.

Dylan se leva, le remercia, remercia ses beaux-parents pour leur Tyna, une perle. Il les assura qu'il ferait tout son possible pour la rendre heureuse. Il en profita pour remercier sa mère et sa sœur d'être venues.

— C'est le plus beau jour de ma vie… de notre vie, Tyna. Je suis comblé. Ray, maintenant que je t'ai montré à chanter, à te présenter en public, chante-nous quelques chansons. On sait que ton répertoire est devenu très varié. Vas-y !

— Pour le plus beau jour de votre vie, j'en ai choisi quelques-unes. Pour Tyna et Dylan, *She Loves You, Pretty Woman, In Dreams, Sweet Surrender* et *Downtown*.

— Et pour terminer Dylan, pour que tu puisses faire l'amour comme un Français ce soir, voici, *Je me sens bien auprès de toi*, le grand succès de Petula Clark.

Les invités entourèrent Ray et Madame Finnian le félicita.

— Merci Ray, je suis fière de mon fils et je le suis aussi de toi. Tu chantes bien, tu as de la classe. Oui, tu es le frère de Dylan et… un peu mon fils.

— Merci beaucoup. Et merci d'être venue pour Dylan. Il vous aime tant.

La fête se poursuivit jusque tard dans la soirée.

72

Les rapaces ont la vie dure

Ray avait repris son tour de chant, mais ne chantait plus dans les Cafes ou les salles de danse de Brighton. Ce qu'il n'avait pas dit à Andy ni à Madame Wilson, c'est qu'il avait vu des amis de Nick Harris entrer dans la salle, le soir où la bagarre avait éclaté. Il avait même cru l'y voir lui-même. Si Harris avait le moindre doute sur le fait que Ray pouvait être celui qui l'avait dénoncé, il ne vivrait pas vieux. Cet homme pervers hantait ses pensées jour et nuit. Il finit par s'en ouvrir à Madame Wilson.

— Pourquoi ne pas me l'avoir dit sur-le-champ?

— Je pensais m'être trompé concernant Nick. Les autres, non. Je suis sûr de moi.

— Je vais m'en occuper. Il n'est pas question que cet homme ou ses acolytes te menacent de près ou de loin.

— Voilà pourquoi je ne vous l'avais pas dit. Encore des problèmes pour vous.

— Ne t'en fais pas. Ce n'est pas un gros problème. De toute façon, je n'ai pas le choix.

— Comment ça?

— Très simple. Comment vas-tu pouvoir t'occuper de moi si tu n'es plus là? Je vieillirai seule?

— Rose Wilson, ils ne me tueront pas!

— Je ne prendrai aucun risque. Laisse-moi, j'ai à faire!

Pour une seconde fois, Madame Wilson appela Geoff au secours. Après s'être informée de Chris et de son fils, elle lui parla de ce qu'elle craignait pour Ray.

— On ne peut se permettre de prendre le moindre risque. J'appelle mon ami, l'inspecteur Thompson.

Quand Geoff eut son ami au bout du fil, il commença par lui demander s'il aimait toujours la tarte aux pommes. L'inspecteur se mit à rire.

— Qui a fait un mauvais coup cette fois? Certainement pas Ray. Il est déjà une vedette.

— Eh bien, indirectement, il s'agit de lui.

— Ces artistes! Raconte.

Geoff lui résuma ce qui était arrivé à Ray, même s'il connaissait l'histoire. Il n'était pas rassuré.

— Monsieur Harris fait jouer ses muscles, le Ray d'aujourd'hui lui rapporterait beaucoup plus qu'il y a trois ans. Les rapaces dans le genre de Nick Harris me répugnent. Ça va me faire plaisir de le voir ramper. Je m'en occupe. Ou plutôt le sergent Brown va le rencontrer. Il l'aime autant que moi. En attendant que je te rappelle, je sens déjà les tartes aux...

— Compris, inspecteur.

Le jour même, le sergent Brown avait ramassé Nick Harris. Il n'avait pas été difficile à trouver, il retournait chez lui. Quand il vit la voiture de police, il accéléra le pas, mais le sergent le rattrapa.

— Bonjour monsieur Harris.

— Qu'est-ce que vous me voulez? Fichez-moi la paix. J'ai fait mon temps. Je n'ai rien à vous dire.

— Montez, monsieur Harris, j'ai à vous parler. Ou préférez-vous que j'appelle du renfort?

Le sergent ouvrit la portière arrière et Nick s'assit en maugréant. Sans mot dire, le sergent partit et fila vers le quartier général.

— Mais je n'ai rien fait. Je veux mon avocat.

— Pourquoi un avocat si vous n'avez rien fait? Détendez-vous, monsieur Harris, on veut juste vous parler.

Nick suivit le sergent Brown. Ce dernier lui fit faire des détours ici et là dans le quartier général, saluant des collègues au passage. Innocemment, il s'arrêta devant le bureau de l'inspecteur. Ce dernier se leva, jeta un coup d'œil à Nick.

— Mais c'est monsieur Harris, le défenseur des jeunes... Un plaisir de vous revoir.

Nick tremblait. De grâce! Il n'allait pas retourner en prison.

Le sergent le fit entrer dans son bureau. Le dossier de Nick entre les mains, il relisait tout haut, par bribes, les charges qui l'avaient envoyé à Lewes.

— Vingt mois à Lewes ? Bel hôtel, n'est-ce pas ? Cinq étoiles au moins.

— Ça va, je connais mon dossier. Je n'ai rien fait.

Le sergent commença par lui rafraîchir la mémoire. Il avait purgé sa peine, mais apparemment, il avait dû sortir bien trop tôt parce qu'il n'avait rien appris. Il avait essayé de joindre Kate et Audrey, quelques-unes de ses anciennes clientes et avait tenté de tuer Ray.

— Ça, c'est faux ! Je n'ai rien à voir dans cette bagarre.

— Qui t'a parlé de bagarre ? Maintenant, ouvre bien grandes tes oreilles. Tu laisses ces jeunes tranquilles. Si tu t'approches d'une de ces filles ou de Ray, tu retournes à Lewes, et pour longtemps.

— Vous n'avez pas le droit…

— La ferme, espèce de charogne. Si je parle au juge Clark – tu te souviens de lui ? Il adore les types dans ton genre –, il te retournera à Lewes… et indéfiniment. Crois-moi sur parole ! On sait tout ce que tu fais, avec qui tu te tiens et ce que tu dis. Alors, règle ça. Dis à tes pions d'arrêter d'écœurer, d'intimider, de parler ou de blesser ces jeunes.

— Je ne suis pas responsable…

Le sergent Brown se leva, le saisit par le col.

— Tu comprends pas vite. Fais le gigolo si tu veux, mais les jeunes, Ray O'Brien, pas touche. M'as-tu compris ?

— Oui.

— La prochaine fois que je dois te ramasser, je t'emmène pas ici, tu t'en vas direct à Lewes. Je viens de te donner ta dernière chance. Décampe avant que je change d'idée.

Plus mort que vif, Nick ne moisit pas au poste. Ces maudits sales le surveillaient.

Il réunit ses comparses et les prévint que, dorénavant, ils devaient s'en tenir à trouver et à satisfaire des clientes. Moins de problèmes et plus payant.

— Les filles ? Ray ? La police enquête, alors on laisse tomber. Vous m'avez bien compris ? Ray et les filles n'existent plus ! C'est un ordre ! J'augmente votre quote-part sur chaque cliente. Le premier qui déroge à mes ordres n'est pas mieux que mort. *Got it ?*

— Parfait patron, on va te faire faire de l'argent. On sait comment s'y prendre.

Le lendemain matin, l'inspecteur Thompson appelait Geoff.

— J'attends deux tartes avant midi.

Geoff éclata de rire.

— À vos ordres, chef.

Il appela Madame Wilson.

— Madame, Ray n'a plus rien à craindre.

— Monsieur Nelson, je vous dois une fière chandelle. Merci !

— C'est un plaisir de vous rendre service.

Elle était tellement contente qu'elle avait envie de célébrer. Elle fit livrer un magnifique bouquet de fleurs chez les Nelson et invita Ray à souper dans son hôtel préféré.

Les années avaient filé. Bien de l'eau avait coulé sous les ponts au cours des huit dernières années. Quelques mois après les vingt et un ans de Ray, Madame Wilson lui fit une surprise de taille. Elle l'avait invité à faire des courses avec elle. Conversant avec Madame Wilson, il n'avait pas porté attention à l'endroit où ils allaient. Quand la voiture s'arrêta, il regarda autour de lui.

— Où sont les magasins ?

— Là, en face de toi.

— C'est un concessionnaire ! Vous changez votre voiture ?

Un vendeur se précipita à leur rencontre.

— Bonjour madame. Vous cherchez une grosse voiture ou…

— Une bonne voiture, une excellente voiture. J'aimerais voir la salle d'exposition.

— Certainement, madame.

Les yeux exorbités, Ray examinait les voitures, Madame Wilson le regardait en souriant.

— *Wow !* Un jour… Un jour, j'en aurai une, peut-être l'an prochain, si j'ai assez d'argent.

— Si tu avais l'argent, laquelle choisirais-tu ?

— Celle que je voudrais ? Celle-ci voyons ! La Corvette !

Puis, éclatant de rire :

— Non, celle que j'aime bien et que j'achèterais est cette Austin Morris Mini Cooper S. La rouge! C'est une voiture sport! *Cool!* Et vous, laquelle voulez-vous acheter?

— Je suis de ton avis, la rouge sera parfaite.

Il demanda incrédule :

— Vous voulez cette voiture?

— Oui, c'est celle que je veux.

— Madame veut cette voiture?

— …

— Oui, pour mon petit-fils.

Tout bouleversé, il s'exclama :

— Vous n'êtes pas sérieuse! Non! Non! Non!

— Je n'ai pas le droit de te faire un cadeau? C'est un cadeau pour tes vingt et un ans. Avec quelques jours de retard, je m'en excuse. Souris, Ray! Tu as besoin d'une voiture.

Ray l'entoura de ses bras, lui donna des becs sur les joues, dans le cou.

— Arrête, je vais me faire arrêter pour détournement d'un jeune homme. Elle te plaît vraiment?

— Ah oui!

Il en fit le tour, la caressa; le vendeur lui ouvrit la portière. Ray s'installa au volant.

— *Sweet Jaysus!* Je vais devenir fou!

— J'espère que non. Viens, on va aller payer cette merveille et puis… Non! Reste ici, je vais régler ça. Ne pars pas avec l'auto.

— Je ne sais pas encore conduire.

— James va te montrer. Dans deux ou trois semaines, tu te baladeras seul.

Quelques mois plus tard, un soir qu'il se rendait chez Dana, il aperçut une auto-stoppeuse qui lui faisait des signes. Grande, maquillée à outrance, une mini-jupe qui ne laissait rien à l'imagination, sa profession ne faisait aucun doute. Sur un coup de tête à la Ray, il s'arrêta, la fit monter. Il sortit de la ville et fila sur une route plus isolée. Ils n'avaient échangé aucune parole, sauf qu'elle avait soufflé : « Deux livres et demie. »

Sa passagère s'était collée à lui et avait commencé à le caresser. Les veines de ses tempes battaient avec plus de violence. Il avait chaud.

— Deux livres et demie. *Now!*

Plongeant la main dans sa poche pour la payer, Ray perdit le contrôle et la voiture dérapa. Ils s'étaient retrouvés au milieu d'un champ pendant que sa passagère continuait ses chatteries. Le ridicule de la situation lui refroidit les sens. La regardant, il éclata de rire. Insultée, elle s'éloigna de lui.

— *What's so bloody funny?*

Peine perdue, il ne pouvait s'arrêter. Il en avait mal au ventre.

— *Give me my money! NOW!*

— Oui, ma belle!

Il lui remit cinq livres. Elle l'avait mérité, mais ses yeux n'exprimèrent aucune reconnaissance. Il pensa à la tête de Dylan quand il lui raconterait son aventure. Il descendit de voiture, fit le tour de sa Mini Cooper S. Le pare-choc avant droit était un peu égratigné, et tout le côté, couvert de boue. Pas si grave! Il remonta, démarra… Il dut zigzaguer à travers le champ pour en sortir. Il riait toujours quand il la déposa à son « lieu de travail ». Elle claqua la portière.

— *Stupid idiot!*

En arrivant chez sa bonne fée, il se gara un peu en retrait et alla retrouver James.

— J'ai eu un léger accident…

— Vous n'êtes pas blessé?

— Non, non, je vais très bien. Ma voiture n'a que quelques égratignures. Vous pourriez vous en charger et la faire nettoyer… le plus tôt possible? Je vous en serais très reconnaissant.

— Je m'en occupe sur-le-champ.

— Merci!

Il lui remit 10 livres.

— C'est trop!

— Gardez la différence, et je compte sur votre discrétion.

— Je ne suis au courant de rien. Je ne vous ai pas vu ce soir.

— Merci, James.

Il pénétra dans la maison en sifflotant.

73

Le bonheur qu'on donne

Madame Wilson avait maintenant soixante et un ans. Toujours aussi aimable, attentionnée, elle sortait un peu moins et appréciait chaque instant que Ray lui consacrait. Il ne passait pas un jour sans s'asseoir avec elle un moment, sans prendre un repas en sa compagnie, sans lui raconter sa journée.

Plusieurs années s'étaient écoulées depuis leur première rencontre ; sa vie n'avait plus jamais été la même. Une seule personne de plus dans son « château » et un courant d'air frais en perpétuel mouvement en avait transformé l'atmosphère. L'amour filial qui les unissait, sa vivacité, sa franchise désarmante, sa sincérité, son rire et ses folies lui avaient donné une perception différente de lui et des gens « ordinaires ». Elle vivait une deuxième jeunesse.

Ray continuait d'imaginer de nouveaux trucs pour mettre du piquant dans la vie de sa chère Madame Rose. Elle était à l'affût du moindre changement dans sa chambre ou ailleurs dans la maison. Le corps vieillit, mais le cœur ne vieillit jamais. Elle souhaitait même qu'il en fasse, des folies. S'il était six mois, huit mois à se tenir coi, elle se disait, avec une pointe de regret : « C'est fini ! Dommage ! » Puis hop !

Un soir, en entrant dans sa chambre, elle trouva une trentaine de photos de Road Runner scotchées sur les murs, la porte de sa garde-robe et une plus grande à l'intérieur avec l'inscription : *Tonight is the night. Get ready! We're going out… Incognito!* Assise sur son lit, d'un sourire béat, elle contemplait attentivement chaque Road Runner. Une joie intense, délicieuse, la parcourait. Plaisirs de l'esprit et du cœur. Ray apparaissait toujours sept, huit minutes plus tard. Ils riaient de bon cœur.

— Chère madame, vous sortez avec moi ce soir ? Je me suis acheté un autre chapeau, un peu plus grand, et je porterai des verres fumés. Pas *top chic,* s'il vous plaît.

— Je comprends. Où allons-nous ?

— Au gré de mes fantaisies… avec ma voiture.

— Nous faisons l'école buissonnière ? J'ai très hâte.

À vingt heures, ils se rencontrèrent devant la porte d'entrée. Elle portait une mante en lainage beige et un grand chapeau assorti ; lui, un long veston noir et un chapeau noir bien enfoncé sur la tête. Le cœur en fête, ils partirent. Une escapade imprévue… Elle voulait profiter de chaque seconde.

— Monsieur, est-ce que je vous connais ?

— Nous nous sommes croisés l'an dernier, je crois. Vous aviez alors refusé de sortir avec moi.

— Quelle idiote !

— Huuum ! Ce soir, sera parfait.

Elle laissa tomber son sérieux habituel et se cala dans le siège. Ils firent le tour de la ville, il lui montra les endroits où il livrait les fruits et légumes quand il travaillait au marché, passa devant l'appartement de Dana.

— Qui est Dana ?

Lentement, il lui expliqua tout, de leur première rencontre jusqu'à ce jour. Quand il parla de Dana, il s'anima. Elle en fut très touchée. Quel homme, ce Ray !

— Tu l'aimes, cette Dana ?

— Pas d'amour, mais j'ai beaucoup d'estime et d'admiration pour elle. Jamais elle ne placera son petit Tom. Elle est sa mère, une vraie mère.

— Je préfère que tu la voies elle plutôt que certaines autres filles…

— Ah ! Celles-là ? J'ai pensé… quelquefois.

Il lui raconta son aventure avec la prostituée, quand ils s'étaient retrouvés dans le champ. Rien ne s'était passé. Il se mit à rire.

— Je riais tellement qu'elle était insultée. Elle ne voulait plus jamais me revoir. Je n'y tenais pas du tout. Ce genre de filles, c'est fini pour moi.

Quel Ray ! Il lui faisait confiance et elle ne le trahirait jamais.

— Ta vie est tout sauf ennuyante.

— Oui! Assez parlé de mes «exploits», Road Runner veut s'amuser.

Il connaissait Brighton et les environs, elle découvrait des coins qu'elle n'avait jamais visités.

— On s'arrête prendre un café, mademoiselle?

— Avec plaisir, monsieur!

C'était un très joli Cafe. Propre, coquet. Ray la dirigea vers une table en retrait. Sur la table, un petit juke-box chromé. Il mit un shilling dans la fente, lut les titres des chansons et appuya sur un bouton. *Love Me Do* emplit le bistro. Étonnée, Madame Wilson le regardait.

— Je n'avais jamais vu une de ces machines.

— Me voilà à faire votre éducation. C'est une sortie agréable?

— Très! Road Runner est un excellent guide, je me sens merveilleusement bien. Je retombe en enfance.

— Il me semble aussi. Vous avez l'air d'une toute jeune femme.

— Merci! C'est très gentil! Tu manges quelque chose?

— Oui, j'ai un peu faim. J'ai envie d'un *banana split*.

— Je connais, mais je ne pense pas en avoir jamais goûté.

— J'en commande un avec deux cuillères et deux assiettes. Si vous aimez, on partage ou je vous en commande un.

— Excellent! Et j'aimerais un thé.

Ray plaça la commande, insista bien gentiment pour un beau gros *banana split*. Madame Wilson riait sous cape.

— Tu as le tour, tu sais t'y prendre. J'ai remarqué que tu as dit à la jeune dame que leurs *banana splits* étaient les meilleurs. Elle va se surpasser.

Quand la serveuse arriva avec le plat, Madame Wilson n'en crut pas ses yeux. Une chaloupe! Une banane tranchée sur la longueur, trois grosses boules de crème glacée enrobées de confiture aux fraises, de superbes fraises, le tout couronné de crème chantilly, parsemée de cacahouètes hachées et couronnée d'une cerise au marasquin.

— Mais c'est... *just too much!* Tu ne pourras jamais...

— Road Runner dépense beaucoup d'énergie, et vous allez m'aider.

— Je ne sais pas si…

— Il faut goûter avant de dire non. Juste une demi-banane, une boule de crème glacée, un peu de confiture, une fraise, une cuillerée de crème et quelques miettes de cacahouètes… Allez-y lentement, savourez chaque bouchée.

Hésitante, elle goûta du bout des lèvres, puis prit une première bouchée.

Un sourire aux lèvres, Ray la regardait du coin de l'œil.

— C'est bon?

Elle releva les yeux, ne répondit pas et s'appliqua à goûter la prochaine bouchée, un mélange de tout.

— Mmmm! Ce n'est pas trop mauvais, même passable, ouiii, assez bon.

— C'est délicieux! Je n'en ai mangé que deux fois dans ma vie… Trop cher. Ici, c'est divin. Encore meilleur quand vous êtes avec moi.

Badinant, elle s'appliqua à se délecter de chaque bouchée, puis penchant la tête, elle lécha sa cuillère. Ray fit semblant de ne rien voir. Le rire au coin des yeux, il ne laissa rien dans sa «chaloupe».

La serveuse revint.

— Mademoiselle, c'était excellent. Le meilleur! Merci!

— Merci beaucoup madame, monsieur. J'apporte votre thé.

Riant, blaguant, ils sirotèrent leur thé. La soirée leur appartenait.

À vingt-deux heures, ils revenaient à la maison.

— Ray, tu me surprends toujours avec tes folies, tu me gâtes, tu me fais vivre des expériences… Je ne sais comment te remercier.

— Je ne me sacrifie pas, j'ai du plaisir à vous jouer des petits tours, à sortir avec vous. Je vous dois tant…

— Je…

— Chut, madame Rose, un baiser sur chaque joue et bonne nuit.

Le sommeil tarda, les Road Runner étaient partout, elle était comblée. Que ferait-elle sans lui? Il lui était aussi précieux que l'air qu'elle respirait.

Ray était devenu un chanteur connu, il gagnait bien sa vie, mais ne serait jamais célèbre internationalement. Il avait vite monté au début, puis sa popularité s'était stabilisée. Par choix, il chantait moins souvent et seulement dans des salles prestigieuses et de grands hôtels. Il aimait toujours autant chanter, mais il préférait le faire entre amis ou lorsque Madame Wilson recevait ses connaissances, ou alors chez Chris et Geoff, et surtout pour le petit Daniel. À deux ans et demi, celui-ci voulait jouer de la guitare comme son oncle Ray. Alors Ray le faisait asseoir sur lui, le petit posait sa main sur la sienne, et les deux jouaient de la guitare ensemble. Le petit chantait la ballade irlandaise que Chris lui répétait : *Too-ra-loo-ra-loo-ra...* Il en connaissait tous les mots. Il ne lâchait pas son oncle d'une semelle. Quand il partait, il lui envoyait toujours la main avec un sourire à faire fondre le cœur. Ces visites comblaient Ray de bonheur, de même qu'elles le torturaient. Parfois, il décidait de ne plus y retourner. Quand il tardait, Daniel l'appelait. « Tu viens, onc'Ray ? S'il te plaît... » Il y retournait.

Il chantait aussi chez Dylan et Tyna. Leur relation avait changé depuis leur mariage. Dylan était un électricien en demande, et Tyna s'occupait de la maison et de leurs jumeaux, Joan et John. Leur première année l'avait tenue en haleine. Dylan faisait son possible, mais il avait une entreprise florissante. Madame Stewart venait aider sa fille. Ray y allait de temps à autre, moins quand les enfants étaient bébés, mais plus souvent maintenant qu'ils avaient un an et demi. Il les berçait, chantait pour eux. Quand il arrivait, Joan sautait dans ses bras et John s'agrippait à son pantalon. Ces gestes d'amour inconditionnel lui faisaient chaud au corps.

À de rares occasions, il les emmenait chez Madame Wilson. À quatre pattes, il les mettait sur son dos et faisait le cheval. Madame Wilson riait aux larmes.

— Je ne pensais pas que tu aimais autant les enfants.

— Moi non plus, mais ils sont sans défense, et si doux, si adorables. Parfois, ils m'empêchent de faire des bêtises.

Il les emmenait dans la cuisine et leur donnait de la crème glacée, des pâtisseries.

— Tu les gâtes...

— Oui, mais je n'ai pas à les élever, juste à les aimer.

Une heure plus tard, il repartait. Il tentait de donner à ces enfants ce qu'il aurait voulu avoir. Un samedi par mois, il allait déjeuner avec Dylan. Ces courtes retrouvailles leur étaient précieuses.

74

Une fois n'est pas coutume !

Quelques mois après la balade incognito en voiture avec Madame Wilson, un soir, après un spectacle, Ray avait bu plus que d'habitude. Rendu à la cinquième consommation, il commençait à être passablement éméché. Andy trouvait qu'il avait assez bu, il réussit à le convaincre de rentrer chez lui et le mit dans un taxi. Le chauffeur baissa la vitre et fila. Ray se dégrisa un peu. Arrivé à destination, il sortit en titubant, se redressa, s'avança vers la porte d'entrée, fouilla dans ses poches. Il ne trouvait pas sa clef.

Oh my God ! Il était près de minuit. Pas question que Madame Wilson le voie dans cet état. La fenêtre de sa chambre à coucher ! *Great !* Il allait entrer par là. Cette pensée le fit rire. Piétinant les plates-bandes, il arriva devant la fenêtre. *Sweet Jaysus,* elle était plus haute que la veille. Se donnant un élan, il s'élança, agrippa le dormant de la fenêtre, mais ses mains glissèrent et son talon frappa brusquement le sol. Il lâcha un cri qui réveilla Madame Wilson. Quelqu'un était à l'extérieur. Un cambrioleur ! Sans la moindre hésitation, elle appela la police.

À peine trois minutes plus tard, Ray entendit les sirènes. *Dear Lord !* Se relevant péniblement, il essaya de se hisser à nouveau. Il devait entrer dans sa chambre ! Avec l'énergie du désespoir, il se cramponna au dormant. Il forçait comme un bœuf pour ouvrir la fenêtre quand il sentit quelque chose de dur sur sa nuque.

Un policier le tenait en joue. Il faillit s'évanouir.

— *Get down young man ! Now ! Slowly !*

Il se laissa glisser. Le policier l'attrapa par le col.

— Votre nom !

— Monsieur… Monsieur la-po-li-ce ! Je vis ici !

— Oui! Oui! Un voyou de ton espèce!

Je-je vous le jure! J'ai juste… J'ai pris un verre de-de-de trop. J'-j'ai-j'ai, j'ai oublié ma clef.

Le policier le souleva de terre et le poussa vers la porte avant. Madame Wilson était aux aguets.

— Ce voyou dit qu'il demeure ici…

— Doux Jésus! C'est toi, Ray? Qu'est-ce qui…?

— Vous le connaissez? Il dit qu'il a oublié sa clef.

— Oui! Oui! Il demeure avec moi.

— Eh bien madame, vous êtes mal prise.

— Monsieur l'agent, c'est la première fois que je le vois dans cet état. La première et la dernière, vous pouvez me croire. Merci monsieur de votre promptitude et de votre efficacité. Il est entendu que ce malencontreux incident restera entre nous?

— Certainement, madame.

La tête baissée, Ray n'avait pas dit un seul mot. Titubant, il se dirigea vers sa chambre, se regarda dans la glace, se dévêtit, se lava à l'eau chaude puis se rinça à l'eau froide. Il se rhabilla et vint au salon. Madame Wilson l'attendait. Elle lui tendit un thé très corsé.

— Vous, vous voulez que j-j-j'e j'parte?

— Grand Dieu non! Que s'est-il passé?

— J'ai pris quelques verres de-de trop. Quand je suis… arrivé, je-je trouvais pas ma clef. Je… j'voulais pas vous ré-ré-réveiller… Je… je voulais pas que vous me voyiiez dans cet état. Je suis dé-dé… solé de vous avoir effrayée. Mais… mais, mais j'ai vingt-deux ans et c'est ma-ma-ma première cuite.

Elle ne l'avait jamais vu ainsi. Il était drôle à mourir. Elle le regarda tendrement. Il avait raison, ce n'était pas dans ses habitudes. Mais elle avait peur pour lui et… pour elle.

— Oh Ray! Je regrette tellement…

Il attendait la suite.

— Je regrette tellement de ne pas avoir eu…

Ray ne comprenait pas ce qu'elle essayait de dire.

— A-A-A-A-Avoir eu quoi?

— Mon appareil photo!

Au bout de trois secondes, le temps que les mots passent à travers la brume de son cerveau, il éclata de rire! Elle en fit autant. Elle riait aux larmes. Soulagé, il se laissa gagner par son rire.

— Tu ressemblais à un ramoneur qui vient juste de nettoyer une cheminée.

— J-je-je sais, je me suis fait-fait, peur en me regardant dans, da, dans l'miroir.

Titubant, il alla vers elle.

— Ch-ch-chère madame Rose, je, j'ssuis vraiment dé-dé-déééé-solé…

— Ce n'est rien! Tu as raison! Tu m'avais avertie que tu mettrais du piquant dans ma vie. C'est réussi!

— Je vous… zadore, ma, ma madame Rose.

75

De l'air frais !

Un soir, seul devant la télévision qu'il ne regardait même pas, Ray réfléchissait au pourquoi de sa vie. Il avait eu vingt-trois ans en avril. Déjà la mi-juin. Sa vie amoureuse stagnait. Il avait bien aimé Mary. Au début, ils s'étaient fréquentés assez régulièrement, il aurait aimé plus, mais elle n'était pas prête. Et, quand elle se marierait, elle voulait avoir des enfants. « Pas seulement un couple, Ray ; un foyer, des enfants… C'est ça le bonheur. Tu te compliques la vie, il est tout près, tu as peur de le toucher. » Il n'était pas prêt à cette éventualité. Il avait fréquenté quelques filles, mais aucune n'avait réussi à lui faire perdre la tête.

Sa voiture lui donnait plus d'autonomie, les filles le trouvaient plus intéressant. Il adorait se promener un peu partout, il aimait conduire. Il aimait bien Dana, mais il lui manquait quelque chose. C'est ainsi qu'il se confia à sa Madame Rose.

— J'ai tout pour être heureux. Vous, ma carrière, mon travail de serveur, des amis, mais quelque chose cloche. Il m'arrive de vouloir me saouler, danser nu, faire des bêtises, aller ailleurs, oublier… Oublier quoi ? J'ai besoin de voir autre chose, de changer d'horizon. Les dernières années, si vous n'aviez pas été là, j'aurais pu faire des coups pendables. Vous avez tellement fait pour moi, je me sens ingrat d'y penser. Quelque chose n'est pas à sa place dans mon cœur, et je ne sais pas comment l'ajuster. Ou alors ça ne va pas dans ma tête.

— Mon cher Ray, je sais que ton cœur a encore mal et que les vieilles souffrances s'accrochent. Quoi que tu fasses, si tu continues à les entretenir, tu ne seras jamais entièrement heureux.

— Alors qu'est-ce que je dois faire ?

— Je pense savoir ce qu'il te faut. D'abord, tu as raison. Il te faut changer de décor. Ensuite, il te faut une compagne, une fille que tu aimeras assez pour te marier et fonder une famille. Tous les parents n'abandonnent pas leurs enfants. Peu de parents le font. Tu adores les enfants, tu ferais un excellent père.

— Vous le pensez vraiment?

— De tout mon cœur. Nous sommes en juin, à la fin de juillet, nous partons en croisière…

— Mes engagements?

— Tu appelles Andy, tu lui dis que tu pars en croisière pour un mois, disons le 23 juillet. Nous sommes le 17 juin. Ça nous donne un peu plus d'un mois pour nous préparer. Ray, nous allons un mois en Méditerranée.

— C'est où ça?

Elle se mit à rire.

— Je te le montrerai tout à l'heure. Nous voyagerons et nous visiterons. La nuit, le bateau naviguera et le jour, il s'arrêtera dans un port, nous descendrons à terre et visiterons la ville. Venise, Split, Dubrovnik, Corfou, Alexandrie, Istanbul, Le Pirée, Athènes… Tu verras des choses que tu ne peux pas même imaginer en ce moment.

— Ce doit être un gros bateau!

— L'*Achille Lauro*? Immense! Une petite ville flottante, plus de neuf cents personnes à bord. Des salons, salles de danse avec orchestre, salles à manger… C'est grandiose.

— Ça doit coûter une fortune. Je n'ai pas les moyens.

— Moi si! Je sens aussi le besoin de changer d'air. Si tu ne veux pas m'accompagner, je pourrais demander à ta première petite amie… Layla, je pense?

— Layla? *Oh My God!* Je l'avais oubliée celle-là.

Ils rigolèrent.

— Ce n'est pas tout. Sur ce paquebot, des filles mon cher… Beau comme tu es, elles seront plus collantes que des abeilles sur du miel. Qui sait? Une future épouse? La vie est pleine de surprises!

La sienne l'était, surtout depuis qu'elle était entrée dans sa vie. Cette croisière? Pas très raisonnable. Mais les paroles de Madame

Rose le firent rêver de voyage, d'espace, d'océan, d'infinité... Il sentit un intense désir de partance. Aller faire cette croisière le subjuguait. Madame Wilson devinait le combat que se livraient son cœur et sa raison. Il était si transparent.

— Bon, c'est toi ou Layla?

— Pauvre Layla, elle devra passer son tour.

— Parfait! Je réserve dès demain et j'emmène ma femme de chambre.

— Votre femme de chambre?

Posément, elle lui expliqua qu'elle n'avait pas l'intention de s'occuper de ses vêtements et lui ne pourrait s'occuper des siens. La cabine d'Enid serait entre les leurs. Nous partons en vacances.

— Je n'aurai pas besoin de toi comme dame de compagnie. Sur le paquebot, j'aurai des amis. Oui, des femmes et... des hommes. Toi, tu auras les tiens.

— Mais on se verra tous les jours? J'ai besoin de vous. À qui vais-je demander conseil, raconter mes aventures? Ça, c'est sacré! Avec qui vais-je souper?

— J'aurai aussi besoin de toi. Je ne suis plus très jeune. Je vais réserver ces cabines en première classe. Je vais me payer la croisière de ma vie... et celle de la tienne. *Ready young man?*

— *Yes, dear wonderful lady!*

Il alla s'asseoir à ses côtés et la tint serré contre lui. Son cœur débordait de reconnaissance. Que deviendrait-il quand elle ne serait plus là?

— Maintenant, mon ami, il nous faut faire du *shopping*. Toi et moi avons besoin d'une garde-robe appropriée. Il te faut un smoking, des habits et bien d'autres choses. Moi, des robes de bal, des robes de jour, des souliers, et je n'ai pas envie de faire les boutiques. Je vais appeler et ils viendront ici. Nous ferons les essayages ici.

— Vous? Vous?

Ray bafouillait, Madame Wilson riait.

— Ils vont venir ici avec les vêtements? *No kidding!*

— Certainement!

Ray ne tenait plus en place. Des représentants de deux grands magasins étaient venus avec tout ce qu'il fallait pour habiller madame et monsieur. Assise au salon, elle avait d'abord aidé Ray à choisir sa garde-robe. Elle lui suggérait un vêtement, il le revêtait et paradait devant elle. Tout était trop beau et trop cher, mais il fit semblant de ne pas s'en étonner. Il fit comme s'il était riche, ne voulant pas l'humilier. Parfois, il disait sa préférence.

Madame Wilson apprécia sa délicatesse. Quand ce fut son tour, elle lui montra quelques toilettes. Il indiqua ses préférences et elle en tint compte.

À plusieurs reprises, à table, elle lui expliquait leur itinéraire, lui parlant des lieux qu'ils allaient visiter. Il écoutait attentivement, ne voulant pas passer pour un ignare une fois sur le navire. Chaque détail l'intéressait. William Rutherford, le grand ami de Madame Wilson, connaissait maintenant Ray, mais ne savait rien de sa vie antérieure, rien de sa vie avec Nick Harris. Il savait que sa mère l'avait abandonné et qu'il n'avait pas eu la vie facile. Il l'avait rencontré à quelques reprises, l'avait trouvé aimable, poli, avait constaté qu'il savait se tenir à table et en public. Il avait un certain vernis, mais il manquait cruellement d'instruction.

— Pourquoi Ray ne viendrait-il pas me visiter cinq ou six fois avant votre départ? Tout en causant, je lui donnerais quelques notions d'histoire, de géographie, un peu d'économie. Qu'en pensez-vous?

— Vous êtes un professeur émérite d'Oxford, il ne pourrait avoir meilleur pédagogue.

Quelques jours plus tard, Ray se rendit chez Chris, Geoff et le petit Daniel. Chris était sortie avec Daniel, et Geoff lisait le *Sun* tout en sirotant un thé.

— Qu'est-ce qui t'amène si tôt? On dirait un coursier prêt à détaler au triple galop. Tu déménages en Australie?

Il n'en fallait pas plus pour que Ray ouvre la digue. Assis, debout, gesticulant, riant, pleurant, tout y passa: sa difficulté à être heureux, son cœur qui refusait de guérir, sa peur de se marier, d'avoir des enfants, et la solution de Madame Wilson. Geoff avait mal pour lui.

— Elle a parfaitement raison. Tu ferais un excellent père. Tiens, Daniel t'aime autant qu'il m'aime.

— *Go away!* Il vous adore! Et il a raison.

— Et cette croisière est une merveilleuse idée. Vas-y!

Ray repartit le cœur léger. Le soir même, il se rendit chez Dylan et Tyna.

— Vas-y et quand tu reviendras, tu nous raconteras tout.

Ray sortit de chez Dylan dans un état second. Une croisière, il n'avait même jamais entendu le mot avant que Madame Wilson ne lui en parle. Un immense bateau de grand luxe, bien plus gros que l'*Hibernia*. Il ne serait pas dans la cale. Que non! En première classe! Plus de neuf cents personnes, une petite ville flottante. Dans moins d'un mois, il partirait avec Madame Wilson. Tout ce qui lui arrivait défiait la logique. Il sentit le besoin d'aller à l'église pour remercier Dieu. Rencontrer une si bonne personne qui l'aimait comme son fils! Oui! Il irait prier... un autre jour.

Sur le chemin du retour, Ray se demandait ce qu'il pourrait faire pour la remercier. Presque un an s'était écoulé depuis sa dernière folie. Il entra dans le premier Cafe, commanda un cola. Madame Wilson lui avait montré des dépliants et des photos de croisières. Une agence de voyages n'était pas très loin. Il décida d'y aller. Il passa un bon moment à parler avec une représentante. Quand elle réalisa qu'il partait sur un de leurs paquebots, elle fut très coopérative. Il sortit en chantant, son plan se précisait.

Une semaine plus tard, alors qu'il répétait dans sa chambre, il entendit un rire sonore venant de la chambre de Madame Wilson. Ce n'était pas dans ses habitudes, mais elle riait de plus belle.

— Ray! Ray!

Il continua à répéter. Elle insista! Lentement, il s'avança vers sa chambre. Sur le large mur, en entrant, une grande affiche de l'*Achille Lauro,* et juste à côté, une photo de Ray, grandeur nature, arborant une casquette de matelot. Avec pour tout vêtement un nœud papillon noir, il tenait sa guitare devant... Au bas de la photo, en lettres dorées, l'inscription: *Votre guide Ray.*

La main droite sur la bouche, ses yeux allaient de Ray à la photo.

— Tu es imbattable. Cette fois, tu t'es surpassé. Tu as... Tu as posé nu?

— Non, jamais! On m'aurait kidnappé. J'avais mon maillot de bain.

Elle riait de bon cœur, se ressaisissait et recommençait.

— Je suis très photogénique, n'est-ce pas ?

— Tu es magnifique, talentueux, plein d'idées plus bizarres les unes que les autres. Tu es hilarant et irremplaçable. Je vais garder la photo pendant quelques jours, puis je vais la cacher dans mon placard, celui du fond, où je mets mes grandes toilettes. Mais Ray, tu ne me rends pas service. Je ne pourrai jamais plus vivre sans toi, sans ta générosité, sans toutes ces folies que tu inventes. Tu penses à me faire plaisir, à me faire rire…

— Mais, ma chère madame Rose, je n'ai pas l'intention de partir. Je vous l'ai dit, vous êtes comme ma mère, vous serez toujours avec moi. Vous avez besoin de quelqu'un pour veiller sur vous.

— Si jamais une femme…

— … ne veut pas de vous ? Elle ne sera pas ma femme ! J'ai envie de fêter, on sort dîner ? Vous voulez bien ?

— Avec grand plaisir.

76

Le *Sun*

Le vendredi 26 juin 1970, comme à son habitude, Geoff buvait un thé tout en lisant le *Sun*. La photo d'un couple attira son attention. Quel beau couple ! Et surtout, quelle belle femme. Il lut l'article. La photo avait été prise lors d'un banquet qui clôturait un congrès d'orthopédistes tenu à Londres. On y parlait d'un conférencier invité, le docteur Scott Harvey, de Montréal au Canada, et de son épouse Tara. Tara ? Son mari médecin ? Le Canada ?

— Chris, viens tout de suite !

— Chut ! Le petit dort.

— Regarde cette photo et lis…

— Doux Jésus ! Mais c'est Tara, la sœur de Ray ! Il faut l'appeler.

— Ce n'est peut-être pas elle. Je ne sais pas si on devrait…

— Moi je sais, et toi aussi. Cet enfant-là a le cœur en lambeaux. Tu appelles l'hôtel tout de suite.

Il hésitait.

— Geoff, tu dois le faire, pour Ray.

Une première sonnerie, une deuxième.

— *Mayfair Hotel, may I help you ?*

— *Dr Scott Harvey, please.*

— *One moment please.*

— Oui, bonjour ?

— Pardonnez-moi madame. Je m'appelle Geoff Nelson et suis dessinateur-ingénieur à Brighton. J'ai une question à vous poser. Ne seriez-vous pas Tara, la sœur de Ray O'Brien ?

— Ray ? Oui ! Il est avec vous ? Je veux lui parler.

— Non, il n'est pas ici en ce moment.

427

— Mais qui êtes-vous, exactement, monsieur Nelson ?

— Madame Harvey, ma femme et moi sommes des amis de Ray.

Geoff entendit un homme qui parlait en retrait. Il demandait qui étaient ces gens.

— Madame, je suis marié à une Irlandaise, et c'est un peu pourquoi nous avons aidé Ray et Dylan à leur arrivée.

— Merci monsieur, merci beaucoup ! Comment va mon frère ?

— Ray va très bien. C'est un excellent jeune homme, il est chanteur, un très bon chanteur, mais est aussi serveur dans un grand hôtel. Nous l'aimons beaucoup. Mais l'abandon par sa mère et votre séparation l'ont marqué profondément, la plaie est toujours vive.

— Où est-il ? Il demeure chez vous ?

— Non, chez une dame. Une grande dame très bien qui l'a pris sous son aile.

— Pourquoi ?

— C'est une longue histoire madame, il faudra le lui demander. Si vous voulez le voir, il chante ce soir à l'hôtel Kandle, à dix-neuf heures. Nous pourrions nous arranger pour vous rencontrer là, juste avant son spectacle.

— Nous y serons. Merci, merci beaucoup.

— Excusez-moi madame. Est-ce que votre mère est toujours vivante ? Savez-vous où elle est ?

— Mais oui, ma mère est vivante. Elle demeure en banlieue de Londres.

— La photo de Ray a été dans les journaux, on a parlé de lui à la télévision...

Un long silence se fit.

— Écoutez, si ma mère... On se voit à dix-neuf heures.

Quand Geoff raccrocha, il regarda Chris.

— Un chirurgien orthopédiste reconnu, des gens à l'aise. La mère de Ray vit en banlieue de Londres. Ils n'ont pas fait beaucoup de recherches pour le retrouver. Pauvre Ray ! Je le plains.

— On ne doit pas juger trop vite.

Aussitôt que Tara eut raccroché, elle se mit à pleurer.

— Ray est à Brighton.

— Qui appelait ?

Tara lui répéta ce que Geoff lui avait dit. Ils iraient le rencontrer. Scott repensa à quel point la venue de Briana avait été merveilleuse pour eux. Il l'adorait. Puis sa belle-mère était entrée dans leur vie, un grand bonheur pour Tara. Et il devait admettre qu'elle était très gentille. Il avait de l'estime pour elle. Mais Ray ? C'en était trop !

— Écoute Tara, on ne sait pas si ce monsieur dit vrai. On part tôt demain. On va chercher les enfants chez ta mère tout à l'heure et on prépare nos valises. Tu pourrais l'appeler...

Tara bondit, le regarda droit dans les yeux.

— Scott Harvey ! Tu as accueilli mon enfant à bras ouverts, et je t'en serai éternellement reconnaissante. Ma mère, tu l'aimes bien, en autant qu'elle reste en Angleterre, parce qu'elle n'est pas de la classe de ta famille, elle n'est pas née dans l'argent et n'a pas fréquenté l'université. Je m'en suis rendu compte dès le premier jour. Et ça m'a peinée. Quand William est né, j'aurais aimé avoir maman auprès de moi, mais je n'ai rien dit. Et maintenant tu essaies de me dissuader de revoir mon frère ! Je ne m'excuserai pas pour ma famille. J'en fais partie, figure-toi ! Je suis issue d'un milieu pauvre, toi, d'un riche. Tu aurais peut-être dû y penser plus longuement avant de me demander en mariage. Fais ce que tu voudras, mais je pars dans quinze minutes, le temps d'appeler ma mère.

Atterré, honteux, Scott la regardait. Sa Tara qu'il aimait tant. Il l'avait blessée dans son cœur. Tout à son bonheur, jamais il n'avait pensé qu'elle avait eu tant de peine.

— Tara, je te demande pardon. Tu as raison. J'ai très mal agi, je n'ai jamais réalisé la peine que je te causais. Peux-tu me pardonner, *mon cher petit* grenouille ?

Bouleversée, blessée par les sous-entendus de Monsieur Nelson, elle posa son regard sur Scott. Elle l'aimait, il était le père de ses enfants, elle ne pouvait lui reprocher son statut social. Il la serra contre son cœur.

— Tu as dit qu'il chante ce soir, mais où est-il maintenant ? Il n'est que neuf heures trente. Veux-tu que nous allions passer la journée avec lui ? Nous irions l'écouter chanter en soirée.

— Oui, je vais rappeler ce monsieur et lui demander le numéro de la dame chez qui Ray habite.

Entretemps, Geoff avait appelé Madame Wilson, lui avait demandé si elle était seule. Oui, Ray était allé au garage pour le changement d'huile de sa voiture. Pourquoi? Il lui parla de l'article du *Sun*. Comme elle recevait ce journal, elle lui demanda d'attendre une minute.

Elle jeta un coup d'œil sur la photo.

— C'est une belle femme! Lui n'est pas mal non plus. Et vous dites que la mère de Ray demeure à vingt-cinq minutes d'ici? Elle n'a jamais essayé de le retrouver? Je ne comprends pas. J'ai peur que Ray n'en soit très blessé. Ne pas savoir où elle se trouve est une chose, mais la savoir tout près, c'est très différent. Tara et son mari semblent à l'aise et instruits, ils n'ont jamais pensé à s'enquérir auprès de la police ou d'engager un détective pour retrouver Ray O'Brien? Ils l'auraient retrouvé tout de suite. Je ne sais quoi dire à Ray. Je ne lui mens jamais.

— Je ne sais quoi vous répondre. Je suis presque désolé d'avoir reconnu sa sœur dans le journal. Un jour ou l'autre, ça devait arriver.

— Merci de m'avoir prévenue.

Un instant plus tard, le téléphone sonna chez Geoff.

— Ici le docteur Harvey, le mari de Tara O'Brien. Nous aimerions nous rendre à Brighton dès maintenant. Il y a tellement longtemps qu'elle rêve de retrouver son frère, elle ne veut pas attendre, ni moi d'ailleurs. Auriez-vous la gentillesse de me donner le numéro de téléphone de cette dame?

— Avec plaisir. C'est Madame Candice Wilson. Elle est au 084 5521...

— Merci beaucoup monsieur.

— Chris, c'était le docteur Harvey. Ça c'est un homme qui sait ce qu'il veut.

Madame Wilson était très inquiète pour Ray. Elle ne savait pas si elle devait le lui dire, mais se taire ferait d'elle une complice de... *Dear Lord, help him! Help me!*

Le docteur Harvey appela sur ces entrefaites.

— Madame Wilson. Je suis le mari de Tara O'Brien. Des circonstances ont fait que Tara et Ray ont été séparés…

— Je sais, leur mère les a abandonnés.

— Oui, eh bien… Tara adore son frère et elle aimerait beaucoup le revoir. Nous savons qu'il demeure avec vous.

— C'est vrai. Et j'aime beaucoup Ray. Il me fera plaisir de vous recevoir.

Elle lui donna son adresse. Mais elle raccrocha le cœur lourd.

77

Le passé n'est jamais passé

Quelques minutes plus tard, Ray arriva. Depuis qu'il savait qu'ils partaient en croisière, il ne touchait plus à terre, il comptait les jours. Madame Wilson était au salon. Il vint la rejoindre. Mal à l'aise, elle eut peine à le regarder.

— Quelque chose ne va pas, belle dame de mon cœur?

— Viens t'asseoir près de moi.

— Oh! Oh! On ne part plus en croisière.

— Ce n'est pas ça. Nous partons en croisière. À moins que l'un de nous deux meure, nous partons en croisière.

— Nous sommes bien vivants, alors qu'est-ce qui est si terrible?

— Tu sais que je ne t'ai jamais menti. Je dois te dire... et puis... Voici. Ta sœur Tara va arriver ici dans une vingtaine de minutes.

— Tara? Elle est ici? Où?

— Elle est à Londres.

— Elle habite à Londres?

— Non, au Canada. Elle est en voyage... Elle t'expliquera tout.

Un grand sourire lui transforma le visage. Il se mit à courir autour de la table, dansa, chanta : «Tara arrive, Tara arrive, Tara arrive. Elle m'a trouvé, elle vient me voir!» Il s'arrêta brusquement.

— Comment m'a-t-elle trouvé? Un détective? Comment le savez-vous?

Lentement, en pesant bien chaque mot, elle lui raconta l'appel de Geoff. Le visage de Ray pâlit.

— Ah! C'est Geoff qui l'a trouvée? Comment? Où?

Elle continua son récit.

— Dans le journal! Vous avez vu sa photo! Dans le *Sun*! Vous l'avez?

Elle la lui montra. Ce n'était pas la Tara de 1960, mais elle lui ressemblait. Son mari? Un chirurgien orthopédiste. Elle n'était pas dans la misère.

— J'ai hâte de la voir, j'pense que mon cœur va éclater. Ma mère? Elle sait où est notre mère? Elle va venir avec eux?

— Oui, elle le sait. Elle te dira tout.

— Tara et ma mère. C'est un beau jour, un grand jour!

Au même instant, un taxi s'arrêtait devant la maison. Tara questionna Scott.

— Tu es certain que c'est la bonne adresse? C'est un château!

Il interrogea le chauffeur de taxi.

— C'est bien ici chez Madame Wilson?

— Oui, monsieur.

Au son de la clochette, Ray sursauta. Il regarda Madame Wilson et courut ouvrir. C'était sa Tara! Ils se regardèrent, s'embrassèrent.

— Comme je suis heureux!

Les larmes coulaient sur ses joues.

— Où est maman? Elle n'est pas venue?

— C'est que...

— Vous ne lui avez pas dit que j'étais ici?

Il accusa le choc. Son regard alla de Tara à son mari. Il tremblait. Madame Wilson prit la situation en main. Elle s'avança.

— Monsieur et madame Harvey? Bonjour. Je suis Candice Wilson. Entrez donc.

Ray se tourna vers elle et dit:

— Elle est la mère que je n'ai jamais eue... et que je n'ai pas.

Tara se raidit et Scott ne répliqua pas. Femme du monde, Madame Wilson les fit asseoir et leur proposa du thé.

Elle sonna. Janet arriva avec le thé et des scones.

— Je serai ravie de faire plus ample connaissance, mais je pense que pour le moment, vous serez mieux seuls avec Ray. Je dois m'absenter. Je vous reverrai sous peu. Ray, tu fais le service s'il te plaît.

— Oui madame, et merci.

Il l'embrassa sur la joue et servit le thé, passa les scones.

— Je pense qu'on serait mieux à table. Venez!

Tara et Scott le regardaient. Il était bien mis, avait de belles manières. Tara avait peine à croire que c'était Ray. Il commença par lui demander si leur mère était vivante. Quand Tara lui dit qu'elle demeurait à Londres, il les regarda avec insistance.

— Elle est à Londres? Il y a longtemps que tu l'as retrouvée?

— Deux ans.

— Deux ans! Elle va bien? Vous avez essayé de me retrouver?

Scott prit la parole.

— Ray, ta mère se meurt d'envie de te voir.

— Comment le savez-vous? Sait-elle que vous êtes ici?

Les yeux pleins d'eau, Tara le regarda.

— Ray, tu t'es enfui, tu n'as jamais donné de nouvelles.

— Tara, oui, je me suis sauvé. Mais quand Molly a levé les feutres, toi tu es restée à Navan chez une dame que tu connaissais. Moi, on m'a envoyé chez une tante et un oncle que je n'avais jamais vus, dans une ville étrangère que je ne connaissais pas. Ma tante était bonne, mais lui détestait les enfants, et moi en particulier. Ce n'est pas ta faute, mais c'est ainsi. Pourquoi Molly n'est-elle pas venue? Je ne comprends pas. Maman...

Le cœur brisé, il la regardait. Elle souffrait aussi. Tout allait de travers. Ce devait être le plus beau jour de sa vie. Ils étaient tout près l'un de l'autre et... si loin. Et son mari, ce docteur Harvey, grand, froid, distant. Pourtant, c'était un homme bon, aimable, mais il semblait insensible au drame qui se jouait entre et Tara et Ray. Sa présence refroidissait l'atmosphère. Ils auraient dû être seul à seule. Ray sentait la vie se retirer de son corps. Tara lui prit les mains.

— Comme tu parais bien! Que fais-tu dans la vie? Qui sont les Nelson? Et Madame Wilson?

Il leur parla de leur arrivée, à lui et son frère Dylan.

— Ton frère? Mais...

— Ce n'est pas mon frère de sang, mais c'est mon frère, mon seul et unique frère. C'est un homme bien, honnête, travaillant, courageux. Il est électricien, il a sa maison, une femme charmante, Tyna, et deux enfants.

Il sourit quand il mentionna les enfants. Il parla des Nelson, leurs anges gardiens, et de leurs premiers emplois.

— Madame Chris et Geoff? Ils m'ont sauvé la vie. Quand un enfant de cinq ans perd, non, est abandonné par ses deux parents et séparé de sa sœur, ça laisse des blessures profondes... Et toi, parle-moi de toi.

Ça n'allait pas du tout comme elle l'avait espéré. Scott prit la parole.

— Tara a travaillé fort, c'est une femme remarquable. Tu as eu la vie dure, mais elle aussi. On a tenté de la tuer.

Tara voulut l'arrêter, mais il continua.

— On lui a volé son enfant et elle a dû s'exiler au Canada. C'est là que je l'ai rencontrée. Depuis, elle a retrouvé sa fille, Briana, qui a quatre ans. Nous avons aussi un petit garçon, William. Il a huit mois.

— Ray, je t'aime, mais je ne peux pas changer le passé.

— Tout ça... à cause de Molly! Où sont vos enfants?

— Avec maman.

Il les regarda comme si ses yeux percevaient l'intérieur de leur cœur. Il n'ajouta rien.

— Que fais-tu Ray?

— J'ai toujours aimé la musique et puis chanter. J'ai suivi des cours de guitare et des cours de chant.

— Tu es bon?

— Pas mal. Et je suis aussi serveur dans un grand hôtel.

— La musique ne paie pas assez?

— Ça n'a rien à voir. Les spectacles ne durent qu'une heure ou deux... Après, je pars. J'aime être serveur, le contact avec les gens... Et j'y ai des amis. C'est tout. Et non, je ne suis pas marié, pas d'enfants. Pas pour moi.

— Madame Wilson?

— Elle m'a vraiment sauvé la vie et m'a aidé à devenir la personne que je suis, comme ta mamie pour toi.

Le docteur Harvey s'interposa.

— Pourquoi?

Ray le regarda froidement et leva le ton.

— Parce que c'est une femme extraordinaire, bonne, douce, généreuse. Ne cherchez pas... autre chose.

435

— Ray, l'important est que je sois ici avec toi. Il n'y a pas une seule journée où je n'ai pensé à toi. Je t'aime toujours. Tu chantes au *Grand Hotel* ce soir?

— Non, ce soir je suis au *Liberty*, dans l'ouest de Brighton.

— Monsieur Nelson nous avait dit...

— C'est que mon horaire a été changé. D'ailleurs, mon gérant vient me chercher à quinze heures. Je dois voir la scène, l'équipement, répéter. Je répète tous les jours. Demain soir, je chante ici, au *Grand Hotel*, je pense que vous serez partis.

Il était midi. Madame Wilson était revenue. Elle les invita à dîner, ils refusèrent. Scott devait aller chercher leurs deux enfants.

— Mais nous irons t'entendre chanter demain soir. Je veux te revoir Ray.

Ils se levèrent. Tara remercia Madame Wilson pour tout ce qu'elle faisait pour Ray.

— C'est Ray qui fait quelque chose pour moi. C'est un jeune homme poli, délicat, très honnête. Je l'aime beaucoup.

Scott serra la main de Ray. Tara l'embrassa.

— Tara, dis à Molly que mon nom de scène est Earl Red, mais je m'appelle toujours Ray... au cas où...

Le visage de Tara se décomposa, Scott serra les poings. Madame Wilson mit la main sur l'épaule de Ray.

— J'espère avoir le plaisir de vous revoir.

Dès qu'ils furent sortis, Ray se réfugia dans sa chambre. Un peu plus tard, Madame Wilson vint le retrouver.

— Tu es content d'avoir retrouvé ta sœur?

— Oui... Et je pense qu'elle m'aime.

— J'en suis certaine. Tu sais, les gens ne sont pas parfaits.

— Ma mère est vivante, elle est à Londres. En ce moment, elle garde les enfants de Tara. Elles se voient depuis plus de deux ans, se parlent souvent.

— Toi aussi, tu vas retrouver ta mère.

— C'est possible. Je pensais qu'elle serait avec eux, qu'elle serait accourue, qu'elle m'aurait appelé dès qu'elle aurait su... Rien!

— Ray, tout va s'arranger. Tu as ta sœur, tu vas voir ta mère, nous partons en croisière, la vie s'annonce bien.

— Vous avez raison. On dîne et je me prépare.

78

Une attente difficile à supporter

Ray mangea très peu, se lava, s'allongea sur son lit. Des ombres envahissaient ses pensées. Andy appela. Inutile de partir si tôt, il le prendrait à dix-huit heures. Ils soupèrent en route. Le vague à l'âme, Ray n'avait pas très faim, il prit un verre de vin. À dix-neuf heures, il était en coulisses. De temps en temps, il tassait les pendillons et scrutait l'auditoire. Andy se demandait qui il cherchait.

— Attends-tu quelqu'un ?

— Non, non, je regarde les gens, c'est tout.

Quand il chanta, il y mit tout son cœur, la foule l'applaudit chaleureusement après chaque chanson. Andy était content.

— Tu es meilleur à chaque spectacle. On part ?

— Non, je pense que je vais rester un peu. Tu veux mettre ma guitare dans l'auto. Ne m'attends pas. Je rentrerai par mes propres moyens.

— À ta guise.

Ray alla s'asseoir au bar de l'hôtel et commanda une bière, même s'il en prenait rarement. Les idées tourbillonnaient dans sa tête. Pourquoi sa mère… ? Elle savait… Elle devait savoir, elle était tout près ! Dix-sept ans ! Si longtemps ! Une mère…

Assise seule à une table, une jeune groupie le reluquait. Elle n'était pas mal du tout. Elle s'avança lentement vers lui, tira une chaise.

— Earl Red, je suis Tammy. J'aime bien t'écouter chanter. Qu'est-ce qu'un bel homme comme toi fait seul dans un bar ?

— Il s'ennuie.

Ils causèrent un peu, mais Ray n'était pas très loquace.

— Tu n'as pas l'air très heureux pour un homme qu'on vient d'applaudir.

— Il y a des jours comme ça.

— Si tu veux, je pourrais te faire oublier tous tes problèmes.

— J'en doute, crois-moi.

— Nous aurions du plaisir. Je suis à la chambre 242. Si tu veux passer un bon moment, viens me rejoindre. Tu ne le regretteras pas.

Il hésitait. Le sexe était sa dernière préoccupation. Il en fut lui-même surpris. Et puis… peut-être. Madame Wilson l'attendait. Le téléphone était dans le hall d'entrée. Il l'appela.

— Je ne rentrerai que demain.

— D'accord. Ta mère?

— Non!

— Je suis désolée, mon cher Ray! J'ai bien réfléchi depuis que tu es parti avec Andy. Ne la condamne pas trop vite. Elle doit avoir beaucoup de peine. Elle a tout de même eu deux magnifiques enfants et s'en est occupée pratiquement seule pendant plus de sept ans. Tu sais, elle n'était qu'une enfant. D'ici quelques jours, vous serez tous réunis.

— J'aimerais bien vous croire…

— Alors aie confiance en ma sagesse.

— Autant que ce soit la vôtre, parce que la mienne pourrait bien prendre le bord.

— Ray! J'ai confiance en toi. N'oublie pas, nous partons en croisière bientôt.

— Je meurs d'envie de partir. Merci ma bonne fée. Je vais survivre.

— Alors, la fille de ce soir… Elle est bien?

Il pouffa de rire et raccrocha.

La porte 242 était entrouverte. Quand il entra, Tammy était allongée sur le dos et l'attendait. Elle était jolie. Elle le caressa, le taquina, mais il ne la désirait pas. Ses pensées étaient avec sa mère, Tara et ses enfants. Il était leur oncle. Sa mère? Son cœur n'arrivait pas à comprendre. Dix-sept ans qu'elle l'avait abandonné. Madame Wilson avait peut-être raison. Il pouvait attendre quelques jours, mais pas plus. Si elle ne donnait pas signe de vie, alors il la bannirait de ses pensées à jamais.

— Earl Red, tu as l'intention de te morfondre toute la nuit ? Tu ne me trouves pas de ton goût ? Écoute, mon beau chanteur, j'ai quelque chose qui va te faire monter au septième ciel.

— Qu'est-ce que tu proposes ? Un voyage en montgolfière ?

— Beaucoup mieux ! Le plaisir ! L'extase ! Fais-moi confiance !

— Alors ? Qu'est-ce qu'on fait pour atteindre ton ciel ?

— Attends-moi une minute. Ne bouge pas.

— Elle alla vers une chaise, prit son sac à main, l'ouvrit, sortit un contenant étroit en plastique blanc.

— C'est quoi ça ? De la drogue ? Pas de drogue pour moi, ma belle. Jamais ! C'est trop dangereux.

— Regarde-moi ! Est-ce que j'ai l'air d'une droguée ? C'est juste du soda et de l'eau. Ça te donne du plaisir comme tu ne peux pas savoir. Allez, regarde, j'en prends un *shoot* et je t'en donne un. Après, on rit. On rit comme des fous...

— T'es complètement malade ! Tu veux qu'on se drogue ? Pique-toi où tu voudras mais je fous le camp d'ici.

— Voyons Earl Red, fais pas l'hypocrite. Tu dois bien...

Elle parlait dans le vide. Ray filait vers le rez-de-chaussée.

Allongée sur son récamier, Madame Wilson écoutait la chanson fétiche de Ray, *Uptown,* et pensait à lui. Tara était revenue dans sa vie. Un début très pénible, mais elle aimait tendrement son frère. Il eut mieux valu qu'elle vienne seule pour une première fois. Son mari ? Il aimait sa femme, mais la venue de Ray n'était pas son cadeau de l'année. Molly... Pourquoi n'avait-elle pas donné signe de vie ? Pour l'amour de Ray, elle souhaitait qu'il la retrouve. Elle entrevoyait cependant que tout cela allait chambarder sa vie avec Ray. Elle ne pouvait envisager sa vie sans lui. Les choses seraient différentes. Elle pleura. L'horloge indiquait vingt-deux heures passées, Ray ne rentrerait pas, autant aller se coucher. Comme elle se levait, elle entendit la porte d'entrée s'ouvrir. Surpris d'entendre sa chanson préférée, Ray étira le cou.

— Y a-t-il une belle dame ici ce soir ? Une rose ?

— Que fais-tu ici ?

— C'est de cette façon que vous recevez votre chanteur, votre danseur, votre ami préféré ? Autant aller ailleurs.

Il fit semblant de repartir, elle l'agrippa et le serra dans ses bras.

— Ça, c'est beaucoup mieux!

Il la regarda, elle détourna les yeux.

— Mais… ma belle dame a pleuré? Pourquoi? Venez vous asseoir près du docteur Ray O'Brien, il guérit tout, surtout le cœur de charmantes femmes.

Il passa son bras autour de ses épaules, lui caressa les cheveux.

— Alors? Pourquoi les larmes? Qui vous a fait de la peine? Je vais lui régler son cas.

— Je pensais que tu restais à l'hôtel.

— On pensait tous deux la même chose.

— La jeune dame n'était pas gentille avec mon Ray?

Elle dit tout bas:

— Je vais lui régler son cas.

Il sourit.

— La jeune dame prenait de la drogue, et je ne touche jamais à ça. Je suis revenu. Je suis un bon garçon et le bon garçon veut savoir ce qui vous a fait de la peine. Et je veux la vérité. Je vous dis tout, vous me dites tout.

Hésitante, par bribes de phrases, elle lui confia qu'elle pensait à lui, à sa nouvelle vie avec sa sœur et sa mère, qu'elle était très heureuse pour lui… Ray avait souffert de l'absence de sa mère, mais elle l'aimait comme son fils… Perspicace, il comprit. Il allait tout probablement revoir sa mère à l'occasion, il serait content de la retrouver, mais elle lui devait des explications, pas de demi-vérités. Tara aussi, et il aimerait connaître sa fille et son fils et… son grand orthopédiste.

Il ne la lâcha pas des yeux…

— Vous et moi, c'est pour la vie. Oui, je verrai ma mère, si on s'entend. J'irai parfois la visiter, mais c'est ici chez moi et je resterai avec vous aussi longtemps que vous voudrez de moi. Vous êtes aussi ma mère et je vous aime, gros…

— … comme le monde.

— En plein ça. Et quand je me marierai, si je me marie…

— … j'aurai une chambre et un petit salon dans ta maison. Et ta mère?

— Quand elle sera vieille, faudra voir, mais elle ira chez Tara, je pense. Les filles sont proches de leur mère. Maintenant, j'aimerais bien prendre un bon thé et des pâtisseries. Et... plus jamais de pleurs.

Elle poussa un profond soupir de soulagement.

— Je t'aime beaucoup. Et merci.

Ray fit le thé, ils passèrent une heure à parler de sa mère, de Tara, de leur croisière, de sa nouvelle vie, d'une fille pour lui peut-être et...

— Un monsieur pour vous.

Tout à fait rassurée, ses yeux riaient de bonheur.

79

L'espoir a les yeux brillants

Le voyage de retour à l'hôtel ne fut pas des plus joyeux pour Tara et Scott. Ce dernier aurait volontiers tordu le cou de Ray. La colère de Ray l'avait stupéfié, il était comme un animal blessé prêt à mordre, et il avait fait de la peine à Tara. Elle était sa vie, il voulait lui éviter le moindre chagrin.

— Tara, mon amour, il ne t'en veut pas, il a de la peine. Et tu aurais dû être seule avec lui. Que ta mère ne soit pas venue… Nous n'aurions jamais dû…

— Je ne voulais pas le dire à ma mère avant d'avoir vu Ray. Je ne pensais jamais qu'il vivait dans un château, qu'il était chanteur…

— … qu'il était distingué, qu'il avait de la classe.

Tara sourit :

— C'est un trait de famille chez nous !

— Voici ce que je propose.

Scott retournerait à Beaconsfield le lendemain matin, emmenant avec lui Briana et William. Tara protesta, mais en vain. Il était très capable de s'occuper du petit William, Briana l'aiderait. Barbara et son père s'occuperaient d'eux pendant une semaine. D'ailleurs, il les appellerait dès leur arrivée chez Molly.

— Scott, voyons, tu sais bien…

— … que j'ai raison. Et plus un mot. De plus, je pense que tu as besoin de t'éloigner de moi, pour pouvoir mieux m'apprécier. Il me semble que tu me négliges un peu, tu es moins… Tu comprends, *mon cher petit* grenouille.

— Je te néglige ? Je te dorlote, plutôt ! Merci chéri, merci. Je vais essayer de me rapprocher de mon frère. Au retour, je te promets de te faire une petite place… plus près de moi.

— C'est tout?

— Pour le moment! Je verrai au retour!

Briana guettait l'arrivée de ses parents. Elle se jeta dans les bras de Scott pendant que Tara prenait William. Briana n'avait pas changé, les questions pleuvaient. Tara dut l'enjoindre d'attendre son tour.

William était un bon petit garçon, il ne lâchait pas Briana d'une semelle. Molly riait, elle adorait ses petits-enfants et remerciait le ciel chaque jour d'avoir retrouvé sa fille. Scott était un mari doux, aimant, un excellent gendre.

Molly avait préparé un bon dîner, ils mangèrent avec appétit, puis Scott réserva les billets d'avion, appela son père et donna le bain à son fils. Briana le suivit pas à pas.

Pendant ce temps, Tara sirotait un thé avec sa mère. Cette dernière la regardait. Il se passait quelque chose.

— Maman, j'ai vu Ray aujourd'hui.

Molly baissa la tête.

— Maman, tu savais qu'il était par ici? Et tu n'as rien dit! Cette fois, c'en est trop.

— Je l'ai appris hier. Un Monsieur Nelson a appelé ici, il t'avait parlé. Pourquoi ne m'as-tu rien dit Tara?

Elle pleurait.

— C'est mon fils, tu sais. Et j'aimerais tant le revoir, même si je ne le mérite pas. Toi et moi, on est enfin réunies, et je t'aime ma fille. Mais Ray est mon fils. Il s'est enfui de Dundalk à treize ans. Je me demande ce qu'il est devenu. Je prie pour lui tous les jours.

— Maman, je te demande pardon. Je m'inquiétais aussi. Je voulais voir ce qu'il était devenu avant de t'en parler. Je ne voulais pas que tu aies de la peine.

— Quoi qu'il fasse, c'est mon fils. Parle-moi de lui. Il veut me voir?

Tara lui raconta tout. Où il vivait, ce qu'il faisait, combien il était beau, bien élevé… Qu'il était en colère contre Molly parce qu'elle l'avait abandonné, un peu contre elle-même, puisqu'elle avait retrouvé sa mère. Il pensait que tu serais avec moi.

— Il nous en veut de ne pas l'avoir recherché. Il a raison. On aurait pu engager un détective privé. Il est chanteur, il se fait appeler Earl Red.

— Earl Red ? Mais je l'ai vu dans les journaux, un beau jeune homme habillé en noir avec un mouchoir rouge dans sa poche de chemise. Et sa guitare est rouge. Les gens l'aiment. C'est Ray ? Mais s'il vit dans un château, il ne voudra pas me voir.

— Ah maman ! Il a été très marqué par ton départ, encore plus que je ne l'ai été. Il en a beaucoup souffert. Heureusement, il a Madame Wilson. Elle l'a sauvé… qu'il dit. C'est une très grande dame, millionnaire. Elle l'aime comme une mère, et il le lui rend bien.

— Alors, peut-être…

— Non, maman ! Ne dis pas ça. Personne ne peut remplacer une mère. Toi et moi allons le voir aujourd'hui même.

— Mais vous partez…

— Scott part avec Briana et William, je reste ici pour une semaine. Je veux revoir mon frère, et toi, maman, tu dois essayer de te faire pardonner ton abandon.

— Quand partons-nous ?

— Vous allez où ? Je veux y aller aussi, dit Briana qui était entrée en coup de vent.

— Écoute-moi Briana, grand-maman va retrouver son fils.

— Il était perdu ? Pourquoi il était perdu ? Je veux le voir aussi.

— Non Briana, pas cette fois. Maman va rester ici quelques jours avec grand-maman, et toi tu vas retourner chez nous avec William et papa. Grand-papa et grand-maman Harvey vont venir s'occuper de vous.

— Alors je ne le verrai pas. Ce n'est pas juste, c'est toujours les parents qui décident. J'ai hâte d'être un parent !

— J'ai besoin de toi, Briana. William est petit, il va pleurer si tu n'es pas là.

Elle accepta à contrecœur, mais Tara dut lui expliquer qui était son frère, où il était, ce qu'il faisait. Quand elle apprit qu'il était chanteur, elle sauta de joie. Elle pourrait chanter avec lui, elle savait chanter… En forçant un peu la note, elle se lança dans une version unique de *Too Ra Loo Ra Loo Ral*. Tara et Molly faisaient des efforts surhumains pour ne pas rire.

— Alors maman, tu crois que je pourrai chanter avec lui ?

— J'en suis certaine. Maman va lui en parler, et quand nous reviendrons en Angleterre, tu chanteras avec lui.

80

Le pardon ! Un pas difficile…

Le lendemain matin, à huit heures quarante-cinq, Scott, Briana et William allaient s'envoler vers Montréal. Tara serra ses enfants dans ses bras, Scott l'embrassa longuement.

— Réconcilie-toi avec ton frère et reviens-moi, *mon petit* grenouille.

— Oui, mon amour. Et merci pour… Tu comprends. Je t'aime.

Briana lui envoya des bisous. Tara les regarda jusqu'à ce qu'ils fussent hors de sa vue. Il était temps de recoller les pots cassés, de retrouver le Ray de son enfance. Un sentiment d'amour, d'anticipation et d'inquiétude la parcourut. Cette fois, elle saurait trouver les mots. C'est d'un pas décidé qu'elle héla un taxi et retourna chez sa mère. Quand elle pénétra dans la maison, celle-ci était au téléphone.

Molly n'avait pas l'intention d'arriver chez Madame Wilson à l'improviste et de demander à voir Ray, et c'est en ces termes qu'elle lui parla.

— Madame, je suis la mère de Ray. Je m'excuse d'arriver dans votre vie et de perturber votre quiétude. Tara m'a dit hier soir qu'elle l'avait rencontré chez vous et que vous étiez comme une mère pour lui. Je vous en remercie. J'ai très hâte de voir mon fils, s'il accepte de me voir, et de lui demander pardon. Je ne veux pas m'immiscer dans sa vie ou la vôtre.

— Madame O'Brien, il me fera plaisir de vous accueillir. Ray vous attend depuis toujours.

— Moi de même madame. Scott est parti ce matin avec les deux enfants, Tara va passer la semaine avec moi. C'est un homme bon et généreux, il tenait à ce que Tara retrouve son frère.

— C'est une excellente idée. Voulez-vous venir aujourd'hui ?

— Le plus tôt possible. Que diriez-vous de dix heures trente ? Je pourrais parler avec Ray pendant que Tara ferait connaissance avec vous. Ensuite, on les laisserait aller se promener seuls. J'aimerais vous parler. Est-ce trop présomptueux de ma part ?

— Pas du tout ! Je serai heureuse de vous connaître. Voulez-vous parler à Ray ? Il est juste à côté.

— Oh mon Dieu ! J'ai prié pour ce moment chaque jour depuis mon départ. J'ai peur madame.

— Laissez parler votre cœur. Ray, tu veux bien venir parler à ta mère ?

Ray la regarda tendrement, lui donna un baiser sur le front. Il hésitait.

— Donne-lui une chance, donne-toi une chance.

— Bonjour Ray. Je n'ai appris qu'hier que tu vivais à Brighton. Je te demande pardon. Je t'ai fait beaucoup de peine et je comprendrais si tu ne voulais pas me voir. J'ai pensé à toi chaque seconde de ma vie.

— Où êtes-vous ?

— Je demeure à Canterbury.

— Seule ?

— Oui.

— Tara est repartie ?

— Non, Scott est parti avec les enfants, mais Tara passera la semaine ici. Il voulait qu'elle te revoie, qu'elle passe du temps avec toi. Est-ce qu'on pourrait te voir aujourd'hui et assister à ton spectacle ce soir ? J'ai déjà vu ta photo dans un journal, Earl Red. Quel beau jeune homme ! Tara dit que c'est dans vos gênes…

Il sourit bien malgré lui.

— Un instant, s'il vous plaît.

Madame Wilson s'était retirée dans la bibliothèque. Ray alla lui parler.

— Molly et Tara aimeraient venir me voir.

— On s'est parlé tout à l'heure. Dis-lui de venir.

— Merci, maman.

Molly attendait.

— Oui, vous pouvez venir.

— Merci Ray. C'est peut-être difficile à croire, mais je t'aime plus que ma vie.

Il raccrocha, retourna auprès de Madame Wilson et posa sa tête sur son épaule.

— Je suis si bien avec vous.

— Malgré tout ce que tu as dû affronter, tu es un jeune homme bon et généreux et… très espiègle. Écoute ce qu'elle te dira. Après, tu décideras si tu veux la revoir. Et fais la paix avec Tara, elle est aussi une victime des circonstances, tout comme toi.

Rasséréné, il l'enlaça. Elle était sa sagesse, son havre de paix. Après dix-sept années d'attente, de colère, de chagrin, il pouvait enfin revoir sa mère et, peut-être, chasser ses démons. Lui pardonner ? Peut-être, avec le temps.

— Alors madame, nous attendons de la visite ?

— Elles arriveront bientôt. Préparons-nous ! Il faut bien les recevoir.

Quarante-sept minutes plus tard, Molly et Tara arrivaient. Molly avait failli rebrousser chemin en apercevant la maison.

— Il vit dans un château ! J'ose à peine avancer.

Tara avait déjà appuyé sur la clochette. La porte s'ouvrit et Molly aperçut un beau jeune homme bien droit et chic qui les saluait. Il sourit à Tara, et son regard se posa sur Molly. Sa mère ! Elle était là, figée devant lui. Tara l'embrassa.

— Bonjour Ray !

— Tara !

Il l'embrassa. Molly baissa les yeux, elle respirait à peine. Elle murmura :

— Ray.

Il s'approcha, ses yeux semblaient fouiller cette âme, des perles au bout des cils.

— Pardon, Ray. Puis-je entrer ?

— Oui, entre Molly. Dix-sept ans, c'est suffisant.

— Du salon, Madame Wilson entendit la porte se refermer. Elle alla à leur rencontre. Les bras ouverts, elle s'avança.

— Madame Harvey, c'est un plaisir de vous revoir. Ray, c'est ta mère ?

— Oui.

— Bienvenue chez nous, madame O'Brien. Entrons au salon.

Émue, Molly osait à peine avancer. Ray se tenait près de Madame Wilson. Elle prit l'initiative de la conversation.

— Ray, j'ai eu le plaisir d'échanger quelques mots avec ta mère ce matin et nous avons convenu d'une stratégie.

— Quelle stratégie?

— Ta mère, ta sœur et toi avez des choses à vous dire, mais pas les trois en même temps. Tara et moi allons aller prendre le thé en ville pendant que ta mère et toi allez essayer de vous retrouver.

Ray se sentit piégé. Il ne savait pas s'il voulait rester seul avec cette... étrangère. Madame Wilson alla vers lui. Elle lui donna un baiser sur le front et sur un ton de confidence dit:

— Ça va aller mon grand. J'ai foi en toi. Je t'aime.

— Madame Harvey, mon chauffeur nous attend. Ray, tu veux bien servir le thé?

Tara se leva, embrassa Ray et suivit Madame Wilson. Ray fit signe à sa mère de le suivre.

Assise dans la salle à manger, elle vit Ray appuyer sur une sonnette et une jeune femme arriva presque aussitôt avec un service à thé en argent et un plateau de pâtisseries fines. Ray la remercia en souriant et servit le thé. Molly se serait crue au palais de Buckingham. Ray était tout à fait à l'aise dans ce décor. Il s'assit en face d'elle et la regarda longuement.

— J'attends ce jour depuis très longtemps. Si tu savais comme j'ai souffert de ton absence et quand je te vois, là, devant moi, j'ai presque autant envie de te tuer que de t'écouter. Pourquoi nous as-tu abandonnés? Et pourquoi n'es-tu jamais revenue nous chercher? Pourquoi n'as-tu pas essayé de me retrouver? Madame Wilson m'a dit de nous donner une chance. Tu as la tienne. Raconte en commençant au tout début. Parle-moi de toi. Quand tu étais jeune, pourquoi as-tu épousé mon père et pourquoi es-tu partie? Je t'écoute. Et laisse faire les « Je t'aime ».

Molly se redressa et se jeta à l'eau... et elle était glacée. Elle commença par son enfance, son ivrogne de père, sa mère hypocondriaque, son rôle de femme à tout faire, le couvent, les moqueries, l'usine et la rencontre de Michael, son père. Son fol amour pour lui, sa consommation croissante d'alcool, sa descente aux enfers et sa décision de prendre des amants payants pour pouvoir les nourrir et les habiller Tara et lui. Elle parla aussi des moqueries et des insultes de certaines personnes de son entourage, puis de sa rencontre avec Francis Lennon. Elle en était tombée follement amoureuse.

— Pédopimp !

Molly sursauta. Il se rappelait. Elle reprit son récit. À leur arrivée à Londres, Francis avait voulu qu'elle se prostitue, elle avait refusé, il lui avait cassé une jambe. Ray serra les poings.

— Pourquoi n'es-tu pas revenue ?

— Pour reprendre la même vie qu'avant, estropiée en plus ? Je n'étais pas en mesure de vous faire vivre. Mais je savais où vous étiez. Une amie me donnait de vos nouvelles.

— Tu savais que j'avais des problèmes chez tante Ceilli et oncle Stanley ? Tu as su que je m'étais enfui en Angleterre. Tu avais perdu ma trace. Tu ne t'es pas inquiétée ? Un enfant de treize ans seul dans un pays étranger ? Molly, moi, ton fils !

— Je ne vous méritais pas, mais je vous aimais et je vous ai toujours aimés. Vous étiez mieux sans moi. Regarde ce que tu es devenu.

— Mais tu ne comprends vraiment rien. Comment as-tu pu penser qu'on pouvait être mieux sans toi, notre mère ?

— J'ai compris cela trop tard.

Elle se mit à pleurer. Ses larmes coulaient, silencieuses.

— Est-ce que tu as eu d'autres amants ?

— Aucun. J'ai appris le métier de coiffeuse.

— Oui, je vois. Tu es bien coiffée.

Elle eut un bref sourire puis parla de son amitié pour le propriétaire du salon.

— Juste une amitié ?

— Oui. Le sexe ne l'intéressait pas, du moins pas avec moi. Quand il est tombé malade, je l'ai soigné. À son décès, il m'a légué son salon. C'était un homme bon, cultivé. Il m'a beaucoup appris. Ray, je ne mérite pas ton pardon. Je suis heureuse de te savoir ici avec cette bonne dame.

— Mais, c'est toi ma mère. Ça fait presque dix ans que tu es sans nouvelles de moi. Je te regarde. Tu n'es pas riche mais tout de même à l'aise. Tu t'exprimes bien. Tu dis avoir pensé à moi tous les jours et tu n'as jamais fait la moindre démarche pour me retrouver!

Perplexe, il la contempla.

— Je crois comprendre... Essayer de me retrouver, courir le risque de trouver un jeune homme semblable à...

— Ah! Ray! Je n'ai jamais...

— Laisse tomber, Molly!

Il ne la quittait pas des yeux. Elle baissa la tête et murmura:

— Penses-tu que l'on pourrait se revoir de temps à autre?

— Nous partons en croisière dans quinze jours. À mon retour, je verrai.

— Ce soir, Tara et moi irons t'écouter chanter, si tu le veux.

— Oui, pourquoi pas!

Tara revint avec Madame Wilson. Ray n'avait pas eu l'occasion de lui parler, alors elle lui promit de revenir le voir le lendemain, s'il le voulait.

— Oui, on sortira avec ma voiture.

Madame Wilson les invita à dîner, mais elles refusèrent. Tara s'approcha de Ray, ils étaient si heureux. Il l'embrassa, fit un bref bisou à sa mère. Elles remercièrent Madame Wilson et la porte se referma. Ray resta debout. Pensif, il se tourna vers Madame Wilson:

— Est-ce que madame m'accompagnerait dîner?

— Avec plaisir. Allons nous gâter.

Ce fut un dîner très agréable, très détendu. Ray se sentait libéré d'un très lourd fardeau. Elle ne le questionna pas, mais au dessert, il mentionna qu'il serait ravi de revoir Tara le lendemain, et qu'à son retour de la croisière, il déciderait s'il voulait revoir Molly, peut-être l'appeler.

— Elles seront à mon spectacle ce soir. J'ai une excellente mère ici, avec moi.

— J'y serai aussi.

Madame Wilson attendait Molly et Tara à l'entrée du *Grand Hotel*. Andy y était aussi. Il les conduisit à leurs sièges, à la quatrième rangée, à l'avant, au centre.

— Vous serez bien ici. À plus tard.

Molly se demandait qui était cet homme.

— C'est Andy Miller, l'impresario de Ray. Un excellent gérant.

— Ray a étudié la musique ?

— Certainement ! Avec un professeur de musique et une professeure de chant. Il a travaillé très fort.

Un couple âgé les salua.

— Mes amis, les Taylor. Ils aiment beaucoup Ray.

Tara les regarda. Certainement des gens à l'aise. Molly se disait qu'elle ne connaissait rien de Ray. Leur rencontre n'avait pas été facile, mais il ne l'avait pas rejetée. Elle lui en était reconnaissante.

À vingt heures, on régla l'éclairage et Andy monta sur la scène. Ray attendait, heureux, presque euphorique. Il avait envie de chanter, de danser, de rire, de s'amuser. Molly était au bord de son siège et Tara tremblait : « Mon petit frère... »

— *Ladies and gentlemen, please welcome the one and only... EARL RED !*

Une entrée bien rodée, deux pas de danse, le sourire aux lèvres, Ray salua bien bas :

— *Ladies and gentlemen ! My pleasure to be here tonight. Enjoy yourself !*

Il commença avec *Love Me Do*, puis poursuivit avec *Downtown, Only the Lonely* et *My Happiness*. Quand il chanta *It's All Right, Mama*, Molly ne put retenir ses larmes. Non, ce n'était pas *all right* du tout. Ray avait souvent chanté cette chanson, mais ce soir-là, elle n'eut plus la même signification. Il se hâta de chanter *Uptown*. Celle-ci le faisait vibrer, il s'y donna à fond. Il continua ainsi jusqu'à la toute dernière, *Je me sens bien auprès de toi*, qu'interprète Petula Clark. Il salua la foule une main sur le cœur : *Thank you ! Thank you !*

Déjà la foule l'avait applaudi à plusieurs reprises, mais un tonnerre d'applaudissements et des « Encore ! Encore ! » se succédèrent. Ray s'avança au devant de la scène et déclara :

— *For you all, for a special lady and for family members here tonight...*

Il laissa la folie s'emparer de lui, puis, à la Presley, il chanta : « *A well I bless my soul, What's wrong with me, I'm itching like a man on a fuzzy tree, My friends say I'm actin' wild as a bug, I'm in love, I'm all shook up, Mmmm oh, oh, yeah, yeah !* ... »

Le rythme endiablé souleva la foule. Madame Wilson ne l'avait jamais entendu chanter cette chanson. Elle riait de bon cœur pendant que Tara et Molly tapaient des mains.

Elles retrouvèrent Andy et Ray à la sortie arrière. Tara l'embrassa :

— Mais tu es magnifique ! Incroyable. Ce n'est pas le petit espiègle avec le pantalon toujours de travers qui courait partout et que je portais dans mes bras ! Tu chantes bien, tu as… ! Tu es… ! Je suis fière de toi !

— Merci bien Tara, je suis content que tu sois ici.

Molly s'avança. Il la regarda sans animosité.

— Tu as beaucoup de talent, j'ai adoré ton spectacle. Félicitions, Ray.

— Merci Molly.

Madame Wilson était restée en retrait. Il alla vers elle.

— Alors, belle dame de mon cœur, vous avez aimé, ce soir ?

— C'est ta meilleure prestation, tu as été sublime.

— Merci ! Alors, on fait quoi ? Je n'ai pas envie de dormir. On va prendre un petit quelque chose ?

— James nous attend tous. Venez.

Molly et Tara voulurent partir, mais Madame Wilson insista pour qu'elles restent. Ray aussi.

— Allons prendre un verre pour célébrer cette journée et ce talentueux jeune homme.

Une bouteille de champagne, des petits sandwichs, des pâtés, du rire. Ray était entre Tara et Madame Wilson. Les Taylor se joignirent à eux. Madame Wilson fit les présentations. Ils furent très heureux de rencontrer la mère de Ray et sa sœur, et ne posèrent aucune question indiscrète.

— Ray, nous avons adoré cette soirée. Tu as été magnifique. Mais ce soir, nous ne te demanderons pas de danser.

— Une autre fois. Ce soir, je veux simplement me détendre un peu, savourer ce succès… en toute humilité, dit-il en souriant.

À vingt-deux heures trente, James alla reconduire Madame Wilson et Ray, puis Molly et Tara. Ray les salua :

— On se revoit demain, mais pas avant midi.

— D'accord.

Il tendit le bras à Madame Wilson et entra en chantant.

— Madame Rose, je suis très, très heureux, je vous aime toujours autant et vous aurez toujours…

— … une chambre et un petit salon.

Ils pouffèrent de rire. Elle était très heureuse aussi.

81

Voyage de rêve, voyage d'espoir

Le 19 juillet, un peu avant huit heures, Madame Wilson, Ray et Enid, la femme de chambre, suivis de deux porteurs charriant une dizaine de valises, quittaient Londres en première classe à bord d'un avion de British Airways. Ray semblait calme à l'extérieur, mais son cœur s'était emballé lorsque l'oiseau métallique s'était élancé dans le ciel. Confortablement assise, Madame Wilson lui serra la main :

— Détends-toi, mon lutin, nous commençons la plus belle aventure de ta vie. Fais-moi confiance ! Ouvre grands les yeux et apprécie le spectacle.

— *Jaysus*, nous flottons sur de la neige ouatée, nous sommes sur un tapis volant.

Puis, souriant d'un air taquin :

— Nous sommes au-dessus des nuages.

L'hôtesse arriva avec le champagne, les petits sandwichs. Incroyable ! Même en plein ciel, ils continuaient la vie de pacha. En voulant gagner beaucoup d'argent, il n'avait jamais imaginé à quel point celui-ci rendait la vie agréable.

— Madame Rose, je vais vivre intensément ce voyage avec vous.

— Et moi avec toi. Au fond, je suis choyée de t'avoir comme compagnon.

À midi trente-cinq, ils firent leur entrée dans le majestueux hôtel Venezia, à Venise, situé à cinq minutes de l'incontournable pont Rialto. Avec ses chandeliers en verre de Murano, cet hôtel datant du XIIIe siècle et autrefois fréquenté par les doges n'avait rien perdu de sa splendeur. Après s'être rafraîchis et avoir changé de vêtements, ils descendirent se restaurer avant d'aller faire un tour en gondole.

— Une ville sur l'eau !

Ébahi, Ray allait de surprise en surprise. Quand le gondolier commença à chanter, il l'écouta attentivement et se joignit à lui. Le gondolier se tut et, d'une voix douce, Ray se mit à chanter *My Happiness*. Tous les « voisins » applaudirent.

Les jours suivants, ils visitèrent la place Saint-Marc, sa basilique, le pont des Soupirs, le palais des Doges tout en s'arrêtant souvent aux terrasses extérieures pour prendre un verre de vin, se restaurer, regarder autour, faire le vrai farniente, quoi. Les enseignements de Madame Wilson et de monsieur Rutherford lui avaient été précieux. Il se rappelait tout ce qu'il avait appris. Madame Wilson en était étonnée et fière.

Le quatrième jour, à dix-sept heures trente, sous un soleil radieux, ils montaient à bord de l'*Achille Lauro*. Ray tendait la main à Madame Wilson, qui avançait avec l'aisance... de l'argent. Certains la saluaient. Elle présentait son petit-fils Ray.

— Souris mon grand, oublie tout pour te concentrer sur cette croisière.

— Quel magnifique bateau ! C'est une ville flottante ! Je rêve !

— Tu es bien éveillé et nous allons profiter de chaque instant. Regarde les belles jeunes filles, elles te dévorent déjà des yeux.

— J'en dévorerais bien une ou deux, si vous voyez ce que je veux dire...

En sourdine, elle lui murmura :

— Leur père te jetterait à l'eau. Mais tu peux admirer.

Après avoir visité sa cabine et celle de madame, il alla explorer le bateau pendant qu'elle se reposait. Il salua son voisin de droite, rencontra trois jeunes filles, les salua aussi, et se trouva devant une grande salle au deuxième. Un orchestre jouait du jazz, un monsieur seul, début cinquantaine, sirotait un drink au bar. Ray s'approcha et commanda une eau minérale.

— Vous ne buvez pas ?

— Très peu.

— L'eau ! C'est très mauvais plus la digestion. Keith Ross, de Scotland.

— Ray O'Brien, de Londres.

— Impossible! O'Brien? D'Irlande.

Ray souriait.

— Autrefois d'Irlande.

Ils causèrent pendant une quinzaine de minutes.

— Ma fille est partie se changer. Les femmes! Et vous, jeune homme, vous êtes seul?

— Avec ma grand-mère.

— Pauvre vous! Pas très excitant.

— Monsieur, ma grand-mère, Madame Wilson, est une femme extraordinaire, raffinée, gentille, et je l'adore.

— Elle est riche?

— Son argent ne change rien! Les pauvres et les riches peuvent être gentils ou détestables. Ce n'est pas une question d'argent monsieur.

— Touché! Que faites-vous dans la vie?

— Chanteur et serveur dans un grand hôtel.

— Pourquoi les deux? Chanteur, ce n'est pas payant? Vous n'êtes pas…?

— Je ne suis pas une grande célébrité, mais je me débrouille très bien. Je ne suis pas du genre à traîner après le spectacle. Et j'aime travailler avec le public.

— Et?

— Et? Je ne suis pas à confesse.

Monsieur Ross partit d'un grand éclat de rire.

— Bien parlé. Mes excuses! J'ai été impoli.

— Je les accepte. Maintenant, je vais aller retrouver ma grand-maman. Je veux souper avec elle.

— Nous sommes à la table cinq. J'aimerais bien que vous y veniez, si votre… si Madame Wilson est d'accord.

— Je le lui dirai. Au revoir monsieur.

C'est ainsi que, le soir même, ils dînaient avec Monsieur Ross, sa fille Mary, une cousine, Melisande, et deux dames d'Écosse. Le souper fut des plus agréables. Monsieur Ross présenta Ray comme un grand artiste et fut très aimable avec Madame Wilson.

— Madame, ce jeune homme vous admire et vous aime beaucoup.

— C'est réciproque. Il est gentil, poli, généreux et… taquin. Il ensoleille ma vie.

— Eh bien, madame, nous sommes honorés de vous avoir à notre table.

La conversation fut animée, les jeunes causaient un peu moins, mais sitôt le souper terminé, les filles s'excusèrent et, en regardant Ray :

— *Care to join us?*

Il regarda Madame Wilson.

— Va t'amuser. C'est de ton âge. Je suis en excellente compagnie.

— Il salua, donna un baiser sur la main de Madame Wilson et fila à la suite de Mary et de sa cousine Melisande.

— Quel jeune homme charmant !

Ce fut le début d'une soirée de rires, de danse et de plaisir. Deux autres jeunes hommes, Bill et Mike, et une fille, Dalia, se joignirent à eux. Quand l'orchestre se mit à jouer du rock, le groupe sauta sur la piste de danse. La musique sublima Ray, il n'avait pas dansé depuis son départ de chez Nick, il reprenait le temps perdu.

Lorsque la musique s'arrêta, il continua à chantonner puis se tut. Les autres riaient.

— Vas-y ! On est ici pour s'amuser.

Ils dansèrent, prirent un verre. Ray s'en tenait à l'eau minérale. Pas question qu'il se donne en spectacle ici. Plus tard, quand l'orchestre joua un air irlandais, tous dansèrent. Ils suivaient le rythme mais n'avaient pas les pas. Ray si, mais n'osait pas trop se distinguer. Il commença à danser, puis s'interrompit. On fit cercle autour de lui.

— *Go on,* Ray, on voit que tu connais la danse.

Il ferma les yeux, se mit en position et laissa la musique l'envahir. Dès que la musique cessa les applaudissements éclatèrent. Les invités, jeunes et vieux, s'étaient arrêtés pour le voir danser. Gêné, il retourna à la table. Ses amis le félicitèrent.

— J'ai fait une folie.

— Non ! Non ! Fais-en d'autres. *You're a great dancer !* Faudra nous montrer.

— D'accord, un autre soir !

458

Une valse! Ray dansa avec Mary, Bill avec Dalia et Mike avec Melisande. À minuit, Ray s'excusa. On l'invita à revenir le lendemain. Le cœur en fête, il monta à sa chambre. Une lumière filtrait sous la porte de Madame Wilson. Il cogna tout doucement.

— Entre Ray.

Elle était allongée sur son lit. Ray tira une chaise, s'approcha d'elle.

— Mes excuses, belle dame, je suis ingrat, j'ai oublié l'heure.

D'un air inquiet, il demanda :

— Vous allez bien? Pas trop fatiguée?

— Je me porte comme un charme. Raconte-moi ta soirée.

Il lui prit les mains et relata chaque détail de sa rencontre avec Monsieur Ross, ses questions.

— Je lui ai dit que je n'étais pas à confesse.

— Il me l'a avoué. Il t'a trouvé charmant. Il semble que tu m'aies encensée.

— Je n'ai dit que la vérité, rien de plus. Je continue.

Quand il lui avoua s'être laissé gagner par la musique irlandaise, elle se mit à rire.

— Tu les as épatés.

— Je n'aurais pas dû, mais ils insistaient. Ils ont été très gentils.

— Et les filles? Gentilles?

— *Yes!* Mais je ne veux pas aller trop vite. Des fois, on a des mauvaises surprises. On vient d'arriver. Et vous, chère Rose?

— Monsieur Ross est un gentleman. Tu sais que mon mari était d'origine écossaise? Je lui ai dit qu'il était mort. Pour moi, il l'est depuis longtemps. Les dames, très charmantes aussi. Demain, nous faisons une partie de bridge.

— Nous déjeunons ensemble.

— Tu ne préfères pas…?

— Non! Je ne veux pas être trois semaines éloigné de vous. J'aime votre compagnie. Alors, *Lady, what time*?

— Neuf heures trente, ça te va?

— Je viendrai cogner.

Il lui fit un gros câlin.

— Dormez bien!

— Bonne nuit, mon lutin.

Rassurée, elle ferma les yeux et s'endormit. Sitôt couché, Ray fit de même.

L'*Achille Lauro* vogua toute la nuit ainsi que le lendemain. Parfois, il ralentissait pour permettre aux passagers d'admirer les paysages côtiers. Au déjeuner, Madame Wilson, discrètement, désigna à Ray trois couples qu'elle connaissait, des dames et…

— Quelques hommes. Une dame distinguée, belle comme vous l'êtes, attire les regards. Je guette le monsieur, deux tables à votre droite, il fait semblant de ne pas vous regarder, mais il vous jette des regards…

— Il a les cheveux trop longs et blancs.

— Un détail! Je l'emmène chez le barbier : une coupe de cheveux, une teinture verte et le tour est joué!

Puis, d'un air très sérieux :

— Les Irlandais adorent le vert!

Elle faillit pouffer de rire.

— *Dear Lord!*

Le fou rire le gagna.

Il sortit son mouchoir, un sourire au coin des yeux, et soupira :

— Parfois, c'est terrible d'être riche. Impossible de rire quand on pense à un monsieur avec une chevelure verte.

— Madame Wilson! Monsieur O'Brien! Vous allez bien ce matin?

— Très bien merci.

Un sourire dans la voix, Ray ajouta :

— C'est un beau début de journée. Et vous?

— Très bien aussi.

Il les regarda.

— Pourquoi ai-je l'impression que vous partagiez quelque chose de drôle?

— Une simple impression, monsieur.

— Oui, monsieur Ray, et moi j'ai les cheveux rouges.

Riant sous cape, Madame Wilson baissa les yeux. Ray se redressa.

— À plus tard, monsieur, dame, fit Monsieur Ross.

Il s'éloigna en souriant. Madame Wilson et Ray faisaient des efforts surhumains pour garder leur sérieux.

— Ray, je ne déjeune plus avec toi.

— Madame, vous me peinez beaucoup. Vous jouez au bridge aujourd'hui ? Faites comme moi, laissez les autres gagner.

— Espèce de vantard.

— Des gros mots maintenant ? Ce n'est rien, je vous aime quand même.

Ils terminèrent leur déjeuner et allèrent s'accouder au parapet de la terrasse arrière pour enfin donner libre cours aux rires qui les étouffaient. Madame Wilson n'avait jamais autant ri de toute sa vie. Ray était mort de rire.

— Ray, ne fais plus jamais cela, attends que nous soyons seuls. Je vais passer pour une femme mal élevée.

— Je m'excuse, je vous promets de faire très attention.

— Coquin de menteur ! Montons, je vais me changer et me refaire une beauté.

— Vous êtes toujours belle. Je pense que je vais aller prier à la chapelle.

— Vas-y, tu en as grand besoin.

Il s'éloigna en faisant quelques pas de danse, sans remarquer Monsieur Ross, qui les avait suivis de loin. Il riait de les voir rire.

Une demi-heure plus tard, Ray apparut avec Madame Wilson. Elle s'arrêta pour parler avec un couple qu'elle connaissait pendant que Ray alla regarder la mer. Il resta longtemps à admirer le paysage, pensa à Tara. Il avait été content de la revoir, il l'aimait toujours beaucoup. Elle lui avait parlé de sa profession d'infirmière, du Canada, de Scott, de Barbara et son beau-père, et de Briana et William. Quand elle lui avait raconté comment Patrick avait été tué... à sa place, la perte de son enfant, plutôt du vol de son enfant, il avait versé des larmes.

Lorsqu'il lui avait demandé : « Est-ce que tu es heureuse, Tara ? », sa réponse avait été : « Il n'y avait qu'une ombre au tableau. Ton absence. Maintenant, mon bonheur est complet. » Il l'avait serrée dans ses bras.

Quand elle lui avait parlé de Briana et de sa décision bien arrêtée de chanter avec son oncle Ray, il avait ri aux larmes.

« J'aimerais bien que tu les voies. Penses-tu qu'un jour... tu pourrais venir au Canada ? C'est un beau pays et on est bien au Québec.

« — Oui, j'aimerais bien, mais… pas en hiver.

— Et maman ?

— Molly ? Je l'ai vue, je la reverrai… peut-être ; j'ai maintenant fait la paix avec moi-même, alors laisse tomber.

— Je comprends. Maintenant que je te sais ici, je vais revenir chaque année avec les enfants.

— Il faut absolument que Briana vienne chanter avec moi. »

Ils s'étaient quittés le cœur heureux. Telle était sa rêvasserie, accoudé au bastingage.

82

Si le paradis existe...

Aux environs de quatorze heures, l'*Achille Lauro* accosta dans une magnifique baie à Split, la deuxième ville de la Croatie pour ce qui est de la superficie. Elle s'était développée autour de l'immense palais de style gothique de l'empereur Dioclétien, au IVe siècle. À l'intérieur de l'enceinte palatiale : un capharnaüm de centaines de boutiques, de commerces hétéroclites, et leurs propriétaires bien décidés à satisfaire tous les goûts des plus divers ou... bizarres.

— Alors, Ray, tu viens visiter la ville ou tu restes là avec tes jeunes amis ?

— Avec vous, partout ! Je suis votre prince consort et je veux tout voir.

Madame Wilson, Ray, Monsieur Ross, Madame Fraser, Bill et Melisande étaient descendus à terre. Les trois premiers prirent un taxi et les jeunes suivirent dans un autre. Monsieur Rutherford avait parlé de cette ville et Ray tenait à la visiter. Les deux groupes se séparèrent au centre-ville et promirent de se retrouver trois heures plus tard.

Ray et ses amis se promenèrent dans les allées, les ruelles, entrèrent dans les boutiques. Inimaginable le genre de souvenirs, de l'artisanat local aux sculptures, qu'on y trouvait ! Une heure plus tard, Bill déclara qu'il en avait assez et retourna au centre.

— Vous me trouverez au bar les enfants.

Ray et Melisande se retrouvèrent seuls. Au début, ils parlaient peu, puis Ray lui parla de l'histoire de la ville de Split. Elle était tout ouïe. De temps à autre, il la regardait discrètement. Pas très grande, mince, visage ovale encadré de longs cheveux blond foncé, bouclés. Les yeux pers, une belle bouche... Oh ! Oh ! Assez ! Il devait agir en gentleman. Il regarda les objets, fouilla dans les recoins, acheta des jouets pour Daniel, Joan et John, et… une sculpture de sirène.

— Tu as des enfants?

— Non. Je ne suis pas marié. J'aimerais bien… mais je n'ai pas encore trouvé.

— Et vous?

— Pas de vous entre nous, je me sentirais centenaire. Ma mère est décédée il y a trois ans. Mon père s'est vite consolé, il avait déjà pris de l'avance. La nouvelle ne tient pas à m'avoir avec eux.

— Elle ne sait pas ce qu'elle perd!

Elle sourit.

— Sa catin a empaqueté toutes mes affaires, les a mises dans le portique et mon père m'a remis une enveloppe en me spécifiant bien qu'il n'y en aurait pas d'autre. Il ne s'était pas montré trop pingre, alors je me suis prise un petit appartement près de l'université. Je suis en troisième année en psychologie à Oxford. Cette année, je me paye une croisière.

— En psychologie!

Il se prit la tête à deux mains.

— Pauvre petit moi! C'est horrible! Cette belle jeune étudiante universitaire va deviner toutes mes pensées, je suis un homme fini.

Elle éclata d'un rire chaleureux.

— Catin! C'est un terme spécifique en… psychologie?

Elle secoua la tête. Il était drôle et allumé.

— Et toi…?

— Je te promets de me confesser à la prochaine occasion. Maintenant, j'aimerais retourner voir la gentille dame que j'accompagne.

— Tu accompagnes!

— Mademoiselle Melisande, elle est très riche, mais je ne suis pas un gigolo, j'accompagne ma grand-maman que j'adore.

— Excuse-moi, ce n'est pas délicat de ma part. Pardonne-moi!

— Je pourrais te pardonner si tu m'accompagnes une prochaine fois, mais sache que je suis un homme trèèès en demande.

— Et très humble.

Il fit la moue, elle accepta. Ils retournèrent auprès des autres. Curieuse, Madame Wilson voulut savoir ce qu'il avait acheté.

— Plus tard, j'ai soif et je meurs de faim.

Monsieur Ross héla un taxi. Aussitôt sur le paquebot, ils se séparèrent. Madame Wilson et Ray montèrent à leur cabine de luxe prendre une bonne douche et s'habiller selon les «codes». Chaque soir, il fallait être tiré à quatre épingles. Madame était toujours très élégante et Ray avait sa garde-robe de croisière. Enid voyait aussi à ce que leurs vêtements soient toujours impeccables.

Le couple d'amis de Madame Wilson s'était joint à son groupe. Une dame s'était désistée et une autre l'avait remplacée. Monsieur Ross était toujours présent. Les jeunes avaient leur table pas très loin. Ray s'était avancé vers Melisande.

— Vous êtes en beauté, madame la psy… Je pense avoir des problèmes, dit-il en pointant sa tête.

— J'avais remarqué!

La soirée se passa comme la veille. Le souper terminé, avec la bénédiction de Madame Wilson, Ray passa la soirée avec ses amis. Un autre couple se joignit à eux.

— Alors Ray, tu nous montres à danser ce soir?

— Un peu plus tard. J'ai besoin de boire au moins trois Perrier.

Grand éclat de rire général.

— Avec ça, on va devoir te traîner sur la piste.

— J'ai entendu dire que notre Ray est un artiste, une célébrité.

— Mary, ne crois pas tout ce qu'on raconte.

Les autres le fixaient.

— Une célébrité? Quel genre? À part danseur.

— Un chanteur!

— Un chanteur de pomme.

— Non, non! Un bon chanteur, il donne des spectacles partout en Angleterre.

— Elle me prend pour un autre. Je ne sais pas chanter.

Tous ne le quittaient pas des yeux. Maudit Monsieur Ross! Mais c'était sa faute, il n'avait qu'à se la fermer. Il parlait toujours trop.

Mary murmura:

— Je te reconnais, tu es Earl Red! Je t'ai vu dans les journaux et à la télévision.

— Earl Red? Notre chance!

— Écoutez, je suis en vacances, je ne veux pas de publicité, je veux la paix, jaser, rire, danser avec vous.

— D'accord, mais parle-nous un peu de ta carrière.

— J'ai étudié très fort, répété encore plus, pris des leçons de pose de voix, des leçons de chant.

— Des leçons de pose de voix, de chant ? Comment ?

Il s'avança et, pas très fort, il fit des vocalises avec fioritures enflées. Ils étaient tous pâmés de rire.

— Qui s'occupe de ta carrière ?

— Mon impresario. Plus de questions, sinon, dommage pour vous, je vous laisse.

— On le laisse en paix.

— Merci, Melisande.

— Mais pour la gigue, tu devras te sacrifier de temps à autre.

— Ça me va. Avant je vous montrerai quelques pas… ce n'est pas simple.

La salle était bondée, l'orchestre joua une valse. Ray vit Madame Wilson au bras de Monsieur Ross. Ils formaient un beau couple.

— Elle est belle, ma grand-maman.

— Tu l'accompagnes ?

— C'est un plaisir !

Plus tard, il s'excusa et alla la saluer, lui parla pendant quelques instants et revint à sa table. Il dansa avec Mary, puis Melisande.

— Tu aimes chanter ?

— Oui ! Beaucoup !

Lorsque l'on joua une musique irlandaise, une vraie musique de danse, tous se levèrent, prirent position et firent quelques pas avec Ray, mais il était impossible de le suivre. Ils tapèrent du pied autour de lui et le laissèrent jouir. Madame Wilson et Monsieur Ross s'étaient avancés.

— Que c'est beau de le voir danser la gigue ! Chante-t-il aussi bien qu'il danse ?

Interdite, elle regarda Monsieur Ross.

— Qui vous a dit ?

— Lui, quand je l'ai cuisiné.

— Il chante magnifiquement bien, mais il est en vacances.

Ils s'arrêtèrent à Dubrovnik, la perle de l'Adriatique, une ville forteresse perchée sur un rocher. Construite sur des ruines romaines, cette ville millénaire, protégée par plusieurs remparts, était grandiose avec ses habitations aux toits rouges se reflétant dans la mer turquoise. Ray aimait visiter, il adorait regarder les femmes et leurs enfants, les pêcheurs, la vie. Madame Wilson visitait un peu, puis se reposait pendant que son «lutin» courait partout.

Ainsi se déroula la croisière. La nuit le bateau fendait les eaux, souvent le jour aussi. Il fallut plus de vingt heures pour se rendre de Dubrovnik à Corfou. Ray avait hâte de mettre pied à terre. La richesse du paquebot, la grande salle à manger, les spectacles, les jeunes qu'il rencontrait, tout était magnifique. Sa cabine était très chic, mais loin d'être aussi grande que sa chambre. Il s'y sentait claustrophobe. Ses meilleurs moments étaient ceux qu'il passait avec Madame Wilson. Il prit l'habitude d'aller la rejoindre plus tôt, elle était «maternante», apaisante.

Il s'était lié d'amitié avec Melisande. Elle lui demanda d'où il venait, quand il avait commencé à chanter. Il lui raconta qu'irlandais de naissance, son père était décédé quand il était très jeune, et sa mère les avait abandonnés, sa sœur et lui. Il avait passé quelques années avec son oncle et sa tante, puis s'était enfui en Angleterre avec un ami, Dylan, «mon frère de sang». Des hauts, des bas, des très bas. À treize ans, perdus dans Brighton, ignorants, ils en avaient bavé.

— Je ne connaissais rien. Heureusement, des anges gardiens veillaient sur nous. Dylan est maintenant électricien. Il a toujours veillé sur moi lui aussi. Puis, par le fruit du hasard, j'ai rencontré Madame Wilson, ma «grand-mère». Elle m'a sauvé la vie et je donnerais la mienne pour elle. Elle est la mère que je n'ai pas eue, et je veillerai sur elle jusqu'à sa mort. Voilà! Je chante, travaille dans un grand hôtel, j'ai de bons amis, j'aime follement la vie, j'adore faire des folies parfois, rien de répréhensible. Et j'oubliais… j'aime bien les filles.

— Merci de m'avoir fait confiance, je garderai cela pour moi.

— Je n'attends rien de moins de toi.

Il l'avait embrassée. Un doux baiser. Son cœur s'emballa.

Ils passèrent dix jours à Corfou. Certains avaient pris l'avion pour rentrer chez eux. Melisande, Mary et Monsieur Ross étaient restés. Madame Wilson logeait au *Palace*, un hôtel cinq étoiles au centre de Corfou. Vue sur la mer, paisible, elle en profita pour se baigner, se reposer, faire quelques visites guidées. Monsieur Ross n'était pas très loin, il l'accompagnait souvent.

Ray, Melisande et Mary visitaient la ville, mais parfois Mary refusait de les suivre. Trop fatigant! À l'occasion, ils prenaient un guide, visitaient le quartier de l'Esplanade avec ses ruelles pittoresques, le Musée archéologique et ses innombrables objets d'origines japonaise et chinoise, ou le Musée byzantin, dans la plus vieille église de Corfou, Antinouniotissa, où l'on trouve une collection impressionnante d'icônes, de fresques, de reliques.

Main dans la main, Ray et Melisande s'intéressaient à tout. Elle suppléait à son manque de connaissances historiques, mais parfois, il la surprenait. Il n'était pas un ignare. Délicat, drôle, il la faisait rire et il s'avéra qu'elle aimait rire autant que lui.

Un jour, elle le surprit en lui donnant un bisou sur la joue.

— Melisande, je pense t'aimer, mais toi, penses-tu m'aimer un peu?

— Un peu? Ouiiii, un gros peu! Mais je dois terminer mes études.

— Je comprends, mais on pourrait se voir quand même. Pas tous les jours... tous les deux... trois jours.

— Je pense que oui...

Il la serra dans ses bras et se mit à danser et à chanter *My Happiness.*

Le même soir, il se confia à sa Rose. Elle l'écouta sans l'interrompre.

— Je ne veux pas m'engager trop vite. Cette fois, je veux trouver une fille sérieuse, peut-être me marier, avoir une douzaine d'enfants.

— *Dear Lord!* Douze enfants?

— Peut-être pas douze... au moins deux. Un petit garçon nommé Dylan et une petite fille qui portera le nom de Candice.

Le cœur de Madame Wilson fit un bond puis, reprit sa cadence. Douce béatitude.

— Je ne veux pas me marier tout de suite, Melisande étudie. Psychologue! Vous y pensez. Peut-être qu'elle pourra faire de moi un homme sage.

— J'espère qu'elle ne te changera pas. Tu es unique et je t'aime.

— Moi aussi je vous aime.

— Tu aimes bien cette croisière?

— La croisière? Oui, tout est au-delà de ce que j'avais pu imaginer. Nous mangeons bien, ma cabine est luxueuse, mais je me sens comme… coincé, comme un petit chien en cage. Ce paquebot s'avère une ville de plaisirs. Toutefois, je pense que j'aime plus petit, plus simple, nos moments ensemble, vous comprenez. J'ai envie de me défouler, de faire des folies.

— Ray, pas ici, mais je comprends très bien.

— J'adore visiter les villes, les immeubles, regarder vivre les gens, c'est fascinant. Je ne regretterai jamais d'être venu et j'aimerais continuer à apprendre l'histoire… à me cultiver un peu. Être instruit.

— Monsieur Rutherford t'aime bien et tu es un bon élève.

83

Athènes

Le Pirée, un des plus grands ports du monde, grouillait de visiteurs. Ils accostèrent au port de Katharos. Athènes est considérée comme le berceau de la civilisation et de la démocratie. Ray avait des fourmis dans les jambes. Mais Madame Wilson se sentait fatiguée, elle visiterait Athènes à… la prochaine croisière.

— Vous n'êtes pas malade? Il y a un médecin à bord, je vais l'appeler.

— Non, non, ne t'inquiète pas, je ne suis que fatiguée. Tu visiteras avec tes amis. Je t'en prie.

Il ne se sentait pas rassuré, et en parla à Melisande:

— Nous nous absenterons pas longtemps.

En souriant, il ajouta:

— Nous visiterons au… prochain voyage.

— Je tiendrai compagnie à Madame Wilson pendant que tu feras tes pirouettes dans la piscine.

Chaque jour, il passait une heure à nager comme un poisson, à faire des pirouettes, à plonger au fond et à remonter en ne montrant d'abord que ses orteils.

Ray, Melisande et Mary prirent un guide et firent une visite de deux heures, puis Ray retourna sur le bateau où Madame Wilson sommeillait, dans une chaise longue.

Elle sentit sa présence.

— Que fais-tu ici? Où sont les autres?

— Ils visitent, prennent un verre.

— Tu n'as pas à t'inquiéter, je vais bien.

— Moi aussi, maintenant que je suis avec vous.

Elle ouvrit la bouche pour parler.

— Chut! Je suis un homme, je prends mes décisions et je décide d'être avec vous, ça me rassure. Ce n'est pas un sacrifice, ça me plaît d'être ici. Je peux rester sans parler.

— Très difficilement!

— Je n'ai pas entendu ça. Voulez-vous que je vous parle de chevelure verte… le rire est très bénéfique pour la santé.

Elle souriait.

— Veux-tu une bonne coupe de champagne pétillant?

— Ce ne serait pas de refus.

Melisande arriva. Elle en prit une aussi.

— Vous n'avez pas à me tenir compagnie.

— Ah oui! Je meurs d'envie de parler à cette dame dont Ray chante les louanges.

— Attention, belle dame, elle va vous «psychologer».

Elles pouffèrent de rire, Ray alla marcher et les dames firent plus ample connaissance. Melisande parla de ses études, de sa vie à Oxford, de ce qu'elle voulait faire plus tard. Sans être une beauté fatale, elle était jolie, simple, authentique. Madame Wilson l'aima. Le sentiment fut réciproque.

Le dernier soir sur l'*Achille Lauro*, jeunes et moins jeunes se retrouvèrent dans la grande salle de bal. Ray était avec ses amis, le bras droit entourant les épaules de Melisande. Ils faisaient leurs adieux avec promesse de se revoir. L'atmosphère était à la fête quand le chef d'orchestre demanda le silence.

— *Ladies and gentlemen,* nous avons la chance d'avoir une célébrité parmi nous. En cette dernière soirée, à la demande générale, nous aimerions qu'il nous fasse l'honneur de chanter pour nous. Accueillons, Monsieur Earl Red!

Ray faillit perdre connaissance. Il ne pouvait chanter devant ces gens. Ses amis se mirent à scander: «Earl Red! Earl Red! Earl Red!»

Il se revit dans la cuisine de son appartement, avec Dylan. Il pouvait presque l'entendre: «Vas-y, Ray! T'es capable.» Il monta sur la scène. On le tira derrière les rideaux, lui passa un veston noir et une cravate rouge, on lui mit une guitare en mains pendant que les tambours annonçaient frénétiquement son entrée. Il prit une profonde inspiration.

— Ladies and gentlemen, I'm not prepared and I don't know who played this trick on me, so please be kind!

Sur ce, avec aplomb, il se lança : «*Love, love me do…* » Heureux, il faisait ce qu'il aimait, chanter. Il y mit tout son cœur. Il chanta sept chansons, salua et quitta la scène sous un tonnerre d'applaudissements. Ses amis l'entourèrent, Melisande l'embrassa.

— Tu es super !

La soirée se termina aux petites heures du matin. Ray rayonnait.

En route vers la dernière escale ! Ils laissèrent le Pirée avant l'aube et longèrent l'ouest de la Grèce, se glissèrent entre les petites îles de la mer Égée. Paysages pittoresques ou virils. Après avoir vogué langoureusement, ils traversèrent les Dardanelles, puis entrèrent dans la mer de Marbara qui leur présenta, à ses confins, la ville d'Istanbul. Cité à faire rêver, située à cheval sur deux continents, l'Europe et l'Asie. Une trop brève visite, l'heure du départ avait sonné. Adieux ! Au revoir ! Une limousine emmena Madame Wilson et Ray à l'Aéroport international d'Istanbul.

Huit heures plus tard, ils pénétraient dans leur maison. Ray fit valser Madame Wilson, la tint dans ses bras, lui bécota le front, le nez. Elle riait.

— Arrête, mon grand fou !

Il se mit à danser.

— J'ai aimé la croisière, adoré visiter tous ces pays, mais je suis heureux d'être chez nous et j'ai hâte de revoir Dylan, Tania, Geoff, Chris, les enfants, mes amis. Merci, belle dame de mon cœur.

— Et ta mère ? Tu vas la revoir ?

— Molly ? Peut-être ! Je verrai ! Elle m'a tout raconté, je l'ai exigé. J'ai passé ma vie en revue… en sens inverse. Je sais qui je suis, je sais d'où je viens. Je me sens libéré, heureux.

— C'est bien ! Il est important de savoir d'où l'on vient pour savoir où l'on va.

— Et vous, chère madame Wilson, vous avez déjà mentionné que vous aimeriez que je sois votre fils. Si vous voulez toujours m'adopter, j'aimerais bien être votre fils.

— Ah ! Ray ! Mon cher Ray !

Le lendemain matin, le téléphone sonna tôt chez Madame Wilson. La bonne répondit et vint chercher Ray.

— Une personne vous demande et tout ce qu'elle dit est « Psss ». Je n'y comprends rien.

Il prit le récepteur.

— Bonjour !

— Bonjour, ici, la psyyyy !

Grand éclat de rire. Une immense joie inonda son cœur. Il savait qui il était et où il allait.

Table